Romy Herold

Die Lebkuchenprinzessin

Roman

blanvalet

Penguin Random House Verlagsgruppe FSC® N001967

1. Auflage

Redaktion: René Stein
Umschlaggestaltung: Johannes Wiebel | punchdesign, unter Verwendung von Motiven von stock.adobe.com (Maria Vonotna, borisb17, rh2010, Andrey Volokhatiuk, Britta und Ralph Hoppe, Thiemo Wenkemann, ArtCookStudio) und Shutterstock.com (REDPIXEL.PL, Guschenkova) und Richard Jenkins Photography
DK · Herstellung: sam
Satz: Buch-Werkstatt GmbH, Bad Aibling
Druck und Bindung: GGP Media GmbH, Pößneck
Printed in Germany
ISBN 978-3-7341-1087-0

www.blanvalet.de

Für Julius und Nadja
Vater und Tochter

»Ich muss nicht da sein,
um da zu sein.«

Teil 1

1864

1

Der Geschmack von Honiglebkuchen und der Geruch von Schnee – diese Mischung war für Elise Lusin seit Kindertagen der Inbegriff der Winterzeit. Auch am heutigen Januarnachmittag, an dem die Achtzehnjährige zum Wöhrder See gekommen war, um über die glitzernde Eisfläche zu gleiten, hatte sie zur Stärkung ein Stück Lebkuchen dabei.

Lächelnd zog sie das Gebäck hervor und betrachtete das Motiv, das darauf zu sehen war: Wilhelm Lusin hatte ihr natürlich einen Eisläufer-Lebkuchen mitgegeben; die Prägung entstammte einer Stanzform, einem sogenannten Model, das er eigens für seine eislaufbegeisterte Tochter geschnitzt hatte. Hungrig biss sie hinein und genoss den vertrauten Geschmack auf ihrer Zunge. Allerdings musste sie sich eingestehen, dass dieses Gebäck im Vergleich mit dem Biskuit, den sie gestern heimlich bei der Konditorei Beer in der Breiten Gasse gekauft hatte, etwas hart und zäh schmeckte. Der Biskuit war so herrlich luftig gewesen! Sie hoffte nur, dass sie niemand bei ihrem Kauf gesehen hatte, sie konnte sich die Reaktion ihres Vaters schon ausmalen. Wie die meisten Lebküchner war Wilhelm Lusin nicht gut auf die Zuckerbäcker, die ihnen schwere Konkurrenz machten, zu sprechen. Aus Erzählungen wusste sie, dass es um den richtigen Lebkuchenteig – und vor allem um die Frage, wer ihn backen durfte – in Nürnberg einst eine regelrechte Fehde zwischen den Lebküchnern und Zuckerbäckern gegeben hatte, den sogenannten Nürnberger Lebkuchenkrieg, in dem auch ihr Großvater für die Rechte der Lebküchner eingetreten war. Ihr Vater zählte sich zur Zunft der echten Lebküchner, die nach einer im 15. Jahrhundert erlassenen Zunftordnung Lebkuchen, Met, Kerzen und Wachsbilder herstellten. Und wie Wilhelm nicht müde wurde zu erzählen, hatte sein Vater als Lebzelter und Wachszieher noch ein gutes Leben gehabt. Denn bis vor einigen Jahren hatte es noch nicht so viel Naschwerk gegeben wie heutzutage, Lebkuchen waren die Süßigkeit des einfachen Volkes gewesen und die Lebküchner damit außer Konkurrenz. Der Kerzenverkauf tat ein Übriges. Licht brauchte schließlich jeder.

Doch dann hatte der Zucker seinen Siegeszug angetreten und den Honig immer mehr verdrängt. Und damit hatte der Untergang der klassischen Lebküchner begonnen, denen die Zuckerbäcker nun das Leben schwer machten.

Elise nahm noch einen Bissen von ihrem Lebkuchen und packte ihn dann entschlossen in ihre Tasche. Sie wollte sich den schönen Tag wirklich nicht mit trüben Gedanken verderben! Zu verlockend sah der zugefrorene See aus, obendrein hatte es zu schneien begonnen. Sie wollte jetzt endlich aufs Eis! Elise ließ sich auf einem Baumstumpf am Rande des Sees nieder und schnallte ihre Schlittschuhe an. Dann stapfte sie durch die Schneedecke die letzten Meter bis zum See – und stand endlich auf dem Eis. Wie herrlich es sich unter den Kufen anfühlte! Elise fuhr ein Stück weiter hinaus, schneller und immer schneller, legte den Kopf in den Nacken und genoss das Gefühl ihres dahingleitenden Körpers und der Schneeflocken auf ihrem Gesicht.

Als sie die Augen wieder öffnete, sah sie in der Nähe eine

junge, elegante Frau in ihrem Alter, die sich besonders grazil auf dem Eis bewegte. Elise erkannte sie sofort: Das war Helene von Tucher aus der berühmten Brauerei-Dynastie. Die Familie besaß hier in Nürnberg sogar ein Schloss. Die beiden jungen Frauen waren einander schon einige Male begegnet – oder besser: Elise hatte die andere dann und wann gesehen, bezweifelte aber, dass Helene sie bemerkt hatte, geschweige denn etwas von ihrer Existenz wusste. Insgeheim bewunderte sie die Tuchertochter, die immer so elegant aussah und obendrein mit ihrem blonden Haar und den strahlend grünen Augen eine Schönheit war.

In diesem Moment ertönte aus der Richtung, in der Helene glitt, ein bedrohliches Knacken, gefolgt von dem eigentümlich hallenden Klopfgeräusch, das ertönte, wenn Eis zu brechen drohte. Und dann ging alles ganz schnell: Helene von Tucher gab einen erschrockenen Schrei von sich, da brach sie auch schon ein. Sofort versank die junge Frau in dem entstandenen Eisloch. Die anderen Schlittschuhläufer standen nur wie erstarrt da, machten erschrockene Gesichter oder schrien herum.

»Warum hilft ihr denn keiner?«, rief Elise und fuhr, so schnell sie nur konnte, zum Eisloch. »Halten Sie meine Füße fest!«, rief sie einem tatenlos dastehenden Herrn zu, während sie sich flach auf das Eis legte.

Der Mann erwachte aus seiner Erstarrung und schnappte sich ihr linkes Bein, während ein zweiter hinzukam und sich ihr rechtes griff. Dann legten sich die beiden Männer ebenfalls aufs Eis und schoben Elise näher an das Loch heran, zögerten dann aber.

»Na, machen Sie schon! Weiter! Ich versuche, sie rauszuziehen«, schrie sie und holte einmal tief Luft, bevor die

Männer sie weiterschoben, sodass sie mit dem Oberkörper untertauchte. Das eisige Wasser stach wie tausend Nadeln, die Luft blieb ihr weg, doch zu ihrer unfassbaren Erleichterung war Helene nicht unter die Eisdecke abgetrieben. Sie bekam ein Stück Stoff zu fassen, dann eine Hand. Mein Gott, war das kalt! Doch sie durfte nicht aufgeben! Lang würde sie da unten nicht überleben! Wenn die Männer sie doch nur zurückziehen würden! Sie wackelte ein wenig mit den Beinen, um ihnen ein Signal zu geben. Zum Glück schienen die beiden zu verstehen und zogen sie mit aller Kraft nach hinten. Elise hielt die Hand der Tucher-Erbin fest umklammert und schnappte nach Luft. Wie durch einen Nebel nahm sie wahr, dass helfende Hände nach Helene griffen und sie ganz aus dem Loch zogen. Mit ihren schweren, eisigen Kleidern am Leib lag Elise keuchend auf der Eisfläche.

»Atmet sie?«, rief Elise in Richtung der Menschen, die sich um Helene kümmerten.

»Ja«, rief eine Frau zu ihrer Erleichterung. »Sie hat die Augen wieder geöffnet.«

Sie ließ sich aufhelfen, wobei sie zitterte und ihre Zähne wie noch nie zuvor in ihrem Leben klapperten. Die eiskalte Kleidung raubte ihr fast die Sinne. Und dann wurde es schwarz um sie.

***

Wie von fern drangen die besorgten Stimmen in Elises Bewusstsein. Sie spürte eine kühle Hand auf ihrer Stirn. Jemand wickelte feuchte Tücher um ihre Waden. »Wenn das Fieber nicht innerhalb der nächsten Stunde sinkt, müssen wir nach einem Arzt schicken«, hörte sie ihre Mutter sagen.

»Was soll der denn noch sagen oder tun?«, erklang nun

die verzweifelte Stimme ihres Vaters. »Er hat doch schon die verschiedensten Tinkturen und Säfte verordnet. Aber es hilft alles nichts.«

Die Stimme des Vaters wurde leiser, driftete immer weiter fort. Elise fühlte sich wieder, als drehe sie ihre verträumten Runden auf dem gefrorenen See. In diesem Moment begann es zu schneien, lauter kleine weiße Sterne fielen sanft vom Himmel, küssten ihr Gesicht und liefen an ihr herab. Aber die Flocken waren kalt, so eisig kalt. Die Kälte vertrieb den wunderbaren Zauber. Elises Körper zitterte und bebte. Und da war sie wieder, die besorgte Stimme ihrer Mutter, panisch nun.

»Sie hat Schüttelfrost. Wilhelm, du musst etwas tun!«

Elise spürte, dass ihr eine weitere Decke über die Beine gelegt wurde.

Dann wieder die Stimme ihres Vaters. »Ich habe eine Idee«, murmelte er. »Ich bin bald wieder zurück.«

»Wo willst du denn jetzt hin?«, rief Margarethe Lusin entsetzt.

»In die Backstube hinunter.«

»Aber du kannst doch jetzt nicht ans Backen denken!«, widersprach seine Frau.

»Es ist für Elise«, erwiderte er. »Vertrau mir. Ich mache, so schnell ich kann. Du musst dafür sorgen, dass das Fieber nicht weiter steigt.«

Draußen tanzten die Schneeflocken. Wilhelm, der den Schnee und die kalte Jahreszeit sonst so liebte – schließlich waren das die Monate, in denen sich seine Lebkuchen am besten verkauften –, verzog das Gesicht, als er auf dem Weg in seine Backstube durch das Fenster auf dem Treppenabsatz nach draußen sah. Er wusste, dass der so schön und so märchenhaft aussehende Schnee mit eisiger Kälte einherging.

Einer Kälte, die seiner kleinen Elise derart schwer zugesetzt hatte, dass sie sich jetzt in einem beängstigenden Zustand befand. Seine tapfere Lebensretterin, die ohne Zögern, unter Einsatz des eigenen Lebens, die Tucher-Erbin gerettet hatte.

Besorgte Zeugen hatten die völlig ausgekühlte Elise, in Decken gehüllt, nach Hause gebracht und atemlos Bericht erstattet. Margarethe hatte sie sofort ins Bett gepackt, mitsamt Wärmflaschen und bergeweise Decken. Doch Elise war einfach nicht wieder warm geworden.

Am nächsten Morgen hatte sie über schreckliche Halsschmerzen geklagt, am Abend keinen Appetit gehabt und in der Nacht hohes Fieber bekommen, das seit drei Tagen nicht mehr sinken wollte. Die Ärzte waren ratlos und Wilhelm noch nie in seinem Leben so verzweifelt gewesen. Was er nun versuchen wollte, war ein letzter Strohhalm, nach dem er verzweifelt griff. Einen ganz speziellen Lebkuchen wollte er ihr backen. Einen, der nicht dem Genuss, sondern der Gesundheit diente. Mit ganz wenig Mehl und mit besonders vielen Gewürzen. Schließlich war die heilende Wirkung dieses Gebäcks von alters her bekannt. Schon in den Klöstern, in denen sie einst hergestellt wurden, hatte man die Lebkuchen zu medizinischen Zwecken eingesetzt, wusste man doch um die schmerzstillende Wirkung der Nelke und dass Zimt Appetit und Kreislauf anregte.

Inzwischen hatte Wilhelm den hinteren Teil des Erdgeschosses erreicht, in dem sich die Backstube befand. Zunächst feuerte er den Ofen an, dann ging er in die Gewürzkammer und holte eilig Nelken, Zimt, Muskat, Kardamom und Piment aus den dafür vorgesehenen Gefäßen. Sogleich erfüllte ein herrlicher Duft den Raum, doch dafür hatte Wilhelm nun nichts übrig. Hastig machte er sich daran, die Gewürze in der dafür vorgesehenen Schüssel zusammenzustellen. Dann ging er nach nebenan in seine Backstube.

Dort wog er zunächst den Zucker ab, fügte die Eier und etwas Vanille hinzu und begann die Masse so lange schaumig aufzuschlagen, bis sich der Zucker vollständig aufgelöst hatte. Vorsichtig hob er anschließend die gemahlenen Mandeln, etwas Orangeat und Zitronat unter sowie die Gewürzmischung, die er noch mit Zitronen- und Orangenschale verfeinert hatte. Da er dem Teig keinen Tag Ruhe an einem kühlen Ort gönnen konnte, gab er zum Schluss noch etwas Backtriebmittel bei.

Ungeduldig und mit den Gedanken bei Elise, begann Wilhelm aus dem Teig kleine Kugeln zu formen, die er anschließend flachdrückte und jeweils mittig auf eine Oblate setzte. Ohne dem Gebäck die übliche Ruhezeit zu geben, schob er es in den vorgeheizten Ofen und wartete dann unruhig, bis der vertraute Duft durch die Backstube zog.

Wie immer benötigte Wilhelm Lusin auch dieses Mal keine Uhr, um zu wissen, wann die Lebkuchen fertig waren. Er erkannte es an dem Geruch. Sobald er eine bestimmte Note angenommen hatte und durch die Backstube zog, waren die Lebkuchen so weit. In diesem Moment begannen sie sich an der Unterseite leicht braun zu verfärben und mussten sofort aus dem Ofen.

Mit einem Heber holte er die duftenden braunen Kuchen vom Blech, legte sie in den Korb, den er bereitgestellt hatte, löschte das Feuer im Ofen und eilte durch das Treppenhaus wieder hinauf ins Obergeschoss, wo sich die Wohnung der Lusins befand.

***

Die klirrende Kälte wollte nicht enden. Um sie herum war alles weiß und Elise ging mutterseelenallein durch eine weite Schneelandschaft. Da war niemand, der ihr in dieser ihrer eisigen Einsamkeit helfen konnte. Niemand, der sie schützte. Niemand, der sie wärmte. »Mama!«, rief sie verzweifelt. »Papa!«

»Wir sind hier, Liebes!«, hörte sie eine vertraute Stimme an ihrem Ohr. »Wir sind bei dir und wir haben etwas, das dich gesund machen wird.«

Der herrliche Duft von Gewürzen kroch in ihr Bewusstsein. »Zimt«, murmelte sie. »Nelken. Und Muskat.«

»Ihr Geruchssinn ist noch da«, hörte sie die Stimme ihrer Mutter. »Das ist ein gutes Zeichen.«

»Ja«, freute sich Wilhelm. »Ja, das ist es.«

Im nächsten Moment spürte Elise etwas Warmes an ihren Lippen.

»Versuch, etwas zu essen, mein Kind«, riet ihr Vater mit liebevoller Stimme. »Das wird dir guttun.«

»Und wenn sie sich verschluckt?«, fragte ihre Mutter besorgt, doch der Vater presste ihr nur weiter das Gebäck gegen die verschlossenen Lippen. »Das wird nicht passieren«, sagte er. »Ich weiß, dass es ihr hilft, gesund zu werden.«

Sie öffnete den Mund, und warmer, weicher Lebkuchen schob sich auf ihre Zunge.

Himmlisch! Die Wärme des ofenfrischen Gebäcks schien Elises ganzen Körper zu durchströmen und die eisigen Kristalle fortzuschmelzen. Und im Gegensatz zu den anderen Lebkuchen war er diesmal auch gar nicht hart und zäh! Die Gewürze belebten ihren Gaumen, sie kaute, schluckte und öffnete den Mund, in den ihr Vater ihr sogleich einen weiteren Bissen schob. Sie genoss das Gefühl, wie sie sich langsam, buchstäblich Stückchen für Stückchen, immer besser fühlte.

»Siehst du«, sagte Wilhelm Lusin zufrieden, »ich habe es ja gewusst. Meine Lebkuchen machen sie wieder gesund.«

Elise öffnete die Augen und lächelte. »Gut«, sagte sie. »Mehr.«

»Liebes!«, rief Margarethe und brach in Tränen der Erleichterung aus. »Ich bin so froh, dass es dir wieder besser geht.«

Elise lächelte ihre Eltern glücklich an. »Das sind die köstlichsten Lebkuchen, die du je gemacht hast«, wisperte sie schwach.

Ihr Vater drückte gerührt ihre Hand. »Dann backen wir die jetzt immer«, entschied er. »Und wir benennen sie nach dir. Elisenlebkuchen.«

2

Agathe sah aus dem Fenster in das dichte Schneetreiben hinaus auf den Mann, der da gerade in gebückter Haltung aus dem Wald kam und auf ihr Haus zustapfte, das auf einer kleinen Lichtung stand.

Die Sorgen drücken ihn regelrecht nieder, dachte die junge Frau: Je mehr die Sorgen wuchsen, desto kleiner wurde ihr Vater. Und Sorgen hatte er die ganzen letzten Monate gehabt. Schuld war der zurückliegende Sommer, der eigentlich keiner gewesen war, viel zu kalt und nass hatten sich die meisten Tage im Juni und Juli gezeigt. Schon früher im Jahr hatte ihr Vater um seine Bienenvölker gebangt, aber mit jedem Schlechtwettertag war die Lage schwieriger geworden.

Agathe, die gerade im Begriff gewesen war, den Abwasch für die sechsköpfige Familie zu erledigen, die aus ihr selbst, ihren Eltern und ihren drei jüngeren Geschwistern bestand, legte das Geschirrtuch beiseite und ging in den Flur, um dem Vater die Haustür zu öffnen. Ein Schwall kalter Winterluft wehte mit einigen Schneeflocken herein. Ihre hellbraunen Locken lösten sich und fielen ihr ins Gesicht. Die Sechzehnjährige schloss für einen Moment die Augen. Sie liebte diese klare, frische Luft, und für einen Augenblick vergaß sie sogar die Sorgen, die sie sich angesichts der finsteren Miene ihres Vaters machte.

Josef Welser trat sich mit einem kräftigen Stampfen auf der Fußmatte, die vor der Tür bereitlag, den Schnee von den

Stiefeln und schob sich dann an seiner Tochter vorbei ins Haus. Agathe sah ihn irritiert an. Er hatte ihr keinen Blick gegönnt – und das, obwohl er ihr sonst stets ein Lächeln oder ein liebes Wort schenkte, wie vertrackt die Lage auch immer sein mochte.

Sie folgte ihm in die Küche, wo ihre Mutter Ilse mit ihren jüngeren Geschwistern am Tisch saß, Kleider ausbesserte und gleichzeitig versuchte, den Kindern je nach Alter Unterricht zu geben. Agathe als Älteste war die Einzige, die in die Schule gehen durfte, und sie war ihren Eltern unendlich dankbar, dass sie ihr diese Möglichkeit gaben. Für einen Schulbesuch der Jüngeren reichte das Geld nicht, und Ilse Welser tat ihr Bestes, den Kleineren Wissen zu vermitteln. Auch Agathe teilte gern bereitwillig, was sie in der Präparandenanstalt lernte, einer speziellen Schule zur Vorbereitung auf das Lehrerinnenseminar, die etwa einen halbstündigen Marsch durch den Wald entfernt lag. Ohnehin plagte sie wegen ihrer Bevorzugung das schlechte Gewissen. Andererseits, sagte sie sich, hatte sie als Älteste auch viel mehr Pflichten als die Kleinen. Schließlich unterstützte sie ihre Mutter fleißig im Haushalt, kümmerte sich um Geschirr und Wäsche und putzte das Haus.

Der Vater hatte seine beiden Söhne, den fünfjährigen Karl und den siebenjährigen Hannes, auf den Schoß genommen und flüsterte seiner neben ihm sitzenden Frau etwas zu. Ilse wurde blass und warf Agathe, die sich wieder um den Abwasch kümmerte, einen erschrockenen Blick zu, den diese sehr wohl bemerkte. Ihr wurde immer mulmiger zumute. Was in aller Welt war denn nur geschehen?

»Barbara«, hörte sie die Mutter zu ihrer Zweitältesten sagen. »Bitte geh mit deinen Brüdern hinauf in die Kinderstube und spiel ein wenig mit ihnen.«

»Aber«, setzte die Zwölfjährige missmutig an, doch der Vater fiel ihr ungewohnt scharf ins Wort: »Keine Widerworte!«

Das Mädchen zog den Kopf ein und stand auf.

»Kommt!«, sagte sie, offenbar den Tränen nah, zu ihren Brüdern. Agathes jüngere Schwester war sensibel und derart harsche Worte nicht gewohnt. Die Welsers besaßen zwar nicht viel, aber es reichte zum Leben, und sie waren glücklich miteinander. In der Familie wurde viel gelacht, die Eltern liebten die Kinder von ganzem Herzen, und sie genossen das Zusammensein. Die harten Worte des Vaters hatten offenbar auch Agathes Brüder eingeschüchtert, nun kletterten sie still von seinem Schoß, um der großen Schwester nach oben zu folgen. Dort befanden sich das Schlafzimmer der Eltern, die Kinderstube der Buben und die Kammer, die sich die beiden Schwestern teilten. Sie war winzig, es gab gerade genug Platz für zwei Betten und einen Schrank, aber Agathe liebte ihr kleines Reich, von wo aus sich ein herrlicher Blick in den Feuchter Wald bot.

Als die Tür sich hinter den Geschwistern geschlossen hatte, blickte ihr Vater endlich auf und direkt in ihr Gesicht. In seinen Augen lag so viel Kummer, dass es Agathe in den Magen fuhr.

»Kind«, sagte er ungewohnt leise, »bitte setz dich!«

Stumm legte die Erstgeborene ihr Geschirrtuch beiseite, zog den schlichten Holzstuhl zurück, der ihren Eltern gegenüberstand, und nahm an dem runden, alten, aber stets blitzsauberen Küchentisch Platz.

Ihr Vater räusperte sich und nestelte an dem rot-weiß karierten Deckchen, das in der Mitte des Tisches lag.

»Es ist so«, setzte er an, unterbrach sich dann aber wieder und starrte auf seine Hände.

Liebevoll legte Ilse ihm die ihre auf den Unterarm. »Lass mich das machen!«

Dankbar sah Josef Welser seine Frau an, und obwohl Agathes Angst immer mehr wuchs, so dachte sie in diesem Moment einmal mehr, wie froh sie doch darüber war, dass ihre Eltern so glücklich miteinander waren. Und dass sie hoffte, eines Tages eine ebenso glückliche Ehe führen zu dürfen. Agathe hatte gar keine hochtrabenden Erwartungen. Es musste kein Prinz auf einem weißen Ross sein. Ein einfacher Arbeiter, den sie liebte und dem sie vertrauen konnte. Ein rechtschaffener Mann, so wie Josef Welser einer war. Der Vater, der nun nicht imstande war, sie anzublicken, während ihre Mutter behutsam sagte: »Mein liebes Mädchen, wie du weißt, hatten wir in letzter Zeit schwer zu kämpfen.«

Agathe nickte und sah ihre Mutter fragend an.

»Solange wir denken können, haben wir noch nie so wenig Honig geerntet wie im zurückliegenden Jahr. Das bedeutet, dass all unsere Ersparnisse aufgebraucht sind. Und da der Winter sehr kalt ist, müssen wir den Bienen noch mehr Honig zufüttern als sonst. Es ist wie verhext. Und deshalb«, Ilse Welser schluckte, »deshalb bleibt uns keine andere Wahl, als dich aus der Schule zu nehmen.«

Nun hob ihr Vater den Blick, um ihr in die Augen zu sehen.

»Glaub mir, mein Kind, es tut mir unendlich weh, aber es geht nicht anders.«

Keine Schule mehr! Es traf sie wie ein Schlag. Alles in Agathe schrie danach, ihr Gesicht in den Händen zu vergraben und in Tränen auszubrechen. Oder fortzurennen. Ganz weit fort – weg von allen Problemen und weg von der Tatsache, dass der Schulbesuch ihr fortan verwehrt bliebe. Doch dort, ihr gegenüber, saß ihr Vater und sie wusste, dass der

Umstand, dass er ihr ihren großen Traum nehmen musste, für ihn mindestens genauso schlimm war wie für sie selbst.

Reiß dich zusammen, befahl sie sich. Deine Eltern tun alles, um dir und deinen Geschwistern eine glückliche Kindheit zu schenken. Sogar den Besuch der Präparandenschule haben sie dir ermöglicht, obwohl das für ein Mädchen alles andere als üblich ist. Sie haben alles für dich gegeben. Du wirst es ihnen jetzt nicht noch schwerer machen.

Doch die Wut und die Enttäuschung waren einfach stärker. Sie kam nicht dagegen an. Ihre ganze Welt brach gerade zusammen, all ihre Zukunftsträume waren auf einmal nichts als ein Scherbenhaufen.

Sie schluchzte heftig auf, machte auf dem Absatz kehrt und rannte hinaus in den tiefen Wald, der ihre Heimat war. Und in dem sie immer Trost gefunden hatte.

***

»Die Erfindung der Elisenlebkuchen hat, wie es scheint, nicht nur dich, sondern auch unser Unternehmen gerettet«, sagte Wilhelm Lusin zu seiner Tochter. »Ab jetzt bist du offiziell meine kleine Lebkuchenprinzessin.«

Ihr Vater hatte ihr haarklein berichtet, wie er es damals angestellt hatte.

Die inzwischen wieder vollständig Genesene lächelte.

»Dann war es ja doch zu etwas gut, dass ich krank geworden bin«, sagte sie, wurde jedoch sofort wieder ernst. »Ich bin sehr erleichtert. Und vor allem bin ich froh, dass Helene von Tucher ebenfalls wieder auf dem Weg der Besserung ist. Ich kann es kaum glauben, dass sie all das unbeschadet überstanden hat, sie war ja länger als ich in dem eisigen Wasser.«

»Ich bin auch sehr froh«, versicherte er. »Ich habe ihr als kleine Aufmunterung einen Korb mit den Lebkuchen schicken lassen, die auch dich gesund gemacht haben. Offenbar haben sie auch bei ihr gewirkt.« Er lächelte. »Die von Tuchers haben geschrieben. Sie verehren dich fast schon, und wenn Helene wieder ganz genesen ist, sollst du sie besuchen.«

Elise sah ihn erschrocken an. »Ich weiß doch gar nicht, wie ich mich in einem solch feinen Haushalt benehmen soll.«

»Das schaffst du schon«, sagte ihr Vater ermutigend. »Und in der Zwischenzeit backe ich Lebkuchen. Wenn ich auch gar nicht weiß, wo mir der Kopf steht vor lauter Arbeit. Hilf du deiner Mutter und Frau Gietz heute im Geschäft aus! Wenn der Ansturm so groß ist wie in den letzten Tagen, werden sie das niemals alleine bewerkstelligen können, ohne dass die Schlange bis zum Rathausplatz hinunter geht.«

»Wir schaffen das schon«, versicherte sie.

Der Vater lächelte. »Natürlich. Wenn du deine Mutter und Frau Gietz unterstützt, mache ich mir um das Geschäft keine Sorgen. Und für die Backstube werde ich mir zwei Gesellen holen. Denn der Erfolg scheint anzudauern.«

Elise nickte. Wie sehr sie sich für ihren Vater freute! Schließlich hatte Lebkuchen Lusin harte Jahre hinter sich. Besser gesagt: Eigentlich kannte Elise nur schwierige Zeiten. Seit sie denken konnte, hatte ihr Vater darüber geklagt, dass die Umsätze zurückgingen. Die Leute, erklärte er, wollten einfach keine Lebkuchen mehr essen. Elise hatte das nie verstehen können, denn für sie war das süße Gebäck das Beste, was man sich überhaupt vorstellen konnte. Es schmeckte nicht nur himmlisch, sondern rief in ihr auch stets das Gefühl der Heimeligkeit und der Geborgenheit hervor. Der Duft der Gewürze, der stets durchs Haus zog, wenn ihr Vater in seiner Backstube werkelte, war für sie, in Kombination mit dem Geruch von Bienenwachs, der Inbegriff von Liebe, Wärme und Zuhause. Seit sie allerdings heimlich den Biskuit gekostet hatte, konnte sie die neuen Vorlieben der Leute besser verstehen. Umso schöner, dass sich im Angebot ihres Vaters noch ein herrlich weicher Lebkuchen befand, der den Geschmack der Kundschaft offenbar genau zu treffen schien.

»Warum ist das eigentlich so, dass die Leute weniger Lebkuchen essen als früher? Also, ich weiß, dass es an den Zuckerbäckern liegt, aber wo kamen die plötzlich her?«, fragte sie nun und nahm sich noch eine Scheibe Brot, die die Mutter in einem Korb bereitgestellt hatte.

Wilhelm Lusin seufzte. »Eigentlich ist Napoleon daran schuld«, sagte er.

»Der französische Kaiser?«, fragte sie überrascht.

Sie blickte zu ihrer Mutter, die dem Gespräch bis dahin schweigend beigewohnt hatte; es war offensichtlich, dass Margarethe Lusin die Geschichte mit dem kleinen Franzosen bereits kannte.

»Im allerweitesten Sinn«, schränkte ihr Vater nun ein. »Während der Napoleonischen Kriege Anfang des Jahrhunderts wurden die französischen Handelswege blockiert. Das hatte zur Folge, dass es in Europa kaum noch Zuckerrohr gab. Napoleon hat es nicht gereicht, hier alles zu zerstören und die Menschen ins Elend zu stürzen, nein, er musste neben wer weiß wie vielen weiteren Unsäglichkeiten auch noch großflächig Zuckerrüben pflanzen lassen. Er sorgte dafür, dass in Frankreich, Österreich, Russland und Dänemark, aber auch hier bei uns mehr als vierzig Zuckerfabriken gebaut wurden.«

»Und deshalb gab es mehr Zucker?«, kombinierte Elise.

»Vor allem mehr *billigen* Zucker«, schnaubte ihr Vater. »Als die Kriege zu Ende waren, kam dann auch wieder Rohrzucker in die Regale. Aber der war natürlich viel teurer. Und bevor es billigen Zucker gab, waren die Honiglebkuchen eigentlich die einzige Süßigkeit, die sich die einfacheren Leute leisten konnten. Wir Lebzelter hatten damit sozusagen ein Monopol auf die Herstellung von Süßwaren. Und auf die Herstellung von Kerzen natürlich auch.«

»Und als der Zucker billig wurde, bekamen die Lebzelter Konkurrenz«, stellte Elise fest.

»Ganz genau«, brummelte ihr Vater. »Und es wurde immer schlimmer. Nun eröffneten viele Konditoreien und Zuckerbäckereien, die Konfekt, Gefrorenes und Kuchen anboten. Der Geschmack der Leute veränderte sich.«

»Wie schön, dass der neue Elisenlebkuchen dem Geschmack der Leute offenbar entspricht«, sagte Elise.

»Ja«, sagte Wilhelm. »Ich habe auch Backtriebmittel verwendet, wodurch sie viel weicher werden.«

Nachdenklich sah Elise ihren Vater an. »Warum versuchst du dann nicht, mehr Lebkuchen wie die Elisenlebkuchen zu backen? Nach der neuen Methode? Sie sind nämlich sehr lecker.«

»Ach«, sagte Wilhelm Lusin und klang mit einem Mal unheimlich traurig, »ich habe einfach das Gefühl, dass diese neuen Lebkuchen nicht mehr das sind, was sie einmal waren. Und außerdem verkaufen sich unsere Elisenlebkuchen so gut, dass ich ohnehin für neue Erfindungen keine Zeit mehr habe.«

»Fragt sich nur, ob es am Geschmack liegt oder weil ganz Nürnberg weiß, dass unsere Tochter durch diesen Lebkuchen wieder gesund geworden ist, und nun mit dem Kauf der Elisen etwas für seine Gesundheit tun will«, meinte Margarethe Lusin.

»Vermutlich beides«, erwiderte Wilhelm und lächelte seine Frau liebevoll an. »Und obendrein noch die Tatsache, dass Elise die Tucherin gerettet und auch die für ihre Genesung meine Lebkuchen gegessen hat.«

3

So traurig Agathe auch darüber war, dass sie künftig die Schule nicht mehr besuchen konnte, so genoss sie doch die winterliche Fahrt mit dem Vater ins rund drei Stunden südwestlich gelegene Nürnberg sehr. Nachdem sie stundenlang durch den verschneiten Wald gelaufen war, hatte sie sich immer noch nicht wirklich beruhigt. Die Enttäuschung saß zu tief. Doch sie wusste, dass sie nichts an der Lage ändern, geschweige denn ihren Eltern Vorwürfe machen konnte. Deshalb hatte sie gern eingewilligt, als sie am Abend von ihrem Vater eingeladen worden war, ihn am nächsten Morgen nach Nürnberg zu begleiten. Da die Strecke vornehmlich durch dichtes Waldgebiet führte und es sich um einen ausgesprochen schneereichen Winter handelte, hatte Josef Welser statt der Kutsche den alten Schlitten angespannt. So saß sie nun, in dicke Decken gewickelt, neben ihm auf dem Kutschbock und fuhr durch einen weißen Märchenwald.

»Wie schön die Natur doch ist«, seufzte sie. »Wie reich sie einen beschenkt. Und diese Fahrt mit dir ist auch ein Geschenk. Danke, dass du mich mitnimmst.«

Er nickte. »Schon gut. Macht mir ja Freude.«

»So wirkst du aber nicht«, bemerkte Agathe, als sie eine Weile lang schweigend durch den Wald gefahren waren. »Du bist so furchtbar bedrückt.«

»Ja«, gestand Josef leise. »Ja, das bin ich.«

»Du sorgst dich, ob wir es schaffen werden?«

»Das werden wir, mein Kind«, sagte er. »So wahr ich dein Vater bin. Nein, zum einen gräme ich mich sehr, dass wir dir den Schulbesuch nicht länger ermöglichen können. Und gerade im Moment sorge ich mich, weil ich Angst habe, meinem alten Kunden Wilhelm Lusin zu gestehen, dass ich ihm viel weniger Honig liefern kann, als er bestellt hat.«

»Glaubst du, er wird sehr böse sein?«, fragte Agathe besorgt.

»Böse sicher nicht«, sagte ihr Vater. »Herr Lusin ist ein guter Mann, ich glaube, der kann gar niemandem böse sein. Aber ich will ihn nicht in Schwierigkeiten bringen. Er rechnet doch mit dem Honig. Andererseits …«

Josef sprach seinen Satz nicht zu Ende, sondern sah angestrengt nach draußen.

»Andererseits?«, fragte sie nach.

»Nun, als ich ihn kurz vor Weihnachten besucht habe, war er sehr besorgt. Er ist ein Lebküchner der alten Tradition, das heißt, er backt die Teige noch nach altem Rezept, mit Modeln und allem, was dazugehört. Aber die Leute mögen diese Art von Lebkuchen nicht mehr so, und letztes Mal sagte er mir schon, es sei möglich, dass er nicht die übliche Menge Honig abnehmen kann. Darauf hoffe ich nun, auch wenn ich Herrn Lusin natürlich keine Flaute wünsche.«

»Oje«, fasste Agathe zusammen, und mehr gab es eigentlich auch nicht zu sagen.

Der Rest der Fahrt verlief in einträchtigem Schweigen, Vater und Tochter Welser hingen ihren Gedanken nach. Schließlich erreichten sie Nürnberg und fuhren durch das Königs-Tor in die Stadt ein, durchquerten die Innenstadt und steuerten schließlich die Fleischbrücke an, die über die Pegnitz führte. Als der Schlitten das steinerne Tor an der

Brücke passierte, deutete Agathe hinauf. »Wieso haben sie denn ausgerechnet einen steinernen Ochsen als Zierde gewählt?«, fragte sie ihren Vater. Sie teilte mit ihm ihre Leidenschaft für Geschichte, besser gesagt: Josef hatte sie erst in ihr erweckt. Seit sie denken konnte, war ihr Vater mit ihr durch den Wald spaziert und hatte ihr vom Leben und der Arbeit ihrer Vorfahren berichtet oder ihr abends vor dem Kamin vorgelesen – nicht etwa Märchen, sondern wahre Geschichten aus der Vergangenheit. Kein Wunder, dass er nun auch hinsichtlich des Ochsens an der Fleischbrücke Bescheid wusste.

»Früher wurden Ochsen aus Ungarn über eine Strecke von nahezu tausend Kilometern ins Zentrum Nürnbergs getrieben«, begann der Vater zu erzählen. »Hier stand damals das Fleischhaus, in dem die Metzger ihre Ware verkauften.« Er deutete auf das Gebäude direkt hinter der Brücke. »Die Tiere mussten über die Brücke marschieren und dann ins Schlachthaus, das als Holzkonstruktion direkt vor dem Fleischhaus in der Pegnitz stand. Die Schlachtabfälle schmissen die Metzger einfach in den Fluss.«

»Einfach so?« Agathe konnte es sich nur schwerlich vorstellen. »Und um daran zu erinnern, haben sie das Portal mit dem Ochsen gebaut?«

»Ich denke, das sollte eher für das Fleischhaus werben, in dem die Waren angeboten werden.«

Nun kam die Kaiserburg ins Blickfeld. Agathe dachte wieder einmal, wie mächtig und prachtvoll diese doch aussah. Sie empfand deren Anblick immer irgendwie als tröstlich, schließlich stand das prunkvolle Gebäude unerschütterlich seit Jahrhunderten an Ort und Stelle, egal, was für Dramen sich zu seinen Füßen abspielten.

»Ich parke den Schlitten hier unten«, verkündete Josef, als sie den Hauptmarkt erreicht hatten. »Die Bergstraße traue ich mich nicht hinauf.«

Agathe nickte, stieg vom Kutschbock und half ihrem Vater, das Pferd an einem der dafür vorgesehenen Ringe anzubinden.

»Ich helfe dir, den Honig hinaufzubringen«, bot Agathe an, doch ihr Vater winkte ab. »Nicht nötig, ist ja leider nicht viel«, sagte er, als er den Eimer mit der goldgelben Masse von der Ladefläche holte. »Und außerdem hole ich mir den Ärger mit Wilhelm Lusin lieber allein ab.«

Besorgt sah sie ihn an. »Du sagtest doch, dass du nicht glaubst, dass es Ärger gibt.«

»Glaube ich auch nicht«, versicherte er. »Das war nur der jämmerliche Versuch, einen Scherz zu machen. Sieh du dir nur ein wenig die Stadt an, Liebes. Wir treffen uns dann im Anschluss im Bratwurstglöcklein.«

»Können wir uns das denn leisten?«, fragte sie bang, auch wenn ihr beim Gedanken an eine Nürnberger Bratwurst das Wasser im Mund zusammenlief.

»So weit wird es noch kommen, dass ich meiner Tochter nichts mehr zu essen kaufen kann«, brummte Josef. »Natürlich gehen wir eine Bratwurst essen.«

***

Wohin jetzt? Nachdem ihr Vater mit seinen Honigeimern verschwunden war, sah Agathe sich suchend um. Da fiel ihr Blick auf die Türme der Kirche St. Sebald, und kurz entschlossen lenkte sie ihre Schritte dorthin. Es konnte sicher nicht schaden, in dem Gotteshaus, das immerhin dem Schutzpatron der Stadt geweiht war, für das Wohl ihrer Familie zu beten.

Sie hatte die Kirche gerade durch das Nordportal betreten, als sie mit einer dunkelhaarigen Frau zusammenstieß.

»Hoppla«, sagte die schöne, elegant gekleidete Schwarzhaarige und trat einen Schritt zurück, um dann überrascht auszurufen: »Agathe, wie schön, dich zu sehen, liefert dein Vater gerade Honig bei uns ab? Meine Tochter Elise«, sie deutete auf die junge Frau an ihrer Seite, bei der es sich um ein jüngeres Abbild ihrer selbst handelte, »war schon ganz traurig, dass sie dich nicht kennengelernt hat, da dein Vater dich nun schon mitgebracht hat.«

»Das war ich in der Tat«, ergriff Elise das Wort. »Umso mehr freue ich mich, dass wir uns nun kennenlernen. Wir dürften im gleichen Alter sein.«

Agathe nickte und war von einer seltsamen Scheu ergriffen. Sie fragte sich, woher diese rührte. Ob es die schiere Schönheit der beiden Frauen war, die sie so verunsicherte? Oder deren Ähnlichkeit? Beide waren ungemein zierlich, hatten ein madonnenhaftes Gesicht und strahlend blaue Augen unter vollem pechschwarzem Haar.

»Ich glaube, ich bin ein klein wenig jünger«, sagte Agathe leise. »Ich bin sechzehn.«

»Dann bin ich in der Tat etwas älter, zwei Jahre, um genau zu sein«, erklärte Elise. »Hast du Lust, mit uns zu kommen und noch eine Tasse Tee bei uns zu trinken? Du musst ja entsetzlich durchgefroren sein.« Freundlich lächelte sie ihr zu. »Dann kannst du auch einen meiner berühmten Elisenlebkuchen probieren. Nach denen ist die ganze Stadt verrückt.«

Erschrocken sah Agathe auf. »Dann laufen die Geschäfte also gut?«

»Ja«, mischte sich Margarethe Lusin wieder ins Gespräch.

»Meine Tochter hat eine Frau, die im Eis eingebrochen ist, aus dem See gezogen, und ist danach schwer an Fieber erkrankt. Darauf versuchte mein Mann ihre Lebensgeister mit einem ganz besonderen Lebkuchen zu wecken. Sie wurde wieder gesund, und seitdem will jeder dieses Gebäck kaufen.« Sie lächelte die junge Frau an. »Nur, uns gehen langsam die Zutaten aus. Dein Vater mit seinem Honig kommt wie gerufen.«

»Oh«, sagte Agathe, die gar nicht wusste, was sie sagen sollte. Zum einen stieg ihre ohnehin schon so große Bewunderung für diese junge Frau durch das Gesagte ins Unermessliche. Zum anderen sorgte sie sich nun noch mehr, wie Wilhelm Lusin auf die Hiobsbotschaft ihres Vaters reagieren würde. Wo er doch derart darauf angewiesen war.

»Du wirkst so bedrückt?«, stellte Elise fest, die für die Befindlichkeiten anderer Menschen ein ziemlich gutes Gespür haben musste.

»Ach«, sagte Agathe und winkte ab. »Es ist nichts.« Sie konnte der sympathischen Frau Lusin und ihrer entzückenden Tochter ja kaum sagen, dass ihr Vater Wilhelm Lusin gerade eine denkbar schlechte Nachricht überbrachte.

Mitfühlend sah Elise sie an. »Willst du unsere Einladung annehmen und noch mit zu uns kommen?«

»Ich treffe meinen Vater gleich im Bratwurstglöcklein«, bedauerte Agathe.

»Dann lasst uns doch spazieren gehen – in Richtung Bratwurstglöcklein«, schlug Elise vor.

»Es spricht nichts dagegen«, antwortete Margarethe Lusin, »dann dauert unser Sonntagsspaziergang heute eben ein bisschen länger. Dein Vater wird ohnehin in der Backstube sein und sofort seine neuen Zutaten verarbeiten. Aber im Bratwurstglöcklein essen können wir nicht, Wilhelm erwartet ja ebenfalls ein warmes Essen.« Auch sie schenkte der verlegenen Zeidlertochter ein freundliches Lächeln.

Agathe schluckte erneut und kam sich schäbig vor, weil sie den beiden nicht die Wahrheit sagte. Andererseits wollte sie sich auch nicht in die geschäftlichen Angelegenheiten ihres Vaters einmischen.

»Ich freue mich sehr, wenn Sie mich begleiten«, sagte sie daher und folgte Mutter und Tochter nach draußen.

Als sie an der Nordwand von St. Sebald entlangschritten, steuerten die drei auf ein weiteres Portal zu. Margarethe blieb einen Moment stehen und lächelte.

»Meine Mutter wird immer furchtbar romantisch, wenn sie dieses Portal sieht«, erklärte Elise flüsternd.

»Warum denn das?«, fragte Agathe und musterte das reich geschmückte Portal.

»Meine Eltern haben in dieser Kirche geheiratet«, sagte Elise. »Und das hier ist das Brautportal.«

»Ich höre sehr wohl, was ihr da miteinander flüstert«, sagte Margarethe und wandte sich lächelnd zu den beiden jungen Frauen um. »Leider konnten Wilhelm und ich uns nicht vor diesem Portal trauen lassen.«

»*Vor* dem Portal?«, fragte Agathe verwundert, und ihre Neugierde auf die Geschichte um die Hochzeit der Lusins ließ sie ihre Sorgen vergessen. Wieder einmal dachte sie, wie wunderbar es war, dass die Welt voller Geschichten steckte, wohin man auch blickte.

»Die Brautpaare ließen sich seit dem 11. Jahrhundert vor dem Portal trauen, da die Trauungen dem weltlichen Recht unterlagen«, erklärte Margarethe. »Erst im Anschluss führte der Priester die Brautleute in die Kirche und vollzog die

Brautmesse«, ergänzte sie. Im 15. Jahrhundert waren die Trauungen dann ins Innere der Kirche verlegt worden, bevor diese Eigenart mit dem Konzil von Trient im 16. Jahrhundert ganz abgeschafft wurde. »Und so gern ich mit Wilhelm vor Gott verheiratet bin, so schön hätte ich es andererseits gefunden, mit ihm Seite an Seite durch dieses Portal zu schreiten. Leider ist es längst zugemauert.«

***

Zusammen überquerten sie den Hauptmarkt und steuerten dabei direkt auf den Schönen Brunnen zu.

»Den habe ich schon als Kind geliebt«, schwärmte Elise.

»Ja«, lachte ihre Mutter. »Wir mussten immer stehen bleiben und ihn betrachten. Du wolltest dir jede Figur einzeln ansehen, was angesichts der Tatsache, dass es immerhin vierzig Stück sind, ziemlich lange gedauert hat.«

Agathe nickte. Auch sie hatte den Schönen Brunnen bei jedem Besuch in Nürnberg sehr bewundert. Die Figuren waren in vier Stockwerken angeordnet. Unten befanden sich die Philosophie und die Sieben Freien Künste, darüber die vier Evangelisten und die vier Kirchenväter, dann die sieben Kurfürsten und die Neun Guten Helden und schließlich Moses und sieben Propheten. Außerdem gab es noch die Wasserspeier, die die Laster symbolisierten, und den Glücksbringer Adebar.

Auch jetzt legte sie den Kopf wieder in den Nacken und blickte an dem so kunstvollen wie farbenfrohen Gebilde aus Muschelkalk nach oben bis zu der gotischen Kirchturmspitze, die es bekrönte. Schneeflocken benetzten ihr Gesicht, eine fiel auf ihre Wimpern. Agathe blinzelte.

»Schön, nicht?«, fragte Elise und tat es ihr nach.

»Und wie!« Agathe lächelte ihr zu und ergänzte: »Jetzt musst du noch den Metallring anfassen. Das bringt Glück.«

»Welchen Metallring?«, fragte Elise erstaunt.

»Na, diesen hier«, erklärte Agathe und deutete auf einen goldglänzenden Ring, der sich in dem eisernen Gitter befand, das den Brunnen umgab.

»Der ist mir noch nie aufgefallen«, staunte Elise. »Dir, Mutter?«

»Nein, ich habe ihn tatsächlich auch noch nie bemerkt«, sagte Margarethe verwundert. »Dabei komme ich täglich hier vorbei.«

»Wahrscheinlich liegt es genau daran«, murmelte Agathe. »Man bemerkt die Dinge nicht mehr, wenn man sie ständig sieht.« Sie nahm den Ring in die Hand. »Das Besondere ist, dass er keine Nahtstelle hat. Sehen Sie?«

Sie drehte den Ring um sich selbst.

»Tatsächlich«, staunte Elise. »Wie ist er dann an das Gitter gekommen? Hat man das Gitter um den Ring herumgeschmiedet?«

Agathe lächelte geheimnisvoll. »Dazu gibt es eine spannende Sage. Der Mann, der das Gitter gebaut hat, Meister Kuhn, hatte eine schöne Tochter. Die hieß Margret. Der Lehrling von unserem Meister Kuhn war in Liebe für das Mädchen entbrannt. Der Vater wollte davon aber nichts wissen, seine Tochter sei zu gut für einen armen Lehrburschen. Er sagte also: ›Schlag dir das aus dem Kopf. Daraus wird ebenso wenig, wie es dir gelingen wird, die Ringe am Brunnengitter so zu fertigen, dass sie sich drehen können.‹«

»Darf ich raten?«, fragte Elise, ganz im Bann der Geschichte. »Der Lehrling hat es hinbekommen, wie dieser Ring hier beweist, und die Tochter heiraten dürfen.«

»Leider endet die Geschichte traurig«, bedauerte Agathe. »Der Meister begab sich auf Reisen, und in seiner Abwesenheit setzte der Lehrling alles daran, unter Beweis zu stellen, dass er die vom Meister als unlösbar dargestellte Aufgabe durchaus bewältigen könne. Heimlich fertigte er diesen Ring«, sie zeigte auf das Stück, das Elise immer noch in ihrer Hand hielt, »brachte ihn am Gitter an und lötete und feilte so lange, bis keine Nahtstelle mehr zu sehen war. Und dann ging er. Und kehrte nie wieder zurück.«

»Wie bitte?«, fragte Elise betroffen. »Und was wurde aus dem armen Mädchen?«

»Nun«, sagte Agathe. »Die weinte sich die Augen aus, und ihr brach fast das Herz.«

»Und was hat der Vater gesagt, als er zurückkam? Tat es ihm wenigstens leid?«, fragte Elise und musste an ihren eigenen Vater denken, der ihr so etwas Furchtbares niemals angetan hätte.

»Das tat es«, bestätigte Agathe. »Sehr sogar. Es tat ihm leid für seine Tochter, aber er erkannte nun auch, was für einen talentierten Lehrbuben er da mit seiner Forderung fortgejagt hatte.«

»Wie traurig«, sagte Margarethe, während Elise wissen wollte: »Und warum soll es dann Glück bringen, wenn man den Ring berührt? Bringt es nicht eher Pech?«

»Den Grund kenne ich auch nicht«, erwiderte Agathe. »Laut der Sage bringt es Glück.«

Elise schloss kurz die Augen, drückte den Ring fest und sah ihre neue Bekannte dann auffordernd an. »Jetzt du.«

Nachdenklich betrachtete Agathe den Ring zwischen ihren behandschuhten Fingern. Wie viele Menschen hatten ihn schon in den Händen gehalten, verzweifelt und voller

Hoffnung, dass die Berührung mit diesem Ring ihrem Leben eine Wendung geben und ihnen Glück bringen würde? Was für Menschen mochten das gewesen sein?

Auch ihre Familie konnte etwas Glück gebrauchen. Nachdenklich drehte sie den Ring in ihren Fingern, schloss einmal kurz die Augen und dachte ganz fest an ihren Vater.

4

»Sieh mal, Mutter«, sagte Elise, als sie neben Margarethe Lusin die Bergstraße hinaufging. »Ob dieser Herr wohl zu uns will?«

Margarethe hob den Kopf und blickte mit leicht zusammengekniffenen Augen in Richtung ihres Hauses. Es hatte schon wieder zu schneien begonnen, was die Sicht etwas erschwerte, doch es war unverkennbar: Vor der Lebküchnerei Lusin stand ein Mann mit einem langen Wintermantel und einem Hut auf dem Kopf.

»Vermutlich hat er vergeblich versucht, sich bemerkbar zu machen«, überlegte Margarethe. »Dein Vater wird hinten in seiner Backstube sein und ihn nicht hören.«

Die beiden Frauen beschleunigten ihre Schritte und waren kurz darauf bei dem Herrn angelangt, der ihnen erwartungsvoll entgegensah. Erst jetzt erkannte Elise, wie gut gekleidet ihr Besucher war und wie elegant er aussah. Der Mantel war aus feinstem Zwirn, die Handschuhe aus edlem Leder, seine ganze Erscheinung war distinguiert und gepflegt. Besonders auffallend war aber der Blick, mit dem er sie ansah, wie vom Donner gerührt; ihre Mutter hingegen, die etwa in seinem Alter sein musste, beachtete er gar nicht.

»Können wir Ihnen helfen?«, fragte Margarethe freundlich, als sie bei dem Mann und damit auch bei ihrer Haustür angekommen waren.

»Das hoffe ich«, erwiderte der Fremde. Dann wandte er

sich wieder an Elise. »Verzeihen Sie meine Unverfrorenheit, wenn ich Sie so direkt frage, aber sind Sie Elise Lusin?«

Sie nickte verwirrt und spürte, dass ihre Mutter ihr schützend eine Hand auf den Unterarm legte. Wie Elise schien auch sie die Situation äußerst befremdlich zu finden.

Der Mann zog seinen Hut und deutete eine Verneigung an. »Dann stehe ich tief in Ihrer Schuld, gnädiges Fräulein.«

Verständnislos sah Elise den Mann an. »In meiner Schuld?«

»Gestatten Sie, dass ich mich vorstelle? Ich bin Karl Friedrich Wilhelm Freiherr von Tucher. Und Sie sind die Lebensretterin meiner Tochter. Bitte verzeihen Sie, dass ich erst jetzt herbeieile, um Ihnen zu danken, aber Helenes Gesundheitszustand erlaubte es mir nicht, früher zu kommen.«

»Oh«, rief Elise. »Ich bin hocherfreut zu hören, dass es Ihrer Tochter besser geht. Ich war in Gedanken ständig bei ihr.«

»Kommen Sie doch herein, Herr von Tucher«, mischte sich Margarethe Lusin wieder ins Gespräch. »Wir würden gerne Genaueres über den Gesundheitszustand Ihrer Tochter erfahren. Das gilt sicher auch für meinen Mann. Und hier draußen ist es gar zu ungemütlich.«

»Oh, ich möchte aber keine Umstände machen«, wehrte von Tucher ab. »Und ich komme ja auch vollkommen unangemeldet.«

»Sie machen keine Umstände«, versicherte Margarethe Lusin. »Allerdings müssen Sie damit rechnen, dass es bei uns längst nicht so fein zugeht wie im Tucherschlösschen.«

»Sie beschämen mich, gnädige Frau«, sagte Freiherr von Tucher. »Als käme es darauf an.«

Margarethe nickte, schloss die Tür auf und bat ihren Gast herein. Wie sie erwartet hatten, schimmerte Licht aus der verschlossenen Tür zur Backstube, und das Treppenhaus war erfüllt vom Duft frisch gebackener Lebkuchen.

»Bitte unterrichte deinen Vater über unseren Gast«, wandte sich Margarethe Lusin an ihre Tochter, während sie nach einem der Kerzenhalter griff, die immer auf dem Tischchen neben der Treppe bereitstanden, und die Kerze entzündete.

Elise wäre ihnen gern gefolgt, es drängte sie, Näheres über die junge Frau zu erfahren, die sie vom Eis gerettet hatte. Doch natürlich musste sie ihrem Vater Bescheid geben. Hastig riss sie die Tür zur Backstube auf – und erstarrte. Wilhelm Lusin stand keineswegs, wie sie es erwartet hatte, am Backofen, sondern saß an dem Tisch, an dem er sonst Lebkuchen formte oder Teige anrührte, das Gesicht in den Händen vergraben. Besorgt trat sie zu ihm und legte ihm eine Hand auf den Rücken. Erschrocken fuhr er hoch. Offensichtlich hatte er sie nicht kommen hören.

»Elise.«

»Was ist los, Vater?«, fragte sie. »Du warst doch heute Morgen noch so guter Dinge?«

»Ja«, seufzte er. »Da wusste ich auch noch nicht, dass Josef Welser keinen Honig mehr hat. Er war meine große Hoffnung, denn durch den plötzlich so hohen Bedarf können auch die anderen Lieferanten nicht alles abdecken.«

»Josef Welser hat keinen Honig mehr?«, wiederholte sie verblüfft. »Davon hat seine Tochter ja gar nichts gesagt.«

»Es ist wie verhext«, jammerte Wilhelm Lusin. »Endlich wollen die Leute meine Lebkuchen wieder haben, und dann bekomme ich keine Zutaten.«

»Ich bin sicher, es wird sich eine Lösung finden«, meinte Elise mit leiser Ungeduld. »Allerdings muss ich dich nun nach oben bitten, Vater. Wir haben Besuch.«

Überrascht und auch ein wenig unwillig sah Wilhelm Lusin auf. »Wer ist es denn?«

»Freiherr Karl Friedrich Wilhelm von Tucher«, erklärte sie. »Der Vater des Mädchens, das ich aus dem Eisloch gezogen habe.«

Wilhelm Lusin sprang so heftig auf, dass er sich das Knie an der Tischkante stieß und schmerzerfüllt das Gesicht verzog. »Warum sagst du mir das erst jetzt?«, rief er und humpelte zur Tür. Dann kehrte er noch mal um und legte einige ofenfrische Lebkuchen in einen kleinen Korb. »Irgendwas müssen wir dem Freiherrn ja wohl anbieten.«

***

Elise fand ihre Mutter und von Tucher in der guten Stube vor, wo beide in ein angeregtes Gespräch vertieft waren. Sie dachte, wie merkwürdig der feine Herr in dem gemütlichen, aber doch eher schlicht eingerichteten Wohnzimmer ihrer Eltern wirkte. Sie war noch nie im Tucherschloss gewesen, kannte es aber von außen und wusste, dass ihr kleines Fachwerkhäuschen sicherlich zwanzig Mal in das Schloss gepasst hätte. Karl Freiherr von Tucher erhob sich höflich, als Elise und Wilhelm das Wohnzimmer betraten, und reichte dem Hausherrn die Hand.

»Ich erzähle dem Freiherrn gerade, wie du unsere Elise mit den Lebkuchen gesund gemacht hast«, hob Margarethe an, als sie wieder Platz genommen hatten.

Wilhelm lächelte. »Da wir gerade dabei sind: Darf ich Ihnen einen anbieten?« Er reichte seinem Gast den Korb, und dieser griff dankbar zu.

»Köstlich«, bekundete er, nachdem er hineingebissen hatte. »Ich muss schon sagen, Sie sind ein großer Meister Ihres

Fachs. Nachdem Sie meiner Tochter einen Korb von dieser Leckerei schickten, habe ich die Dienerschaft täglich beauftragt, mehr von diesem schmackhaften Gebäck zu besorgen. Sie gehen in Ihrem Geschäft schon ein und aus.«

»Das ist zu gütig«, sagte Margarethe Lusin. »Die Kunde, wie köstlich und heilsam sie sind, hat in der Stadt schnell die Runde gemacht.«

»Ich möchte mich nochmals in aller Form bei Ihnen für Ihren Wagemut bedanken«, richtete der Freiherr nun das Wort an Elise. »Wenn Sie nicht gewesen wären … Ich kann es nicht mal aussprechen.«

»Ich habe gar nicht nachgedacht«, erzählte Elise. »Ich bin froh, dass das gnädige Fräulein nun auf dem Weg der Besserung ist.«

Der Freiherr nickte. »Ja, wir mussten leider eine ganze Weile um ihr Leben bangen. Aber nun ist sie vollständig genesen und hat keinen sehnlicheren Wunsch, als Sie kennenzulernen.«

»Mich?«, fragte Elise verwundert.

»Natürlich Sie«, entgegnete Freiherr von Tucher mit einem leisen Lächeln. »Schließlich sind Sie ihre Lebensretterin. Würde es Ihnen morgen zum Nachmittagstee passen?«

»Morgen?«, rief Elise überfordert, und das Erste, was ihr einfiel, war: *Ich habe für einen derart feinen Anlass nichts anzuziehen.* Sie schluckte die Worte aber hinunter und sprach stattdessen das Zweite aus, das ihr in den Sinn kam: »Ich weiß nicht, ob Mama mich entbehren kann. Seit Papas Lebkuchen sich so gut verkaufen, muss ich im Laden aushelfen.«

Wilhelm Lusin stieß ein Seufzen aus. »Nun, morgen wird es nicht viel zu verkaufen geben.«

»Aber warum denn das?«, rief Margarethe Lusin erschrocken. »Die Kundschaft wird furchtbar enttäuscht sein.« Dann wandte sie sich wieder an ihren Gast. »Wie unhöflich von mir. Entschuldigen Sie bitte.«

»Kein Grund, sich zu entschuldigen«, beruhigte ihn der Freiherr. »Schließlich habe ich Sie einfach so überfallen. Und mit Verlaub, ich möchte nicht neugierig erscheinen, aber auch mich würde interessieren, warum es morgen nicht genügend Elisenlebkuchen geben wird.«

»Die heutige Honiglieferung fiel leider sehr bescheiden aus. Mein Zeidler hat mir gestanden, dass er einen sehr schlechten Sommer hatte. Er bangt um seine Existenz, was mir von Herzen leidtut, aber …«

Margarethe und Elise wechselten einen wissenden Blick. Darum hatte die junge Agathe vorhin so bedrückt gewirkt.

»Aber Sie bangen nun um die Ihre?«, fragte der Freiherr geradeheraus.

Wilhelm Lusin zuckte die Achseln. »Die Wahrheit ist, dass die Lebküchnerei, die ich noch von meinem seligen Schwiegervater übernommen habe, seit vielen Jahren mehr schlecht als recht lief – bis ich aus der Not heraus die Elisenlebkuchen erfunden habe. Seither können die Leute gar nicht genug davon bekommen. Und nun habe ich keine Zutaten mehr.«

Karl Friedrich Wilhelm Freiherr von Tucher hatte den Ausführungen seines Gegenübers mit Interesse gelauscht. Nun beugte er sich vor und sah Wilhelm Lusin eindringlich an: »Dann, mein verehrter Herr Lusin, will ich Ihnen gerne einen Vorschlag unterbreiten.«

5

Agathe konnte ein Schmunzeln nicht unterdrücken, als sie aus dem Fenster blickte und ihre Mutter schwer beladen auf das Haus zustapfen sah. Anders als ihr Vater, dessen Ankunft sie vor wenigen Wochen ebenfalls durch das Küchenfenster beobachtet und gleich gewusst hatte, dass er schlechte Nachrichten mitbrachte, war ihr beim Anblick ihrer Mutter sofort klar, dass diese etwas Erfreuliches zu berichten hatte. Ilse Welsers Wangen waren vor Eifer gerötet – was allerdings auch an der Kälte liegen mochte – und auf ihren Lippen lag ein Lächeln. Im nächsten Moment hörte Agathe auch schon, dass die Haustür aufgestoßen wurde. »Jemand zu Hause?«, rief Ilse gut gelaunt in den Flur.

Agathe lachte auf. Was für eine Frage! Bei den Welsers war immer jemand zu Hause. Und als wüsste ihre Mutter das nicht ohnehin, erwiderte Agathe: »Hier, in der Küche.«

Im nächsten Moment stand Ilse Welser auch schon vor ihr und streckte ihr strahlend ein in Zeitungspapier eingeschlagenes Päckchen entgegen, bei dem man unschwer erkennen konnte, dass es sich um ein Buch handelte. Seit sie nicht mehr die Schule besuchen durfte, schleppte ihre Mutter jedes Buch an, das sie nur finden konnte, um ihrer Ältesten die Möglichkeit zu geben, ihren Wissensdurst zu stillen.

»Stell dir vor«, sagte Ilse, während Agathe das Päckchen auswickelte, »heute habe ich ein ganz besonderes Buch für dich dabei.«

»Und ich?«, maulte Karl vom Tisch her. »Immer bringst du nur der Agathe was mit.«

»Sei still!«, zischte Barbara und stieß ihren kleinen Bruder in die Rippen, woraufhin dieser in lautes Geheul ausbrach.

Während Ilse zu ihren drei jüngeren Kindern an den Tisch eilte, um den Streit zu schlichten, zog Agathe das Buch aus dem Papier.

»Es ist von einer Vorfahrin von uns«, verriet Ilse Welser, »sie hat wohl im ausgehenden Mittelalter gelebt.«

»Ein Buch einer Frau?«, fragte Agathe fasziniert. »Das habe ich noch nie gesehen! Und dann ist sie auch noch mit uns verwandt!« Inzwischen hatte sie das Buch ganz ausgepackt und las: »Sabina Welserin. Ein köstlich new Kochbuch von allerhand Speisen.« Leise Enttäuschung machte sich in Agathe breit. Zwar fand sie es durchaus spannend, ein Kochbuch aus dem Jahr 1553 zu lesen, aber eigentlich hatte sie auf etwas Aufregenderes gehofft – und es schwächte die Tatsache, dass es eine Frau gewesen war, die das Buch geschrieben hatte, etwas ab. Kochen war schließlich Frauensache. Doch sie wollte ihre Mutter, die ausgerechnet auf dieses Buch so stolz gewesen war, auf keinen Fall enttäuschen. Und vielleicht fand sich in dem Werk ja ein schönes Rezept, das sie mit ihren Geschwistern nachkochen konnte. Dann wären sie sicherlich auch nicht so enttäuscht darüber, dass ihre Mutter in der letzten Zeit immer nur ihr etwas mitbrachte. Sie hatte schon ein richtig schlechtes Gewissen deshalb.

»Danke, Mutter«, sagte sie. »Ich freue mich wirklich sehr darüber. Ich bringe das Buch rasch nach oben.«

Nachdem Agathe am Abend noch durch das Buch geblättert und zunächst mit der antiquierten Sprache gekämpft hatte, gelang es ihr mit der Zeit immer besser, das Gelesene zu verstehen. Auch wenn es ihr anfangs schwergefallen war, sich zwischen den zahlreichen Rezepten zu entscheiden, war ihr schnell klar geworden, dass sie mit ihren Geschwistern Schneeballen backen wollte.

Nach dem Frühstück verkündete sie die frohe Botschaft: »Mama hat mir doch gestern das Buch geschenkt, mit den leckeren Rezepten.«

»Ja«, erwiderte der kleine Karl und wirkte immer noch ein wenig beleidigt.

»Nun«, fuhr Agathe unbeirrt fort, »was haltet ihr davon, wenn wir eins dieser Rezepte nachbacken?«

»Fein«, rief Hannes, und Barbara wisperte: »Das wäre schön.«

Kurz darauf standen die Geschwister Seite an Seite an der Arbeitsplatte, und Agathe las zunächst die Überschrift vor: »Schneballen zú bachen.«

»Was sind Schneeballen?«, wollte der kleine Hannes wissen, während Karl fand: »Das ist aber eine komische Sprache«, und besorgt hinzufügte: »Hoffentlich schmeckt der Schneeballen dann nicht auch komisch. Ist der etwa so kalt wie Schnee?«

»Nein«, lachte Agathe. »Er heißt nur so, weil er aussieht wie ein Schneeball – und wenn er aus dem Ofen kommt, ist er ganz heiß. Die Schneeballen sind in etwa so groß.« Sie legte ihre Hände zusammen, etwa von der Größe einer Kanonenkugel, »und bestehen aus einem ganz mürben Teig, werden in Fett ausgebacken und dann mit feinem Zucker bestreut.«

»Lecker!«, freute sich Karl.

»Und was müssen wir jetzt als Erstes machen?«, fragte Barbara, die sich zwischenzeitlich schon eine Schürze umgebunden hatte.

Agathe schlug das Buch auf. »Im Rezept steht: Mach den taig wie zú den hassenerrlach, aber welgle jn wie zú den langen pfanzelten, allain ain wenig breter, vnnd redlen feine klaine schnitzlen.«

Barbara prustete laut heraus. »Das klingt wirklich komisch. Konnten die damals kein richtiges Deutsch?«

»Weiß ich auch nicht«, erwiderte Agathe ehrlich.

Die beiden kleinen Buben sahen sie ratlos an, während die ältere Barbara verstehend nickte.

»Aber wir können das ja gar nicht backen, wenn wir nicht verstehen, was wir machen sollen«, gab Karl bekümmert zu bedenken.

»Und ob wir das können«, beruhigte sie den Kleinsten. »Ich verstehe es nämlich. Soll ich es euch übersetzen?«

Nachdem alle zugestimmt hatten, schlug Agathe vor: »Zunächst einmal machen wir den Teig, dazu brauchen wir Mehl, Eier, Zucker, Butter, etwas Sahne und Wein.«

Die Geschwister beeilten sich, die Zutaten auf den Küchentisch zu stellen, und im Anschluss maß Barbara mithilfe von Agathe die jeweils benötigten Mengen ab.

Nachdem sie die Zutaten vermengt und den Teig geknetet und ausgerollt hatten, schnitten sie sie gemeinsam in gleichmäßige Streifen.

»So, jetzt kommt der knifflige Teil«, kündigte Agathe an.

»Ah, du liest wieder vor«, spottete Barbara.

»Ganz genau«, erwiderte Agathe grinsend und las: »Vnnd hebs aúf mit ainer spindel, aúff, ains nider, das ander aúff vnnd legs jn ain morserlin vnnd lasß bachen, so send sý gút.«

Am Tisch brach schallendes Gelächter aus, nachdem Agathe den Text aber übersetzt hatte, konzentrierten sich die Kinder schnell wieder auf ihre Aufgabe: Zucker musste im Mörser zu Staubzucker zerrieben und die vorbereiteten Teigstreifen so über einen Kochlöffel drapiert werden, dass dabei eine lockere ineinander verflochtene Kugel entstand.

»Gut macht ihr das«, lobte Agathe ihre jüngeren Geschwister. »Und jetzt müssen wir sie noch backen. Aber nicht im Ofen, sondern in heißem Fett.«

Sie gab eine große Portion Schmalz in einen Topf und hoffte, dass die Mutter sie nach ihrer Rückkehr – sie half dem Vater heute bei den Bienen – nicht über die Verschwendung schimpfen würde. Aber andererseits konnte man das Fett sicher wiederverwenden.

Sie hängte es über das Feuer und wartete, bis es erhitzt war. »Und nun geben wir eine Kugel nach der anderen hinein.«

Fasziniert beobachteten die Geschwister, wie die Kugeln sich nach und nach goldgelb verfärbten und einen verführerischen Duft verströmten. Sie musste auf einmal wieder an die nette Elise Lusin denken, deren Vater so köstliche Lebkuchen backte. Und sie fragte sich, wie ihr diese Schneeballen wohl gemundet hätten.

»Jetzt dürft ihr den Staubzucker drüberstreuen«, erklärte Agathe schließlich. »Und dann lassen wir es uns schmecken!«

***

So müssen die französischen Paläste aussehen, dachte Elise verträumt, als sie auf das Tucherschlösschen zuging. Wie wunderhübsch der dreigeschossige Sandsteinquaderbau war! Unter seiner Schneedecke wirkte er, als schliefe er den Dornröschenschlaf.

So verzaubert sie von diesem Bauwerk war, so unsicher fühlte sie sich andererseits bei dem Gedanken, es gleich zu betreten. Zwar hatte die Mutter ihr ihr bestes Kleid geliehen und obendrein noch den Schmuck, den sie wiederum von ihrer eigenen Mutter geerbt hatte, jedoch nie trug. Dennoch war Elise vollkommen klar, dass sie im Vergleich zu all der Pracht ausgesprochen schäbig wirken musste. Aber wie hatte der freundliche Freiherr doch gesagt: Darauf kam es nun wirklich nicht an. Schließlich war sie eine Lebensretterin!

»Nur Mut!«, raunte ihr Wilhelm Lusin zu, der zu ihrer großen Erleichterung an ihrer Seite schritt. Freiherr von Tucher hatte am Vorabend seinen Vorschlag unterbreitet und Wilhelm gleich mit ins Tucherschloss gebeten, der freudig zugesagt hatte.

In diesem Moment erreichten Vater und Tochter das prachtvolle Eingangsportal, und wie von Geisterhand öffnete sich die Tür.

»Willkommen«, sagte ein großgewachsener, kräftiger Herr. Er mochte Mitte fünfzig sein und hatte sein graues Haar straff nach hinten gekämmt. »Ich bin Eugen, der Erste Diener. Der Freiherr und die Gräfin erwarten Sie schon. Bitte, treten Sie ein!«

Der Hausdiener nahm ihnen die Mäntel ab und winkte einen jungen Diener herbei, der mit ihnen entschwand.

Staunend sah Elise sich in der imposanten Eingangshalle um. Eine derartige Pracht hatte sie noch nie gesehen!

Eugen führte sie zu einer großen, mit Schnitzereien verzierten Flügeltür, die er nach kurzem Klopfen öffnete. »Herr Lusin und Fräulein Lusin, gnädiger Herr.«

Elise war kaum durch die Tür getreten, als ein blonder

Wirbelwind auf sie zuschoss und ihr um den Hals fiel. »Meine Lebensretterin«, rief die junge Frau dramatisch. »Endlich lerne ich Sie kennen. Oder darf ich du sagen? Schließlich sind wir im selben Alter.«

»Nun lass unsere Gäste doch erst einmal eintreten«, kam es von einer eleganten Dame in dem schönsten Kleid, das Elise je gesehen hatte: dunkelblaue Seide reichlich und kunstvoll mit silbrig schimmernder Stickerei verziert. Sie hatte sich, ebenso wie ihr Gatte, den Elise ja schon am Vortag kennengelernt hatte, erhoben und blickte dem Besuch entgegen. Elise, die nicht wusste, wie sie ihre Gastgeber korrekt begrüßen sollte, machte einen verlegenen Knicks, während der ebenfalls etwas unsichere Wilhelm Lusin bei der Dame des Hauses einen Handkuss andeutete.

»Ich freue mich so sehr, dass Sie gekommen sind«, erklärte Friederike Freifrau von Tucher und bat Wilhelm und Elise, Platz zu nehmen. Elise gingen fast die Augen über angesichts all der Pracht, die sich allein auf dem liebevoll gedeckten Tisch darbot. So viele Süßigkeiten und kleine, kunstvolle Kuchen, die auf Etageren angerichtet waren, hatte sie noch nie gesehen! Da die Leckereien offenbar von einem Zuckerbäcker stammten, warf sie ihrem Vater einen verunsicherten Blick von der Seite zu, doch falls dieser sich darüber ärgern sollte, ließ er es sich nicht anmerken.

Friederike nickte einem der Diener in Livree zu, die, wie die staunende Elise erst jetzt bemerkte, rechts und links neben dem Kamin Position bezogen hatten, stocksteif dastanden und auf Anweisungen warteten. Auf das Zeichen der Hausherrin trat er vor, griff nach der silbernen Kanne, die auf der Anrichte stand, und goss Tee in die hauchzarten Tassen. Elise wagte kaum, sie anzufassen, zu groß war ihre

Angst, etwas kaputtzumachen. Zu ihrer Erleichterung geriet das Gespräch nicht ins Stocken, im Gegenteil: Mutter und Tochter überboten sich in Dankesreden, während sie zeitgleich auf unnachahmlich vornehme Weise die kleinen Kuchen und Torten verspeisten.

»Wir bedauern sehr, dass Ihre werte Frau Gattin Sie nicht begleiten konnte«, sagte die schöne Friederike freundlich.

»Ich soll Sie herzlich grüßen«, erklärte Wilhelm. »Leider ist sie in unserem Geschäft heute nicht abkömmlich.«

»Wir werden das nachholen«, versprach Friederike Caroline von Tucher freundlich. »Wie mein Gemahl mir gestern andeutete, werden unsere Familien ja nun auch auf geschäftlicher Ebene verbunden sein.«

»Mama, Papa, wenn ihr nun über geschäftliche Dinge sprechen wollt, darf ich dann schon einmal mit Elise hinaufgehen?«, bat Helene ihre Eltern.

Elise sah das Ehepaar einen Blick wechseln, dann nickte die Mutter. »Wenn du dich zunächst vergewissern möchtest, ob unser Gast gesättigt ist«, schlug sie milde lächelnd vor.

»Bist du gesättigt?«, fragte Helene, und ihre hellgrünen Augen funkelten.

Angesichts des charmanten Überschwangs ihrer neuen Freundin musste Elise lachen und vergaß darüber sogar ihre Scheu.

»Ich bin gesättigt«, erklärte sie, woraufhin Helene von Tucher sich erhob. Eilig tat Elise es ihr nach, nickte der Tischgesellschaft noch einmal zu und folgte Helene dann durch die Tür, die sich wie von Zauberhand geöffnet hatte, nach oben. Elise fragte sich etwas beklommen, ob sie nun in das Schlafzimmer ihrer neuen Freundin gehen würden – das wäre ihr dann doch etwas sehr intim gewesen. Doch zu ihrer Erleichterung führte Helene von Tucher sie in einen weiteren Salon, sodass Elise vermutete, dass der Tucher-Tochter ein ganzer Flügel zur Verfügung stand. Aufseufzend ließ sich Helene auf eines der Sofas fallen, und als Elise es nicht wagte, es ihr gleichzutun, forderte sie sie etwas ungeduldig auf: »Nun setz dich doch und vergiss die Konventionen und jeglichen Standesunterschied! Du bist meine Lebensretterin. Du darfst ohnehin alles.«

Wieder musste Elise lachen. Die junge Frau, die sie aus der Ferne stets so bewundert hatte, gefiel ihr immer besser.

»Also gut«, sagte sie und setzte sich der anderen gegenüber. »Du musst schon entschuldigen, mir ist das alles sehr fremd.«

Helene nickte. »Wie lebt ihr denn?«

»Sehr gemütlich«, murmelte Elise. »In einem kleinen Fachwerkhaus am Fuße der Kaiserburg. Unter uns ist die Wachszieherei und ganz unten die Lebküchnerei. Vorne verkauft Mutter die Kerzen und die Lebkuchen.«

»Das klingt wirklich schön. Und romantisch«, schwärmte Helene verträumt.

»Na, romantisch ist es hier doch noch mehr«, entgegnete Elise.

»Aber auch ziemlich einsam«, meinte Helene. »Ich freue mich so sehr, dass du da bist. Ich mag dich.«

»Ich dich auch«, erwiderte Elise ehrlich.

Bittend sah die Tochter des Schlossbesitzers sie an. »Kann ich dir etwas anvertrauen?«

»Natürlich.«

»Ich habe mich verliebt«, platzte es aus Helene heraus. »Ich war mit meiner Mutter bei den Fabers zum Abendessen eingeladen und habe dort den jüngsten Bruder von Lothar Faber getroffen.« Dann setzte sie mit einem sehnsuchtsvollen Seufzen hinzu: »Er heißt Eberhard.«

»Wie aufregend!« Elise fühlte sich geehrt, dass ihre neue Freundin mit ihr solch ein Geheimnis teilte. Sie selbst war, mit Ausnahme einer kleinen Schwärmerei für den Nachbarsjungen, noch nie verliebt gewesen.

»Und wie ist dieser Eberhard so?«

»Groß, stattlich, dunkle Haare und die schönsten Augen der Welt«, schwärmte Helene.

»Hattet ihr denn auch die Gelegenheit, euch auszutauschen?«, wollte Elise wissen.

»Oh ja! Er hat mir viel über die Firma seines Bruders erzählt. Stell dir vor, für seinen Bruder ist er sogar nach New York gereist, ist das nicht unglaublich aufregend?«

»Amerika«, seufzte Elise. »Das ist in der Tat ungemein faszinierend. Und was hat er dort gemacht? Also in Amerika? Stellen die Fabers dort auch Bleistifte her?«

»Er baut dort die erste Dependance auf«, berichtete Helene strahlend. »Er ist ein sehr wichtiger Mann.«

»So klingt es«, bestätigte Elise. Ihr Onkel lebte ebenfalls in Amerika, und sie träumte insgeheim davon, ihn dort einmal zu besuchen. »Aber das Wichtigste ist ja, dass er wichtig für dich ist.«

Überrascht und auch ein wenig nachdenklich sah Helene sie an. »Elise Lusin«, sagte sie dann ernst, »wie mir scheint, bist du nicht nur mutig, sondern auch klug.«

»Danke schön.« Elise errötete ob des Kompliments. »Aber wenn er beruflich doch in Amerika zu tun hat, hast du dann überhaupt die Möglichkeit, ihn zu sehen?«

Helene seufzte. »Wir sind ja noch kein Paar. Aber in der

Tat ist noch nicht ganz klar, ob Eberhards Zukunft im Ausland liegt oder ob er hier vor Ort bleiben wird.«

Elise nickte. »Wann seht ihr euch wieder?«

»Oh, schon bald«, erwiderte Helene. »Er bat mich, ihn auf einen Spaziergang zu begleiten. Und ich kann es kaum erwarten, ihn wiederzusehen. Aber bis dahin sind es noch zwei Tage, ich hoffe, ich überstehe sie«, plauderte Helene munter weiter.

»Nun, dann kann ich dir ja mit meinem Besuch die Zeit etwas verkürzen«, wandte Elise ein.

»In der Tat, das kannst du«, bestätigte Helene. »Und glaube mir, ich könnte über die Tatsache, dass wir uns kennengelernt haben, nicht glücklicher sein.«

***

»Herr Lusin«, sagte Karl Friedrich Wilhelm von Tucher und sah sein Gegenüber ernst an, »bitte denken Sie nicht, dass ich Ihnen diesen Vorschlag nur aus Dankbarkeit mache.«

»Wenn Sie mir das wirklich versichern, werter Herr von Tucher, dann ist das natürlich ein Angebot, dem ich nicht widerstehen kann.«

»Ich verspreche es Ihnen«, unterstrich von Tucher. »Wenn es nur um die Dankbarkeit ginge, dann hätte ich eine größere Geldsumme angeboten, aber Ihnen doch kein gemeinsames Geschäft vorgeschlagen. Ich weiß Privates und Geschäftliches sehr wohl zu trennen.«

Wilhelm nickte. »Wenn ich es richtig verstehe, bot sich Ihnen durch den Zufall unserer Begegnung eine gute Gelegenheit, die auch für mich eine gute Gelegenheit darstellt.«

»In der Tat. Wobei ich in solchen Fällen nicht an Zufälle glaube.«

In Wilhelms Kopf überschlugen sich die Gedanken, wie sie das seit gestern getan hatten, als der Freiherr ihm den ungewöhnlichen Vorschlag unterbreitet hatte.

»Wenn Sie mir sagen, weshalb Sie zögern, kann ich Ihre Sorgen vielleicht zerstreuen«, meinte Karl Friedrich und sah sein Gegenüber fragend an.

»Nun«, erwiderte Wilhelm, »eigentlich gibt es zwei Gründe für meine Zurückhaltung. Der erste: Es fühlt sich trotz all Ihrer Versicherungen doch ein wenig nach Almosen an.« Schließlich hatte der Freiherr ihm angeboten, dessen riesige, leer stehende Fabrik in der Tafelfeldstraße für eine lächerlich niedrige Miete zu übernehmen und ihm außerdem einen zinsfreien Kredit zu gewähren, um die einstige Brauerei zu einer Lebkuchenfabrik umzubauen und die Personalkosten im ersten Jahr zu tragen. Obendrein hatte er seine Unterstützung bei den Lieferengpässen für die Rohstoffe zugesagt. Und da von Tucher ein ausgesprochen angesehener Mann mit allerbesten Kontakten war, hatte er da viel mehr Möglichkeiten als Wilhelm.

»Nein, wie ich bereits andeutete, ist es im Gegenteil so, dass Sie mir damit auch einen Gefallen tun würden«, winkte der Freiherr ab. »Ich habe nämlich seit Monaten verzweifelt nach einer Lösung für die Fabrik gesucht.« Er beugte sich über seinen Schreibtisch und sah sein Gegenüber eindringlich an. »Es ist so, dass sich unser Bier größter Beliebtheit erfreut. Wir haben deshalb eine neue Fabrik am Schillerplatz gebaut, da wir am bisherigen Standort keine Erweiterungsmöglichkeit haben. Die Hallen stehen leer. Und wir wissen beide, dass das einem Gebäude nicht guttut.«

Wilhelm merkte, dass auch der Rest Abwehr langsam schwand. Das Angebot des Freiherrn war ja in der Tat mehr als reizvoll. Nur sein Stolz hielt ihn davon ab, sofort lauthals und begeistert zuzusagen. Aber es war durchaus plausibel, was von Tucher da erläuterte. Ein leer stehendes Gebäude verursachte Kosten und auch Probleme.

»Und außerdem«, fügte der Freiherr nun an, »muss ich Ihnen ehrlich sagen, dass mir auch ein wenig das Herz blutet. In der Tafelfeldstraße habe ich angefangen. Und jedes Mal, wenn ich an der Fabrik vorbeifahre, versetzt es mir einen kleinen Stich, wenn ich sie so leer und verlassen dastehen sehe. Was könnte es Schöneres geben, als wenn sie von jenem Mann zu neuem Leben erweckt werden würde, der der Vater jener Lebensretterin ist, die meine Tochter vor dem sicheren Tod bewahrt hat?«

Wilhelm lächelte. »Sie können sehr überzeugend sein«, sagte er.

Auf Tuchers Gesicht breitete sich ein hoffnungsvolles Grinsen aus. »Dann sagen Sie also ja?«

»Unter einer Bedingung.«

»Ich höre?«

»Das Darlehen ist nicht zinslos.«

Tucher nickte. »Einverstanden«, sagte er und fügte augenzwinkernd hinzu: »Über die Höhe des Zinssatzes können wir ja noch mal sprechen.«

6

Das Angebot des Karl Friedrich Wilhelm von Tucher war gerade zur rechten Zeit gekommen. Denn die Nachfrage nach den Elisenlebkuchen war gestiegen und gestiegen und selbst im Sommer nicht abgerissen, einer Zeit, in der das Lebkuchengeschäft sonst schlecht lief und die Leute eher Lust auf andere Speisen verspürten. Immer wieder war es zu Lieferschwierigkeiten gekommen und das, obwohl Wilhelm drei weitere Gesellen und zwei Meister eingestellt hatte und sie in der Backstube in der Bergstraße in drei Schichten arbeiteten. Zum Glück hatten sie zumindest keinen Mangel an Zutaten mehr zu beklagen gehabt: Nun, da die Lebkuchen so erfolgreich waren und sich abzeichnete, dass Wilhelm Lusin einer der ganz Großen werden würde, überboten sich die Lieferanten geradezu damit, Wilhelm gute und günstige Angebote zu unterbreiten. Der gute Leumund des Freiherrn von Tucher tat ein Übriges.

Immer wieder dachte Wilhelm mit dem Anflug eines schlechten Gewissens an seinen treuen Lieferanten Josef Welser und dessen Schwierigkeiten. Er nahm sich vor, diesem zu helfen, sobald sich die Gelegenheit dazu bieten würde. Allerdings war Josef Welser ebenso stolz wie er selbst und würde keine Almosen nehmen. Als Wilhelm ihm im letzten Winter angeboten hatte, für die gesamte Bestellung zu bezahlen, obwohl er nur einen Teil geliefert hatte, hatte Welser dankbar, aber bestimmt abgelehnt. Doch irgendwann, davon war

Wilhelm überzeugt, würde sich die Gelegenheit bieten, und er würde sie beim Schopf ergreifen. Und bis dahin würde er sein Bestes geben, um die Firmengeschichte in der neuen Fabrik zu einem Erfolg zu machen und den Weg bis dahin zu überstehen, ohne allzu viele Kunden zu verärgern. Denn sosehr sie sich auch anstrengten: Noch konnten sie die große Nachfrage nach Elisenlebkuchen nicht befriedigen. Einhellig hatten die Lusins beschlossen, den Verkauf der Elisenlebkuchen zunächst einzuschränken und pro Person nur noch ein Päckchen abzugeben. Das allerdings erhöhte den Ansturm nur noch. Und die Rationierung stieß auch nicht immer auf Verständnis. Elise war froh, dass sie all jenen, die erbost oder verärgert auf die Tatsache reagierten, dass sie nur ein Päckchen Lebkuchen erwerben durften, erklären konnten, dass die alte Tucher-Brauerei in der Tafelfeldstraße derzeit zu einer Lebkuchenfabrik umgebaut werde und dass kommende Weihnachten sicherlich ausreichend Gebäck zur Verfügung stünde.

Während die Frauen in der Lebküchnerei die heiß begehrte Ware an den Mann und an die Frau brachten, war Wilhelm, wenn er nicht gerade in der Backstube stand, unermüdlich für den Umbau im Einsatz. Manchmal konnte er kaum glauben, wie schnell das alles ging, und er wusste: All das hatte er dem Freiherrn von Tucher zu verdanken. Dieser hatte mithilfe bester Verbindungen dafür gesorgt, dass die neuen Öfen, die großen Arbeitstische, Spülbecken, Regale und die sonstige Einrichtung wie Schüsseln, Kochtöpfe und Backbleche schnellstmöglich geliefert wurden. Und nicht nur das: Sogar eine der begehrten Dampfmaschinen hatte Wilhelm bekommen, und die Arbeiter waren gerade im Begriff, sie zu installieren.

In Kürze konnte die neue Großbäckerei in Betrieb genommen werden, dann würde Wilhelm noch weitere zehn Mitarbeiter einstellen, nicht zuletzt für den Verkauf. Elises Wunsch folgend sollten nicht nur dort, sondern auch in der Verziererei Frauen eingesetzt werden. Zwar mussten Margarethe und Elise derzeit sehr viel arbeiten, doch Wilhelm hatte sich fest vorgenommen, diesen Umstand so bald als möglich zu ändern. Und wenn alles gut ging, würde er Elise bald Privatunterricht erteilen lassen können, das Mädchen hatte immer darunter gelitten, dass sie die Schule, wie die meisten Kinder, im Alter von zwölf Jahren hatte verlassen müssen. Zwar hatte Margarethe ihr Bestes gegeben, ihre Tochter zu Hause zu unterrichten, doch mit einem Hauslehrer konnte sie es natürlich nicht aufnehmen.

Auch in der neuen Fabrik in der Tafelfeldstraße würde es im Erdgeschoss einen Laden geben, da sie mit dem Geschäft in der Bergstraße dem Kundenansturm nicht mehr Herr werden konnten. Dafür wurde nun im vorderen Bereich ein Raum abgetrennt und mit zusätzlichen Fenstern und einer Ladentüre versehen. Obwohl Wilhelm kaum Schlaf fand in jenen Wochen und Margarethe sich angesichts seines Gesundheitszustands schon das eine oder andere Mal besorgt geäußert hatte, fühlte er sich so lebendig wie selten zuvor. Niemals hätte er gedacht, dass er, der kleine Modelschnitzer aus Crailsheim, einmal ein großer Lebkuchenfabrikant werden würde!

***

Und dann war es endlich so weit: Am 15. August 1864 bezog die Lebküchnerei Lusin ihre neue Fabrik in der Tafelfeldstraße. Wilhelm hatte eigentlich eine große Eröffnung geplant, sich von dem Gedanken aber schnell wieder verabschiedet und das Fest auf einen späteren Zeitpunkt verschoben. Es gab einfach viel zu viel zu tun, und bis Weihnachten blieben nur noch ein paar Monate. Und auch wenn die neuen Arbeiter allesamt ihr Bestes gaben, so holperte es zu Beginn durchaus noch an der einen oder anderen Stelle – es würde sicherlich dauern, bis alle verstanden hatten, was sie genau zu tun hatten. Für einige Arbeiter erwies sich auch die neue Dampfmaschine als eine Herausforderung, denn sie mussten sich ihrem Rhythmus unterordnen.

Deshalb erschienen zur Eröffnung also nur einige wenige geladene Gäste: Der Erste Bürgermeister Maximilian von Wächter kam, um seine Glückwünsche auszusprechen und zu erklären, wie sehr er zum einen die Elisenlebkuchen schätzte und wie sehr er sich zum anderen freue, dass »zwei so wichtige Söhne der Stadt« einen derart guten Weg gefunden hätten.

Elise wohnte der kleinen Eröffnungsfeier, zu der auch die Familie von Tucher gekommen war, Seite an Seite mit ihrer Mutter bei. Sie sah ihrem Vater an, dass er vor Stolz über die Tatsache, in einem Atemzug mit dem großen Freiherrn von Tucher genannt zu werden, beinah platzte – kannte ihn aber gut genug, um zu wissen, dass es ihm auch ein wenig peinlich war.

»Vielen Dank, werter Herr Bürgermeister«, sagte Wilhelm. »Wenn Sie erlauben, würde ich Sie nun durch die Fabrik führen.«

»Es wäre mir eine Ehre«, erwiderte von Wächter.

Kurz darauf machte sich die kleine Gruppe auf den Weg: Wilhelm, Margarethe und Elise führten ihre Gäste vom Foyer aus zunächst in das Ladengeschäft, in dem zwei Verkäuferinnen schon dabei waren, alles für den Verkaufsbeginn einzuräumen.

Als sie die hohen Besucher erblickten, hielten sie in ihrer Arbeit inne und standen sichtlich nervös vor den Regalen. Sie taten Elise ein wenig leid.

»Gut machen Sie das«, wandte sie sich leise an die beiden aufgeregten jungen Frauen. »Bitte fahren Sie fort, und lassen Sie sich von uns nicht stören.«

»Sehr wohl, gnädiges Fräulein«, murmelte die jüngere der beiden und deutete einen Knicks an.

Elise sah sie verwundert an.

»Daran musst du dich wohl gewöhnen, meine Liebe«, meinte Helene von Tucher, die an ihrer Seite ging und ihren Blick bemerkt hatte. »Du gehörst jetzt zur besseren Gesellschaft. Nun bist du eine Fabrikantentochter.«

Eine Fabrikantentochter! Wie das klang! Elise versuchte, dem Gefühl nachzuspüren, das der neue Rang in ihr auslöste. Gefiel es ihr? Schüchterte es sie ein? Sie konnte es gar nicht genau sagen, klar war jedoch, dass es aufregend war. Wie sich dadurch wohl ihr Leben verändern würde?

Inzwischen waren sie in den Lagerhallen angelangt, in denen, fein säuberlich in den deckenhohen Regalen angeordnet, die Säcke mit den Gewürzen aufbewahrt wurden. Der Besuch dieses Raumes rief in Elise ein eigenartiges Gefühl hervor: Es roch hier wie daheim, war aber ganz anders. Ein wenig wehmütig dachte sie, dass das Odeur der Gewürze wohl nach und nach in ihrem Zuhause verblassen würde, bis es nur noch eine Erinnerung war. Aber wenn dieser Duft für sie doch Heimat war, dann hieß das ja vielleicht, dass sie sich auch hier, in der neuen Fabrik, zu Hause fühlen konnte?

Nachdenklich folgte sie der kleinen Gruppe in die Backstube. Hier stand auch Wilhelms ganzer Stolz, die Dampfmaschine.

Helene verzog das Gesicht. »Ich hasse diese Maschinen. Sie sind immer so furchtbar laut. Sollen wir hier draußen warten?«

Elise zögerte. Sie wollte ihre Freundin – und zu Freundinnen waren sie in den letzten Monaten geworden – auf keinen Fall vor den Kopf stoßen. Andererseits wollte sie aber auch den großen Moment ihres Vaters nicht verpassen, wenn er den anderen seine Dampfmaschine vorführte. Und wäre es nicht unhöflich gegenüber dem Bürgermeister und Helenes Eltern, wenn sie sich einfach ausklinkten?

Da spürte sie, wie sich von hinten eine Hand auf ihren Rücken legte und sie sanft nach vorne schob. Sie wandte sich um und sah in Helenes lächelndes Gesicht. »Nun geh schon! Mir ist klar, dass wir hier nicht draußen stehen bleiben können und Und dass du das auch gar nicht willst.«

»Danke.« Erleichtert nickte sie der Freundin zu.

Kurz darauf standen sie vor der Dampfmaschine, die laut und pfeifend den hinteren Teil der Halle dominierte.

Wilhelm deutete auf den Arbeiter und rief laut, um den Lärm zu übertönen: »Schauen Sie, dort heizt der Maschinist mit den Holzkohlen die Maschine an. In den Kesseln wird das Wasser so lange erhitzt, bis sich Dampf bildet. Der Dampf erzeugt dann so viel Druck, dass der Kolben in Bewegung gesetzt wird.«

Elise überzeugte sich bei einem Blick in die Gesichter davon, dass vor allem die Männer den Ausführungen ihres Vaters interessiert lauschten. Wobei beide, der Bürgermeister und der Freiherr, durch eifriges und wissendes Nicken zu erkennen gaben, dass sie mit der Funktion einer Dampfmaschine selbstverständlich vertraut waren.

Elise indes hatte das Gerät noch nie in Betrieb gesehen und beobachtete fasziniert den Kolben, der sich in dem großen Zylinder vor und zurück bewegte.

»Die Bewegung des Zylinders wird auf das Schwungrad übertragen, das die Maschine über die Welle zum Teigkneten antreibt«, schloss Wilhelm seinen kurzen Vortrag.

»Beeindruckend, wahrlich beeindruckend«, befand Freiherr von Tucher. Gerade entnahm ein Mitarbeiter den eben gekneteten Teig und steuerte auf einen der langen Arbeitstische zu. »Würden Sie mir bitte zeigen, was der Mann jetzt mit dem Teig macht?«, fragte Freiherr von Tucher interessiert.

»Gerne«, erwiderte Wilhelm eifrig. »Hier werden die Lebkuchen portioniert«, erläuterte er, »und nach dem Portionieren direkt auf den Blechen gebacken.« Er zeigte auf den nächsten Tisch. »Dort lassen wir Backwaren abkühlen – und auf dem nächsten Arbeitstisch werden sie dann von den Blechen gehoben und je nach Variante verziert.«

»Alles sehr gut durchdacht, Herr Lusin«, lobte der Bürgermeister.

Elise sah ihren Vater ob des Lobes erröten.

»Vielen Dank«, erwiderte er geschmeichelt. »Ich habe darauf geachtet, dass die Wege für die Arbeiter kurz bleiben und die Bereiche klar geordnet sind.«

Er nickte den Arbeitern zu, die in ihr Werk vertieft waren, und winkte einen kräftigen Mann Ende dreißig herbei. Elise wusste, dass dieser bisher bei der Lebkuchenfabrik Wanner gearbeitet hatte und ihr Vater überglücklich gewesen war, dass es ihm gelungen war, ihn abzuwerben. »Darf ich Ihnen vorstellen: Das ist Eugen Baum, einer der erfahrensten

Lebküchner, die es gibt. Ich bin sehr froh, dass er die Leitung der Lebküchnerei übernommen hat.«

Baum grinste verlegen, und Elise hätte ihn am liebsten umarmt. Sie wusste, dass Eugen Baum ein ausgesprochen schüchterner Mann war, was man ihm wegen seines etwas grobschlächtigen Äußeren gar nicht zugetraut hätte. Ihr Vater hatte anfangs Bedenken gehabt, ob der zurückhaltende Eugen sich als Leiter der Fabrikation eignen würde, schließlich musste er als solcher auch dann und wann hart durchgreifen. Doch wenn Baum auch gemeinhin als etwas schüchtern galt – in der Sache kannte er sich so gut aus, dass, davon war Wilhelm überzeugt, niemand seine Anweisungen anzweifeln würde. Und durch sein großes Wissen verfügte Baum, wenn es um seinen Bereich ging, auch über genügend Selbstbewusstsein, um sich im Zweifel durchsetzen zu können.

»An ihn können sich alle Arbeiter bei Fragen wenden. Und natürlich sorgt Herr Baum dafür, dass die Arbeiten auch in meiner Abwesenheit mit der gebotenen Sorgfalt erledigt werden.«

Der Bürgermeister und die von Tuchers murmelten ein paar anerkennende Worte, dann führte Wilhelm seine Besucher weiter herum. Als die illustren Gäste sich eine Stunde später verabschiedeten, hatte Elise das Gefühl, dass Lebkuchen Lusin ein kometenhafter Aufstieg bevorstand.

7

»Ich bin unglaublich stolz auf dich!«, lobte Margarethe Lusin, als sie am Abend zum ersten Mal seit langer Zeit wieder das Nachtmahl zusammen einnahmen. Allzu oft hatten sie in den letzten Wochen und Monaten auf die Anwesenheit von Elises Vater verzichten müssen, da er bis tief in die Nacht in der Fabrik zugange gewesen und nach ein oder zwei Stunden Schlaf dann direkt in seiner Backstube verschwunden war. Zur Feier des Tages hatte Margarethe Nürnberger Würstchen und Bratkartoffeln zubereitet, und sowohl Elise als auch ihr Vater langten kräftig zu.

»Danke«, sagte Wilhelm nun zu seiner Frau. »Aber eigentlich ist das gar nicht einmal mein Verdienst, sondern der unserer Tochter – schließlich hat sie Helene von Tucher aus dem Loch im Eis gerettet. Und ohne deren Vater, den großzügigen und dankbaren Freiherrn, wäre dieser Erfolg auch nicht denkbar.«

»Da muss ich widersprechen«, entgegnete Margarethe streng. »Unsere tapfere Tochter hat den Stein vielleicht ins Rollen gebracht – und dass die Fabrikräume der Tuchers leer standen und wir sie zu solch günstigen Bedingungen bekommen haben, ist mit Sicherheit ein glücklicher Zufall. Aber alles andere, mein Lieber, hast du ganz allein geschafft. In erstaunlich kurzer Zeit.«

»Nun, auch bei der Sache mit der Einrichtung hat Tucher ja …«

»Ich muss Mama recht geben«, fiel Elise ihrem Vater ins Wort. »Und ich lasse nicht zu, dass du deinen Verdienst so herabwürdigst. Das ist einfach außergewöhnlich, Vater, mach es nicht so klein.« Sie lächelte ihn an. »Du kannst es ruhig eingestehen. Wir sind ja unter uns.«

»Also gut«, erwiderte er und lächelte. »Ich danke euch von Herzen.« Genussvoll schob er sich ein Stück Nürnberger Würstchen in den Mund und murmelte: »Und ich bin froh, dass die Fabrik nun endlich eröffnet ist. Die Mahlzeiten mit euch habe ich nämlich sehr vermisst.«

»Ich fürchte, du irrst dich, wenn du annimmst, dass du nun sehr viel mehr Zeit für uns erübrigen kannst«, meinte Elises Mutter. »Ich vermute, dass die wirkliche Arbeit jetzt erst beginnen wird. Und deswegen habe ich eine Bitte an dich.«

Fragend sah Wilhelm seine Frau an. »Und welche?«

»Nun, ich würde es begrüßen, wenn du einen Prokuristen einstellst. Einen Geschäftsführer, der dir vor allem den kaufmännischen Bereich abnimmt.«

Doch Wilhelm schüttelte vehement den Kopf. »Einem völlig Fremden Einblick in unsere Zahlen gewähren? Das kommt gar nicht infrage.« Fast beleidigt fügte er hinzu: »Ich glaube, bisher ist es mir recht gut gelungen, die Buchführung zu erledigen.«

Elise sah ihren Vater nachdenklich an. Ihr war schon mehrfach aufgefallen, dass es ihm sehr am Herzen lag, möglichst alle Dinge selbst zu erledigen, obwohl die Firma wuchs und wuchs. Woran das nur lag? Vielleicht daran, dass er, wie er ihr einmal erzählt hatte, aus sehr bescheidenen Verhältnissen stammte, viel einfacher noch, als ihre es waren?

Auch ihre Mutter schien das zu wissen, denn sie schob

die Hand über den Tisch und legte sie auf die ihres Gatten. »Wilhelm, du weißt, dass ich vollkommenes Vertrauen in deine Fähigkeiten habe. Aber du musst langsam umdenken. Du bist jetzt ein Fabrikant, kein kleiner Lebküchner mehr. Du kannst nicht mehr alles selbst machen, und wenn du dich hinter Zahlen vergräbst, hast du noch weniger Zeit. Du musst das große Ganze im Blick behalten, vielleicht etwas Neues ersinnen wie das Rezept der Elisenlebkuchen. Und wir wollen gerne auch noch etwas von dir haben.«

Wilhelm seufzte. »Im tiefsten Inneren weiß ich ja, dass du recht hast, meine Liebe. Vielleicht ist es auch, weil die Buchhaltung ein Bereich ist, der sehr sensibel ist. Ich kann mir hier nur jemanden vorstellen, der wirklich ausgesprochen integer ist, den ich gut kenne und dem ich absolut vertrauen kann.«

Margarethe Lusin lächelte. »Ich wüsste da jemanden.«

Wilhelm und Elise warfen ihr einen überraschten Blick zu. Wen konnte sie im Sinn haben?

»Neulich hatte ich Besuch in der Lebküchnerei«, berichtete sie. »Ich wollte dir eigentlich schon lange davon erzählen, aber wir hatten in den letzten Tagen so wenig Gelegenheit für ein Gespräch, dass ich es einfach vergessen habe.«

Elise sah ihre Mutter nachdenklich an. Weshalb klang sie so, als wolle sie sich verteidigen?

Auch Wilhelm schien es zu bemerken, denn er legte Messer und Gabel auf den Teller und sah seine Frau aufmerksam an. »Nun bin ich aber mal gespannt.«

»Ein alter Klassenkamerad meines Bruders kam vor einigen Tagen in die Lebküchnerei. Sein Name ist – nomen est omen – Hermann Kämmerer, er hat die letzten Jahre in einem Gewürzkontor in Hamburg gearbeitet. Dort war er mit einer Hanseatin verheiratet, allerdings ist sie vor zwei Jahren im Kindbett gestorben.«

»Wie tragisch!«, rief Elise. »War sie denn noch jung genug, um schwanger zu werden? Onkel Frederic ist doch fünf Jahre älter als du.«

»Na, besten Dank«, spottete Margarethe. »Es ist nicht so, als wären Frauen in meinem Alter nicht mehr in der Lage, Mutter zu werden.«

»Entschuldigung, ich wollte nicht …«, setzte Elise an, der erst jetzt klar wurde, wie ungeschickt ihre Bemerkung gewesen war. Aber es war einfach auch ein etwas peinliches Thema.

»Schon gut«, winkte Margarethe schmunzelnd ab. »Darum geht es ja auch eigentlich nicht. Herr Kämmerer jedenfalls blieb noch einige Zeit in Hamburg. Aber er hat mir erzählt, dass ihn dort alles an seine verstorbene Frau erinnert hat und er es nicht mehr ertragen konnte. Deshalb ist er in seine Heimat zurückgekehrt.«

»Und da dachte er sich: Kaufst du dir zum Trost ein paar Elisenlebkuchen?«, fragte Wilhelm.

Elise warf ihrem Vater einen verwunderten Blick zu. Solch eine schnippische Bemerkung passte so gar nicht zu Wilhelm Lusin.

»Nein«, erwiderte Margarethe ruhig. »Tatsächlich war er auf der Suche nach meinem Bruder. Die beiden sind früher unzertrennlich gewesen und haben so manche Stunde in der Backstube zusammen verbracht.«

»Aber wenn sie doch so unzertrennlich waren – warum wusste er dann nicht, dass Onkel Frederic nach Amerika gegangen ist?«

Auch Elise war skeptisch.

»Dahinter steckt in der Tat eine weitere tragische Geschichte«, sagte ihre Mutter. »Und der Grund, warum dein Onkel nach Amerika ausgewandert ist. Beide waren damals in das gleiche Mädchen verliebt. Hermann hat sie dann geheiratet, und Frederic konnte es nicht ertragen und ist gegangen.«

»Nein!«, entfuhr es Elise. »Wie traurig.«

»Das fand mein Bruder damals auch«, versicherte Margarethe. »Es hat ihm beinah das Herz gebrochen.«

»Und nun wollte er Onkel Frederic von ihrem Tod unterrichten?«

»Ganz genau«, seufzte Margarethe. »Ich werde es ihm schreiben.«

»Wie wird er es wohl aufnehmen?«, fragte sich Wilhelm laut.

»Ich denke, er wird sehr traurig, aber gefasst sein. Es ist ja schon eine ganze Weile her«, meinte Margarethe. »Und er ist mit Rachel sehr glücklich verheiratet.«

Elise nickte. Sie hatte Onkel und Tante erst einmal gesehen, aber damals hatte man ihnen ihre Liebe zueinander mehr als deutlich angemerkt. Die beiden hatten vier Kinder, zwei davon etwas jünger und zwei etwas älter als sie selbst. »Hat Herr Kämmerer denn noch andere Kinder?«, fragte sie nun.

Doch ihre Mutter schüttelte den Kopf. »Nein, das Glück, eigenen Nachwuchs zu haben, blieb ihnen verwehrt.«

»Und wenn ich es richtig verstehe, willst du dem Mann einen Posten in meiner Fabrik geben – obwohl er damals deinem Bruder die Frau weggenommen hat«, fasste Wilhelm zusammen. »Ich weiß nicht, ob das das beste Zeugnis ist.«

Margarethe schüttelte den Kopf. »Wenn ich ehrlich bin, war damals eher mein Bruder der Störenfried. Hermann hatte sie kennengelernt und sie Frederic ganz arglos vorgestellt, er war schließlich sein bester Freund. Der hat ihr aber den Hof gemacht, und als sie nicht darauf einging, ist er ausgewandert.«

»Oh«, kam es von Wilhelm. »Ich verstehe. Das ist natürlich etwas anderes. Und du glaubst nicht, dass Frederic mir böse wäre, wenn ich seinem einstigen Widersacher jetzt einen führenden Posten in meinem Unternehmen gebe?«

»Nein«, erwiderte Margarethe. »Das glaube ich nicht. Und Hermann würden wir in dieser schweren Zeit wirklich helfen. Außerdem hättest du jemanden an deiner Seite, dem du voll vertrauen kannst. Ich kenne Hermann ja noch von früher, und wenn er sich nicht allzu sehr verändert hat, dann gibt es keinen Besseren für den Posten.«

Wilhelm sah seine Frau nachdenklich an. »Du hast wohl recht, dass ich nicht alles selbst machen kann. Und durch die Tatsache, dass Tucher sich mir gegenüber so großzügig zeigte, fühle ich mich nun umgekehrt auch verpflichtet, zu helfen, und sei es diesem Hermann Kämmerer. Also, du kannst ihn zu einem Vorstellungsgespräch einladen.«

Margarethe strahlte. »Danke, Wilhelm. Du wirst es nicht bereuen.«

Teil 2
1865

8

»Bitte, Vater«, flehte Elise. »Ich möchte mein Zuhause nicht verlassen.«

Sie standen in der Diele, um sich für die kurze Kutschfahrt anzuziehen, die sie zu einer zum Verkauf stehenden Fabrikantenvilla bringen sollte. Ein Jahr war die Eröffnung der Lebkuchenfabrik Lusin in der Tafelfeldstraße nun bereits her, und die Geschäfte liefen ganz hervorragend.

»Ich weiß«, erwiderte Wilhelm Lusin und strich seiner Tochter über die Wange. »Glaube mir, es fällt mir auch schwer. Aber es ist ja nicht so, als würden wir dieses Haus verlieren.« Er machte eine ausladende Geste mit der Hand. »Ich möchte es gerne in seiner Gesamtheit für die Lebküchnerei nutzen.«

»Ich verstehe es ja«, seufzte sie. »Aber trotzdem fällt mir der Gedanke, hier auszuziehen, sehr schwer. Und überhaupt: Das geht alles so schnell.«

»Das stimmt«, bestätigte Wilhelm. »Mir wird fast ein wenig schwindelig. Aber Lieschen, wir können uns dem nicht entgegenstellen. Es ist ja eigentlich wunderbar, was alles passiert. Und wenn ich ehrlich sein soll: Dieses Haus, so sehr ich es liebe, ist nicht mehr standesgemäß. Wir sind jetzt wohlhabende Fabrikanten, keine kleinen Lebküchner mehr, so erstaunlich ich das selbst auch noch finde.« Beinah zaghaft sah er sie an. »Kannst du dich darüber wenigstens ein bisschen freuen?«

Sein flehender Blick erweichte ihr Herz.

Sie trat einen Schritt vor und nahm seine Hände in die ihren. »Aber natürlich freue ich mich, Vater. Sehr sogar. Und ich bin ungemein stolz auf dich. Trotzdem habe ich ein wenig Angst vor all dem Neuen und all den Veränderungen.«

»Das ist allzu verständlich«, fand Wilhelm. »Nur weißt du, es ist schwer, den einen Schritt zu machen und den anderen nicht.«

»Wie meinst du das?«

»Nun, wir können schlecht eine erfolgreiche Fabrikantenfamilie sein und nicht standesgemäß wohnen«, erklärte er.

Elise bemerkte, dass er verstohlen einen Blick auf die Wanduhr warf, die hinter ihr hing. Seit Lebkuchen Lusin so groß geworden war, hatte ihr Vater kaum noch Zeit, war ein viel beschäftigter Mann. Unten vor dem Haus wartete die Kutsche – und die Mutter stand sicher auch schon ungeduldig im Laden und wartete auf sie – ebenso wie die Familie des Gewürzhändlers, dessen Villa sie nun besichtigen wollten. Dass ihr Vater sie trotzdem nicht drängte, sondern sich Zeit für sie nahm, rührte Elise zutiefst.

Sie lächelte. »Worauf warten wir dann noch? Lass uns gehen!«

Vor Erleichterung breitete sich ein strahlendes Lächeln auf Wilhelm Lusins Gesicht aus.

Obgleich Elise ihrem Vater ja gewissermaßen ihren Segen erteilt hatte, war die Stimmung in der Kutsche angespannt, als sie in Richtung Erlenstegenstraße rollte. Denn auch Margarethe Lusin war von der Vorstellung, ihr Zuhause in der Bergstraße zu verlassen – es handelte sich immerhin um ihr Elternhaus –, alles andere als angetan.

»Wir schauen uns die Villa heute doch erst einmal nur an«, sagte Wilhelm. Margarethe kniff die Lippen zusammen und sah zum Fenster hinaus.

Elise musterte ihre Eltern bedrückt. Auch wenn sie versuchten, es vor ihr zu verbergen, hatte sie die in lautem Flüsterton geführten Streitgespräche in den letzten Wochen dennoch mitbekommen. Elise konnte sich nicht erinnern, dass ihre Eltern jemals gestritten hatten. Vielleicht stand sie dem möglichen Umzug auch deshalb so skeptisch gegenüber.

Wenn das der Preis für ihren gesellschaftlichen Aufstieg war, dann war er ihr zu hoch.

»Seht mal, wie schön die Pegnitz in der Sonne glitzert«, versuchte auch Elise zur Entspannung beizutragen. Dankbar ergriff ihre Mutter die Gelegenheit und pflichtete Elise bei.

»Du hast recht, mein Liebes. Nur allzu gern erinnere ich mich an die langen Spaziergänge, die wir früher an ihren Ufern gemacht haben.« Leise fügte sie hinzu: »Damals, als dein Vater noch Zeit hatte.«

Elise bemerkte, dass sich die Miene des Vaters, die sich für einen kurzen Moment aufgehellt hatte, wieder verfinsterte. Sie ahnte, was in ihm vorging, und er begann ihr auch zunehmend leidzutun. Wilhelm tat das alles ja nicht für sich und mehr noch: Er war es gewesen, der sich anfangs am allerstärksten gegen die Veränderung gestellt hatte. Nun machte er nur die nächsten Schritte, doch statt ihn darin zu bestärken und ihn zu unterstützen, wurde er von Frau und Tochter nur getadelt.

In diesem Moment wurde die Kutsche langsamer und bog durch ein schmiedeeisernes Tor in eine kiesbestreute Einfahrt ein, an deren Ende sich die Villa der Familie Böhm befand. Elise schnappte bei ihrem Anblick beinah erschrocken nach Luft angesichts all der Pracht, die sich da vor ihr entfaltete.

Die klassizistische Villa war von einem zarten, aber leuchtenden Gelb, hatte vier Ecktürmchen mit spitzen Dächern und jede Menge weißer Zierelemente. Am Ende der Einfahrt, vor dem Portal, befand sich ein runder Springbrunnen, rechts und links der Einfahrt blühten Rosen.

»Oh, Wilhelm«, hörte Elise ihre Mutter flüstern. »Das Anwesen ist wunderschön, du hast wahrlich nicht übertrieben. Bitte entschuldige meinen Unmut.«

Wilhelm lächelte erleichtert. »Ich hatte gehofft, dass es dir gefallen würde.«

Das Ehepaar Böhm und deren Töchter, sie mochten vier und sechs Jahre alt sein und wirkten mit ihren langen blonden Haaren und den weißen Sommerkleidchen einfach entzückend, erwarteten sie bereits vor der Tür, ebenso wie das Personal, das aufgereiht stand.

Elise fand es ein wenig viel Aufhebens, wenn nicht gar befremdlich, ließ sich aber nichts anmerken, als der Erste Diener die Kutschentür öffnete. Nachdem die Lusins ausgestiegen waren, begrüßte sie der Hausherr aufs Herzlichste. Nach und nach stellte er seine Familienmitglieder vor, seine Ehefrau Paula und die Töchter Sarah und Philippa, die sich hinter dem Rock ihrer Mutter versteckten und schüchtern hervorlugten.

Elise bemerkte, dass die Stimmung innerhalb der Familie offenbar ähnlich war wie bei ihnen: Ludwig Böhm war eifrig um sie bemüht, seine Ehefrau wirkte jedoch seltsam zurückhaltend. Nachdem Wilhelm sich und seine Familie vorgestellt hatte, übernahm der Hausherr nun die Vorstellung des Personals. »Darf ich Sie mit unserer Hausdame

Bärbel Hauder bekannt machen? Ihr ist das weibliche Gesinde unterstellt.«

»Guten Tag, Frau Hauder«, grüßte Margarethe und reichte der Mittvierzigerin mit den blonden Haaren, die zu einem strengen Dutt frisiert waren, die Hand.

»Und hier ist die gute Seele unseres Hauses«, kündigte Ludwig Böhm an und deutete auf eine rundliche Brünette, die im Gegensatz zu den meisten restlichen Frauen kein schwarzes Kleid mit weißer Schürze und Häubchen trug, sondern einen weiten Rock, um den sie eine große Schürze gebunden hatte, dazu eine Bluse. »Köchin Caroline Stift.«

Angesichts des Lobs errötete sie ein wenig und lächelte scheu, aber, wie Elise fand, durchaus auch selbstbewusst. Ludwig Böhm stellte noch Hausdiener Heinrich Mannfeld vor, einen schmalen, aber distinguiert wirkenden Herrn mittleren Alters mit blonden Haaren und grauen Schläfen, sowie Kutscher Jacob Düber, der etwa im gleichen Alter sein mochte. Dann baten sie ihre Gäste zum Tee in den Wintergarten.

Auf dem Weg dorthin sah sich Elise staunend um. Dieses Haus war einfach ein Traum! Von der Eingangshalle führten zwei geschwungene Treppen hinauf, deren obere Enden rechts und links in einer Brüstung mündeten, von der aus es wohl zu den Privatgemächern ging. Der Salon erlaubte durch seine bodentiefen Fenster einen herrlichen Ausblick auf den parkartigen Garten, rechts befand sich der Wintergarten, in dem die Kaffeetafel gedeckt war. Elise genoss die Plauderei, empfand sie aber auch als merkwürdig: Es war klar, dass es sie eigentlich allesamt danach drängte, zur Sache zu kommen. Warum also ergingen sie sich stattdessen in Plaudereien? *Aber so scheint es eben zu sein in diesen Kreisen*, dachte Elise und kam einmal mehr zu dem Schluss, dass sie diesem neuen Leben bisher recht wenig abgewinnen konnte.

Sie wandte sich mit einem Lächeln an Paula Böhm. »Wenn Sie gestatten – Ihre beiden Töchter sind ganz reizend.«

Ihre Mutter pflichtete ihr eifrig bei.

»Vielen Dank«, erwiderte Paula Böhm und lächelte. »Die beiden sind mein ganzes Glück.«

Plötzlich wirkte die Frau des Gewürzhändlers wieder so ungemein traurig, dass es Elise regelrecht ins Herz schnitt.

»Ich hoffe, wir bekommen Sie nachher noch einmal zu Gesicht, bevor wir uns verabschieden?«, fragte sie, um die Hausherrin von ihrem offensichtlichen Kummer abzulenken.

Beinah überrascht sah Paula sie an. Offenbar war es nicht üblich, Kinder bei derartigen Besuchen dabeizuhaben, schlussfolgerte Elise und dachte, dass sie in dieser Hinsicht wohl noch viel zu lernen hatte.

»Es wäre für die beiden eine große Ehre, wenn sie unseren Besuch noch einmal sehen dürften«, meinte Paula. »Im Moment sind sie wohl mit dem Kindermädchen im Garten.«

Sie warf den beiden ins Gespräch vertieften Männern einen flüchtigen Blick zu und fuhr dann fort: »Ich gehe davon aus, dass die Herren sich in Kürze zum Rauchen zurückziehen werden.«

Elise unterdrückte ein Kichern und wechselte einen bedeutungsschwangeren Blick mit ihrer Mutter. Sich Wilhelm mit einer Zigarre im Mundwinkel vorzustellen, war einfach absurd. Oder gehörte das zu den Dingen, mit denen ihr Vater sich in seinem neuen Dasein als Fabrikant abfinden musste?

»Dann können wir in den Garten zu den Mädchen gehen«, fuhr Paula Böhm unbeirrt fort.

»Sehr gerne«, stimmte Elise begeistert zu. »Auf den Garten freue ich mich schon die ganze Zeit.«

»Nun, wenn sich unsere Gemahle einig werden, haben Sie in Zukunft noch sehr häufig die Gelegenheit, ihn zu genießen«, kam es traurig von Paula, die sich aber sofort wieder fing und nach einem Blick auf Wilhelm und ihren Mann erhob. Hastig taten die anderen es ihr gleich.

»Ich führe die Damen etwas durch den Garten«, ließ Paula ihren Gatten wissen.

Er lächelte ihr liebevoll zu. »Eine hervorragende Idee, meine Liebe. Herr Lusin und ich ziehen uns in die Bibliothek zurück.«

Elise, Margarethe und Paula betraten den Garten über die große Veranda, die sich direkt an den Speisesaal anschloss. Von hier aus führten breite Steinstufen in die riesige, mit alten Bäumen bestandene Anlage.

»Es ist wunderschön«, flüsterte Elise, die den Gedanken daran, dass sie, die kleine Lebküchnertochter, vielleicht bald hier leben sollte, gar nicht zu glauben vermochte. Langsam fand sie aber durchaus Gefallen daran.

Im nächsten Moment schossen auch schon zwei blonde Wirbelwinde auf sie zu. Das Kindermädchen, eine ebenfalls blonde und sehr junge Frau, die wirkte, als sei sie die ältere Schwester der beiden, beeilte sich hinterherzukommen.

»Mama«, quietschte die Kleinere und streckte Paula Böhm fordernd ein Buch entgegen. »Vorlesen!«

»Aber das geht jetzt nicht, mein Schätzlein«, entgegnete Paula bedauernd, während sie sich liebevoll zu ihrer Tochter hinunterbeugte. »Wir haben Besuch.«

Das Mädchen schob die Unterlippe vor und funkelte Elise

und ihre Mutter, die sie offenbar als die Schuldigen erkannt hatte, so böse an, dass Elise lachen musste.

»Soll ich dir vielleicht vorlesen?«, bot sie an.

Das Mädchen musterte sie argwöhnisch. »Kannst du denn überhaupt lesen?«, zweifelte sie, was ihr Kindermädchen zu einem erschrockenen Ausruf und ihre Mutter zu einer Ermahnung veranlasste.

Elise jedoch ließ sich nicht beirren, im Gegenteil, sie war noch hingerissener von der Kleinen.

»Kennst du die Geschichte denn?«, fragte sie.

»Ja«, bestätigte Philippa. »Und Sarah auch.«

Sie deutete auf ihre Schwester, die bedeutungsvoll nickte.

»Dann mache ich dir nun einen Vorschlag«, fuhr Elise fort. »Ihr gebt mir das Buch, und ich versuche es mal mit dem Lesen. Da ihr die Geschichte ja kennt, könnt ihr überprüfen, ob ich wirklich lesen kann. Wie wäre das?«

Philippa runzelte ihre kleine Stirn. »Gut. Das machen wir. Da.«

Sie deutete auf die kleine halbrunde Steinbank, die im Schatten eines Baumes stand.

»Gut«, erwiderte Elise. Und dann marschierte sie, gefolgt von dem Kindermädchen und rechts und links ein Kind an der Hand, auf den Baum zu.

»Dann setzt euch mal zu mir.«

Nachdem die Mädchen rechts und links ihrer Besucherin Platz genommen hatten, begann Elise zu lesen: »Vor einem großen Walde wohnte ein armer Holzhacker mit seiner Frau …«

Während sie las, lehnte die kleine Philippa vertrauensvoll ihr Köpfchen an ihren Arm, und Elise genoss das Gefühl. *Wie schön es doch wäre, eine kleine Schwester zu haben,* dachte sie nicht zum ersten Mal und bedauerte es fast, als das Märchen zum Ende kam: »Gretel schüttete sein Schürzchen aus, dass die Perlen und Edelsteine in der Stube herumsprangen, und Hänsel warf eine Handvoll nach der andern aus seiner Tasche dazu. Da hatten alle Sorgen ein Ende, und sie lebten in lauter Freude zusammen.«

Philippa hob den Kopf von Elises Arm und sah sie ernst an. »Du kannst lesen«, stellte sie zufrieden fest.

»Na, da bin ich aber froh«, lachte Elise.

»Bedankt euch bei Fräulein Lusin«, forderte Paula Böhm, die inzwischen mit Margarethe herangekommen war, ihre Töchter auf.

»Danke, Fräulein Lusin«, sagte Philippa brav, und auch die schüchterne Sarah ließ sich zu einer gemurmelten Dankesbekundung bewegen.

Dann wandte sich Paula an das Kindermädchen. »Nun wird es aber Zeit. Bitte baden Sie die Mädchen jetzt, und geben Sie der Küche Bescheid, dass man ihnen das Abendessen hinaufbringt.«

»Jawohl, gnädige Frau.«

»Bis bald, Lisili«, rief Philippa Elise zu, die wegen des Kosenamens lächeln musste.

»Bis bald, ihr beiden«, entgegnete sie und sah den Mädchen noch nach, wie sie an der Hand ihres Kindermädchens auf die Villa zusteuerten.

»Wir sollten ebenfalls hineingehen«, schlug Paula vor. »Unsere Männer haben gewiss schon alles Wichtige besprochen, und Sie werden nun vermutlich noch den Rest des Hauses besichtigen wollen.«

Auf einmal schimmerte es in den Augen der Paula Böhm feucht, und Margarethe legte anteilnehmend die Hand auf deren Unterarm. »Das muss nicht sein«, versicherte sie. »Ich kann verstehen, wenn Ihnen das unangenehm ist.«

»Ach, es geht mir doch gar nicht um die Besichtigung«, winkte Paula Böhm ab. »Es ist nur …«

»Ja?«, fragte Margarethe aufmunternd, während Elise sie aufmerksam musterte.

Doch Paula schüttelte, offenbar unfähig weiterzusprechen, nur den Kopf.

»Es muss furchtbar sein, dieses wundervolle Anwesen aufzugeben«, eilte Elise ihr zu Hilfe.

Nun konnte Paula Böhm sich nicht mehr beherrschen, eine Träne löste sich zu Elises Bestürzung aus ihrem Augenwinkel und rann ihre Wange herab.

»Es ist nicht nur das Haus«, schniefte Paula Böhm, »ich fürchte mich auch vor dem Leben in Übersee.«

»Vielleicht ist das Leben dort auch recht annehmlich?«, versuchte Margarethe ihr Mut zuzusprechen und nahm vertrauensvoll den Arm der anderen. »Waren Sie schon einmal dort?«

»Ich selbst nicht, aber mein Gemahl, ich habe ihn nur bis nach Hamburg begleitet«, erklärte Paula Böhm, und schon sammelten sich erneut Tränen in ihren Augen. »Ich weiß doch gar nicht, wie es in Ceylon werden wird. Ich weiß nur, dass es eine Kronkolonie Englands ist. Mein Mann hat dort riesigen Grund und ein Haus in den Bergen erworben und möchte Zimt anbauen.«

Für Elises Ohren klang das alles höchst aufregend und spannend, aber sie konnte die Bedenken der anderen durchaus verstehen. Auch sie versuchte, ihr Mut zu machen: »Ihr Herr Gemahl würde Sie und Ihre entzückenden Töchter sicherlich nicht mit nach Ceylon nehmen, wenn er Sie damit in Gefahr brächte.«

»Vermutlich haben Sie recht«, meinte Paula und versuchte sich an einem Lächeln. »Immerhin: Wenn Sie das Haus bekommen würden, wüsste ich es zumindest in guten Händen.«

»Dann würden Sie uns also Ihren Segen geben?«, fragte Elise atemlos. Für sie hing viel von dieser Antwort ab. Denn selbst wenn es ihr schwerfiele, ihr Zuhause am Fuße der Kaiserburg zu verlassen: Hier, in dieser Villa, würde sie sich wohlfühlen. Daran hegte sie mittlerweile keinen Zweifel mehr. Allerdings nicht, wenn sie das Gefühl hätte, es jemand anderem regelrecht zu entreißen.

Paula hob den Blick und lächelte sie an. »Ja, das würde ich. Es hilft ja nichts, wir müssen fort. Und da wäre es mir sogar ein Trost, mein Zuhause in Ihren Händen zu wissen.«

»Wir würden es hegen und pflegen«, versprach Elise.

»Ja«, flüsterte Paula. »Ja, das weiß ich.«

9

Auch der Rest des Hauses übertraf die Erwartungen: Im Souterrain befanden sich die Küche, der Aufenthaltsraum für das Personal sowie die Räumlichkeiten des Hausdieners und der Hausdame. Das Personal hatte ein eigenes Treppenhaus, über das es in alle Stockwerke und auch in den Gesindetrakt unter dem Dach gelangen konnte. Hier befanden sich zahlreiche kleine, kärglich eingerichtete Zimmer. Rechts und links an der Wand stand je ein schmales Eisenbett, daneben je eine Kommode und rechts und links der Tür, gegenüber dem Dachfenster, je ein Schrank. »Unser Gesinde hofft natürlich, im Falle eines Kaufes von Ihnen übernommen zu werden«, ließ der Hausherr Wilhelm leise wissen.

Der Angesprochene nickte. Zwar war ihm etwas schwindelig bei dem Gedanken, dass er dann noch mehr Verantwortung auf sich laden würde, andererseits war ihm vollkommen klar, dass ein solches Anwesen nicht ohne eine angemessene Anzahl von Bediensteten geführt werden konnte. Und obendrein hätte er wohl nicht mehr in den Spiegel sehen können, wenn seinetwegen so viele Menschen auf der Straße landen würden.

»Den Personaltrakt betreten wir nach Möglichkeit nicht – und nie ohne Anmeldung«, fuhr der Hausherr fort. »Es ziemt sich nicht.«

Wieder nickte Wilhelm. Das leuchtete ihm ein. »Dann

lassen Sie uns schnell wieder hinuntergehen«, schlug er vor. Er fühlte sich nicht wohl dabei, dass sie hier in fremden Zimmern standen.

»Für heute ist das schon in Ordnung«, versicherte Paula Böhm. »Wir haben das Personal ja zuvor unterrichtet.«

»Aber nun folgen ohnehin die für Sie vermutlich interessanteren Räume«, fuhr Ludwig Böhm fort. »Die nämlich, in denen die Familie wohnt.«

»Das ist ein wenig wie im Tucherschloss«, flüsterte Elise ihrem Vater zu.

Es gab zahlreiche großzügige Schlafgemächer, die aufgrund der Architektur des Hauses alle nach hinten zum Park wiesen und damit einen hervorragenden Ausblick boten. In der Belle Etage fand sich das Damenzimmer, das Herrenzimmer, ein Musikzimmer, das Arbeitszimmer Ludwig Böhms sowie eine Bibliothek gigantischen Ausmaßes. Alle Wände waren mit deckenhohen, geschnitzten Regalen verkleidet, in denen sich ein prachtvoller Band an den nächsten reihte.

»Wunderschön«, hauchte Elise, und Ludwig Böhm schenkte ihr einen freundlichen Blick.

»Es freut mich, wenn es Ihnen gefällt. Zumal die Bibliothek zu meinem Leidwesen mitverkauft werden muss. Wir können die Bücher unmöglich alle mit nach Übersee nehmen.«

»Sie verkaufen diese Bibliothek? Diesen ungemeinen Wissensschatz?«, vergewisserte sich Wilhelm.

»Ja«, bestätigte der Gewürzhändler. »Und glauben Sie mir, die Entscheidung fällt mir ausgesprochen schwer. Aber die Bücher gehören hierher, in dieses Anwesen. Auf der Schiffspassage würden sie nur Schaden nehmen.«

Wilhelm konnte seine Freude kaum verhehlen. »Wir würden sie in Ehren halten – das heißt, wenn wir uns einig werden.«

»Ich danke Ihnen«, erwiderte Böhm. »Damit wäre unser Rundgang beendet. Haben Sie noch weitere Fragen?«

»Nun«, erwiderte Wilhelm, »die habe ich tatsächlich: Gibt es noch weitere Kaufwillige?«

»Die gibt es in der Tat«, bestätigte Böhm. »Eine weitere Nürnberger Familie hat unser Zuhause gestern besichtigt und ihr Angebot kundgetan.«

»Oh«, machte Wilhelm und erkannte in den Augen seiner Frau und seiner Tochter, dass auch sie davon überrascht waren. Das war zwar einerseits ein gutes Zeichen, denn beide Damen schienen sich mit dem Gedanken an einen Umzug inzwischen angefreundet zu haben. Aber nichts wäre schlimmer, als wenn ihnen die Villa nun vor der Nase weggeschnappt werden würde. Wilhelm fühlte leisen Ärger in sich aufsteigen. Er hatte die Frage eigentlich nur der Form halber gestellt, jedoch nicht damit gerechnet, dass sie ernsthafte Konkurrenz haben würden. Darüber, fand er, hätte der andere ihn vorher in Kenntnis setzen müssen. Er schluckte seinen Unmut jedoch hinunter.

»Wovon machen Sie Ihre Entscheidung abhängig?«, fragte er.

»Davon, bei wem wir unser Zuhause in den besseren Händen wüssten«, erklärte Böhm. »Wenn ich Ihnen einen Vorschlag machen darf: Wir überlassen Ihnen die Bibliothek, damit Sie sich beraten können, und meine Frau und ich ziehen uns in den Salon zurück, um dasselbe zu tun. Wenn danach noch keine Entscheidung getroffen werden kann, finden wir in den nächsten Tagen nochmals zusammen.«

»Das ist eine hervorragende Idee«, stimmte Wilhelm zu. »Ich danke Ihnen.«

***

Als das Ehepaar Böhm die Bibliothek verlassen hatte, ließ sich Elise mit einem Seufzen auf das mit rotem Samt bezogene Sofa sinken, das in der Mitte des Raumes stand. Ihre Mutter nahm neben ihr, der Vater gegenüber Platz.

»Nun habe ich mich wirklich in das Haus verliebt, und dann erfahren wir, dass wir es vielleicht gar nicht bekommen werden«, beklagte sich Margarethe betrübt.

Ihr Vater lächelte sie zärtlich an. »Es freut mich, dass du deine Meinung geändert hast, meine Liebe.«

»Ja«, erwiderte sie. »Ich muss Abbitte leisten. Diese Villa ist ganz zauberhaft, und wenn wir es irgendwie möglich machen können, sollten wir sie erwerben.«

»Ich muss gestehen, ich bin etwas irritiert, weil es nun noch einen zweiten Interessenten gibt, von dem wir nichts wussten.«

»Dann sollten wir ihnen unsere Entscheidung gleich mitteilen«, schlug Margarethe vor.

»Moment«, sagte ihr Vater. »Elise hat sich noch gar nicht geäußert. Es soll ja auch ihr Zuhause werden.«

Elise wusste es sehr zu schätzen, dass ihr Vater sie, was ausgesprochen unüblich war, in so viele seiner Entscheidungen mit einbezog. »Mir geht es wie Mutter. Die Villa ist wunderschön, und ich kann mir gut vorstellen, hier zu leben, auch wenn ich es noch gar nicht so recht glauben kann. Zumal wir unser Haus in der Bergstraße ja nicht verlieren werden.«

Ihr Vater nickte. »Gut. Dann würde ich vorschlagen, wir gehen in den Salon hinüber und teilen dem Ehepaar Böhm unsere Entscheidung mit. Und hoffen, dass sie uns den Zuschlag geben.«

»Ich glaube, wir können nicht einfach hinübergehen«, wandte Elise ein. »Ich vermute, wir müssen nach einem Dienstboten klingeln und die Nachricht überbringen lassen.«

Überrascht sah Wilhelm seine Tochter an. Dann lachte er laut auf. »Ich muss sagen, dass du dich mit den neuen Gepflogenheiten schon recht schnell vertraut gemacht hast.«

»Die gnädige Frau und der gnädige Herr lassen bitten«, teilte ein unscheinbares Dienstmädchen, das Elise bisher noch gar nicht aufgefallen war, kurz darauf mit. »Vielen Dank«, erwiderte ihre Mutter freundlich. Sie erhoben sich, um dem Mädchen durch die großzügige Diele in den in Gold und Weiß gehaltenen Salon zu folgen.

Sie fanden das Ehepaar Böhm an dem kleinen Tisch unter dem Fenster sitzend vor. Beide erhoben sich bei ihrem Eintreten und sahen ihnen erwartungsvoll entgegen.

»Das ging aber rasch vonstatten«, stellte Ludwig Böhm fest, und Elise sah in seinem Gesicht eine gewisse Unruhe. Bedeutete das, dass auch die Böhms sich für sie entschieden hatten und nun fürchteten, sie würden ihnen eine Absage erteilen?

»Es gab nicht viel Gesprächsbedarf«, erklärte Wilhelm. »Wir waren im Grunde sofort einer Meinung. Ich hoffe, wir sind nicht zu früh?«

»Nein, wir sind ebenfalls bereits zu einer Entscheidung gelangt. Nehmen Sie doch Platz.«

Elise spürte, wie ihr die Kehle vor Aufregung ganz trocken wurde. Sie sah ihren Eltern an, dass sie ganz ähnliche Empfindungen zu haben schienen.

»Zu welcher Entscheidung sind Sie gelangt?«, fragte Böhm mit hochgezogenen Augenbrauen.

Wilhelm räusperte sich, setzte sich noch ein wenig aufrechter hin und sah dem Gewürzhändler direkt ins Gesicht, als er verkündete: »Ihre Villa ist wirklich ganz zauberhaft. Wir alle drei können uns das hier wunderbar als unser neues Zuhause vorstellen. Und das Personal würden wir selbstverständlich übernehmen.«

Das Ehepaar Böhm wechselte einen Blick, dann erklärte Ludwig: »Nun, wir sind zu der gleichen Entscheidung gelangt. Meine Frau und ich sind der Überzeugung, dass unser Zuhause bei Ihnen in guten Händen wäre.«

»Das heißt, Sie geben uns den Zuschlag?«, platzte Elise heraus und schlug gleich darauf die Augen nieder. »Bitte verzeihen Sie.«

Doch Paula legte beruhigend die Hand auf die ihre. »Sie müssen sich nicht entschuldigen. Im Gegenteil. Ihre Begeisterung zeigt mir, wie sehr Sie das Haus schon in Ihr Herz geschlossen haben – das bestätigt uns die Entscheidung wiederum.«

»Ach, wie wunderbar«, rief Margarethe erleichtert. »Ich kann es noch gar nicht glauben. Wenn ich daran denke, dass …«

Bitte sag jetzt nicht: Wenn du daran denkst, dass du eigentlich gar nicht umziehen wolltest, flehte Elise in Gedanken. Das könnte alles zerstören, und Wilhelm, der die gleiche Befürchtung zu haben schien, warf seiner Gemahlin einen warnenden Blick zu.

Paula Böhm, die ein feines Gespür für Unausgesprochenes zu haben schien, bemerkte sehr wohl, dass hier etwas vor sich ging, und blickte wachsam von einem zum anderen. »Wenn Sie was bedenken, meine Liebe?«

Margarethe hatte ihren Beinahe-Fauxpas inzwischen offenbar bemerkt und sich wieder gefangen. »Wenn ich bedenke, dass wir aus unserem bescheidenen kleinen Fachwerkhaus unterhalb der Burg in eine derart prachtvolle Villa ziehen«, erläuterte sie rasch.

Elise sah, dass sich Paulas Miene wieder etwas aufhellte.

»Ja, das wird sicherlich eine große Umstellung«, räumte die Hausherrin ein. »Ich freue mich sehr, dass Sie einverstanden sind, das Gesinde zu übernehmen. Unser Kindermädchen wird uns allerdings nach Ceylon begleiten, die Kleinen hängen so an unserer Christine. Aber ein Kindermädchen brauchen Sie ja auch nicht mehr. Eher eine Zofe.«

Sie lächelte Elise zu.

»Eine Zofe!«, murmelte Wilhelm und sah seine Tochter versonnen an. »Das ist es.«

10

Agathe liebte den Wald, der ihr Elternhaus umgab. Sie mochte es, durchs Unterholz zu schlendern, an den Bächlein entlangzuspazieren und dann durch die dichten Wipfel nach oben zu blicken. Sie genoss es, wenn das Sonnenlicht durch die Baumkronen fiel und die Blätter märchenhaft erleuchtete. Alles ringsumher schmeckte nach Hoffnung, zumal die Ernte dieses Jahr besser ausfiel als im Jahr zuvor. Dennoch fühlte sich Agathe in der letzten Zeit häufig traurig und auch ein wenig unstet. Nun, da sie die Schule hatte verlassen müssen, fehlte ihr ein Ziel, ein Inhalt. Sie wusste nicht, wohin ihr Leben nun führen würde, und ein beschwerlicher Tag reihte sich lang, zäh und ereignislos an den nächsten. Sie sehnte sich nach neuer Lektüre, hatte sie doch schon jedes Buch im Haus bereits mehrfach studiert. Sie half ihrer Mutter nach Kräften im Haushalt und hatte Freude daran, die jüngeren Geschwister zu unterrichten – aber all das füllte sie natürlich keineswegs aus. Es schien ihr alles so sinnlos! Eigentlich war sie nun auch in dem Alter, in dem sie sich langsam auf die Verbindung mit einem jungen Mann hätte vorbereiten sollen. Aber da war niemand weit und breit in der Einsamkeit des Waldes. Sie hoffte immer wieder, dass ihre Eltern das Thema irgendwann ansprechen würden – ihr selbst war es furchtbar unangenehm. Manchmal hatte sie allerdings auch das Gefühl, dass die derzeitige Situation für ihre Eltern recht geschickt war. Schließlich musste sich die Mutter dank ihrer

Unterstützung kaum noch um die Jüngeren und den Haushalt kümmern, sondern konnte den Vater bei den Bienen unterstützen. Im Grunde half Agathe ja auch gern – und wenn sie diese Gedanken hatte, dann fühlte sie sich sogleich ausgesprochen undankbar. Aber sich ihrer völlig erwehren konnte sie nicht.

Sie seufzte, als sie die Lichtung erreichte, auf der ihr Elternhaus stand. Hier gab es so viel Liebe und Nähe, aber auch so unendlich viel Arbeit. Gleich würde sie das Essen für die Familie zubereiten müssen, und wenn sie das Kochbuch ihrer Vorfahrin auch noch so oft durchblätterte: Einen richtig guten Einfall hatte sie nicht.

Da wurde die Tür aufgerissen. Ihre Schwester Barbara stürmte aufgeregt aus dem Haus und rannte ihr entgegen.

Vor Schreck ließ Agathe beinahe den Korb mit den Einkäufen fallen, den sie in ihrer Hand hielt. Hastig eilte sie auf ihre Schwester zu.

»Barbara«, rief sie. »Ist etwas geschehen?«

Das Mädchen schüttelte den Kopf. »Nein, aber du hast Besuch. Aus Nürnberg.«

»Aus Nürnberg?«, fragte Agathe erstaunt. Wer könnte denn aus der großen Stadt etwas von ihr wollen?

»Wer ist es denn?«

»Ich habe den Namen leider vergessen. Eigentlich haben Vater und Mutter ja gesagt, ich darf niemanden ins Haus lassen, wenn sie nicht da sind. Aber der Herr und das Fräulein haben sehr nett gewirkt und gesagt, dass Vater ihnen immer Honig bringt.«

»Das hast du sehr gut gemacht«, lobte Agathe, die inzwischen die Haustür erreicht hatte und nun zu wissen glaubte, um wen es sich bei dem geheimnisvollen Besuch handelte.

Es konnte eigentlich nur Wilhelm Lusin mit seiner Tochter Elise sein! Ihr Herz schlug höher. Sie hatte noch so oft an die schöne Begegnung mit Elise Lusin und deren Mutter denken müssen und insgeheim gehofft, dass sie einander irgendwann wiedersehen würden. Der Vater war damals sehr dankbar dafür gewesen, dass die Lusins ihm seinen Honig nach wie vor abnahmen. Immer wieder einmal fuhr er nach Nürnberg, um dem Lebküchner Honig zu liefern. Aber der Vater hatte sie zu ihrer Enttäuschung nie wieder gefragt, ob sie ihn begleiten wolle, und sie hatte ja auch hier so viel zu tun. Sie lauschte jedoch stets voller Begeisterung, wenn er – ein wenig stolz, Teil des großen Ganzen zu sein – berichtete, wie erfolgreich der Herr Lusin als Fabrikant sei und dass er zu den ganz Großen gehöre. Irgendwann hatte er ihn dann sogar »gnädiger Herr« genannt. Was aber mochte ein so wichtiger Herr bei ihnen wollen? Den Vater bitten, noch mehr Honig zu liefern?

»Barbara«, wandte sie sich an ihre Schwester, während sie die Tür öffnete, »lauf rasch und sag Vater Bescheid!«

»Aber sie wollen zu dir«, wiederholte Barbara, was vorhin der Aufmerksamkeit Agathes entgangen war.

»Zu mir?«, fragte sie nun erstaunt. »Bist du sicher?«

Barbara nickte.

»Hol ihn dennoch!«, bat Agathe.

»In Ordnung.« Barbara machte auf dem Absatz kehrt und eilte in Richtung der Bienenstände davon, während Agathe in die Küche ging.

In der Tür blieb sie stehen und musste angesichts des Bildes, das sich ihr bot, unversehens lächeln. Die Anwesenden hatten sie noch nicht bemerkt.

Elise Lusin saß am Küchentisch, als würde sie das jeden

Tag tun, und las Agathes beiden kleinen Brüdern aus Grimms Märchen vor, während Wilhelm Lusin ihr lächelnd dabei zusah.

»Guten Tag.«

Wilhelm Lusin sprang bei ihren Worten auf, um sie zu begrüßen. »Fräulein Welser, bitte entschuldigen Sie, dass wir hier so einfach hereinplatzen.«

»Das macht doch nichts«, versicherte Agathe. »Ich freue mich sehr, Sie kennenzulernen.« Dann fügte sie, an Elise gewandt, hinzu: »Vielen Dank, dass du dich um meine Brüder gekümmert hast.«

»Gern geschehen«, sagte diese. »Erst kürzlich hatte ich das Vergnügen, zwei kleinen Mädchen vorzulesen. Langsam bekomme ich Übung.«

»Weiterlesen!«, drängelte Karl.

Agathe wies ihn sanft zurecht. »Karl, Hannes, die Herrschaften und ich haben etwas zu besprechen. Ihr dürft nach oben gehen und mit der neuen Eisenbahn spielen, die ihr zu Weihnachten bekommen habt.«

»Wirklich?«, fragte Hannes mit leuchtenden Augen. Die Eisenbahn war sonst für das Wochenende vorbehalten, damit sie länger hielt.

»Wirklich«, bestätigte Agathe.

»Fein!«, rief Karl und klatschte in seine Händchen.

Sekunden später waren die beiden durch die Tür, und Agathe und ihre Gäste konnten leises Fußgetrappel auf der Treppe hören.

»Darf ich etwas anbieten?«, fragte Agathe, doch beide Welsers winkten ab.

»Danke, wir sind wunschlos glücklich«, versicherte Wilhelm. »Sie wundern sich sicher über unseren Besuch.«

»Nun ja«, murmelte Agathe etwas verlegen. »Ein wenig schon, wenn ich ehrlich bin.«

»Dann möchte ich Ihnen gern etwas erzählen«, kündigte Wilhelm Lusin an. »Ich hatte viel Glück in der letzten Zeit. Der Lebkuchen, den ich während der Krankheit meiner Elise«, er lächelte seiner Tochter liebevoll zu, »kreiert habe, erfreut sich größter Beliebtheit.«

Agathe nickte eifrig. »Das hat mir mein Vater schon erzählt, Herr Lusin. Und auch, dass Sie jetzt ein Fabrikant sind.«

»Ja, das bin ich wohl«, meinte er lächelnd und bückte sich hinunter, um aus der Tasche, die er auf dem Boden abgestellt hatte, eine der hübschen Blechdosen herauszukramen, in denen die Lebkuchen inzwischen verkauft wurden. »Bitte sehr. Das haben wir Ihnen mitgebracht.«

»Da-danke«, stammelte Elise und betrachtete das hübsche Behältnis von allen Seiten, denn auf jeder gab es eine schöne Ansicht von Nürnberg zu entdecken. Auf dem Deckel prangte die Kaiserburg, und auf den langen Seiten waren die Fleischbrücke und St. Sebald zu sehen.

»Probieren Sie doch mal!«, schlug Wilhelm Lusin vor. »Ich würde mich freuen, Ihre Meinung dazu zu erfahren.«

»Gern.« Sie öffnete den Deckel und sog den Duft tief ein. »Das riecht köstlich.« Sie nahm den obersten der Lebkuchen heraus, besann sich dann aber und streckte ihren Gästen die Schachtel entgegen. »Wie unhöflich von mir – bitte!«

Doch die Lusins winkten lachend ab.

»So weit kommt es noch, dass wir dir die mitgebrachten Lebkuchen wegessen«, meinte Elise. »Wir haben zum Glück genug davon.«

»Gut.« Agathe biss genüsslich hinein, er war wunderbar weich und schmeckte himmlisch.

»Köstlich«, bescheinigte sie. Dann sah sie ihre Besucher fragend an. »Verzeihen Sie meine Neugierde, Herr Lusin, aber Sie sind sicherlich nicht nur gekommen, um mir einen Lebkuchen zum Probieren zu bringen?«

»Das sind wir in der Tat nicht«, bestätigte Wilhelm ernst. »Wie Sie schon wissen, sind wir nun Fabrikanten, Agathe. Das ist für uns, die wir einfache Lebküchner waren, recht fremd und recht neu.«

»Ja, das kann ich mir vorstellen. Wenn Vater plötzlich ein riesiger Honigfabrikant würde, würde mir das auch merkwürdig vorkommen.«

»Ganz genau so geht es uns«, ergriff nun Elise das Wort. »Zumal es nicht damit getan ist, dass Vater nun eine Fabrik hat und alles andere bleibt, wie es war.«

»Wie ist es denn dann?«, fragte Agathe überrascht.

»Nun«, fuhr Herr Lusin fort. »Wenn man Fabrikant ist, bewegt man sich auch in anderen Kreisen. Wenn Sie so wollen, ist damit ein gesellschaftlicher Aufstieg verbunden.«

Sie sah ihren Besuch erschrocken an. »Ich hätte knicksen sollen, nicht wahr?«

Elise lachte hell auf. »Nein. Bitte versprich mir, niemals vor mir zu knicksen.«

»Also gut«, stimmte Agathe erleichtert zu.

»Mit dem Aufstieg meines Vaters ist auch ein Umzug verbunden«, fuhr Elise nun fort. »Wir werden unser Haus in der Bergstraße verlassen und in eine wunderschöne Villa ziehen.«

»Wie aufregend!«, staunte das Mädchen.

»Ja«, bestätigte Elise. »Ja, das ist es in der Tat.«

»Und in einer derartigen Villa ist es üblich, Gesinde zu haben«, fuhr Wilhelm nun fort. »Einen Großteil der Dienerschaft der bisherigen Eigentümer, die nach Ceylon auswandern, können wir übernehmen. Aber meine Tochter Elise benötigt nun auch eine … äh … Zofe. Und da kommen Sie ins Spiel.«

Agathe machte große Augen. »Ich soll Zofe werden? Aber ich weiß doch gar nicht, wie das geht!«

»Agathe.« Elise beugte sich vor und nahm die Hände der anderen in die ihren. »Das macht nichts, wenn du das nicht weißt. Glaub mir, ich selbst weiß auch nicht, wie es geht, eine feine Dame zu sein. Aber wir können gemeinsam beides herausfinden.«

»Das ist noch nicht alles«, mischte Wilhelm Lusin sich wieder ins Gespräch. »Ihr Vater hat immer wieder voller Stolz von Ihnen gesprochen. Wie klug Sie doch seien. Und wie wissbegierig.«

»Oh.« Verlegen senkte Agathe den Blick. »So klug nun auch wieder nicht.«

Doch Wilhelm beachtete ihren Einwand gar nicht. »Er war sehr betrübt, dass er Ihnen den Schulbesuch nicht länger ermöglichen konnte«, fuhr er fort.

Überrascht sah Agathe ihn an. »Das hat er Ihnen erzählt?«

»Ja, er hat mir sein Herz ausgeschüttet an jenem Nachmittag vor eineinhalb Jahren«, berichtete Wilhelm. »Seitdem sind Sie beide mir nicht mehr aus dem Kopf gegangen. Ich habe immer auf eine Gelegenheit gewartet, Ihnen helfen zu können. Hier ist Sie: Meine Tochter Elise hat die Schule wie die meisten Jungen und Mädchen leider im Alter von zwölf Jahren verlassen. Für Privatunterricht hat es nie gereicht. Das möchte ich nun ändern.«

»Ich fände es aber ziemlich eintönig, alleine in meinem Studierzimmer zu sitzen«, fuhr Elise fort. »Und da dachte ich mir, dass du vielleicht ebenfalls am Unterricht teilnehmen könntest. Zumal du ja so viel weißt! Ich finde immer noch beeindruckend, was du mir über den Brunnen erzählt hast.«

Agathe spürte ihr Herz schneller schlagen. Das konnte doch nicht sein! So viel Glück konnte ein Mensch gar nicht haben!

»Nun?«, fragte Wilhelm Lusin.

»Das … das wäre ja wunderbar, Herr Lusin«, brachte sie heraus. Dann fügte sie zaghaft hinzu: »Aber darf eine Zofe denn am Unterricht des gnädigen Fräuleins teilnehmen?«

»Du wärst nicht nur dazu da, mir mein Mieder zu schnüren und mir die Haare zu frisieren«, meinte Elise lächelnd. »Sondern auch so eine Art Gesellschafterin. Außerdem befindet sich in dem Haus eine riesige Bibliothek, die du selbstverständlich uneingeschränkt nutzen darfst.«

»Das klingt ganz wunderbar«, wiederholte Agathe und begriff langsam, dass das wirklich alles wahr werden könnte!

Dann jedoch verfinsterte sich ihre Miene. »Ich weiß allerdings nicht, ob meine Eltern mich gehen lassen können. Ich denke, sie brauchen mich hier dringend.«

»Natürlich brauchen wir dich dringend«, erklang in diesem Moment eine Stimme von der Tür her. Von den anderen unbemerkt, hatte Josef Welser das Zimmer betreten.

Agathe fuhr herum, während sich Elise und ihr Vater erhoben, um den Hausherrn zu begrüßen.

»Herr Welser«, sagte Wilhelm. »Bitte verzeihen Sie mir, dass wir hier einfach so unangekündigt aufgetaucht sind.«

»Da gibt es nichts zu verzeihen, Herr Lusin«, betonte der Zeidler eifrig. »Sie sind hier immer willkommen. Bitte, setzen Sie sich doch wieder.«

Er nahm ebenfalls an dem blank gescheuerten Küchentisch Platz, in dessen Mitte ein riesiger Strauß Wiesenblumen stand. »Ich habe den letzten Teil des Gesprächs mitbekommen, und um meinen Satz zu Ende zu bringen«, er wandte sich wieder an seine Tochter, »natürlich brauchen wir dich. Aber wir würden dir doch nie eine solch großartige Gelegenheit verwehren.«

Agathe bemerkte zu ihrer Bestürzung, dass ihrem Vater die Tränen in den Augen standen.

»Danke, lieber Herr Lusin, dass Sie meiner Agathe dies ermöglichen.«

»Dann erlaubst du es?«, vergewisserte sich Agathe, die ihr Glück kaum fassen konnte.

»Natürlich erlaube ich es«, bestätigte Josef Welser gerührt. »Du wirst deine Familie ja nicht ganz vergessen und uns oft besuchen kommen.«

»Aber natürlich werde ich das«, versicherte Agathe und stand auf, um ihren Vater zu umarmen. »Ich hab euch doch lieb!«

11

»Wilhelm«, rief Ludwig Böhm, »darauf stoßen wir an.«

Die Familien hatten sich kurz nach der Besichtigung in der Erlenstegenstraße mit dem Notar getroffen, um alles Notwendige zu veranlassen. In wenigen Tagen würden die Böhms das Schiff nach Ceylon besteigen und die Lusins in die Villa in der Erlenstegenstraße einziehen. Nachdem der Vertrag unterzeichnet und der Notar gegangen war, hatte Ludwig Wilhelm ins Herrenzimmer gebeten, während Paula, Elise und Margarethe schon einmal in den Salon gegangen waren.

Böhm ging zu dem kleinen Konsolentischchen, das an der Wand stand, griff nach der geschliffenen, schweren Kristallkaraffe und goss die goldbraune Flüssigkeit in die bereitstehenden Gläser.

»Eigentlich müsstest du das machen«, meinte er und deutete auf den Cognac. »Schließlich gehört das jetzt alles dir.«

Die Herren waren inzwischen zum vertraulichen Du übergegangen, und wenn Wilhelm sich damit zu Beginn auch schwergetan hatte, genoss er es inzwischen doch sehr. Es erlaubte einen lockeren, freundschaftlichen Umgangston zwischen ihnen.

»Ach, der Cognac war im Preis inbegriffen?«, spöttelte Wilhelm. »Hätte ich das gewusst, ich hätte keinen Augenblick gezögert.«

»Ach, du hast gezögert?«, gab Ludwig schmunzelnd zurück. »Das habe ich ja gar nicht bemerkt. Wann soll das gewesen sein?«

Lachend prosteten die Männer einander zu.

»Wie geht es deiner Frau denn nun damit, dass ihr euer Zuhause verlassen werdet?«, fragte er. »Margarethe hat berichtet, wie schwer ihr der Abschied fällt.«

»Nun«, erwiderte Ludwig und nahm einen Schluck Cognac, »tatsächlich geht es ihr viel besser, seit sie weiß, dass ihr in dieses Haus ziehen werdet. Der Gedanke, dass hier jemand leben wird, den sie nicht mag, war schrecklich für sie. Frauenzimmer eben.«

Wilhelm lachte. »Und ich kann dir versichern: Margarethe wird die Villa hegen und pflegen.«

Ludwig nickte. »Ich glaube auch, dass Paula sich in Ceylon schnell eingewöhnen wird. Ich hoffe es zumindest, denn ich selbst werde nicht viel Zeit haben, mich um sie zu kümmern. Sobald wir dort angekommen sind, will ich mit dem Anbau und Verkauf von Zimt beginnen. Ich trage mich auch mit dem Gedanken, später außerdem Tee und Kaffee anzubauen.«

Wilhelm lächelte. »Vielleicht wirst du ja eines Tages mein Zimtlieferant.«

»Es wäre mir eine Ehre.«

»Wie bist du eigentlich auf die Idee gekommen? Also nach Ceylon zu gehen und Zimt anzubauen?«, fragte Wilhelm. »Du bist doch hier ein ausgesprochen erfolgreicher Gewürzhändler.«

»Nun«, erwiderte Ludwig, »die Kolonien haben mich schon immer gereizt, auch wenn es sich in dem Fall ja um eine britische und keine deutsche Kolonie handelt. Und als Gewürzhändler bin ich natürlich auch an deren Ursprung interessiert.«

»Und warum ausgerechnet Zimt?«

»Ich mag den Geruch«, sagte Ludwig schlicht. »Den Gedanken, in einer Welt zu leben, die nach Zimt duftet, finde ich wunderbar. Außerdem fasziniert mich auch hier die Geschichte: Zimt ist eines der ältesten Gewürze überhaupt, bereits die Ägypter verwendeten ihn – nicht nur für Speisen, auch zur Einbalsamierung und als Räuchermittel.«

»Dann kann ich deine Faszination gut nachvollziehen. Wir Lebküchner nach alter Tradition haben ja noch das Modelschnitzen gelernt, und auch da hat mich immer fasziniert, seit wie vielen Jahrhunderten es die Model schon gab.«

»Das kann ich verstehen, Wilhelm. Ich kenne diese alten Lebkuchen auch noch. Ich habe sie geliebt. Schade, dass man sie kaum noch findet.«

»Oh ja.«

Ludwig sah ihn eindringlich an. »Man sollte seine Träume niemals aufgeben, Wilhelm. Egal, wie unangenehm es sein mag, sie zu verfolgen. Hätte ich das nicht entschieden getan, wäre ich nicht bald auf dem Weg nach Ceylon – und du nicht in Kürze im Besitz dieses Hauses.«

»Ja, da hast du recht. Übrigens kann ich zum Zimt selbst eine kleine Anekdote beitragen: Der berühmte Augsburger Kaufmann Anton Fugger ließ vor den Augen Karl V. dessen Schuldscheine in einem Feuer aus Zimtstangen verbrennen.«

»Was für ein Unsinn! Wie kam er denn auf diesen Einfall?«, fragte Ludwig.

»Ich nehme an, er wollte damit seinen unfassbaren Reichtum demonstrieren.«

Ludwig verzog das Gesicht. »Na, wer es nötig hat …«

Das Gespräch mit Ludwig Böhm klang noch lange in Wilhelm nach. Den Gedanken an die Model und die alte

Lebküchnerkunst hatte er in den vergangenen Monaten oder besser in den vergangenen Jahren weit von sich geschoben. Es war einfach zu schmerzhaft. Aber nun ging er wie magisch angezogen die steile Bergstraße hinauf, statt seine Schritte in Richtung seiner neuen Fabrik in der Tafelfeldstraße zu lenken. Er nahm den Seiteneingang, um nicht an den beiden Verkäuferinnen vorbeizumüssen, und stieg durch das Treppenhaus direkt in den ersten Stock. Hier, hinter der Wachszieherei, befand sich der Schrank mit den Modeln. Er nickte den beiden jungen Wachsziehern zu, die er vor einem Jahr eingestellt hatte, und ging dann in das zum Hof gelegene Zimmer. Das war sein Heiligtum, sein kleines Reich. Hier stand unter dem Fenster ein Tisch, an dem er schon so manches neue Rezept niedergeschrieben hatte, und hier befand sich der große Holzschrank mit dem Kostbarsten darin, was er hatte: sein Rezeptbuch. Und seine alten Model. Die er nun nicht mehr brauchte. Die neuen, beliebten Teige waren einfach zu weich und zu luftig. Drückte man sie in die Model hinein, verliefen sie einfach und verloren ihre Form, während die festeren Honigteige sich stets wunderbar hatten prägen lassen.

Er fischte den großen Schrankschlüssel, den er immer bei sich trug, aus seiner Jackentasche und schloss auf.

»Hier bist du«, hörte er eine Stimme hinter sich. »Ich habe dich durchs Fenster kommen sehen und mich gewundert, dass du nicht in die Wohnung kommst.«

Er wandte sich um und sah sich seiner Tochter gegenüber.

***

Elise deutete auf seine Hand und sah ihn fragend an. »Ein Model?«

Er nickte lächelnd. »Mein erstes.« Dann wurde sein Gesichtsausdruck ernster. »Ich war ein guter Modelstecher und habe mir ein gewisses Ansehen erarbeitet. Deshalb war ich auch einige Jahre auf der Stör im ganzen Land. Ich habe den Lebküchnern und Wachsziehern überall, vom Norden bis hinunter in den Süden, meine Dienste angeboten und Model nach ihren Vorstellungen gefertigt.«

Elise konnte den Schmerz darüber, dass die alte Backkunst nicht mehr gefragt war, im Gesicht ihres Vaters ablesen. Mit den alten Rezepturen war das Besondere an der Lebküchnerei verschwunden, was ihren Vater offenbar besonders gereizt hatte.

»Ich hatte mein Werkzeug immer dabei«, fuhr er fort. »Und besonders geeignete Obstbaumhölzer.«

»Warum ausgerechnet Holz von Obstbäumen?«

»Sie haben sehr feine Fasern«, erklärte er. »Das ist wichtig, damit man die Details dann gut erkennen kann. Ich konnte mit ihnen ganz feine Formen anfertigen. Andererseits ist das Obstbaumholz aber hart genug, um über viele Jahre hinweg seine Form zu bewahren.«

»Hast du eigentlich das ABC-Model noch, das du für mich angefertigt hast, als ich in die Schule kam?«

Wilhelm lächelte. »Natürlich.«

Er öffnete die Schranktür noch etwas weiter, griff hinein und zog ein flaches, fein gearbeitetes Model heraus, auf dem sich spiegelverkehrt ein Buchstabe an den anderen reihte.

Glücklich nahm sie es in die Hand. »Das ABC-Taferl ist für mich bis heute die schönste Erinnerung an meine Einschulung und die Zeit danach. Immer wenn ich einen Buchstaben gelernt hatte, durfte ich das Stück vom Taferl abbeißen, auf dem er stand.«

»Wie schön, dass du dich nach all der Zeit noch so gut daran erinnerst«, freute sich Wilhelm. »Übrigens ist dieser Brauch schon aus der Antike bekannt. Wir wissen von den alten Römern, dass sie ihren Kindern Honigplätzchen gaben, die wie Buchstaben geformt waren. Damit wollten sie ihnen das Lernen versüßen.«

»Das ist ihnen bestimmt gelungen«, war Elise überzeugt. »So, wie du mir ja auch das Lernen versüßt hast.«

Liebevoll sah er seine Tochter an. »Weißt du, für mich ist das eine ganze Welt, die da untergegangen ist, auch wenn ich mich natürlich freue, dass wir jetzt mit dem Elisenlebkuchen so großen Erfolg haben. Der Lebkuchen war früher viel mehr als nur … süßes Naschwerk. Früher hat man, wenn etwas Bahnbrechendes geschah, Model geformt und Lebkuchen gebacken, die die Neuigkeit dann in der ganzen Welt verbreitet haben. Im Grunde kann man sagen, die Lebkuchen waren die Vorläufer der Zeitung.«

»Ja, das verstehe ich. Wann ging deine Wanderschaft eigentlich zu Ende?«

Er grinste. »Vor einundzwanzig Jahren hier in Nürnberg. Und zwar in diesem Haus.«

»Da hast du Mutter kennengelernt«, kombinierte Elise. Bei der Lebküchnerei als auch Kerzenzieherei in der Bergstraße handelte es sich um das Elternhaus ihrer Mutter. Ihr Großvater mütterlicherseits, der mittlerweile verstorbene Wolfgang Flader, war ebenfalls Lebküchner und Kerzenzieher gewesen.

»Ganz genau«, bestätigte ihr Vater lächelnd. »Ich wollte ihrem Vater meine Model anbieten. Aber ihr Vater war nicht da. Stattdessen fand ich eine sehr selbstbewusste junge Dame vor, die mir erklärte, keine zu benötigen.«

»Und hast du sie umstimmen können?«

»Na ja, fast. Ich habe die ganze Nacht an einem Model für sie gearbeitet. Das habe ich ihr dann geschenkt und damit ihr Herz erobern können.«

»Sicher nicht nur damit. Ist es das Model, das einen Mann und eine Frau zeigt?«, erkundigte sich Elise. »Das oben auf dem Kamin steht?«

»Nein. Es ist das Model mit dem Herz, das danebensteht. Mit dem Model, das das junge Paar zeigt, habe ich ein halbes Jahr später um ihre Hand angehalten.« Er seufzte und stellte das Taferl zurück in den Schrank. »Und nun sind sie alle wertlos geworden.«

»Nicht doch, Vater«, rief Elise erschrocken. »Wir werden eine Verwendung für sie finden. Da bin ich ganz sicher.«

»Vielleicht«, sagte Wilhelm. »Vielleicht auch nicht. Aber das ist jetzt im Moment auch nicht so wichtig. Viel wichtiger ist, dass wir uns auf unseren Umzug vorbereiten. Auch Agathe kommt bereits nächste Woche.«

Elise lächelte. »Ich freue mich auf sie. Sehr sogar. Und auf unser neues Zuhause freue ich mich auch. Dieses hier bleibt uns ja erhalten.«

***

»Das ist ja ein Schloss«, hauchte Agathe beeindruckt, als ihr Vater sein Fuhrwerk, mit dem er sonst Wachs und Honig auslieferte, in die Einfahrt der Villa in der Erlenstegenstraße lenkte.

»Und hier wirst du nun wohnen, meine Kleine«, sagte der Zeidler ergriffen. »Wie eine richtige Prinzessin.«

»Eher wie die Dienerin einer Prinzessin«, wiegelte sie ab und gestand: »Ich bin ziemlich aufgeregt.«

»Ich auch«, brummte ihr Vater und steuerte das Fuhrwerk auf die linke Seite des Gebäudes, wo sich, wie er von Wilhelm wusste, der Dienstboteneingang befand.

Vor dem Eingang erstreckte sich ein kleiner Hof, auf dem ein Tisch mit mehreren Stühlen stand. Daran saß eine beleibte, freundlich dreinblickende Frau mit wilden braunen Locken und pulte Erbsen. Ihr Anblick beruhigte Agathe ein wenig. Denn sie fürchtete sich ziemlich vor dem übrigen Gesinde, schließlich war sie eine blutige Anfängerin. Diese Dame machte aber nicht den Eindruck, als würde sie irgendwen schelten oder irgendjemandem böse sein können.

»Guten Tag«, grüßte die Frau und erhob sich. »Ich nehme an, du bist die neue Zofe, Agathe, richtig?«

Die nickte schüchtern. »Und das hier ist mein Vater, Josef Welser.«

»Ich bin Caroline Stift, die Köchin. Ich gebe Ihnen, Herr Welser, wie auch dir lieber nicht die Hand, sonst kleben noch lauter Erbsen an den Fingern.«

Agathe musste lachen.

In diesem Moment trat ein schmales Dienstmädchen, Agathe schätzte, dass sie ungefähr ihr Alter haben mochte, aus der Tür.

»Ah, Maria, da bist du ja«, stellte Caroline zufrieden fest, als sie die Dunkelhaarige erblickte. »Die Zofe ist gerade angekommen. Agathe, das ist Maria, eines der drei Dienstmädchen. Du wirst dir mit ihr dein Zimmer teilen.«

Agathe lächelte die andere zaghaft an und stellte zu ihrer Erleichterung fest, dass Maria das Lächeln freundlich erwiderte.

»Zeige Agathe ihr Zimmer. Und dann kannst du auch

gleich nach Frau Hauder suchen, damit sie sie willkommen heißt.«

»Natürlich, Frau Stift«, gab Maria sich eilfertig und wandte sich erklärend an Agathe: »Frau Hauder ist unsere Hausdame. Ihr untersteht das weibliche Gesinde, während unser Hausdiener Heinrich Mannfeld für die Männer zuständig ist.«

»Gut«, sagte Agathe, der angesichts dieser Anzahl an Dienern etwas schwindelig wurde, und drehte sich zu ihrem Vater um, der noch ihre Tasche in der Hand hielt. »Dann heißt es nun wohl Abschied nehmen.«

Er nickte und zog sie in seine Arme. »Mach es gut, meine Kleine. Und komm uns ganz bald besuchen.«

»Das werde ich«, versprach Agathe und hatte auf einmal einen Kloß im Hals.

»Ich fahre dann wohl besser, sonst wird es noch schwerer«, meinte Josef etwas unbeholfen und kletterte wieder auf seinen Kutschbock, wendete das Gefährt und winkte Agathe noch einmal zum Abschied zu.

Sie sah dem Fuhrwerk nach und kämpfte gegen die aufsteigenden Tränen an. Da spürte sie, dass sich ein Arm um ihre Schultern legte.

Sie wandte den Blick und sah in Marias freundliches Gesicht. »So ging es mir auch, als ich hier angefangen habe. Aber du wirst dich wohlfühlen. Alle sind sehr nett. Und die neue Herrschaft scheint es auch zu sein.«

»Ja«, nickte Agathe und schniefte leicht. »Dass die Herrschaft nett ist, weiß ich. Und ich bin ja auch sehr dankbar. Es ist nur …«

Maria nickte. »Ich verstehe schon. Mach dir keine Gedanken. Dann zeige ich dir nun mal unsere Kammer.«

»Danke sehr.«

Agathe hatte gerade hinter dem Dienstmädchen das Haus betreten, als eine dunkelblonde Mittvierzigerin in einem schlichten Kleid aus einer Tür trat. Sie hatte das Haar zu einem straffen Dutt nach hinten gekämmt und sah die Mädchen streng an, was Maria im Gegensatz zu Agathe allerdings nicht einzuschüchtern schien.

»Die neue Zofe des gnädigen Fräuleins ist da, Frau Hauder«, verkündete sie und schob Agathe ein Stück vor.

»Guten Tag«, sagte Agathe schüchtern.

»Guten Tag, Agathe.« Auch wenn die Hausdame streng aussah, klang sie freundlich. »Willkommen bei uns.«

»Danke.«

Dann wandte sie sich wieder an Maria. »Ich nehme an, du bist gerade auf dem Weg nach oben, um Agathe das Zimmer zu zeigen?«

»Ja, Frau Hauder.«

»Sehr gut. Dann zieh dich gleich um. Noch vor dem Abendessen wirst du dem gnädigen Fräulein aufwarten.«

»Sehr wohl.« Agathe hätte am liebsten geknickst. Sie wagte nicht zu fragen, was die Hausdame damit meinte.

Den Griff ihrer Tasche fest umklammert, stieg sie hinter Maria die schmale Treppe nach oben zu den Dienstbotenkammern.

»Hier ist der Männertrakt«, erklärte Maria und deutete auf eine verschlossene Tür. »Dort dürfen wir nicht hinüber. Und hier wohnen wir.«

Maria öffnete die Tür, und Agathe betrat ihr künftiges Reich. Es war sehr einfach, aber sie war überzeugt, dass sie sich hier wohlfühlen würde.

»Und das ist deine Kleidung.« Maria deutete auf das schlichte schwarze Kleid, das auf dem Bett lag.

»Soll ich es gleich anziehen?«, fragte Agathe.

»Natürlich.«

»Darf ich dich etwas fragen?«

»Selbstverständlich.«

»Was bedeutet aufwarten?«, fragte Agathe verlegen. »Was muss ich tun? Was erwartet sie von mir?«

»Aufwarten bedeutet, dass du dem gnädigen Fräulein dabei hilfst, sich anzukleiden und zu frisieren. Abends lässt du ihr Bad ein und hilfst ihr dabei, sich für die Nacht zurechtzumachen. Du wirst das ganz wunderbar machen.«

»Danke.« Agathe lächelte zaghaft. Sie hatte sich inzwischen das schwarze Kleid übergezogen, schloss gerade den letzten Knopf und drehte und wendete sich lächelnd vor ihrer Mitstreiterin.

»Gut siehst du aus«, befand diese anerkennend. »Dann zeige ich dir jetzt den Weg zum Zimmer des gnädigen Fräuleins.«

Sie führte Agathe die Dienstbotentreppe wieder hinunter und öffnete dann eine schmale Tür, die in einen großen und prachtvollen Flur führte. Staunend sah sie sich um. »Das ist ja wie in einem Palast«, flüsterte sie.

Maria lächelte, eilte den Flur entlang, bog um eine Ecke und klopfte dann an eine Tür.

»Herein!«, rief eine vertraute Stimme von drinnen.

Maria knickste. »Gnädiges Fräulein, ich bringe Ihnen Ihre Zofe.«

Elise, die am Fenster gesessen und gelesen hatte, stand auf und ging ihnen lächelnd entgegen. »Agathe, wie schön. Hattest du eine gute Anreise?«

»Jawohl, gnädiges Fräulein«, erwiderte Agathe und knickste ebenfalls.

»Vielen Dank, Maria«, sagte Elise zu dem Dienstmädchen, das sich daraufhin zurückzog, nachdem es Agathe noch einmal aufmunternd zugelächelt hatte.

Als sich die Tür hinter ihr geschlossen hatte, ging Elise noch zwei weitere Schritte auf Agathe zu und nahm ihre Hände. »Ich freue mich wirklich sehr, dass du hier bist. Und es kommt mir ein wenig komisch vor, dass ich jetzt ein gnädiges Fräulein sein soll und du meine Zofe, die vor mir knickst. Eigentlich sind wir doch beide von ähnlichem Stand.«

Agathe lächelte. »Die Dinge ändern sich nun mal, gnädiges Fräulein. Und ich finde es gut so, wie es ist. Denn wenn Sie nicht aufgestiegen wären, würden wir uns auch nicht näher kennenlernen. Und wir dürften dann nicht zusammen in diesem schönen Haus wohnen.«

»Da hast du wohl recht«, meinte Elise. »Aber können wir uns auf etwas einigen? Nach außen hin müssen wir natürlich Zofe und Dienstherrin sein. Aber wenn wir unter uns sind, können wir da einfach zwei junge Frauen sein? Denn für mich ist das genauso neu wie für dich und glaube mir: Ich weiß ebenso wenig, wie ich mich verhalten soll, wie du vermutlich.«

»In Ordnung«, erwiderte Agathe lächelnd. »Ich freue mich darauf, gnädiges Fräulein.«

»Könntest du dann, wenn wir unter uns sind, bitte auf die seltsame Anrede gnädiges Fräulein verzichten?«

»Das würde ich gern«, begann Agathe zögerlich. »Allerdings befürchte ich, dass ich durcheinanderkomme, wenn ich Sie einmal so nennen soll und mal so. Ich muss mir ohnehin so viel merken.«

Elise nickte. »Das verstehe ich. Was schlägst du vor?«

»Vielleicht ist es besser, wenn wir die Anrede nicht ändern und ich Sie immer sieze?«

»Einverstanden. Freundinnen können wir vielleicht trotzdem werden, das hat ja mit der Anrede nichts zu tun.«

Agathe lächelte. »Ja, das wäre schön.«

12

Anfangs fiel es Elise noch schwer, sich an das neue Leben in der feinen Villa zu gewöhnen. Ungewohnt war für sie vor allem die Tatsache, dass sie nun nie mehr allein mit ihrer Mutter oder ihrem Vater war. Ständig war da ein Dienstbote, der ihr etwas brachte oder etwas abnahm, und sie hatte stets ein wenig Angst, etwas falsch zu machen. Schließlich wusste das Gesinde, Agathe einmal ausgenommen, mit seiner jahrelangen Erfahrung viel besser als sie, wie sich eine höhere Tochter zu benehmen hatte. Zum Glück stand ihr Helene von Tucher mit Rat und Tat zur Seite, und die Tatsache, dass die Lusins für das Ehepaar von Tucher und seine Tochter gleich in der Woche nach ihrem Einzug ein Abendessen gegeben hatten, hatte das Personal offenbar beeindruckt. Der Abend war reibungslos verlaufen. Das Auf- und Abtragen der Gänge hatte hervorragend funktioniert, die Gespräche waren angenehm gewesen. Am Ende des Abends hatten Helene und Elise sogar noch die Gelegenheit gehabt, in der Bibliothek miteinander zu plaudern.

Eine Woche war das nun her; und Elise wurde mit jedem Tag selbstsicherer, zumal das Gesinde sie wirklich gernzuhaben schien und es ihr offenbar nicht übel nahm, dass es sich bei ihrer Familie um »Emporkömmlinge« handelte. Mit Agathe verstand sie sich hervorragend. Die andere war für sie viel mehr die beste Freundin, die sie sich immer gewünscht hatte, als eine Zofe, wenngleich Agathes Angestelltenverhältnis doch irgendwie zwischen ihnen stand. Agathe war die meiste Zeit des Tages um sie, wohnte, wie der Vater es versprochen hatte, auch dem Unterricht bei, und als Wilhelm Lusin geschäftlich nach München musste, nahm er nicht nur seine Frau und seine Tochter mit, sondern selbstverständlich auch ihre jeweiligen Zofen. Die ihrer Mutter hieß Claire und hatte in etwa deren Alter.

Nachdem sie im mondänen Hotel Vier Jahreszeiten Quartier bezogen hatten, wollte Margarethe einkaufen gehen, Elise hatte jedoch kein Interesse daran. Sie fand es viel spannender, ihren Vater zu dessen Geschäftstermin zu begleiten. Wilhelm wollte einen alten Freund besuchen, Herrn Matthias Ebenböck, den er noch aus seinen Lehr- und Wanderjahren kannte. Wie Wilhelm war auch er Lebzelter und Wachszieher und hatte es zu einigem Erfolg gebracht: Er war sogar zum königlichen Hoflieferanten für Wachslichter ernannt worden. Deshalb saß sie nun neben Wilhelm Lusin in der Kutsche und sah hinaus, als der Wagen die Münchner Innenstadt verließ und in Richtung Max-Josephs-Platz fuhr.

»Danke, dass du mich mitnimmst«, sagte sie und drückte zaghaft seine Hand.

Liebevoll musterte Wilhelm Lusin seine Tochter von der Seite. »Nun ja, wenn eine junge Frau es vorzieht, ihren Vater zu einem geschäftlichen Termin zu begleiten, statt mit ihrer Mutter bei der Schneiderin neue Kleider in Auftrag zu geben, dann ist das eben so.«

»Ach, ich habe genug Kleider, Papa«, versicherte Elise. »Mehr, als ich jemals tragen kann. Immerhin habe ich jetzt in unserem neuen Haus Platz dafür.«

Seit ihr Vater vom Lebküchner zum Fabrikanten geworden

war, hatte er sie mit Kleidung und Schmuck regelrecht überschüttet – was allerdings, wie Elise gelernt hatte, auch so sein musste, denn vor allem in Gesellschaft trug man niemals das gleiche Kleid.

Er lachte hell auf. »Dies hat wohl kaum je eine Frau vor dir gesagt. Du bist wirklich eine ungewöhnliche junge Dame, mein Liebes.«

Dann zeigte er hinaus, und Elise sah, dass sich die Kutsche nun einem weißen, lang gestreckten Gebäude näherte.

»Es ist ganz neu«, sagte ihr Vater. »Bisher hatte Matthias seine Fabrik direkt in der Stadt in der Schwanthaler Straße.«

»Und warum sind sie umgezogen?«, fragte Elise, als die Kutsche vor dem prachtvollen Gebäude zum Stehen kam.

»Das weiß ich noch nicht«, erwiderte ihr Vater. »Aber Matthias wird es uns gleich sagen.«

Er deutete auf den stattlich aussehenden, elegant gekleideten Herrn, der in diesem Moment aus der Tür trat. »Da ist er ja schon.«

»Willkommen in unserem bescheidenen Gemäuer.« Matthias begrüßte nach kurzer Vorstellung zunächst Elise mit einem Handkuss, um sich dann ihrem Vater zuzuwenden. »Wilhelm, mein alter Freund, wie schön, dich zu sehen.«

Die beiden Herren schüttelten sich freudig die Hand.

»Das finde ich auch«, bestätigte Wilhelm und sah sich um. »Schön hast du es hier.«

»Ich zeige euch gleich alles. Zunächst aber besteht meine werte Gattin darauf, eine Erfrischung anzubieten. Kommt herein!«

Er führte Vater und Tochter durch die prachtvolle Eingangshalle in den Salon, wo ihnen eine zierliche, braungelockte Dame entgegenkam.

Wilhelm begrüßte sie mit einem Handkuss. »Fanny, wie schön, dich einmal wiederzusehen.«

»Die Freude ist ganz meinerseits«, erwiderte die lächelnd. »Aber wie schade, dass deine reizende Gattin euch nicht begleitet.«

»Margarethe lässt herzlich grüßen«, erklärte Wilhelm. »Sie hat leider noch einen Termin bei der Schneiderin.«

»Nehmt doch Platz!«, bat Fanny und deutete auf den reich gedeckten Tisch.

»Was ist denn das?«, platzte Elise heraus, als sie die kunterbunten Gebäckstücke entdeckte, die in der Mitte des Tisches auf einer Tafel angerichtet waren.

Fanny lächelte. »Das sind unsere Künstlerlebkuchen. Carl Spitzweg hat sie gestaltet. Er wird sich heute auch die Ehre geben.«

In diesem Moment kündigte der bereitstehende Diener den Künstler auch schon an. Kurz darauf betrat ein interessant aussehender Herr mittleren Alters mit einer auffällig großen Nase, Nickelbrille und Backenbart den Raum. Spitzweg begrüßte die Herrschaften formvollendet, dann fiel sein Blick ebenfalls auf die Lebkuchen in der Mitte des Tisches.

»Schön sehen sie aus«, befand er.

Elise überlegte, ob es einen bekannten Künstler wie ihn nicht schmerzte, dass man seine Kunst verspeisen würde, traute sich aber nicht zu fragen.

»Das ist wirklich faszinierend«, befand Wilhelm, nachdem sie alle Platz genommen hatten. »Darf ich fragen, um was für eine Sorte Lebkuchen es sich handelt? Sind das die traditionellen Honiglebkuchen?«

Matthias Ebenböck stieß ein Seufzen aus. »Nein, mein Lieber. Und glaube mir, keiner trauert unserem schönen

Traditionsgebäck so sehr nach wie ich. Das hier sind Braune Lebkuchen nach dem neuen Rezept, also schon noch mit Honig, aber eben auch mit Backtriebmittel und Zucker.«

Wilhelm nickte. »Ich vermisse sie ebenfalls, das kannst du mir glauben.« Er wandte sich an den Künstler. »Wissen Sie, verehrter Herr Spitzweg, als Matthias und ich unsere Lehrjahre hatten, da musste man noch das Schnitzen von Modeln lernen.«

»Das ist mir bekannt. Ich bewundere diese Kunst und weiß auch, dass die Menschen auf dem Lande dank dieser Model von den Neuerungen in der Stadt erfuhren, zum Beispiel als die Dampfeisenbahn kam und die Lebkuchen die Form dieser Eisenbahn hatten.«

Wilhelm Lusin nickte, erfreut über Spitzwegs Fachkenntnis.

»Diese Zeiten scheinen aber endgültig vorbei zu sein.«

»In München gibt es heuer nur noch drei Lebküchner«, meinte Matthias Ebenböck, »aber dafür sechzehn Konditoreien, in denen sie Schaumgebäck, Biskuitschnitten, Cremetorten und Gefrorenes herstellen. Aber ich sage dir, mein lieber Wilhelm, die Zeit des Lebkuchens ist nicht vorbei. Wir müssen uns eben nur von den Modeln verabschieden und uns auf die neuen Teige einlassen. Diese Kreationen von Spitzweg und mir verkaufen sich ganz hervorragend. Probiert doch mal.«

»Ich getraue mich gar nicht, hineinzubeißen«, gestand Elise. »Sie sind eigentlich viel zu schade zum Essen.«

Spitzweg lachte. »Danke für das Kompliment, gnädiges Fräulein.«

»Dein ABC-Taferl hast du doch seinerzeit auch gegessen. Und das war ja nun hinsichtlich seines Aussehens auch nicht zu verachten«, erinnerte ihr Vater sie augenzwinkernd.

»Nun, da hast du recht«, sagte Elise und nahm mutig einen Bissen. »Köstlich!«, rief sie dann.

Auch Wilhelm, der es ihr nachgetan hatte, nickte beeindruckt. »Und das gut gehende Geschäft war der Grund für deinen Umzug hier nach Pasing?«

Matthias schüttelte den Kopf. »Das hatte andere Gründe.«

»Die Wachszieherei macht bei uns ja noch einen größeren Anteil aus als die Lebküchnerei«, betonte Fanny. »Und an unserem alten Standort wird seit Jahren gebaut und gebaut, wodurch viel Ziegelstaub in der Luft liegt.«

»Zudem stand unsere Fabrik ganz in der Nähe des Bahnhofs«, ergänzte ihr Gatte. »Und so schön die Erfindung der Dampfeisenbahn auch ist, so hat sie doch zu einer erheblichen Luftverschmutzung geführt. Zu dem Ziegelstaub kam also der Ruß. Wir hatten unsere Wachsbleiche natürlich an der Fabrik.«

»Wir konnten gar kein reines Wachs mehr herstellen«, ergriff Fanny wieder das Wort. »Überall Ruß- oder Ziegelstaubeinschlüsse. Hier heraußen in Pasing haben wir dieses Problem zum Glück nicht. Und wir verfügen über jede Menge Platz. Andererseits ist der Bahnhof nah genug, sodass wir uns die Rohstoffe ohne große Probleme mit dem Zug anliefern lassen können.«

»Bei uns ist es eher umgekehrt. Wie wohl alle traditionellen Lebküchner haben wir selbstverständlich auch eine Wachszieherei. Ich freue mich schon darauf, gleich den Betrieb zu besichtigen.«

»Wenn Sie gestatten, würde ich mich dann empfehlen«, mischte sich Carl Spitzweg, der der Unterhaltung interessiert, aber ohne große Wortbeiträge gefolgt war, ins Gespräch. »Es zieht mich wieder an meine Staffelei.«

»Aber selbstverständlich, lieber Herr Spitzweg«, rief die Hausherrin. »Ich hoffe, wir haben Sie mit unserer Fachsimpelei nicht gelangweilt.«

»Durchaus nicht, meine Liebe, durchaus nicht«, versicherte der Künstler freundlich. »Zumal ich ja jetzt auch irgendwie dazugehöre.«

»Das tun Sie«, bestätigte Matthias dem Künstler herzlich.

Fanny erhob sich zum Zeichen, dass die Tafel damit aufgehoben sei, Matthias begleitete Spitzweg, der sich formvollendet von den Damen verabschiedet hatte, noch bis zur Tür.

»Ich würde vorschlagen, wir fangen bei den Wachsbleichen an«, meinte Matthias Ebenböck.

»Das ist eine gute Idee«, stimmte Wilhelm zu. »Zumal draußen wirklich herrlichster Sonnenschein ist.«

Elise blickte hinaus. Ihr Vater hatte recht. Das Wetter war vortrefflich.

»Das ist ja riesig!«, rief sie kurz darauf und ließ ihren Blick über die Wachsbleiche schweifen. Unzählige lange Tische standen dort aneinandergereiht, über und über mit gelben Wachsstückchen bedeckt.

»Die Tische sind alle nach Süden ausgerichtet«, erklärte Ebenböck und zauberte eine schneeweiße Kerze hervor. »Wenn die Bleichzeit vorüber ist, sieht das Wachs so aus.«

»Beeindruckend«, murmelte Elise, die aus der heimischen Wachszieherei nur die gelben Bienenwachskerzen kannte.

»Wir haben insgesamt sechs Bleichtische«, berichtete Ebenböck stolz. »Unsere Arbeiter können darauf fünfundzwanzig Zentner Kerzenwachs gleichzeitig herstellen.«

»Wie lange muss das Wachs in der Sonne liegen, um so hell zu werden?«, fragte Elise.

»Sechs Wochen«, erwiderte er.

»Und wenn es regnet?«

Matthias Ebenböck verzog das Gesicht. »Dann bleibt uns nichts anderes übrig, als das Wachs so schnell wie möglich in die Remisen zu bringen.« Er deutete auf die lang gestreckten Wirtschaftsgebäude, die sich im rechten Winkel an das Hauptgebäude anschlossen.

»Wäre es möglich, nun die Fabrik zu besichtigen?«, fragte Elise beeindruckt.

»Elise«, mahnte ihr Vater. »Ich weiß nicht, ob …«

Doch Ebenböck lachte nur. »Lass nur, Wilhelm! Der Wissensdurst deiner Tochter ist erfrischend. Meine Frau ist genauso, manchmal glaube ich, sie kennt sich mit der Fabrik inzwischen sogar noch besser aus als ich.« Er führte seine Gäste in die Fabrikhallen, auch hier waren zahlreiche Arbeiter emsig am Werk.

Zu Elises Entzücken befanden sich einige junge Frauen darunter.

»Ich versuche immer wieder, auch uns Frauen die Gelegenheit zu geben, in Lohn und Brot zu stehen«, erklang eine Stimme hinter ihr.

Elise drehte sich um und sah sich Fanny Ebenböck gegenüber, die am ersten Teil des Rundgangs nicht teilgenommen hatte, nun aber wieder zu ihnen gestoßen war.

»Das ist fantastisch«, freute sich Elise. »Ich träume auch davon, einmal in die Fabrik mit einzusteigen.«

»Und wie steht Ihr Vater dazu?«, fragte Fanny und deutete mit dem Kinn auf Wilhelm, der gemeinsam mit dem Fabrikanten ein Stück weitergegangen war. Ebenböck erklärte Wilhelm Lusin gerade eine Maschine, die, wie Elise fand, ziemlich bedrohlich aussah. »Immerhin lässt er Sie ja an diesem geschäftlichen Termin teilnehmen.«

Elise zuckte die Achseln. »Nun, ich habe es ihm noch nicht gestanden«, erklärte sie.

Fanny Ebenböck nickte. »Sagen Sie es ihm«, empfahl sie. »Sonst kann er es nicht wissen.«

»Wie funktioniert das?« Elise deutete auf die beiden Arbeiterinnen und beobachtete, wie eine der Frauen ein Stück Papier auf den Lebkuchen legte und ein Pulver darauf stäubte.

»Treten Sie ruhig ein wenig näher heran, dann können Sie es besser erkennen«, schlug Fanny vor.

Elise tat wie ihr geheißen.

»Sehen Sie«, Fanny griff nach einem Stapel Papiere, die neben der jungen Arbeiterin lagen, »die sind alle gestanzt. Marie legt die gestanzten Drucke auf die Lebkuchen und drückt das Talkumpulver durch die kleinen Löcher.«

In diesem Moment hob Marie das Papier wieder an, und Elise konnte sehen, dass sich nun auf dem Lebkuchen die Umrisse des Kunstwerks, in diesem Fall waren es ein Junge und ein Mädchen Hand in Hand, befanden.

»Amelie, unsere nächste Arbeiterin, fährt die Konturen nun mit der Spritztüte nach.« Als sie ihren Namen hörte, blickte das Mädchen auf und lächelte schüchtern, aber freundlich.

»Wenn die Zuckerschrift etwas angetrocknet ist, werden die Flächen nach Vorlage des Kunstdrucks mit farbigen Glasuren gefüllt.« Sie führte Elise an den beiden Arbeiterinnen vorbei zu einem dritten Platz. »Josephine, die dafür zuständig ist, befindet sich gerade in der Pause«, erklärte Fanny. »Wollen Sie es einmal probieren?«

»Oh ja, das würde ich gern«, freute sich Elise.

»Fein.« Fanny deutete auf die verschiedenen Schälchen, in denen Zuckerglasur in den unterschiedlichsten Farben bereitstand. »Nehmen Sie die kleinen Löffelchen, damit geht es am besten. Welche Farbe Sie brauchen, sehen Sie hier.«

Sie schob Elise den Druck des Bildes zu.

Die nickte und machte sich dann vorsichtig ans Werk. Ihr war klar, dass sie nicht zu viel und nicht zu wenig Glasur erwischen durfte. Zu wenig war sicherlich besser als zu viel, denn dann würde der Guss nicht über die Konturen laufen. Beim ersten Mal benutzte sie viel zu wenig, aber beim zweiten Mal hatte sie es raus und strahlte vor Stolz über Fanny Ebenböcks lobende Worte.

»Ich würde Sie sofort einstellen«, scherzte sie.

»Nichts da«, sagte in diesem Moment eine tiefe Stimme hinter ihnen. »Ich brauche meine Tochter noch. Ich habe noch viel vor mit ihr.«

Elise fuhr herum. »Vater, sieh her, was ich hinbekommen habe.« Stolz deutete sie auf den von ihr verzierten Lebkuchen.

Wilhelm sah sie an, Zärtlichkeit und Stolz im Blick. »Er ist dir wirklich ganz wunderbar gelungen.«

13

Elise hatte den von ihr gefertigten Pfefferkuchen mitnehmen dürfen und freute sich wie ein Kind über ihr Werk und auch über das Lob ihres Vaters.

»Was hast du eigentlich gemeint, als du sagtest, du hättest noch viel mit mir vor?«, fragte sie.

Er lächelte. »Ich habe ja bemerkt, dass ich deine Liebe zu Lebkuchen einfach nicht länger ignorieren kann. Eigentlich wollte ich, dass du und deine Mutter in der Erlenstegenstraße ein beschauliches Leben führen könnt und ich mich um das Geschäft kümmere. Aber ich sehe, wie du aufblühst, wenn du mit Lebkuchen zu tun hast. Und es ist mir wichtig, dass Lebkuchen Lusin noch viele Generationen lang besteht.« Ernst sah er sie an. »Ich möchte dich gern nach und nach in all die Geheimnisse hinsichtlich des Kerzenziehens und des Lebkuchenbackens einweihen. In der Hoffnung, dass du deinem Mann dann mit Rat und Tat zur Seite stehen kannst, wenn dieser die Fabrik irgendwann leitet.«

In Elise tobten widerstreitende Gefühle. Einerseits war sie fassungslos vor Freude über die Tatsache, dass ihr Vater ihr Interesse für die Lebküchnerei nicht nur erkannt hatte und ihm offen gegenüberstand, sondern ihr auch noch ankündigte, dass sie Teil der Firma werden sollte. Andererseits war sie über den Satz mit dem Ehemann maßlos enttäuscht. Sicher war es üblich, dass die Männer die Geschäfte übernahmen und sich die Frauen um andere Dinge kümmerten. Aber wie konnte der Vater einem künftigen Ehemann, der ja noch nicht einmal in Sicht war, mehr vertrauen als ihr?

»Freust du dich nicht?«, fragte Wilhelm Lusin. »Bitte fühl dich zu nichts verpflichtet. Du kannst natürlich auch einfach mit deiner Mutter …«

»Nein, nein«, betonte sie rasch. »Natürlich freue ich mich. Sehr sogar. Ich war nur so … überrumpelt. Dieser Tag war ungemein eindrucksvoll. Und nun auch noch diese fantastischen Aussichten.«

Er lächelte und sah dann nachdenklich auf den kunstvoll verzierten Lebkuchen in ihren Händen. »Ich bin wirklich beeindruckt von dieser Idee. Und zwar, weil diese Art der Verzierung in gewisser Weise an die Tradition der Model anknüpft. Darüber habe ich vorhin mit Matthias Ebenböck gesprochen.«

»Wie meinst du das?«, fragte sie.

»Nun«, erwiderte er. »Für mich war das Backen mit Modeln viel mehr als nur eine Art und Weise, die Lebkuchen in Form zu bringen. Wir haben ja schon darüber gesprochen. Es ging auch darum, dass man durch die Lebkuchen Botschaften transportieren konnte.«

»Und das ist mit dieser neuen Art, die Lebkuchen zu verzieren, auch der Fall?«

Er nickte. »Ganz genau. Ich finde das wirklich faszinierend.«

Mit glühendem Blick sah er sie an. »Hör zu, Lieserl …«

Sie dachte, dass er diese so vertraute Anrede schon gar zu lange nicht mehr gebraucht hatte.

»Ich habe eine Idee. Du kennst doch meinen Freund, den Drucker Hertlein.«

Sie nickte, wenn ihre Erinnerung an den Weggefährten ihres Vaters auch eher vage war.

»Ich glaube, es geht noch einfacher, als Ebenböck das macht. Wir könnten die unterschiedlichsten Motive auf ganz dünnes Papier drucken und dieses dann mit Zuckerguss direkt auf die Lebkuchen kleben.«

Elise sah ihn skeptisch an. »Und dieses Papier soll man dann mitessen?«

Er lachte. »Nein, natürlich nicht, wobei essbares Papier auch eine ausgesprochen spannende Sache wäre. Es müsste so sein, dass man es abziehen kann und so die Papierbildchen auch sammeln könnte. Das würde die Lebkuchen schön bunt und vielseitig machen und wir könnten die Tradition des Modelns auch mit der neueren Teigart weiterführen.«

»Das könnte funktionieren«, gab sie ihm recht.

»Wir könnten deine Elisenlebkuchen auf diese Art herstellen«, fuhr er fort. »Wir lassen dich porträtieren, und auf jedem Lebkuchen ist dann dein Gesicht. Wie findest du das?«

Elise zögerte. Das war alles etwas viel auf einmal. »Ich bin mir nicht sicher, was ich davon halten soll, verspeist zu werden«, versuchte sie sich an einem Scherz. »Vielleicht könnten wir es zunächst mal mit der Kaiserburg versuchen? Und damit ja auch wieder an eine alte Tradition anknüpfen?«

Fragend sah er sie an. »Was meinst du?«

»Du hast mir doch selbst erzählt, dass Kaiser Friedrich III. auf einem Reichstag Ende des fünfzehnten Jahrhunderts, der in Nürnberg abgehalten wurde, viertausend Lebkuchen mit seinem Bild herstellen ließ, die er dann an die Kinder der Stadt verteilte.«

»Da hast du allerdings recht«, erwiderte er. »Und diese Geschichte kennt in Nürnberg wirklich jedes Kind.«

»Nicht umsonst nennt man diesen Lebkuchen bei uns auch Kaiserlein«, warf sie noch ein.

»Dann werde ich Drucker Hertlein und seine Familie zum Abendessen zu uns bitten«, freute sich Wilhelm. »Ich werde das gleich mit deiner Mutter besprechen.«

***

»Guten Abend, Fräulein Lusin, möchten Sie, dass ich Ihnen ein Bad einlasse?«, fragte Agathe, nachdem Elise das Hotelzimmer betreten hatte.

Elise nickte dankbar. »Oh ja, gerne. Der Tag war zwar sehr schön, aber auch anstrengend.« Sie legte ihren Lebkuchen auf das kleine Tischchen am Kamin und griff nach der Zeitschrift, die dort bereitlag. *Neueste Nachrichten aus dem Gebiete der Politik.*

Als sie zum Ende gelangt war, ging Elise hinüber zu der kleinen Kommode, nahm ihren Schmuck ab und begann, Strähne für Strähne ihrer schwarzen Haare zu lösen, die ihr Agathe am Morgen so kunstvoll aufgesteckt hatte. Lächelnd dachte sie, wie gut die junge Frau ihre Sache machte, schließlich war sie erst seit Kurzem in ihren Diensten und hatte zuvor noch niemandem außer sich selbst jemals die Haare gemacht.

»Die Wanne ist vorbereitet«, teilte Agathe Elise in diesem Moment mit und half ihr, sich zu entkleiden.

»Warum schaust du denn so verschmitzt drein?«, fragte Elise verwundert und sah ihrer Zofe prüfend ins Gesicht. Doch die schüttelte nur den Kopf.

»Es ist nichts«, behauptete sie.

Elise glaubte ihr nicht, und als sie das Badezimmer betrat, sah sie den Grund für Agathes Erheiterung.

»Was ist das denn?«, rief sie amüsiert aus.

»Eine Schaukelbadewanne!«, erwiderte Agathe triumphierend.

»Ach, deshalb hast du mir heute Morgen bereits auf der Friseurkommode alles parat gestellt? Damit ich nicht ins Bad muss, um mich fertig zu machen?«, erkannte Elise.

»Genau, Ihre Frau Mutter hat mich instruiert, Sie mit der Schaukelbadewanne zu überraschen.«

»Das ist euch auf alle Fälle geglückt. Und jetzt hilf mir bitte in die Wanne«, forderte Elise übermütig.

»Sehr gerne.«

Kaum war Elise in die Wanne gestiegen, die auf Kufen stand, begann diese sanft hin- und herzuwippen.

»Das ist ja traumhaft«, rief sie aus, »ich fühle mich wie an der Ostsee in den Wellen.«

»Aber nicht zu wild, gnädiges Fräulein«, warnte Agathe, »nicht dass es Ihnen ergeht wie der Kaiserin von Österreich.«

»Was ist ihr denn passiert?«, fragte Elise.

»Sie hat wohl so stark darin geschaukelt, dass das Wasser bis ins darunterliegende Stockwerk floss.«

»Nun gut, dann halte ich mich zurück«, versprach Elise, schloss genießerisch die Augen und gab sich der Bewegung hin. Wie gut das tat!

***

Simon Hertlein war ein Bild von einem Mann. Er war hochgewachsen, blond, muskulös, hatte strahlend blaue Augen und ein markantes Gesicht. Darüber hinaus ließ er keinen Zweifel daran, dass ihm Elise Lusin ausnehmend gut gefiel.

»Das ist eine interessante Sache, die unsere Väter da planen«, berichtete er, als die Lusins und ihre Gäste nach dem opulenten Abendessen in der Bibliothek zusammengekommen waren.

Margarethe Lusin und die Gattin des Druckereibesitzers, Josephine Hertlein, saßen angeregt plaudernd auf den Sesseln unter dem Fenster, und die Herren hatten sich ins Raucherzimmer zurückgezogen. Simon war nicht mit ihnen gegangen, sondern hatte es vorgezogen, Elise vor dem Kamin Gesellschaft zu leisten. Sie fühlte sich ausgesprochen geschmeichelt, dass ein so gut aussehender junger Mann ganz offenkundig Interesse an ihr zeigte. Und er gefiel ihr ebenfalls ausgesprochen gut, wenn er in ihr auch nicht das Gefühl hervorrief, von dem Helene von Tucher ihr hinsichtlich des jungen Eberhard von Faber berichtet hatte. Aber sie traf ihn ja heute zum ersten Mal, vielleicht würde sich das noch einstellen? Schmeichelhaft waren die Gesellschaft und das offenkundige Interesse des schönen Simon auf jeden Fall.

Jetzt beugte er sich zu ihr vor und sah ihr eindringlich in die Augen. »Wenn unsere Väter zusammenfinden würden, hätte das vielleicht den angenehmen Nebeneffekt, dass wir einander häufiger begegnen?«

»Das würde mich freuen«, bekannte Elise verlegen. Sie wusste nicht genau, was sie erwidern sollte, und fühlte sich auf diesem für sie doch recht neuen Parkett ziemlich unsicher. Plötzlich kam ihr ein Gedanke: In vier Wochen würde der berühmte Nürnberger Ratsherrenball stattfinden. Und sie durfte zum ersten Mal daran teilnehmen. Ob er sie wohl bitten würde, sie zu begleiten?

»Die Lebkuchenbäckerei fasziniert mich sehr«, erzählte Simon. »Offen gestanden habe ich die Söhne und Töchter der Lebküchner immer ein wenig beneidet. Dort duftet es verführerisch nach Gewürzen und frisch Gebackenem, bei uns nur nach Druckerschwärze.«

Er verzog das Gesicht, und Elise musste unversehens lachen.

Sie war erleichtert, dass das Gespräch sich nun um einen Bereich drehte, mit dem sie vertraut war. »Eigentlich sind sich das Lebkuchenwesen und das Druckereigewerbe gar nicht so fremd.«

»Ich kann an unseren Erzeugnissen nichts Leckeres finden«, meinte er augenzwinkernd.

Sein Humor gefiel ihr ausnehmend gut. »Das meine ich auch gar nicht«, versicherte sie. »Wobei zumindest in den von Ihnen gedruckten Kochbüchern ziemlich leckere Dinge vorkommen. Nein, ich meine, dass der Lebkuchen ja in gewisser Weise die älteste Druckgrafik der Welt ist.«

Überrascht sah er sie an und hörte ihr wie gebannt zu, als sie von der Bedeutung der Modeln berichtete.

»Mein Vater hat mir erzählt, dass es schon zweitausend Jahre vor Christus Model gab. Man entdeckte sie bei Ausgrabungen der königlichen Bäckerei in der Stadt Mari.«

»Wo ist denn das?«, fragte Simon.

»Ich habe ehrlich gesagt keine Ahnung«, erwiderte sie. »Aber wir können es gern nachschlagen.« Sie deutete auf die unzähligen Bände in den Regalen. »In Vaters umfassender Bibliothek finden sich auch zahlreiche Atlanten.«

»Gern«, entgegnete er.

»Gut.« Sie erhob sich und führte ihren Gast in eine entlegene Ecke der Bibliothek. Ihr Finger fuhr die Reihen entlang über die schon ziemlich abgeriebenen Bände der *Allgemeinen deutschen Real-Encyclopädie für die gebildeten Stände.*

»Ah, hiernach habe ich gesucht«, sagte sie schließlich und

zog einen dicken, ledergebundenen Band mit goldenen Lettern aus dem Regal. *Brockhaus' Konversationslexikon Leohenich bis Morilas.* Sie trug den schweren Band zu einem der großen Tische, die genau zu diesem Zweck bereitstanden, schlug den Band auf und musste niesen. »Ganz schön staubig«, entschuldigte sie sich. »Wenn das unsere Hausdame wüsste, würde es für die Dienstmädchen wohl Ärger geben.« Mit gerunzelter Stirn studierte sie das Register. »Ah, hier. Mari.«

Sie blätterte zu der Seite vor und las: »Mari, altorientalische Stadt am mittleren Euphrat. Mari ist die älteste bekannte Siedlung in diesem Gebiet und war eine wichtige Station auf der Handelsstraße von Babylonien zum Mittelmeer.«

»Ich würde gern einmal dorthin reisen.«

»Ja, ich auch.«

Unverwandt sah er sie an. »Erzählen Sie mir noch mehr? Über die älteste Form der Druckgrafik?«

Sie nickte, und wieder war sie froh, einen unverfänglichen Gesprächsstoff zu haben, als sie ihren Blick hastig von dem seinen löste: »In der römischen Antike gab es noch tönerne Backformen, die Model waren nicht aus Holz. Aber auch sie hatten einen sehr reichen Figurenschatz. Es ging um alle Themen, die die Menschen damals beschäftigten. Vor allem für die Leute auf dem Land waren sie ausgesprochen wichtig, sie konnten ja nicht lesen. Auf den Lebkuchenbildern sahen sie zum ersten Mal die Neuigkeiten aus der Großstadt.«

Er sah ihr erneut tief in die Augen. »Dann sind unsere Unternehmen ja noch viel ähnlicher als gedacht.«

»A-allerdings«, stotterte Elise. »Wollen … wollen wir nun wieder hinübergehen? Wir haben ja herausgefunden, wo Mari liegt.«

14

Zwei Tage später brachte der Bote ein riesiges Blumenbouquet, dem eine Karte beigelegt war. Elise zog das Kuvert mit fliegenden Fingern heraus und las.

Verehrtestes Fräulein Elise!

Der Abend mit Ihnen hat mich verzaubert. Ich würde Sie gern wiedersehen und zu einem kleinen Picknick an der Pegnitz einladen. Sollten Sie mir die große Freude erweisen, meine Einladung anzunehmen, würde ich natürlich ganz formvollendet bei Ihrem geschätzten Herrn Vater um Erlaubnis fragen.

In hoffnungsfroher Erwartung bin ich Ihr

Simon Hertlein

»Von wem ist er?«, fragte Helene von Tucher neugierig, mit der sie sich zu einem zweiten Frühstück verabredet hatte.

Elise streckte Helene die Karte entgegen, die sie mit gespannter Miene las. »Das klingt sehr romantisch!«, rief sie. »Wie aufregend.«

Elise nickte lahm.

»Was?«, fragte die andere. »Was ist?«

»Nun«, erwiderte ihre Freundin zögerlich, »ich freue mich

sehr über seine Zuneigung und die Einladung. Er ist charmant und gut aussehend, wirklich ein vollendeter Kavalier.«

»Aber?«, fragte Helene und sah sie aufmerksam an.

Elise seufzte. »Es fühlt sich so anders an, als ich es mir nach deinen Beschreibungen hinsichtlich deiner Gefühle für Eberhard von Faber vorgestellt habe.«

»Jede Liebe ist anders«, wandte Helene vorsichtig ein.

»Ja, schon, aber alles, was du beschreibst, das fühle ich nicht.«

»Schlägt dein Herz schneller, wenn du ihn siehst oder an ihn denkst?«, fragte Helene.

»Ein wenig vielleicht«, räumte Elise ein. »Aber nicht schneller, als es beim Gedanken an den Ball klopft. Oder wenn man an Heiligabend seine Geschenke bekommt. Müsste es sich nicht anders anfühlen?«

»Das klingt tatsächlich ein wenig, als gelte dein beschleunigter Puls weniger dem Mann als der Tatsache, dass dir jemand den Hof macht«, bestätigte Helene.

Beunruhigt sah Elise ihre Freundin an. »Was kann, was soll ich denn nun tun?«

Helene lächelte. »Natürlich zusagen«, erklärte sie. »Simon Hertlein ist ja mit seinem blonden Haar, den blauen Augen und seiner Statur wirklich ein gut aussehender Herr und gewiss keine schlechte Partie. Und die Gefühle, die kommen vielleicht noch.«

»Es ist ja auch nicht so, dass ich gar keine für ihn hätte. Ich habe mir die Liebe nur irgendwie anders vorgestellt.«

***

Wilhelm Lusin reagierte geradezu euphorisch auf Simon Hertleins Bitte, Elise zum Picknick einladen zu dürfen.

»Liebes«, sagte er zu seiner Tochter, »einen besseren Galan könnte ich dir gar nicht wünschen. Und wenn mehr daraus werden sollte, wäre das eine ganz und gar erfreuliche Verbindung. Offen gestanden haben Oskar Hertlein und ich uns schon darüber unterhalten, dass eine Ehe zwischen unseren Kindern ausgesprochen vernünftig wäre.«

Elise fühlte leisen Unwillen in sich aufsteigen. Es hatte ihren romantischen Vorstellungen schon immer widersprochen, dass man heiraten solle, damit Familien oder Unternehmen ein Vorteil daraus erwuchs. Dass die Eltern in der Regel entschieden, wen die Tochter oder der Sohn ehelichen sollte, widerstrebte ihr zutiefst.

»Warum schaust du denn so finster drein, Lieschen?«, fragte der Vater.

»Ach«, entgegnete sie, »ich bin vielleicht ein wenig erschrocken, weil du gleich von Heiraten gesprochen hast. Wir wollen ja nur miteinander picknicken.«

»Verzeih, Liebes. Da war ich wohl zu überschwänglich in meiner Begeisterung«, gab er zu und klopfte neben sich auf das Sofa. Dann nahm er Elises Hände in die seinen und sah sie liebevoll an. »Deine Mutter und ich hatten damals Glück. Wir haben aus Liebe geheiratet, und zu unserem Glück passte auch mein Beruf bestens. Ich wünsche dir das auch, meine Kleine. Dass du einen Mann findest, den du liebst und der dich liebt.« Er drückte ihre Hand und fuhr dann fort: »Gleichzeitig ist es aber natürlich schon so: Je höher wir gesellschaftlich aufsteigen und je größer unser Unternehmen wird, desto mehr Einfluss auf die Familie und die Firma hat deine Hochzeit. Das hat mir schon etwas Kummer bereitet. Deswegen habe ich mich nun so gefreut, dass Simon Hertlein von sich aus beginnt, dir den Hof zu machen, und du nicht abgeneigt scheinst. Eine bessere Verbindung könnte es nämlich nicht geben.«

Nicht abgeneigt? Sicher war, dass Elise sich über ihre Gefühle für Simon erst noch klar werden musste. Und auch, was er für sie empfand, war für sie alles andere als eindeutig. Wenn Wilhelm Lusin und Oskar Hertlein bereits darüber gesprochen hatten, dass sie eine passende Partie für seinen Sohn wäre – meinte Simon dann vielleicht gar nicht sie als Mensch, sondern handelte lediglich auf Wunsch seines Vaters?

***

Wohlwollend betrachtete Wilhelm den rechteckigen Lebkuchen. Gleichmäßig aufgegangen, luftig und elastisch und einen leckeren Duft verströmend, lag er vor ihm auf dem Arbeitstisch. Gleich würde auch Oskar Hertlein kommen, und dann könnten sie den ersten Nürnberger Künstlerlebkuchen fertigstellen. Auch wenn er noch immer mit Wehmut an die Holzmodel dachte, die im Schrank in der Bergstraße ihr Dasein fristeten, so gefiel ihm der Gedanke, die Tradition aufrechtzuerhalten und auch künftig besondere Anlässe auf Lebkuchen bildhaft festzuhalten.

»Erich«, wandte er sich an den Lehrbub, der neben ihm stand und auf Anweisungen wartete. »Geh ins Lager und hol mir die Schachtel mit den bedruckten Oblaten. Und dann bringst du auch noch den Staubzucker. Eine Schüssel voll.«

»Sehr wohl, Meister Lusin«, erwiderte Erich und war kurz darauf mit dem Gewünschten zurück. Wilhelm hatte den Eindruck, dass die Wangen des Jungen vor lauter Eifer noch etwas mehr glühten als sonst. Offenbar war es für den Knaben eine große Ehre, dem Chef direkt assistieren zu dürfen.

»Danke«, sagte er. »Und jetzt rührst du den Zuckerguss an.

Erich nickte, griff nach einer Wasserkanne und goss die Flüssigkeit langsam und konzentriert zu dem Zucker. Er setzte die Kanne ab und schlug die Zutaten kräftig mit dem Schneebesen, bis sich eine zähe, klebrige Masse bildete.

»So, Meister Lusin?«, fragte er. »Oder soll der Guss noch etwas flüssiger sein?«

»Ein klein wenig flüssiger wäre gut«, erwiderte Wilhelm, »damit der Zuckerguss nicht klumpt. Aber wirklich nur ein bisschen, sonst zerfließt er.«

Erich nickte und setzte sein Werk fort.

»Jetzt ist es perfekt«, befand Wilhelm. »Nun kannst du den Guss in die Spritztüte füllen. Du benötigst auch eine Rundtülle.«

Erich nahm einen der Spritzbeutel, die, fein säuberlich ausgewaschen, an der Wand hingen, und schraubte eine Rundtülle darauf. Dann goss er die Zuckerglasur hinein.

»Ab hier übernehme ich«, beschied ihm Wilhelm und streckte die Hand nach dem Spritzbeutel aus. Die Enttäuschung, die sich daraufhin im Gesicht seines Lehrbuben abzeichnete, war unübersehbar.

»Schau, Erich, das ist der erste Lebkuchen dieser Art, den wir herstellen. Das muss ich selbst machen.«

Der Lehrbub lief feuerrot an. »Aber ich habe doch gar nichts gesagt, Meister Lusin.«

»Nein«, bestätigte der. »Aber man sieht dir die Enttäuschung an der Nasenspitze an. Du wirst noch ganz viele Lebkuchen verzieren dürfen. Diesen hier aber muss ich selbst machen.« Mit einem Anflug von Wehmut dachte er an Elise, die diesen Moment sicherlich gerne mit ihm geteilt hätte. Doch jetzt nach ihr zu schicken, würde zu viel Zeit in Anspruch nehmen.

»Meister Lusin, es hat geklopft«, ließ ihn Erich wissen. »Soll ich öffnen?«

»Oh«, kam es von Wilhelm. »Da war ich wohl tief in meine Gedanken versunken. Ja, bitte, Erich.«

Der Junge tat wie ihm geheißen, und im nächsten Moment schob sich Drucker Oskar Hertlein durch die Tür.

»Oskar, wie schön, dass du kommen konntest«, begrüßte Wilhelm seinen Geschäftspartner und legte die Spritztüte beiseite. »Und genau im richtigen Moment.«

»Ich kann mir doch nicht entgehen lassen, wie unsere Zukunft beginnt«, antwortete ihm Oskar froh gelaunt.

»Komm zu mir«, forderte Wilhelm ihn auf, »ich wollte gerade den ersten Künstlerlebkuchen fertigstellen.«

»Das lasse ich mir nicht zweimal sagen«, erwiderte der Drucker und trat neben Wilhelm. »Der Lebkuchen sieht ja schon ohne die Verzierung zum Anbeißen aus«, lobte Oskar das verlockend duftende Gebäck.

Wilhelm lächelte und nahm den Spritzbeutel wieder zur Hand.

»Das ist Zuckerguss«, erklärte er. »Den verteile ich nun als kleine Punkte in den Ecken und in der Mitte.«

»Damit klebst du das Papier fest?«, wollte Oskar wissen.

»Ganz genau, ich muss nur die richtige Menge der Glasur verwenden, es darf nicht zu wenig sein, denn dann würde es nicht halten, aber auch nicht zu viel, denn sonst würde sie unter dem Papier hervorquellen, und das sähe dann nicht sehr appetitlich aus.«

Dann nickte er Erich, der wieder neben seinem Meister Position bezogen hatte, zu: »So, nun darfst du mir einen Bogen aus dem Karton geben. Aber vorsichtig, damit es nicht knittert.«

»Selbstverständlich, Meister Lusin«, versicherte Erich und klang fast schon beleidigt. Vorsichtig, als handle es sich um ein rohes Ei, holte er das Papier aus der Schachtel, und Wilhelm staunte, wie geschickt der Junge mit seinen etwas dicklichen Fingern vorging.

Vorsichtig nahm Wilhelm den Druck entgegen und platzierte ihn auf dem Lebkuchen.

»Und«, fragte Oskar, dem die Anspannung ins Gesicht geschrieben stand, »ist es etwas geworden?«

»Ich denke schon«, erwiderte Wilhelm, während er den Lebkuchen vorsichtig anhob und hin und her drehte. »Sieh selbst.«

»Ich würde sagen perfekt, herzlichen Glückwunsch«, freute sich Oskar.

»Auch dir herzlichen Glückwunsch!«, erwiderte Wilhelm, der vor Stolz nur so strahlte.

»Ich bin schon sehr gespannt, wie die Nürnberger darauf reagieren, wenn sie ihre Kaiserburg auf einem weichen Lebkuchen prangen sehen«, freute sich Wilhelm, während er den Lebkuchen auf einem silbernen Teller mit einer weinroten Serviette drapierte.

»Das bin ich auch«, versicherte Oskar. »Ich hoffe nur, dass sie ihn in Ruhe genießen können.«

»Das hoffe ich auch«, sagte Wilhelm, der sofort wusste, worauf Oskar hinauswollte. Schon länger schwelte der Konflikt zwischen Österreich und Preußen. Und am 8. April hatten nun Preußen und Italien ein Bündnis gegen Österreich geschlossen, das wiederum Unterstützung von Frankreich erhielt. Wilhelm befürchtete, dass die Lage eskalieren würde.

Er schüttelte die trüben Gedanken ab und wandte sich

an Erich. »Du kannst dich nun an die weiteren Lebkuchen machen. Aber übe erst einmal mit unbedrucktem Papier. Wenn du deine Sache gut machst, darfst du später unsere neue Spezialität herstellen.«

Erich nickte eifrig, während Wilhelm Oskar beim Arm nahm. »Gehen wir doch auf ein Wort in mein Kontor«, schlug er vor.

»Gerne.«

»Ich bin gleich zurück«, wandte sich Wilhelm an seinen Lehrjungen.

Der wiederum vertiefte sich gleich darauf wieder in sein Werk.

Wilhelm führte seinen Gast die Treppe hinauf, wo sich die Büros befanden. Im Flur kam ihnen Prokurist Hermann Kämmerer entgegen. Wilhelm lächelte ihm freundlich zu. Er hatte es keinen Tag bereut, auf seine Frau gehört zu haben. Der Buchhalter erwies sich als fleißig und gewissenhaft, er schien komplexe Zahlenkolonnen stets mit einem Blick zu erfassen. Wilhelm war froh, ihn an seiner Seite zu haben, und konnte sich und allen anderen inzwischen auch eingestehen, dass Kämmerer seine Sache sicherlich sogar besser machte, als er selbst es je gekonnt hätte. Der drei Jahre jüngere Prokurist stand ihm in allen Bereichen treu zur Seite und hatte sich seit Beginn der Expansion mehr als bewährt. Wie sich herausgestellt hatte, kannte er sich nicht nur mit Zahlen, sondern auch mit Paragrafen hervorragend aus, was zur Folge hatte, dass Wilhelm ihn bei allen wichtigen Entscheidungen einbezog – auch und gerade in vertraglichen Angelegenheiten.

Da der Zusammenarbeit mit Hertlein lange Verhandlungen vorangegangen waren, kannten Hertlein und Kämmerer sich inzwischen ebenfalls gut und nickten einander nun freundlich zu.

»Wir haben gerade den ersten Lebkuchen produziert«, unterrichtete ihn Wilhelm Lusin. »Darauf stoßen wir mit einem guten Schluck an.«

Er zögerte. Eigentlich wollte er den Prokuristen gerne hinzubitten, andererseits drängte es ihn auch, mit Hertlein unter vier Augen über die politische Situation zu sprechen, die ihn zutiefst beunruhigte. Es wäre gut, sich mit einem Gleichgesinnten darüber auszutauschen.

»Wir haben noch etwas zu besprechen, aber wenn es Ihnen recht ist, rufe ich Sie nachher zum Anstoßen herüber«, schlug Wilhelm vor. »Es ist ja auch zu einem guten Teil Ihr Verdienst.«

»Sehr gern«, stimmte der Prokurist zu.

In seinem Kontor angekommen, bat Wilhelm seinen Geschäftspartner, auf einem der hellbraunen Ledersessel Platz zu nehmen, die den vorderen Teil des Zimmers einnahmen, während im hinteren Bereich der Schreibtisch stand, und setzte sich zu ihm.

»Als du vorhin meintest, dass die Nürnberger unsere Kreation hoffentlich in Ruhe genießen können, hast du die Lage zwischen Österreich und Preußen angesprochen, nicht wahr?«, vermutete Wilhelm.

»Nachdem die Preußen nun in Holstein einmarschiert sind, sehe ich ehrlich gesagt schwarz, was einen glimpflichen Ausgang angeht.«

»Das fürchte ich ebenfalls. Aber ich muss ehrlich sagen, dass ich die Preußen verstehen kann«, bekannte Wilhelm.

»Österreich ist zu weit gegangen, wollte Holstein nun ganz für sich vereinnahmen. Was blieb den Preußen denn da anderes übrig, als einzumarschieren?«

Als Reaktion darauf hatte wiederum Österreich Bundestruppen des Deutschen Bundes mobilisiert, dem sowohl Österreich als auch Preußen angehörten. Nun drohte ein Bruderkrieg innerhalb des Deutschen Bunds.

»Denkst du, dass wir die Auswirkungen hier in Nürnberg spüren könnten?«, fragte Wilhelm.

»Ja, leider«, sagte Oskar. »Denn ich bin mir alles andere als sicher, dass Bayern seine neutrale Haltung beibehalten kann.«

»Oje«, kam es bedrückt von Wilhelm. Er sah voller Sorge aus dem Fenster. Draußen ging plötzlich ein heftiger Regenschauer nieder. Die Vorstellung, dass seine Liebsten durch einen Krieg in Gefahr geraten konnten, beunruhigte ihn zutiefst.

15

Aufgeregt blickte Elise in den Spiegel. Nach Wochen der Vorbereitung war es heute endlich so weit: In der Villa ihrer Eltern würde ein großer Ball stattfinden, bei dem Wilhelm Lusin und Oskar Hertlein die »neuen Lebkuchen« präsentieren und außerdem den Zusammenschluss ihrer Unternehmen zu den Lebkuchenwerken Lusin-Hertlein verkünden wollten. Obwohl er heute Abend offiziell vorgestellt werden sollte, war er schon seit einiger Zeit im Verkauf, und die Leute rissen ihnen die neue Kreation regelrecht aus den Händen. Der Erfolg war ebenso groß wie seinerzeit bei den Elisenlebkuchen, die sich immer noch hervorragend verkauften.

Während sie sich im Spiegel betrachtete, fragte Elise sich, ob ihr Anblick Simon wohl gefallen würde.

Trotz ihrer anfänglichen Bedenken waren sie sich nähergekommen, und wenn Simon in ihr auch immer noch nicht das Gefühl hervorrief, das ihre Freundin Helene von Tucher in so schillernden Farben schilderte, so musste Elise sich eingestehen, dass es doch ausgesprochen angenehm war, von einem so galanten und gut aussehenden Mann umworben zu werden. Sie sahen sich mittlerweile beinahe täglich. Er führte sie zu Spaziergängen aus, lud sie zum Picknick ein, ging mit ihr tanzen. Hinzu kamen die zahlreichen Mahlzeiten, die die Familien am Abend immer häufiger gemeinsam einnahmen.

»Sie sehen wunderschön aus, gnädiges Fräulein«, sagte

Agathe, die im Begriff war, Elises lange schwarze Locken zu kämmen, um sie hernach zu einer kunstvollen Hochsteckfrisur zu flechten, durch die sich hellblaue Samtbänder zogen, samt und sonders in der Farbe ihrer Augen. Das schulterfreie cremefarbene Ballkleid mit dem straffen Korsett und dem weit aufspringenden Rock, bestickt mit kleinen Blüten in Rosa und Hellblau, betonte Elises schmale Taille. Die verspielte Spitze am Ausschnitt, die bis über die Oberarme reichte, wurde von den gleichen Samtbändern unterbrochen, die Agathe gerade in Elises Lockenpracht einarbeitete. Dazu trug sie ein Aquamarincollier, und die Steine rannen wie Tropfen über ihr Dekolleté und spiegelten sich in den Ohrringen – ebenfalls Aquamarine in Tropfenform – wider.

Ja, Agathe hat recht, dachte Elise. Sie sah wirklich wunderschön aus. Und sie war sicher, dass sie auch Simon gefallen würde.

Lächelnd wandte sie sich zu ihrer treuen Zofe um und ergriff ihre Hände. »Ich danke dir, meine Liebe«, sagte sie. »Das habe ich dir zu verdanken. Und ich finde, wir beide schlagen uns ganz gut, oder?«

»Stimmt«, bestätigte Agathe lächelnd. »Man könnte meinen, Sie seien schon immer ein gnädiges Fräulein gewesen und ich schon immer eine Zofe.«

»Oh ja«, sagte Elise. »Und du fühlst dich bei uns auch wohl?«

Agathe nickte. »Sehr sogar. Dass ich am Unterricht teilnehmen darf, ist für mich … ich weiß gar nicht, wie ich es beschreiben soll.«

»Für mich auch«, versicherte Elise. »Ich hätte mir nicht träumen lassen, dass ich noch einmal so viel Neues erfahren werde. Allerdings finde ich unseren Hauslehrer etwas – nun ja … humorlos.«

»Diese Ansicht teile ich, gnädiges Fräulein«, sagte Agathe, und ihre Lippen umspielte ein leises Lächeln. »Aber immerhin weiß er sehr viel.«

»Kein Wunder, er ist ja bestimmt auch schon hundert Jahre alt«, scherzte Elise.

Die beiden jungen Frauen sahen einander in die Augen und brachen in lautes Gelächter aus.

»Schön, dass es dich gibt«, sagte Elise, als sie sich wieder beruhigt hatten.

»Das kann ich nur zurückgeben.« Doch plötzlich wurde Agathe ernst und sah Elise beinahe traurig an.

»Was?«, fragte die. »Was ist?«

»Ach, es ist nichts«, winkte Agathe ab.

»Das stimmt doch nicht«, beharrte Elise. »Ich kenne dich.«

»Nun ja«, murmelte die stets bestens über die Lage im Lande unterrichtete junge Frau. »Ich kann nicht verhehlen, dass mir die gegenwärtige Situation etwas Sorgen bereitet.«

»Welche Situation?«, fragte Elise begriffsstutzig, ganz in Gedanken bei dem bevorstehenden Ball.

»Na, die politische Lage«, erläuterte Agathe.

»Ach, du meinst das mit den Preußen?«, mutmaßte Elise.

»Ja«, bestätigte Agathe. »Ja, das bereitet mir ein wenig Kummer.«

***

Als Wilhelm die Treppe ins Foyer hinunterschritt, verspürte er ein Gefühl, das er schon lange nicht mehr gehabt hatte: Er war nervös! Ganz weiche Knie hatte er.

Margarethe, die an seiner Seite ging, lächelte ihrem Gatten liebevoll zu. »Es wird ein ganz wunderbarer Abend werden«, versicherte sie. »Alle werden begeistert sein.«

»Hoffentlich hast du recht«, murmelte er. »Hoffentlich geht nichts schief.«

»Was soll denn schiefgehen?«, fragte sie. »Unser Hauspersonal hat sich sehr ins Zeug gelegt. Und im Gegensatz zu uns hat es Erfahrung mit derartigen Festivitäten.«

Inzwischen waren sie am Fuß der Treppe angelangt und gingen Seite an Seite hinüber in den Salon. Wilhelm atmete auf. Margarethe hatte recht gehabt. Es sah ganz wunderbar aus. Alles war festlich gerichtet, überall standen die neuen Lebkuchen bereit, auf kleinen Tischchen, präsentiert in Silberschalen. Champagnerkelche funkelten im Kerzenlicht und warteten darauf, befüllt zu werden.

Ergriffen wandte Wilhelm sich zu seiner Frau um und küsste sie. »Das ist ganz wunderbar. Ich danke dir, mit wie viel Liebe du alles vorbereitet hast.«

Doch Margarethe winkte ab. »Die meiste Arbeit hatte wirklich das Gesinde, das es ganz großartig gemacht hat. Genau wie du.« Sie nahm einen der Lebkuchen in die Hand, auf dem die Kaiserburg in ihrer ganzen Pracht zu sehen war. »Es ist eine gute Entscheidung, das Wahrzeichen unserer Stadt zu nehmen.«

Er nickte. »Das ist der Ursprung. So wie auch die Tatsache, dass der Kaiser Lebkuchen an die Kinder verteilte. Und fortan können wir, der Tradition der Model folgend, alles auf unsere Lebkuchen drucken, was wir nur wollen.«

Als Antwort gab sie ihm einen Kuss auf die Wange, und er lächelte still in sich hinein. Er hatte an diesem Abend noch eine Überraschung für seine Frau und für seine Tochter!

Eine Stunde später waren Foyer und Salon der Villa Lusin von lebhaftem Stimmengewirr erfüllt. Wilhelm nickte Margarethe und Elise zu, gemeinsam schritten die drei in Richtung der großen Treppe, wo sich schon die Familie Hertlein positioniert hatte. Dann stieg er hinauf.

»Meine sehr verehrten Damen und Herren«, begann er zu der versammelten Festgemeinde zu sprechen, »liebe Freunde. Heute ist ein Freudentag.«

Während die Gäste auf diese seine Begrüßung mit Applaus reagierten, nutzte er die Gelegenheit, sich im Saal umzublicken. Sie waren alle gekommen. Die von Tuchers, die Fabers, der Erste Bürgermeister der Stadt Maximilian von Wächter sowie Freiherr Stromer von Reichenbach nebst Gattin. Dann fiel sein Blick auf Elise, die neben ihrem Verehrer stand. Wie schön sie war in ihrem cremefarbenen Kleid, das die Farbe ihrer Augen betonte. Und ihre Mutter, der sie so ähnlich sah und die in ihren hellgrünen Spitzen einfach atemberaubend aussah, stand ihr in nichts nach.

Der Applaus verebbte, und Wilhelm ergriff wieder das Wort. »Mit unseren neuen Lebkuchen ist es uns nun gelungen, die alte Tradition der Lebküchnerei fortleben zu lassen, gleichzeitig aber dem heutigen Geschmack Genüge zu tun. Die Honiglebkuchen, die einen festen Teig verlangen, um die Form der Model annehmen zu können, entsprachen nicht mehr dem heutigen Sinn der Käuferschar, die von Biskuits und Cremeschnittchen verwöhnt ist. Wir haben uns dem neuen Geschmack angepasst und Lebkuchen hergestellt, die weicher und leichter sind. Nur ging das zulasten unserer alten Tradition der Model. Denn der Lebkuchen war ja viel mehr als süßes Backwerk. Er war zugleich die älteste Druckgrafik der Welt, und an diese Tradition knüpfen wir nun, zu dieser Stunde, wieder an. Ich bin dankbar, in Oskar Hertlein einen so erfahrenen wie kompetenten Kompagnon gefunden zu haben.«

Der Genannte erhob sich und erklomm die unterste Treppenstufe, um sich zu verbeugen.

»Im letzten Jahr ist es mir gelungen, als Gegenmittel für die Erkrankung meiner Tochter einen Lebkuchen herzustellen, der auch in der Bevölkerung überaus großen Anklang findet. Das können die Zuckerbäcker nicht von sich sagen, dass sie Süßigkeiten verkaufen, die auch noch gesund machen.«

Lachen wogte durch den Raum, als Wilhelm, nun am Ende seiner Rede angekommen, dem seitlich der Treppe stehenden Heinrich Mannfeld ein Zeichen gab. Der Bedienstete eilte herbei und reichte ihm das mit einem weißen Leinentuch abgedeckte Tablett.

»Bevor ich Sie nun alle dazu einladen darf, sich von der Qualität unserer Lebkuchen zu überzeugen und mit einem Glas Champagner mit uns anzustoßen, möchte ich die beiden wichtigsten Menschen in meinem Leben zu mir bitten. Meine Frau Margarethe und meine Tochter Elise.«

Wilhelm sah, wie die beiden verblüfft einen Blick wechselten und dann zu ihm nach oben kamen.

Zärtlich sah Wilhelm zuerst seine Frau und dann Elise an. »Alles, was ich bin, bin ich durch euch«, sagte er. »Danke für die Liebe, die ihr mir jeden Tag schenkt. Deine Krankheit, Elise, so schlimm sie auch war, hatte letzten Endes ihr Gutes: Ich habe die Elisenlebkuchen erfunden, die nun so vielen Menschen herrliche Gaumenfreuden bescheren. Daher ist es nur recht und billig, wenn nicht nur die Kaiserburg unsere Lebkuchen ziert, sondern auch dein Gesicht. Schließlich wollen wir der alten Tradition folgend die Kunde, wie die Maid eigentlich aussieht, der die Elisenlebkuchen zu verdanken sind, bis in die entlegensten Winkel unseres Landes tragen. Zumal meine Tochter auch noch eine unglaubliche Schönheit ist.«

Während Elise ob all der Aufmerksamkeit und all des Lobs errötete, zog Wilhelm unter dem Applaus der Anwesenden einen übergroßen Lebkuchen unter dem Tuch hervor und überreichte ihn feierlich seiner Tochter. Elise schnappte nach Luft. Auf dem Lebkuchen befand sich ein wunderschönes Abbild ihrer selbst, das sie im Profil zeigte. Tränen der Rührung stiegen ihr in die Augen, als sie ihren Vater zum Dank umarmte und anschließend den Lebkuchen so hielt, dass alle ihn sehen konnten.

»Natürlich sind nicht all unsere Lebkuchen so groß«, stellte Wilhelm klar. »Der hier gilt der Repräsentation. Und nun«, er wandte sich Margarethe zu, »sollst auch du noch etwas Besonderes bekommen. Unser gemeinsamer Weg begann, da war ich noch ein Modelmeister auf Wanderschaft. Als Zeichen meiner Liebe habe ich dir damals ein eigenes Model geschnitzt.«

Sie nickte und sah ihn gerührt an. »Ja, und wir halten es in Ehren.«

»Das tun wir«, stimmte er zu. »Da unsere Liebe aber zwar in der Vergangenheit begann, aber hoffentlich noch weit in die Zukunft geht, sollst auch du deinen eigenen Lebkuchen bekommen.«

Er holte das zweite Stück unter dem Tuch hervor, das ihn und Margarethe Arm in Arm zeigte.

»Es ist wunderschön«, sagte sie gerührt und fügte schmunzelnd hinzu: »Eigentlich müsste ich jetzt ein Stück abbeißen, um dir meine Liebe zu erklären. Aber dazu ist er viel zu schade.«

Wilhelm lachte und wandte sich dann erklärend an die Festgesellschaft. »Die Tradition besagt, dass ein junger Mann einer jungen Frau durch einen solchen Lebkuchen kundtun kann, dass er sie begehrt. Auch Heiratsanträge werden auf diese Art und Weise gemacht. Wenn sie abbeißt, signalisiert sie damit, dass sie seine Gefühle erwidert. Keine Sorge, mein Schatz«, sagte er nun scherzhaft zu seiner Frau. »Ich glaube dir auch so, dass du meine Gefühle erwiderst.«

Dann wandte er sich an Oskar Hertlein, der immer noch am Fuße der Treppe stand. »Ohne meinen großartigen Mitstreiter gäbe es diese Lebkuchen nicht. Und ich freue mich, dass wir die Tradition auf diese Weise fortführen können. Wer weiß, was sich eines Tages daraus ergibt, denn wie Sie alle wissen, sind sich unsere Kinder nicht ganz unsympathisch.«

In dem Moment, als Wilhelm die Worte aussprach, wusste er, dass sie ein Fehler gewesen waren. Er hätte die noch ganz zarte Liebe zwischen seiner Tochter und Simon nicht so hinausposaunen sollen. Zaghaft blickte er sie an, und was er sah, bestätigte seine Befürchtung: Elise war schneeweiß im Gesicht geworden.

Im nächsten Moment eilte Heinrich von Mannfeld erneut die Stufen hinauf, in seiner Hand ein Silbertablett. Aber anders als zuvor war das nicht mit ihm abgesprochen. Und anders als zuvor befand sich darauf auch kein Lebkuchen, sondern ein weißes Stück Papier. »Entschuldigen Sie, gnädiger Herr«, sagte der Hausdiener. »Aber ich fürchte, das kann nicht warten.«

Wilhelm schluckte hart, dann griff er nach dem Zettel. Er ahnte schon, was darauf stand, bevor er ihn gelesen hatte. Die Lektüre der kurzen Depesche brachte ihm die Bestätigung. Er holte tief Luft und wandte sich an die Gäste, die schweigend zu ihm heraufsahen. Sein Blick traf Oskars, er las darin eine stumme Frage. Dann räusperte er sich, holte tief Luft und sagte: »Meine Damen und Herren, ich bedauere, Ihnen mitteilen zu müssen, dass König Ludwig II. soeben den Mobilmachungsbefehl unterzeichnet hat. Damit befinden wir uns an der Seite Österreichs im Krieg gegen Preußen.«

16

Wilhelm stieß ein Seufzen aus, schlug die *Nürnberger Zeitung* zu und legte sie neben sich auf das Tischchen. Ungeachtet der angespannten Lage im Reich lief die Lebkuchenproduktion auf Hochtouren, daher kam er nicht umhin, das Frühstück am Folgetag mit seiner Familie ausfallen zu lassen und in aller Herrgottsfrühe in die Fabrik zu eilen. Auch die weitere Zeitungslektüre musste auf den Abend verschoben werden. Dabei beunruhigte ihn die Situation hinsichtlich des Krieges zutiefst: Seit Juni marschierten die Preußen mit riesigen Schritten auf Nürnberg zu. Und damit war genau das eingetreten, was Wilhelm von Anfang an am meisten geängstigt hatte: Dass seine Liebsten vom Krieg tangiert wurden und möglicherweise Schaden nehmen könnten.

»Hoffentlich geht König Ludwig II. auf die Bitte des Ersten Bürgermeisters Maximilian von Wächter ein, Nürnberg die Entfestung zu gewähren«, murmelte Wilhelm nun.

Elise, die in eine Lektüre des *Korrespondent von und für Deutschland* vertieft am Fenster saß, blickte auf. Ihre Angst vor einer militärischen Auseinandersetzung in ihrer Heimat ließ sie nicht mehr los, und sie gierte regelrecht nach Informationen, allerdings vor allem in der Hoffnung auf gute Nachrichten, die jedoch ausblieben. Im Gegenteil, die Lage spitzte sich immer weiter zu.

»Was würde das dann bedeuten?«, fragte sie ängstlich.

»Es würde heißen, dass Nürnberg keine Festungsstadt mehr wäre, dann wäre die Stadt also entmilitarisiert.«

»Du meinst, die Soldaten würden abziehen?«

»Genau«, bestätigte Wilhelm. »Hier wären keine Truppen mehr stationiert.«

»Aber dann könnte uns ja auch niemand verteidigen«, gab Elise zu bedenken.

»Ganz genau das ist der Sinn dahinter«, erwiderte ihr Vater. »Auf diese Weise könnte Nürnberg kampflos an die Preußen übergeben werden. Es würde zu keinen Kampfhandlungen kommen.«

»Das heißt, wir wären preußisch und nicht mehr bayerisch?« Er bejahte. »Aber es würde immerhin alles friedlich und ohne Blutvergießen verlaufen.«

Elise wechselte einen besorgten Blick mit ihrer Mutter, die dem Gespräch bislang schweigend beigewohnt hatte. Ein preußisches Nürnberg – das konnte Elise sich so gar nicht vorstellen!

Wilhelm nahm hastig einen Schluck Cognac, der neben ihm auf dem kleinen Tischchen stand. Er hatte den Blickwechsel sehr wohl bemerkt – und ganz so harmlos, wie er es nun gegenüber seiner Frau und Elise darstellte, war die Situation keineswegs. Selbst bei einer kampflosen Übergabe der Stadt war mit Einschränkungen zu rechnen. Schließlich mussten die anrückenden preußischen Soldaten untergebracht und versorgt werden. Das war ihm jedoch allemal lieber als Kampfhandlungen. Schließlich waren die Preußen gefürchtet, hatten sie die Schlacht bei Königgrätz doch triumphal für sich entscheiden können. Je zweihunderttausend Soldaten hatten sich gegenübergestanden. Und während auf preußischer Seite rund zweitausend Soldaten gefallen und siebentausend weitere in Gefangenschaft geraten waren, hatten die österreichischen Truppen den Verlust von etwa sechstausend Männern hinnehmen müssen, knapp siebenunddreißigtausend waren in Gefangenschaft geraten.

Nein, dachte Wilhelm, *es ist wohl wirklich besser, sich mit den Preußen gut zu stellen.* Er warf Elise und Margarethe einen zärtlichen Blick zu und entschied sich spontan, die Arbeit am nächsten Morgen Arbeit sein zu lassen, um mit seiner Familie zu frühstücken. Keiner wusste schließlich, was da noch alles auf sie zukäme und wann sie das nächste Mal die Gelegenheit dazu haben würden.

***

Hätte Wilhelm sich nicht anders entschieden und wäre direkt in die Fabrik geeilt, hätte er wahrscheinlich das Schreiben verpasst, das nun Heinrich Mannfeld in bewährter Weise auf einem Silbertablett brachte.

»Von wem ist es?«, begehrte Elise zu wissen. Sie hatte ihrerseits zwei Schreiben erhalten, eines stammte von Helene von Tucher, ein weiteres von Simon. Sie legte beide beiseite. Viel spannender war, ob der Vater Neuigkeiten bezüglich des Krieges erfahren hatte. Und außerdem drängte es sie gar nicht, den Brief von Simon Hertlein zu öffnen. Nachdem ihr Vater sich hinsichtlich ihrer Verbindung so unsensibel verhalten hatte und vor allen Leuten damit herausgeplatzt war, wusste sie nicht so recht, wie sie sich Simon gegenüber verhalten sollte. Bestimmt dachte er nun, sie wolle sich ihm aufdrängen, was ihr unsagbar peinlich war. Insofern war sie im ersten Moment beinah erleichtert gewesen, dass es eine weitere Nachricht gab, die die erste vergessen machte. Gleich darauf schämte sie sich dieser Gedanken.

»Es ist von unserem zweiten Bürgermeister Christoph von Seiler«, teilte Wilhelm seiner Frau und seiner Tochter mit, während er das Kuvert mit dem silbernen Brieföffner aufschlitzte, der ebenfalls auf dem Tablett gelegen hatte.

Wilhelm überflog die Zeilen mit gerunzelter Stirn, dann zeigte sich Erleichterung auf seinem Gesicht und er verkündete: »König Ludwig II. hat tatsächlich die Waffenplatzeigenschaft aufgehoben.«

»Bedeutet das das Gleiche wie Entfestung?«, wollte Elise wissen.

Ihr Vater nickte. »Ja. Der Abzug der bayerischen Soldaten ist veranlasst. Das heißt, die Übergabe wird friedlich sein. Allerdings …« Er biss sich auf die Lippen.

»Ja?«, fragte Margarethe drängend. »Was ist denn, Wilhelm?«

»Nun, dass die Stadt kampflos übergeben wird, bedeutet nicht, dass keine preußischen Soldaten da wären. Sie werden kommen. Und sie werden irgendwo wohnen müssen.«

»Die Preußen kommen doch nach Nürnberg?«, stöhnte Margarethe entsetzt auf.

»Ja, Liebes«, beschwichtigte Wilhelm seine Gattin, »für uns wird sich nicht viel ändern, aber mit Einquartierungen müssen wir schon rechnen.«

»Mit Einquartierungen?«, echote Margarethe besorgt und ließ ihre Gabel auf den Teller sinken. »Das heißt, dass in unserem Haus preußische Soldaten wohnen werden?«

Wilhelm nickte. »Daran werden wir leider nicht vorbeikommen, aber vielleicht geht es für uns glimpflich aus. In einem Haus wie dem unsrigen werden sicherlich Offiziere einquartiert. Und die wissen sich hoffentlich zu benehmen.«

Margarethe zeigte sich von dieser Mutmaßung nicht gerade beruhigt. »Wir haben dann einen wildfremden Mann bei uns im Haus oder sogar mehrere? Und die werden auch anwesend sein, wenn du nicht da bist, um uns zu beschützen?«

Elise nahm die leise Panik in der Stimme ihrer Mutter deutlich wahr und musste sich eingestehen, dass sie selbst ebenfalls ausgesprochen besorgt war.

Doch Wilhelm ließ sich nicht aus der Ruhe bringen. »Erstens bin ich sicher, dass die Dienerschaft euch zur Seite stünde, nicht wahr, Herr Mannfeld?«

Er wandte sich zu dem Ersten Diener um, der neben der Anrichte stand und auf Anweisungen wartete.

»Natürlich, gnädiger Herr«, versicherte er nun rasch. »Gnädige Frau können ganz beruhigt sein.«

»Danke, Mannfeld«, sagte Wilhelm und nickte ihm zu. Dann wendete er sich wieder an seine Frau und seine Tochter. »Ich kann euch aber versichern, dass euch die Preußen nichts tun werden.«

Margarethe blieb skeptisch. »Sie sind doch unsere Feinde.«

»Aber sie kommen nicht, um zu kämpfen«, erklärte Wilhelm geduldig. »Nicht, da wir die Stadt doch kampflos übergeben.«

»Ich fürchte, es ist nicht zu ändern, Mutter«, mischte sich nun Elise ins Gespräch. »Machen wir doch das Beste draus.«

Margarethe seufzte. »Es sieht nicht so aus, als hätten wir eine andere Wahl.«

»Wann werden die Preußen denn erwartet?«, wandte sich Elise wieder an ihren Vater.

»Vermutlich in den nächsten Tagen«, antwortete Wilhelm, »aber Christoph von Seiler hat versprochen, sich zu melden, sobald er Näheres weiß.«

***

Am letzten Julitag des Jahres 1866 ließ sich Wilhelm Lusin frühmorgens von Jacob Düber mit der Kutsche in die Bergstraße fahren. Dort wollte er wie immer – unbeobachtet von allen anderen – die Gewürzmischung für die Elisenlebkuchen zubereiten, um sie anschließend in die Fabrik zu bringen. Verwundert bemerkte er, dass ungewöhnlich viele Passanten auf den Straßen unterwegs waren.

Es musste sich wohl herumgesprochen haben, was ihnen Christoph von Seiler bereits gestern mitgeteilt hatte: Das Zweite Preußische Reservekorps des Großherzogs Friedrich Franz II. von Mecklenburg-Schwerin würde heute die Stadt besetzen.

Sie waren fast am Fuß der Bergstraße angelangt, als laute Rufe ertönten. In diesem Moment lenkte Herr Düber die Kutsche an den Straßenrand, und Wilhelm erkannte, was ihn zum Halten gezwungen hatte: Unzählige Soldaten marschierten über die Fleischbrücke. In ihren blauen Uniformröcken mit roten Ärmelaufschlägen und weißer Paspelierung sahen sie ausgesprochen schmuck aus, wie Wilhelm neidlos anerkennen musste. Als die Soldaten an ihm vorbei in Richtung Kaiserburg marschierten, erblickte er auf den roten Schulterstücken jeweils die Zahl 24 in Gelb, und auf den Pickelhauben prangte das Emblem mit dem gelben Linien-Adler.

Wilhelm sah den Männern nach, bis sie verschwunden waren, dann fuhr die Kutsche wieder an und das letzte Stückchen bis zum Stammhaus in der Bergstraße hinauf.

Als er das Gebäude durch die Ladentür betrat, waren die beiden Verkäuferinnen schon in heller Aufregung.

»Guten Morgen, Herr Lusin«, begrüßte ihn Anni, die jüngere der beiden. »Gut, dass Sie kommen, die Preußen sind soeben vorbeimarschiert.«

Besorgt blickte sie auf ihre ältere Kollegin Henriette Gietz, die sich auf einem Stuhl niedergelassen hatte, kreidebleich war und sich Luft zufächelte.

»Bitte verzeihen Sie, gnädiger Herr, dass ich in Ihrer Gegenwart sitze. Aber die Preußen! Das ist unser aller Ende!«, jammerte Henriette.

Wilhelm konnte ein Schmunzeln nicht unterdrücken. Frau Gietz sah in diesem Moment wirklich aus wie ein Häufchen Elend. Das ungewöhnliche Weiß ihres Gesichts brachte das Rot ihrer krausen Haare umso mehr zur Geltung, und da nun auch noch ein Sonnenstrahl von draußen hereinfiel und das Haar der Verkäuferin zum Leuchten brachte, sah sie für einen Moment wirklich bedrohlich aus. Wilhelm ertappte sich bei dem Gedanken, dass die Preußen sich, würden sie sie erblicken, vor Frau Gietz wohl mindestens ebenso fürchten würden wie diese sich vor ihnen. Er mochte die ältere Dame, die eigentlich schon längst hätte kürzertreten sollen, von Herzen gern. Als junges Mädchen hatte sie einst unter seinem verstorbenen Schwiegervater als Verkäuferin angefangen, und sie war vor Stolz fast geplatzt, als die Lusins gesellschaftlich derart aufgestiegen waren. Dass sie ihn nun »gnädiger Herr« nannte und meinte, in seiner Gegenwart nicht sitzen zu dürfen, hatte sie beschlossen, nicht er.

»Aber meine liebe Frau Gietz«, sagte er daher ruhig, »die Preußen tun uns doch gar nichts. Die wollen nur unsere Lebkuchen.«

Dieser scherzhaft gemeinte Satz konnte die arme Frau Gietz jedoch mitnichten beruhigen. Sie wurde, wenn das überhaupt ging, noch blasser und hauchte: »Sie wollen unsere Lebkuchen? Werden sie bei uns einfallen?«

Panisch sah sie sich nach einem Gegenstand um, mit dem sie sich zur Not verteidigen konnte, und Wilhelm musste inzwischen alle Kraft aufwenden, um nicht loszuprusten. Im Geiste sah er Frau Gietz vor sich, wie sie, ein Nudelholz in der erhobenen Hand, mit totenblassem Gesicht hinter den Preußen herjagte, während das Sonnenlicht ihr feuerrotes Haar zum Leuchten brachte.

Doch schließlich rief er sich zur Räson. Die arme Frau hatte einfach nur Angst. »Frau Gietz, machen Sie sich keine Sorgen, wirklich. Die Preußen werden uns nichts tun. Das verspreche ich Ihnen, so wahr ich hier stehe.«

»Sind Sie sicher?«, piepste die korpulente Frau zaghaft.

»Ganz sicher. Und nun nehmen Sie sich einen von den Elisenlebkuchen. Dann geht es Ihnen bestimmt gleich wieder gut.«

Dann nickte er den beiden Frauen noch einmal freundlich zu, ging durch die Verbindungstür ins Treppenhaus und hinauf in die Wachszieherei. Auch die beiden Männer, die dort saßen und Kerzen zogen, begrüßte er und eilte sodann in seine Gewürzkammer, wie er sie nannte. Er wollte gerade das erste Gewürzglas aus dem Regal nehmen und beginnen, die Mischung für seine berühmten Elisenlebkuchen anzufertigen, als ihm eine Idee kam.

Rasch stellte er das Glas wieder zurück ins Regal und ging zu dem kleinen Tisch unter dem Fenster. Ein Lächeln huschte über sein Gesicht. Düber, der Kutscher, würde noch eine Weile warten müssen.

17

Wilhelms Bleistift flog nur so über das Papier. Mit einem Mal fühlte er sich wieder so jung und voller Schwung wie zum letzten Mal als junger Modelschnitzer. Er ging mit gleicher Konzentration zu Werke, wie er das damals stets getan hatte, wenn er eine Idee für ein neues Model hatte. Endlich hatte er die Voraussetzungen geschaffen, wieder das zu tun, was ihn an der Lebküchnerei – neben dem Kreieren neuer Rezepte – am meisten begeisterte: Das Gebäck nutzen, um Neuigkeiten zu verbreiten. Und der Einzug der Preußen war so eine Neuigkeit! Das Bild, wie sie über die Fleischbrücke gekommen waren, hatte sich ihm ins Gedächtnis eingebrannt, und diese Erinnerung versuchte er nun, auf Papier zu bannen. Nachdem er eine halbe Stunde lang konzentriert gearbeitet hatte, betrachtete er zufrieden sein Werk und packte es dann in seine Tasche. Gleich heute Abend wollte er es seiner Frau und seiner Tochter zeigen und am nächsten Morgen damit zur Druckerei Hertlein gehen. Vielleicht konnte Elise ihn ja begleiten? Es tat ihm immer noch leid, dass er sie mit seiner Bemerkung über ihre Beziehung zu Simon Hertlein so bloßgestellt hatte, auch wenn es inzwischen durch all die nachfolgenden Ereignisse in Vergessenheit geraten sein musste. Elise hatte seither nicht mehr von Simon gesprochen, und soweit er es mitbekommen hatte, hatten sich die beiden auch nicht mehr getroffen. Wilhelm wollte sich zwar nach wie vor nicht einmischen, war aber entschlossen, der Sache nun wieder etwas mehr Aufmerksamkeit zu widmen.

***

Nachdem Margarethe sich einmal damit abgefunden hatte, dass die Preußen in ihrem Haus einquartiert werden sollten, setzte sie alles daran, ihnen einen würdigen Empfang zu bieten.

»Die sollen nicht sagen, dass wir in Bayern nicht wüssten, wie es in einem ordentlichen Haushalt zugeht«, sagte sie ein ums andere Mal und legte in der Folge eine eifrige Geschäftstüchtigkeit an den Tag. Gemeinsam mit Hausdame Bärbel Hauder hielt sie die Dienerschaft auf Trab und wies sie an, die ganze Villa von oben bis unten auf Hochglanz zu bringen.

»Also, ich finde, die gnädige Frau übertreibt«, meinte Hausmädchen Maria beim Abendessen, das die Dienerschaft wie stets gemeinsam im Dienstbotenzimmer einnahm. »Vor allem finde ich es Ihnen gegenüber nicht in Ordnung, Frau Hauder. Schließlich sind Sie die Hausdame und das schon lange, bevor die Lusins kamen. Sie tut ja gerade so, als würden Sie Ihre Sache nicht gut machen.«

»Maria«, schalt Bärbel Hauder streng und legte den Löffel, mit dem sie gerade die Suppe zum Mund hatte führen wollen, zurück auf den Teller. »So sprechen wir nicht über unsere Herrschaft.«

Agathe beobachtete beide genau und hatte den Eindruck, dass Maria, auch wenn sie nun von Bärbel Hauder gemaßregelt wurde, ins Schwarze getroffen hatte. Um den Mund der Hausdame lag ein verkniffener Zug, und Agathe hatte in den letzten Tagen schon oft gedacht, dass Margarethe es mit ihrem Verhalten übertrieb. Sie überlegte, ob sie mit Elise darüber sprechen sollte, damit die Freundin ihre Mutter etwas bremsen konnte, doch sie wagte es nicht. Ohnehin war auf ihr anfänglich so ungetrübtes Verhältnis ein Schatten gefallen. Das lag allerdings weder an ihr noch an Elise als vielmehr an deren Verehrer Simon Hertlein. Der hatte ihr nämlich am Abend des Lebkuchenballs nachgestellt, als alle wegen der Schreckensnachricht um den drohenden Krieg in heller Aufregung gewesen waren. Zumindest glaubte Agathe das, sie kannte sich in diesen Dingen ja nicht aus. An jenem Abend hatten alle Bediensteten, auch die Zofen, die Gäste bedienen müssen, und als Agathe mit einem Tablett voller Champagnerkelche an ihm vorbeigekommen war, hatte er nach einem gegriffen, ihr tief in die Augen gesehen und gesagt: »Ich wusste ja gar nicht, wie schön das Hauspersonal der Lusins ist.«

Sie war sich nicht ganz sicher, aber sie glaubte, er hatte ihr mit seiner freien Hand daraufhin ganz leicht den Hintern gestreift.

Deshalb war sie froh, dass sich Simon Hertlein seither nicht mehr hatte blicken lassen. Sie wusste, sie müsste dem gnädigen Fräulein von Herrn Hertleins Betragen berichten, aber andererseits war sie auch furchtbar verunsichert und schämte sich in Grund und Boden. Würde Elise nicht denken, dass sie versucht hatte, ihr den Verehrer auszuspannen und vielleicht sogar argwöhnen, dass er sich deshalb nicht mehr meldete? Einige Male war sie kurz davor gewesen, Maria alles zu erzählen, aber das hatte sie nicht über sich gebracht. Sie vor Elise ins Vertrauen zu ziehen, wäre ihr wiederum wie Verrat erschienen.

Also war sie immer stiller geworden, was Elise bei all der

Aufregung um die bevorstehende Ankunft der Preußen gar nicht bemerkt hatte.

»Es stimmt schon«, meinte Köchin Caroline Stift. »Frau Hauder hat viel mehr Erfahrung als die gnädige Frau.«

»Ich glaube, wir tun ihr Unrecht«, entschloss sich Agathe nun doch, sich einzumischen. Wenn sie Elise schon keinen Hinweis gab, konnte sie doch wenigstens hier ihren Teil dazu beitragen, die Wogen zu glätten. Oder es zumindest zu versuchen.

»Unrecht? Wie meinen Sie das?«, wandte sich Frau Hauder an Agathe.

»Nun, wie Sie schon sagten: Frau Lusin hat bisher noch keine Erfahrung darin, Gäste zu beherbergen. Und schon gar keine Preußen. Sie möchte nur alles richtig machen. Und ich weiß, dass sie Ihre große Erfahrung zu schätzen weiß.«

Bärbel Hauder lächelte der Jüngeren zu. »Danke, Agathe. Du bist ein gutes Mädchen.«

***

»Agathe«, stöhnte Elise, als diese ihr später in ihrem Zimmer aufwartete, um sie für das Abendessen fertig zu machen, »du musst mir helfen.«

»Das will ich gern, gnädiges Fräulein«, versicherte Agathe eifrig, während sie Elises pechschwarzes Haar zu bürsten begann. »Was kann ich für Sie tun?«

Elise seufzte. »Herr Hertlein hat mir kürzlich einen Brief geschrieben und um ein Treffen gebeten. Vor lauter Preußen habe ich vergessen zu antworten. Nun habe ich von meinem Vater soeben erfahren, dass die Hertleins heute zum Abendessen eingeladen sind. Sie wollen sich noch einmal treffen, bevor die Preußen mit am Tisch sitzen.«

Agathe ließ vor Schreck beinahe die silberne Bürste fallen. Elise bemerkte es zum Glück nicht, und ihr gelang es rasch, sich wieder zu fangen.

»Das ist mir so peinlich, Agathe«, jammerte Elise. »Was soll ich denn nur sagen?«

»Ich glaube nicht, dass er Ihnen das übel nimmt«, beschwichtigte Agathe. »Zumal Sie ja anbringen können, dass Sie die Sache mit den Preußen so verunsichert hat … und dann noch die mögliche Einquartierung.«

»Das stimmt«, bestätigte Elise und beobachtete im Spiegel, wie Agathe mit geschickten Fingern ihre Haare aufsteckte. »Was täte ich nur ohne dich, Agathe«, sagte sie liebevoll. »Du bist so klug, weißt immer einen Rat und hast so schnell gelernt, wie man frisiert und ankleidet.«

»Vielen Dank, gnädiges Fräulein«, murmelte Agathe, die sich angesichts des Lobs gleich noch schuldiger fühlte.

Elise seufzte. »Nur das mit dem gnädigen Fräulein, das kannst du einfach nicht lassen.«

Agathe lächelte. »Ich bedauere, gnädiges Fräulein, das fällt mir tatsächlich etwas schwer. Aber wenn ich mir die Bemerkung erlauben darf: Sie sehen heute zauberhaft aus. Herr Hertlein wird allein durch Ihren Anblick verzeihen, dass Sie ihm nicht geantwortet haben.«

»Hoffentlich hast du recht«, meinte Elise. Und dann fügte sie kaum hörbar hinzu: »Wobei ich gestehen muss, dass ich gar nicht sicher bin, ob es mir nur wegen des unbeantworteten Schreibens unangenehm ist, ihn zu sehen.«

***

»Sie sehen hinreißend aus«, raunte Simon Hertlein Elise zu, als sie eine Stunde später bei Tisch nebeneinandersaßen.

Gerade hatten sie den Hauptgang verspeist, Hühnerbrüstchen mit Pflückerbsen und weißer Soße, und warteten nun darauf, dass das Dessert aufgetragen wurde.

Alle anderen am Tisch waren in angeregte Gespräche vertieft, sodass zu Elises Erleichterung niemand sonst das Kompliment gehört haben konnte.

»Vielen Dank.« Sie musste sich eingestehen, dass sie sich an diesem Abend selbst ausnehmend gut gefiel.

Agathe hatte ihre Haare zu einem Knoten im Nacken geschlungen, was ihr feines Profil zur Geltung brachte. Ihr Kleid war von einem leuchtenden Türkiston und mit unzähligen funkelnden Perlen besetzt. Der Spitzenbesatz am Dekolleté gab dem Ganzen eine sehr weibliche Note.

»Ich hoffe, Sie empfinden mich nicht als aufdringlich, wenn ich Sie frage, ob ich Sie, ungeachtet der Tatsache, dass Sie auf mein Schreiben nicht geantwortet haben, zu einem Spaziergang einladen darf?«

Auf einmal spürte Elise das, was sie bis zu diesem Moment vermisst hatte, wenn es auch nicht so stark war, wie Helene von Tucher es immer beschrieben hatte. Aber vielleicht lag das auch daran, dass Helene ein viel impulsiveres und auch dramatischeres Wesen hatte als sie selbst? Jedenfalls begann ihr Herz schneller zu schlagen, als er ihr nun tief in die Augen sah und flüsterte: »Wie schön Sie sind, Elise. Wie anbetungswürdig schön.«

Sie schluckte, während er sie weiterhin so eindringlich ansah.

»Also gut«, sagte sie schließlich, ohne den Blick von dem seinen zu lösen. »Treffen wir uns morgen zum Spaziergang durch unseren Garten. Ich erwarte Sie um zwölf Uhr.« Dann fügte sie hinzu: »Es sei denn, die Preußen durchkreuzen unsere Pläne.«

Simon grinste. »Wenn die Preußen mich um einen Spaziergang mit der Dame meines Herzens bringen, dann klappt das nicht mit der friedlichen Übernahme. Dann scheitert sie an mir.«

Wider Willen musste Elise lachen. Er hatte Humor. Und obendrein hatte er sie als *Dame meines Herzens* bezeichnet. So langsam konnte sie dem Werben Simon Hertleins um ihre Person immer mehr abgewinnen.

Im nächsten Moment klopfte Wilhelm leise an sein Glas. »Es gibt da etwas, das ich euch zeigen möchte. Die Gelegenheit könnte besser nicht sein als in diesem Augenblick, in dem wir alle versammelt sind.«

Er ließ seinen Blick über die versammelte Tafelrunde gleiten, dann nickte er Heinrich Mannfeld zu, der sogleich herbeigeeilt kam und ihm eine Mappe reichte.

Wilhelm öffnete die Mappe und zog den Entwurf heraus, den er am Morgen in der Bergstraße gefertigt hatte.

»Ihr wisst, wie sehr mir daran gelegen ist, mit unseren Lebkuchen nicht nur Genuss, sondern auch eine Botschaft zu vermitteln. Und dank meines geschätzten Geschäftspartners – und ich darf wohl sagen Freundes – Oskar Hertlein habe ich diese Möglichkeit nun wiedergewonnen. Der Einzug der Preußen ist aus meiner Sicht ein bewegender historischer Moment. Und da kam mir die Idee, dass wir doch eine Zeit lang Preußenlebkuchen verkaufen könnten.«

»Preußenlebkuchen!«, rief Oskar Hertlein begeistert. »Was für eine hervorragende Idee, auch wenn es mir lieber wäre, die Kerle wären oben im Norden geblieben. Aber da sie nun schon einmal hier sind, können wir sie uns auch zunutze machen.«

Er hob sein Glas. »Auf die Preußenlebkuchen!«

»Auf die Preußenlebkuchen!«, wiederholte die Tafelrunde.

In diesem Moment öffnete sich die Tür, und Felix, der junge Hausdiener, der gelegentlich auch Wilhelm aufwartete, streckte seine Nase herein. Heinrich Mannfeld eilte mit gerunzelter Stirn zur Tür. Elise sah, wie Felix ihm aufgeregt ins Ohr flüsterte.

Der Erste Hausdiener nickte, ging dann zu Wilhelm Lusin und raunte ihm etwas zu.

Wilhelm räusperte sich. »Tja, meine Lieben, so wie es aussieht, kommt der Preußenlebkuchen genau zur rechten Zeit«, verkündete er der versammelten Tischrunde. »Draußen in der Eingangshalle wartet ein Preuße. Sie entschuldigen mich für einen Moment?«

»Aber natürlich«, entgegnete Oskar und wechselte einen besorgten Blick mit seiner Frau. »Unter diesen Umständen würde ich vorschlagen, wir verzichten auf das Dessert. Denn sicher stehen die Kerle auch bei uns vor dem Haus.«

»Frau Stift, unsere Köchin, wird einen Herzanfall bekommen, wenn wir den Nachtisch nicht essen«, flüsterte Elise ihrem Galan zu.

»Und ich bekomme einen Herzanfall, wenn aus unserem Spaziergang morgen nichts wird. Dann werfe ich die Preußen eigenhändig in die Pegnitz.« Beinah flehend sah er sie an. »Steht unsere Verabredung noch?«

Sie musste schmunzeln. »Ja, sicher tut sie das.«

Wilhelm rieb sich nachdenklich das Kinn. »Gut. Dann machen wir es anders. Herr Mannfeld, führen Sie den Preußen in die Bibliothek. Ich werde ihn sogleich gemeinsam mit meiner Frau und meiner Tochter begrüßen.«

»Sehr wohl, gnädiger Herr«, erwiderte Heinrich und war schon verschwunden.

»Oskar, Josephine, Simon, es tut mir leid, dass der Abend nun ein derart abruptes Ende nimmt«, wandte sich Wilhelm dann an seine Gäste.

»Aber ich bitte dich, Wilhelm«, erwiderte Oskar. »Wir sind nun mal im Krieg. Da gehört so was dazu.«

Elise schauderte. Plötzlich nahm der Gedanke, im Krieg zu sein, Gestalt an.

»Keine Sorge«, flüsterte Simon, der ihre Reaktion bemerkt hatte, an ihrer Seite. »Ich werde Sie beschützen, wenn es nötig werden sollte.«

»Danke«, entgegnete Elise und beobachtete, wie Wilhelm seinem Geschäftspartner die Zeichnung in die Hand drückte. »Hier. Dann kannst du ja schon mal mit der Produktion anfangen.«

»Wird mir ein Vergnügen sein.«

***

Was für ein gut aussehender Mann, war das Erste, was Elise dachte, als sie den Soldaten in der Bibliothek ihres Vaters erblickte, der sich als Rittmeister Richard von Albedyll vorgestellt hatte. Die blaue Uniform mit der weißen Paspelierung der preußischen Offiziere kleidete ihn ganz hervorragend und betonte seine hochgewachsene, schlanke, aber dennoch kräftige Gestalt. Er hatte widerspenstiges braunes Haar, das ihm in die Stirn fiel, ein markantes, wachsames Gesicht und seelenvolle blaue Augen. Und er besaß Manieren. Die Damen begrüßte er formvollendet mit einem hingehauchten Handkuss und Wilhelm mit einem kraftvollen Händedruck.

»Bitte verzeihen Sie, dass ich Sie derart unangekündigt überfalle. Wie Ihr Hausdiener mir mitteilte, waren Sie noch beim Abendessen und hatten Gäste. Ich hoffe, mein Erscheinen hat Ihnen keine Unannehmlichkeiten bereitet und Sie konnten Ihr Nachtmahl zu Ende bringen.«

»Wir haben es frühzeitig beendet«, erklärte Wilhelm wahrheitsgemäß. »Schließlich steht nicht jeden Tag ein Abgesandter Preußens vor unserer Tür.«

»Oh, das bedauere ich außerordentlich«, rief Richard von Albedyll und war offensichtlich tatsächlich peinlich berührt von der Tatsache, dass sein Erscheinen derartige Umstände bereitet hatte. »Ich hätte wirklich warten können.«

»Bitte machen Sie sich keine Gedanken«, ergriff nun Margarethe das Wort, und Elise dachte angesichts der Miene ihrer Mutter, dass diese offenbar ebenfalls sehr angetan von ihrem Hausgast war. Die Vorstellung, einen Preußen in ihrem Haus zu beherbergen, musste für sie seinen Schrecken verloren haben.

»Aber haben *Sie* denn schon ein Nachtmahl erhalten?«

Der Offizier schüttelte den Kopf. »Offen gestanden nein. Sie müssen sich aber meinetwegen wirklich keine Umstände machen.«

»So weit kommt es noch, dass wir unseren Gast hungrig zu Bett gehen lassen«, sagte Wilhelm und wandte sich dann zu seinem Diener um. »Mannfeld, bitte sorgen Sie dafür, dass Rittmeister von Albedyll ein Nachtmahl auf seinem Zimmer erhält.«

»Sehr wohl.«

»Es ist schon alles für Sie vorbereitet«, verkündete Margarethe, nachdem sie auf den Ledersofas, die einander gegenüberstanden, Platz genommen hatten. »Herr Mannfeld wird Ihnen später Ihre Gemächer zeigen. Benötigen Sie noch jemanden, der Ihnen aufwartet?«

»Oh, vielen Dank, aber das wird nicht nötig sein. Ich habe einen Burschen, den ich gleich durch den Dienstboteneingang geschickt habe«, berichtete von Albedyll.

»Sehr gut«, befand Margarethe. »Dann wird sich der Hausdiener um ihn kümmern. Ihm untersteht das gesamte männliche Gesinde.«

»Davon ging ich aus«, erwiderte Richard von Albedyll lächelnd. »Das ist bei uns nicht anders.«

»Natürlich«, erwiderte Wilhelm rasch und etwas verlegen. Selbstverständlich verfügte der adelige Offizier ebenfalls über Personal! »Gestatten Sie, dass ich mich nach Ihrer Familie erkundige?«, fragte er nun. »Der Name von Albedyll kommt mir bekannt vor. Oder täusche ich mich?«

Richard schüttelte den Kopf. »Sie täuschen sich vermutlich nicht. Meine Familie gehört unter anderem der Kurländischen Ritterschaft an, sie geht auf einen Vasallen des Erzbischofs von Riga Ende des 15. Jahrhunderts zurück – und später erhielten wir auch den Freiherrenstand in Schweden.«

Wilhelm stieß anerkennend einen leisen Pfiff aus. »Das ist wirklich beeindruckend. Ich bin mir sicher, dass wir in den nächsten Tagen noch genügend Zeit für Austausch haben werden. Jetzt würde ich Sie aber zunächst einmal auf Ihr Zimmer bringen lassen. Sie sind sicherlich schrecklich müde und hungrig.«

»Natürlich«, erwiderte Richard von Albedyll, und als Margarethe sich erhob, sprang er ebenfalls hastig auf. »Ich freue mich auf unsere weiteren Gespräche.«

18

Oskar Hertlein hatte ganze Arbeit geleistet: Bereits am frühen Morgen hatte er einen Boten mit der Nachricht zu Wilhelm geschickt, dass seine Leute schon an einer Vorlage für den Preußenlebkuchen arbeiteten. Wilhelm wusste, dass es Zeit brauchte, bis die Vorlage fertiggestellt sein würde. Er wusste aber auch, dass Oskar sehr schnell sein und seinen Arbeitern gehörig Druck machen konnte, wenn er von etwas überzeugt war. Und vom »Preußenlebkuchen« war Oskar Hertlein geradezu begeistert. Insofern hoffte Wilhelm darauf, heute noch die ersten Drucke für seinen »Preußenlebkuchen« zu bekommen.

Richard von Albedyll, dem er zu seiner Überraschung bereits vor dem Morgengrauen beim Frühstück im Speisesaal begegnet war, hatte ihm anvertraut, dass er die Elisenlebkuchen liebte. Er habe sein Glück kaum fassen können, als er erfahren hatte, dass er ausgerechnet beim »Lebkuchenkönig«, wie man Wilhelm bei den Preußen offenbar nannte, Quartier beziehen durfte.

Sollten die Drucke rechtzeitig eintreffen, könnte er seinem freundlichen Hausgast zum ersten gemeinsamen Abendessen als Überraschung einen Preußenlebkuchen servieren lassen. Aber zunächst einmal galt es, die Korrespondenz zu erledigen. Seufzend machte er sich daran, die Briefe zu öffnen, die sein Sekretär ihm zurechtgelegt hatte. Auch wenn er das meiste inzwischen seinem tüchtigen Hermann

Kämmerer überließ – die Post durchzugehen behielt er sich weiterhin vor, anderenfalls, so fürchtete er, würde er irgendwann tatsächlich den Überblick verlieren.

Angesichts eines Kuverts, das mit fremdländischen Marken beklebt war, runzelte er überrascht die Stirn. Wer mochte ihm aus dem Ausland schreiben? Er drehte den Brief herum und las: *Ludwig Böhm, Böhm Gewürzkontore, Kandy, Ceylon*. Wie wunderbar!

Freudig öffnete er das Kuvert. Wilhelm hatte sich schon oft gefragt, wie es den Böhms in ihrer neuen Heimat wohl ergehen mochte. Voller Vorfreude begann er zu lesen. Ludwig schrieb, dass sie sich gut eingewöhnt hatten und dass sich seine Frau entgegen ihrer anfänglichen Befürchtungen hervorragend einlebe. Auch den Mädchen gefalle ihr neues Leben ausnehmend gut, und sie könnten sich stundenlang damit beschäftigen, am Strand Burgen zu bauen. *Am besten aber gefällt ihnen die Blütenpracht dieses Landes*, schrieb Ludwig Böhm. *Ständig haben meine Töchter irgendwelche neuen Blumen im Haar. Was mich schon zum nächsten Punkt meines Schreibens bringt, Wilhelm, die Flora hier ist wirklich großartig, und ich denke, dass der Anbau von Zimt kein Problem darstellen wird. Wenn es so weit ist, würde ich mich freuen, wenn wir ins Geschäft kommen könnten und ich Dich beliefern dürfte. Bis dahin grüße mir die Deinen ganz lieb – auch von den Meinen – Dein Dir ergebener Freund Ludwig Böhm.*

Nachdenklich schob Wilhelm den Brief wieder in sein Kuvert. Einen weiteren Gewürzlieferanten zu haben, wäre sicherlich nicht verkehrt. Außerdem wollte er Ludwig gern unterstützen und freute sich, wenn er zu dessen ersten Kunden gehören könnte.

Er erhob sich und ging zu der Tür, die sein Büro mit dem seines Prokuristen verband. Nach einem kurzen Klopfen trat er ein. Hermann Kämmerer saß an seinem Schreibtisch und brütete über Abrechnungen, wie immer wirkte er ausgesprochen gewissenhaft und konzentriert.

»Herr Lusin«, rief er, als Wilhelm durch die Tür trat. »Was kann ich für Sie tun?«

Er machte Anstalten, sich zu erheben, doch Wilhelm bedeutete ihm, sitzen zu bleiben. Nicht zum ersten Mal dachte er, wie eigenartig es war, dass Kämmerer und Margarethe sich duzten, während Wilhelm und sein Prokurist noch immer per Sie waren. Schon mehrfach war er kurz davor gewesen, seinem leitenden Angestellten ebenfalls das vertrauliche Du anzubieten, aber irgendwie wäre ihm das nicht richtig erschienen: Er war nun mal der Direktor dieser Fabrik und durfte sich nicht mit den Untergebenen gemein machen. Es konnte nicht angehen, dass die Arbeiter ihn duzten – nicht einmal seine rechte Hand. Dass Margarethe und Hermann das taten, lag ja auch nur daran, dass sie sich von Kindesbeinen an kannten. Und da sie einander nur äußerst selten sahen, hatte es bislang auch keine Probleme bereitet. Wilhelm mochte Kämmerer und vertraute ihm, aber er wusste Geschäftliches und Privates durchaus zu trennen.

»Was hielten Sie davon, wenn wir irgendwann einen Gewürzlieferanten aus Ceylon hätten?«, fragte er den geduldig wartenden Prokuristen nun.

»Sie sprechen von Herrn Böhm, vermute ich?«

»Sie vermuten richtig.«

»Das ist eine interessante Option«, meinte Kämmerer.

In diesem Moment wurde die Tür zu Wilhelms Büro aufgerissen. Erstaunt wandte er sich um und sah sich einem aufgeregten Oskar Hertlein gegenüber.

»Wir reden später darüber«, sagte Wilhelm rasch zu seinem Prokuristen und schloss auf dessen Nicken hin die Tür.

»Was ist dir denn widerfahren, um Himmels willen?«, fragte Wilhelm.

»Du kannst dir nicht vorstellen, was auf den Straßen los ist«, keuchte Oskar. »Es herrscht ein heilloses Durcheinander.«

Wilhelm runzelte die Stirn und ging zum Fenster, um hinauszusehen. »Hier ist doch alles ruhig«, stellte er fest.

»Aber nicht in der Altstadt. Da wimmelt es nur so vor Soldaten.«

»Jetzt setz dich erst mal«, schlug Wilhelm vor und nahm Oskar den Karton ab, in dem sich, wie er hoffte und vermutete, die heiß ersehnten Drucke befanden. Aber jetzt galt es erst einmal, den Geschäftspartner zu beruhigen. Deshalb stellte er den Karton auf seinen Schreibtisch.

»Kann ich dir etwas anbieten?«

»Nicht dass du mich für einen Trinker hältst«, ächzte Oskar, »normalerweise nehme ich vor fünf Uhr nachmittags keinen Tropfen Alkohol zu mir. Aber jetzt könnte ich einen ordentlichen Schluck vertragen.«

Wilhelm nickte, ging zu dem kleinen Konsolentisch und schenkte seinem Gast einen Cognac ein. Er selbst verzichtete allerdings und nahm dem Drucker gegenüber Platz.

»Und nun erklär mir doch mal, warum in der Stadt so viel los ist.«

Oskar winkte ab. »Eigentlich ist es gar nichts Schlimmes. Wie ich es verstanden habe, werden von den neuntausendfünfhundert stationierten Soldaten viertausendfünfhundert schon wieder abgezogen, und die versammeln sich nun in der Altstadt. Es fühlte sich nur so … bedrohlich an, von diesen Massen umgeben zu sein.«

»Das ging wirklich schnell, sie waren dann ja gerade mal zehn Tage in der Stadt«, resümierte Wilhelm stirnrunzelnd. »Ich bin gespannt, wie lange die restlichen Soldaten bleiben.«

Er hoffte, dass Richard von Albedyll nicht ebenfalls zu jenen gehörte, die nun schon wieder abgezogen würden. Er freute sich ehrlich darauf, den jungen Offizier besser kennenzulernen, und fand ihn ausgesprochen interessant. Gar zu wenig Zeit war ihnen bisher für ein Gespräch geblieben.

Andererseits war dessen Abzug durchaus unwahrscheinlich: Erst gestern Morgen beim Frühstück hatte Richard von Albedyll erläutert, dass er am Vortag zum Bataillonsadjutanten ernannt worden war und nun direkt unter dem Truppenführer arbeite. Unwahrscheinlich, dass ein so bedeutender Offizier die Stadt schon wieder verlassen musste.

»Der Junge macht noch richtig Karriere«, kommentierte Oskar anerkennend, als Wilhelm ihm davon berichtete.

»Ja, ich muss sagen, ich bin von dem jungen Mann außerordentlich beeindruckt.«

Nachdenklich sah er aus dem Fenster, und seine Gedanken schweiften zu seiner Tochter und dessen Galan.

»Wilhelm?«, fragte Oskar in seine Gedanken hinein. »Ist alles in Ordnung?«

»Ja, aber sicher«, erwiderte der rasch. »Ich habe nur eben über die Soldaten nachgedacht. Aber genug davon.« Er lächelte seinen Geschäftspartner freundlich an. »Nun würde ich gerne *meinen* Soldaten auf einen Lebkuchen kleben.« Er deutete auf die Kiste, die er auf seinem Schreibtisch platziert hatte. »Zeigst du mir, was du da mitgebracht hast?«

***

»Das hast du wieder wunderbar gemacht, Agathe«, lobte Elise ihre Zofe beim Blick in den Spiegel. »Es dürfte Simon gefallen, meinst du nicht?«

»Das meine ich wohl, gnädiges Fräulein«, stimmte diese zu und steckte eine vergessene Locke an Elises Hinterkopf fest. Sie war im Begriff, Elise für ihren Mittagsspaziergang mit Simon Hertlein fertig zu machen, der nun schon das siebte Mal in Folge stattfand und damit beinah zur Gewohnheit geworden war.

»Er ruft in mir zwar nicht das Gefühl hervor, das unser lieber Eberhard Faber offensichtlich in Helene von Tucher erzeugt, aber das ist vielleicht auch gut so«, meinte Elise nachdenklich. »Helene hat schrecklichen Liebeskummer, und ich muss sagen: Wenn das die große Liebe ist, dann will ich lieber ein bisschen weniger Gefühl, dafür aber auch weniger Schmerzen.«

Agathe nickte nachdenklich und überlegte wieder einmal, ob sie Elise die Wahrheit über Simon Hertlein sagen sollte. Andererseits hatte der sie seit dem Vorfall am Abend des Lebkuchenballs keines Blickes mehr gewürdigt, und je mehr Zeit verging, desto unbedeutender wurde die Sache in Agathes Erinnerung. Vielleicht hatte sie auch übertrieben oder zu viel hineininterpretiert.

Sie musste an den schönen Preußen denken, der nun schon seit zehn Tagen ihr Hausgast war, und fragte sich, ob das Gefühl, das er in ihr hervorrief, dasselbe war, das auch Helene von Tucher mit Eberhard Faber verband. Doch Richard von Albedyll wusste bestimmt nicht einmal, dass sie überhaupt existierte, wenn er sie auch stets, wenn sie sich durch Zufall begegnet waren, mit einem freundlichen Blick bedacht hatte. In gewisser Weise war sie erleichtert, dass

Elise offenbar kein Interesse an dem jungen Preußen zu haben schien.

***

»Was denken Sie, Simon? Wie lange werden die Preußen noch bei uns bleiben?«, fragte Elise, als sie, wie schon an den Mittagen zuvor, Seite an Seite mit Simon durch den Park schlenderte.

Unverwandt sah er sie von der Seite an. »Das kann ich Ihnen nicht sagen. Das müssen Sie Ihren Hausgast fragen. Er scheint ja durchaus charmant zu sein.« In seiner Stimme lag etwas Lauerndes, und sie glaubte zu spüren, dass Simon Hertlein auf Richard von Albedyll eifersüchtig war.

»Dazu habe ich nicht allzu viel Gelegenheit«, erwiderte sie daher. »Wir haben wenig miteinander zu tun.«

»Was Sie sicher bedauern«, unterstellte Simon.

»Wie kommen Sie darauf?«, fragte Elise erschrocken. Die Richtung, in die dieses Gespräch sich entwickelte, gefiel ihr ganz und gar nicht. Hatte sie Simon etwa das Gefühl gegeben, dass ihr Herz eigentlich dem Preußen gehörte? »Was ich bedauern würde, wäre, wenn ich mit Ihnen weniger zu tun hätte«, wagte sie daher einen Vorstoß, ohne seine Antwort abzuwarten. »Unsere Spaziergänge sind stets der Höhepunkt des Tages.«

Er wandte sich zu ihr um, der Ausdruck, der in seinen Augen stand, war nun ein ganz anderer. »Das geht mir ganz genauso.« Er räusperte sich und fragte dann: »Wollen wir uns für einen Moment setzen?«

Er deutete auf die Steinbank unter der großen Kastanie, auf der sie einst den beiden kleinen Böhm-Töchtern vorgelesen hatte, und sie nickte. »Ja, gern.«

Ihr Herz schlug höher, als er nach ihrer Hand griff.

»Ich möchte Ihnen eine Frage stellen, Elise.« Simon schluckte und räusperte sich, es war unschwer zu übersehen, dass er nervös war. »Nun«, fuhr er dann fort. »Wie ich ja schon sagte, würde ich mich sehr freuen, noch mehr Zeit mit Ihnen verbringen zu dürfen, und deshalb … Elise, würden Sie mir die außerordentliche Ehre erweisen, meine Frau zu werden?«

19

Gedankenverloren eilte Agathe in Richtung Bibliothek. Sie wollte sich unbedingt noch Lektüre besorgen, denn man würde ihre Dienste erst einmal nicht benötigen. Nicht nur Elise, sondern auch Wilhelm hatte Simons Antrag erfreut entgegengenommen, und für den heutigen Abend war eine Verlobungsfeier im kleinen Kreis geplant: Das Ehepaar Hertlein wurde mit seinem Sohn erwartet, außerdem würde natürlich Richard von Albedyll beim Abendessen dabei sein. Still lächelte Agathe in sich hinein. Elise hatte so wunderschön ausgesehen und so gestrahlt und ihr wieder und wieder versichert, dass sie nun keinen Zweifel mehr daran habe, die richtige Entscheidung getroffen zu haben.

Die Gäste waren bereits angekommen, und Agathe freute sich auf ein paar ruhige Stunden, die sie ausschließlich der Literatur widmen wollte. Sie war Wilhelm Lusin unendlich dankbar, dass sie die Bibliothek jederzeit nutzen durfte. Dieses Privileg hatte er nicht nur ihr, sondern auch allen anderen Bediensteten eingeräumt, man musste sich nur in eine Liste eintragen, die stets auf dem kleinen Sekretär bereitlag. Sie war allerdings die Einzige, die das Angebot nutzte.

Als sie die Bibliothek betrat, schlug ihr das Herz wieder mal ein wenig höher angesichts all der wundervollen Bände, die sich hier in den Regalen aneinanderreihten. Insgeheim hatte sie sich vorgenommen, jedes einzelne dieser Bücher im Laufe ihrer Dienstzeit zu lesen. Ob ihr das gelingen würde? Wobei sie ja durchaus gut in der Zeit lag. So viele Bücher hatte sie bereits verschlungen, seit sie als Zofe für Elise eingestellt worden war: die griechischen Mythen, Bücher von Clemens Brentano, Annette von Droste-Hülshoff, E.T.A. Hoffmann, ebenso wie etliche Werke von Johann Wolfgang von Goethe und Friedrich Schiller. Mitunter setzte sie sich aber auch an einen der kleinen Tische in der Bibliothek, schlug ein Lexikon auf und las Eintrag um Eintrag. Und genau das wollte sie heute auch wieder tun, da sie die Bibliothek für sich haben würde.

Sanft ließ sie ihre Finger über die Reihe der Bücher gleiten und zog dann mit Ehrfurcht die ledergebundene *Schedelsche Weltchronik* aus dem Regal.

Wie schwer dieses Meisterwerk vom Ende des 15. Jahrhunderts in ihren Händen wog! Von Hauslehrer Michelsen wusste sie, dass der deutsche Historiker Hartmann Schedel diese Chronik zusammengestellt und sie erstmals 1493 in Nürnberg herausgegeben hatte, weswegen sie auch als Nürnberger Chronik bezeichnet wurde.

Sorgsam legte sie das kostbare Werk auf den Tisch, schlug die erste Seite auf und fand eine handschriftliche Notiz, aus der hervorging, dass ein Vitus Strobl offenbar im Jahr 1507 vier Gulden und einen Schilling für dieses Exemplar bezahlt hatte. Staunend blätterte sie weiter, studierte die sieben Abschnitte der Weltalter und betrachtete aufmerksam die Europakarte.

Als sie die Weltkarte nun genauer betrachtete, stellte sie überrascht fest, dass darauf Amerika fehlte. Doch bei genauerem Nachdenken wurde ihr klar, warum: Schließlich war die Existenz dieses Kontinents ja erst durch Amerigo Vespucci nach dessen Südamerika-Expedition Anfang des 16. Jahrhunderts bekannt geworden. Zu diesem Zeitpunkt war die Schedelsche Weltchronik aber bereits gedruckt gewesen.

In diesem Moment hörte sie ein Geräusch an der Tür. Sie fuhr erschrocken herum und sprang auf. Vor ihr stand Simon Hertlein, einen merkwürdigen Ausdruck in den Augen.

»Gnädiger Herr«, setzte sie an. »Sind Sie auf der Suche nach den anderen? Sie befinden sich im Speisezimmer. Dort soll es heute ein Festmahl zu Ehren Ihrer Verlobung geben.«

»Denkst du, das weiß ich nicht, du dumme Gans?«, zischte er und kam näher.

Agathe zuckte angesichts der Beleidigung zusammen. Inzwischen stand er so dicht vor ihr, dass sie seinen stark nach Alkohol stinkenden Atem wahrnehmen konnte. Angewidert drehte sie den Kopf weg.

»Musste mich nur kurz frisch machen. Und da habe ich gesehen, dass in der Bibliothek Licht brennt. Da wollte ich wissen, wer sich denn hier so herumtreibt, da die Herrschaften doch allesamt zu Tisch sind.«

Er deutete auf das kunstvoll verzierte Oberlicht über der Tür, durch das der Lichtschein nach draußen geschienen haben musste.

»Der gnädige Herr hat mir erlaubt, dass ich hier studieren darf«, stammelte sie und presste sich, um seinem alkoholisierten Atem und seiner bedrängenden Nähe auszuweichen, so dicht wie möglich an den Tisch, dessen Kante ihr schon schmerzhaft in ihren Po schnitt.

»Das glaube ich wohl, dass der gnädige Herr dir das erlaubt hat«, meinte Simon und tastete mit seiner Hand gierig nach ihrer Brust. »Du hast ja auch sonst einige Vorzüge, die du gewiss mit ihm teilst. Tja, künftig wirst du zwei

Herren dienen müssen. Ich bin jetzt nämlich mit dem gnädigen Fräulein verlobt, und damit gehört mir, was ihr gehört.«

»Sie vergessen sich!«, rief Agathe voller Panik und versuchte mit aller Kraft, seine Hand von ihrer Brust zu schieben, doch er krallte sich regelrecht an ihr fest und quetschte sie so sehr, dass sie vor Schmerzen aufkeuchte.

»Lassen Sie mich sofort los«, schrie sie. »Außerdem gehöre ich dem gnädigen Fräulein nicht. Ich gehöre niemandem. Und der gnädige Herr würde nie …«

In diesem Moment ließ Simon sie tatsächlich los, aber nur, um seinen Arm um ihre Hüfte zu legen und sie zu küssen, wobei er ihr die Zunge gewaltsam in den Mund schob, während seine andere Hand gierig versuchte, ihren Rock hochzuschieben.

Mit letzter Kraft stieß Agathe ihn von sich. Es war die unbändige Wut, die sie dazu in die Lage versetzte. »Wie können Sie es wagen!«, spie sie ihm entgegen. »Sie werden das gnädige Fräulein heiraten, heute Abend feiern Sie Ihre Verlobung. Und da wollen Sie sich an mir vergehen?«

»Natürlich«, erwiderte er mit einem schmierigen Grinsen, während er wieder nach ihrer Brust griff. »Zum einen muss ich mir wohl, wie man so schön sagt, noch die Hörner abstoßen«, er stieß ein keckerndes Lachen aus, »zum anderen, wie ich schon erwähnte, sehe ich das so: Alles, was meiner Künftigen gehört, gehört auch mir.«

»Und wie ich ebenfalls schon erwähnte, gehöre ich niemandem«, fauchte sie und versuchte mit aller Kraft, seine Hand wegzustoßen.

»Unser Gespräch beginnt mich zu langweilen, ich könnte mich nur wiederholen«, sagte er und schob grob ihren Rock nach oben.

»Ich werde dem gnädigen Fräulein alles erzählen. Sie wird die Verlobung mit Ihnen lösen«, drohte Agathe.

Für einen Moment ließ er von ihr ab, dann legte er den Kopf in den Nacken und brach in schallendes Gelächter aus. »Als ob dir jemand glauben würde!«

»Elise würde mir glauben.«

»Selbst wenn«, spottete er. »Die Lusins hätten nach dieser Geschichte keine Wahl, als dich zu entlassen. Du würdest mit Schimpf und Schande davongejagt werden.«

Inzwischen hatte seine Hand ihre Scham erreicht, und Agathe schnappte vor Entsetzen nach Luft. Und dann schrie sie, so laut sie nur konnte: »Neiiin!«

»Lassen Sie sie sofort los!«

Einem Racheengel gleich, kam Richard von Albedyll von der Tür her auf sie zugestürmt. Er packte den überraschten Simon von hinten und zog ihn so heftig von Agathe weg, dass beide Männer zu Boden fielen.

»Sie widerliches Stück Dreck«, keuchte Richard. »Am liebsten würde ich Sie windelweich prügeln. Aber wir wollen doch kein Aufsehen erregen, nicht wahr?«

Er rappelte sich hoch, der offenbar sehr verlegene Simon tat es ihm gleich. Hasserfüllt starrten sich die Männer in die Augen.

»Gehen Sie jetzt wieder zu Ihrer bedauernswerten Verlobten«, knurrte Richard. »Ich kümmere mich um Agathe.«

»Genau das wollte ich eben auch tun. Mich um sie *kümmern*«, setzte Simon zur nächsten Frechheit an.

Zornig hob Richard die Faust, fing sich dann aber und ließ sie langsam, ganz langsam wieder sinken.

»Diese Dame steht fortan unter meinem Schutz«, verkündete er eisig. »Wenn Sie noch irgendetwas tun, was sie kompromittieren könnte, werde ich dafür sorgen, dass Sie Ihres Lebens nie wieder froh werden.«

Simon öffnete den Mund, um etwas zu sagen, doch Richard donnerte: »Hinaus! Sofort!«

Zu Agathes Überraschung tat Simon wie ihm geheißen. Sie selbst aber wollte vor Scham beinah im Boden versinken, während sie hastig begann, ihre Kleider zu sortieren. So froh sie über ihre Rettung war, so unendlich peinlich war es ihr andererseits, dass ausgerechnet er es war, der sie in dieser misslichen Lage vorgefunden hatte. Gleichzeitig war sie aber auch mehr als beeindruckt davon, wie entschieden er den unverschämten Simon in seine Schranken gewiesen hatte. Sie stehe unter seinem Schutz, hatte er gesagt. Wie wunderbar sich das anfühlte!

Er sah sie aus seinen ausdrucksvollen blauen Augen bekümmert an. »Es tut mir unendlich leid, dass Sie diese Erfahrung machen mussten.«

»Sie kamen ja gerade noch rechtzeitig«, flüsterte sie. »Bitte, Sie dürfen nicht denken, dass ich …«

Er schüttelte den Kopf. »Keine Sorge! Ich weiß Menschen ganz gut einzuschätzen. Und außerdem war die Situation eindeutig.«

»Wie kommt es, dass Sie in die Bibliothek gekommen sind?«, fragte sie.

»Nun«, erwiderte er. »Ich habe mich hinsichtlich des Abendessens leider verspätet. Ich wurde bei einer Lagebesprechung aufgehalten, bin also gerade erst nach Hause gekommen. Und als ich durch den Flur eilte, habe ich Ihren Hilferuf gehört.«

Agathe atmete tief durch. Wie gut, dass sie gerufen hatte!

»Wie soll es denn nun weitergehen?«, fragte sie bekümmert. »Was wird das Fräulein Lusin von mir denken?«

»Er wird ihr ganz sicher nichts sagen. Damit würde er sich ja selbst in Verdacht bringen. Zumal mir das gnädige Fräulein eine kluge junge Frau zu sein scheint, die sehr wohl in der Lage ist, die Menschen auch charakterlich einzuschätzen.«

Merkwürdigerweise verspürte Agathe einen Stich von Eifersucht, als er so lobend von ihr sprach. *Du alberne Gans,* schalt sie sich im Stillen.

»Wenn sie dazu in der Lage wäre, würde sie Simon nicht heiraten«, hielt sie dagegen.

Insgeheim jedoch wusste sie, dass sie nicht ganz fair war: Immerhin hatte Elise durchaus gezögert und sie, Agathe, ihr vorenthalten, wie Simon sich gegenüber ihr aufgeführt hatte. Der Gedanke daran trieb sie auch jetzt um.

»Wissen Sie«, begann Richard, »ich kenne das gnädige Fräulein nicht gut genug, um das mit Sicherheit sagen zu können. Aber ich kann mir vorstellen, dass bei dieser Hochzeit die Liebe eher nachrangig ist und es vielmehr darum geht, zwei Firmen miteinander zu vereinen.«

Agathe nickte. »Ja, das ist richtig.«

»Was bekümmert Sie das?«, fragte Richard und sah sie aufmerksam an. »Ich habe das Gefühl, dass es nicht nur der Umstand ist, wie dieser Teufel Sie behandelt hat.«

Agathe schüttelte den Kopf. »Da haben Sie recht. Ich frage mich ununterbrochen, ob ich dem gnädigen Fräulein nicht mitteilen müsste, was er getan hat. Sie muss doch wissen, wen sie da heiratet.«

Richard nickte. »Ich kann Ihre Gedanken durchaus nachvollziehen. Aber wenn ich mir einen Rat erlauben darf: Es ist nicht auszuschließen, dass Elise ihn trotzdem heiraten würde. Denn es ist nun eigentlich zu spät, einen Rückzieher zu machen. Wenn sie davon erführe, würde sie mit einer großen Belastung in diese Ehe gehen. Und die Beziehung zwischen Ihnen beiden wäre ebenfalls getrübt.«

Agathe sah ihn nachdenklich an. »Wenn sie ihn aber heiratet – ich weiß nicht, ob ich es über mich bringe zu bleiben. Was, wenn er wieder …«

Richard schüttelte den Kopf. »Das überlassen Sie mal mir. Wie ich schon sagte: Sie stehen unter meinem Schutz. Ich werde nochmals mit ihm sprechen.«

»Was wollen Sie ihm sagen?«

»Dass ich Ihnen meine Adresse gebe, was ich auch tatsächlich tun werde. Und er sich, sollte er Ihnen noch einmal zu nahe kommen, auf einiges gefasst machen muss. Und dass das auch für den Fall gilt, dass er Elise nicht auf Händen trägt.«

Agathe nickte. »Ja, das könnte klappen. Sie sind ein guter Mensch, Richard von Albedyll.«

»Sie auch, Fräulein Agathe«, murmelte er und sah sie so eindringlich an, dass ihr Herz zu hämmern begann.

Bilde dir nichts ein, dumme Gans, schalt sie sich im Stillen. *Du bist nur ein Dienstmädchen.*

Da löste er auch schon seinen Blick von dem ihren und deutete auf das Buch, das hinter ihr auf dem Tisch lag. »Die Schedelsche Weltchronik«, erkannte er beeindruckt. »Haben Sie etwa darin gelesen?«

Agathe errötete und nickte. »Ja, das habe ich. Der gnädige Herr hat mir großzügigerweise gestattet, die Bibliothek zu nutzen. Ich verbringe hier jede freie Minute.«

»Donnerwetter«, staunte Richard von Albedyll, und sie

hatte das Gefühl, dass er sie plötzlich mit ganz anderen Augen betrachtete, auch wenn sein Blick schon zuvor durchaus wohlwollend gewesen war.

»Ich habe noch nie eine Frau kennengelernt, die sich für die Schedelsche Weltchronik interessiert hat. Ich begeistere mich sehr für diese Dinge, müssen Sie wissen.«

»Oh, ich auch«, betonte Agathe rasch. »Ich wollte sogar das Lehrerinnenseminar besuchen, bevor …« Sie brach ab. Das interessierte ihn gewiss nicht.

»Bevor was?«, fragte er, und sie sah in seinen Augen die reinste Aufmerksamkeit. »Was ist geschehen, Agathe?«

»Ich will Sie nicht langweilen«, sprach sie ihre Befürchtung aus. »Außerdem erwartet man Sie schon beim Abendessen.«

»Sie langweilen mich ganz und gar nicht«, versicherte er. »Im Gegenteil. Ich erinnere mich nicht, wann ich das letzte Mal etwas so interessant fand. Und beim Abendessen können sie auch noch ein bisschen länger auf mich warten. Erzählen Sie mir Ihre Geschichte, Agathe? Bitte.«

»Also schön«, willigte sie geschmeichelt ein. »Da gibt es eigentlich auch gar nicht so viel zu erzählen. Meine Eltern haben mir den Besuch der Präparandenanstalt ermöglicht. Mein Vater ist Zeidler, müssen Sie wissen. Doch dann hatten wir eine schlechte Ernte – und es war meinem Vater unmöglich, mir die Schule weiter zu finanzieren. Freundlicherweise hat mich dann Wilhelm Lusin in seine Dienste genommen und mir nicht nur erlaubt, seine Bibliothek zu benutzen, sondern mir auch gestattet, am Privatunterricht seiner Tochter teilzunehmen.«

»Das ist wirklich großzügig«, befand Richard von Albedyll. »Ich freue mich aufrichtig für Sie.«

Sie seufzte. »Mir wird nur gerade klar, dass ich all das wohl bald verlieren werde. Schließlich bin ich die Zofe des gnädigen Fräuleins, und sie wird nach der Hochzeit sicherlich in die Villa ihrer Schwiegereltern übersiedeln oder ein eigenes Domizil mit Simon beziehen. Ich bezweifle aber, ob ich überhaupt mit ihr mitgehen möchte.«

»Da könnten Sie recht haben«, räumte er ein. »Bedauerlicherweise.«

Nachdenklich blickte er auf die Schedelsche Weltchronik und dann wieder in ihre Augen. »Versprechen Sie mir etwas, Agathe?«

»Ja?«

»Hören Sie nie auf, um Ihren Wissenserwerb zu kämpfen, wie schwer es auch sein mag.«

Sie erwiderte seine Bitte mit einem Lächeln. »Das zu versprechen, fällt mir ganz und gar nicht schwer.«

***

Richard von Albedylls Anwesenheit hatte ihr etwas Ablenkung verschafft, aber kaum hatte sich die Tür hinter ihm geschlossen – schließlich konnte er das Abendessen nicht ewig vor sich herschieben –, sank Agathe auf ihrem Stuhl zusammen. Sie konnte kaum glauben, was ihr in der letzten Stunde widerfahren war. Das wunderbare Gespräch mit von Albedyll tröstete sie zwar etwas, vermochte aber auf Dauer nicht zu überdecken, dass sich Simon fast an ihr vergangen hatte. Und nicht nur das: Erst in dem Gespräch mit Richard war ihr klar geworden, was eine Hochzeit zwischen Elise und Simon für sie in letzter Konsequenz bedeutete. Unter einem Dach mit einem Mann zu leben, den sie zutiefst verabscheute. Von dem sie wusste, dass er ein Ungeheuer war. Keinen

Zugang zu der Bibliothek mehr zu haben. Sie würde die Villa Lusin verlassen müssen. Nicht zuletzt aber beging sie, egal wie sie es auch drehte und wendete, Verrat an Elise, wenn sie sie nicht über die Ereignisse aufklärte. Tat sie es aber doch, würde sie der jungen Frau unendlichen Schmerz zufügen. Was sollte sie nur tun? Wie benommen taumelte sie aus der Bibliothek in den langen Flur, von dem aus eine Verbindungstür in den Dienstbotentrakt führte. Sobald sie die Tür hinter sich geschlossen hatte, gelang es ihr nicht mehr, die aufsteigenden Tränen länger zurückzuhalten. Schluchzend eilte sie zu der schmalen Treppe, die hinauf in die Kammern führte – und lief direkt Caroline Stift in die Arme.

»Wie siehst du denn aus?«, entfuhr es der Köchin.

»Bitte«, stammelte Agathe, die nur noch allein sein wollte. »Bitte, ich möchte gern in meine Kammer.«

Doch Caroline Stift schüttelte den Kopf.

»Du kommst mit mir«, forderte sie das junge Mädchen sanft auf, »und dann erzählst du mir deinen Kummer.«

»Ich kann nicht«, stöhnte Agathe.

Doch die resolute Köchin griff nach ihrem Arm, schob sie in ihre Kammer und verfrachtete sie auf den Stuhl neben ihrem Bett. Caroline Stift gehörte zu den Glücklichen, die über eine Kammer ganz für sich allein verfügten. Sie ging zu ihrem Regal und zog eine Blechdose hervor. »Elisenlebkuchen«, erkannte Agathe lächelnd.

»Davon haben wir immer welche im Haus«, erklärte Caroline Stift. »Jetzt nimmst du einen großen Happen, und dann geht es dir auch schon besser, du wirst sehen.«

Als Agathe abgebissen hatte, sah die Köchin sie so erwartungsfroh an, dass Agathe wider Erwarten schmunzeln musste.

»Und?«, fragte Caroline Stift. »Wirkt's?«

»Es wirkt«, bestätigte sie.

»Na, siehst du!« Dann sah die Köchin Agathe ernst an. »Mein liebes Kind, ich kann nur ahnen, was dir passiert ist, aber lass dir von niemandem einreden, dass es deine Schuld war.«

»Aber …«, wollte Agathe widersprechen.

»Nicht deine Schuld, das darfst du nie vergessen«, unterbrach sie Caroline Stift. »Was du mir erzählst, bleibt in diesem Raum, ich werde mit niemandem darüber sprechen, auch nicht mit der Familie Lusin.«

»Es war so schrecklich«, begann Agathe, durch die beruhigenden Worte ermuntert, unter Tränen zu erzählen.

Nachdem Agathe die Vorkommnisse geschildert hatte, stand Caroline Stift das blanke Entsetzen ins Gesicht geschrieben. Sie zog die junge Frau erneut in ihre Arme und wiegte sie sanft hin und her.

»Mein liebes Kind«, setzte sie an, »ich werde jetzt gleich zu Hilda gehen und sie bitten, dass sie heute dem Fräulein Elise aufwartet.«

»Aber das kann doch ich …«, protestierte Agathe.

»Ich glaube, das wäre zu viel für dich. Du brauchst Zeit, um die Dinge sacken zu lassen. Und dir zu überlegen, ob du das Fräulein Lusin einweihen willst oder nicht.«

»Was würden Sie mir denn raten?«, fragte Agathe.

Doch Caroline Stift schüttelte nur den Kopf. »Diese Entscheidung kann ich dir nicht abnehmen. So gern ich es auch täte, mein Kind.«

»Aber wird das gnädige Fräulein denn nicht Verdacht schöpfen, wenn ich ihr nicht aufwarte?«

»Jeder ist einmal unpässlich«, beruhigte Frau Stift die

aufgelöste Agathe. »Das ist kein Grund, misstrauisch zu werden.«

»Also gut«, entgegnete diese dankbar. »Dann bin ich froh, mich zurückziehen zu dürfen.«

Teil 3
1867

20

»Endlich hat es aufgehört zu schneien!«, seufzte Elise und blickte zum Fenster hinaus. Die Zwanzigjährige stand in der Bibliothek ihres herrschaftlichen Elternhauses in der Erlenstegenstraße, wohin sich die Familie stets nach dem gemeinsamen Abendessen zurückzuziehen pflegte, um noch ein wenig zu plaudern, zu lesen oder Handarbeiten nachzugehen. Letzteres galt natürlich nicht für Wilhelm Lusin, ihren Vater. Der las besonders gern die Zeitung, wenn er den Tag über nicht dazu gekommen war, was mittlerweile immer öfter der Fall war. Die Zeiten, in denen der Lebküchner sich ein gemütliches Frühstück samt ausgiebiger Zeitungslektüre gegönnt hatte, waren vorbei. Dafür hatte er einfach zu viel zu tun. Nach den Elisenlebkuchen waren auch jene mit den Themenbildern ein riesiger Erfolg geworden. Ein besonderer Verkaufsschlager waren nach wie vor die Preußenlebkuchen – und das, obwohl auch die letzten preußischen Truppen im vergangenen September die Stadt verlassen hatten. Die Zusammenarbeit mit Hertlein lief ausgesprochen gut, und auch wenn sich das ganz große Gefühl, auf das Elise immer gewartet hatte, nach wie vor nicht eingestellt hatte, so zweifelte sie nicht mehr daran, dass es richtig gewesen war, der Verbindung mit Simon zuzustimmen. Es machte ja Sinn, die Familien auf diese Weise zusammenzuführen, und wenn sie auf ein Gefühl warten würde wie jenes, das Helene von Tucher Eberhard Faber entgegenbrachte, würde sie vielleicht als alte Jungfer enden. Außerdem: Die Arme war schrecklich unglücklich, denn Eberhard war inzwischen anderweitig verlobt. Mit der Frau, die man schon seit Kindesbeinen für ihn vorgesehen hatte. Und das war nicht Helene, auch wenn sie ebenfalls den angemessenen Stand vorweisen konnte. Die junge Frau hatte sich in Elises Armen die Seele aus dem Leib geweint. Nein, da war es doch besser, einen höflichen und gut aussehenden Mann wie Simon sicher an ihrer Seite zu wissen, sagte sich die vernünftige Elise. Vor sieben Monaten hatten sie ihre Verlobung bekannt gegeben, die Hochzeit sollte im August stattfinden. Und so konnte sie ihren Teil zum Erfolg der Lebkuchenfabrik beitragen, die wuchs und wuchs. Auch wenn Elise manchmal bedauerte, dass ihr Vater so wenig zu Hause war, so freute sie sich andererseits über seinen Erfolg. Schließlich verdankte sie diesem ihr recht luxuriöses Leben. Ein solcher Aufstieg war alles andere als selbstverständlich, schließlich hatten sie mit ihrer Lebküchnerei einst kurz vor dem Abgrund gestanden. Insgeheim träumte Elise davon, den Vater im Kontor zu unterstützen und seine rechte Hand zu werden. Sie hatte ihn auch gelegentlich begleitet und ihm vorgeschlagen, sie könne ihn doch bei der ein oder anderen Aufgabe unterstützen. Als er darauf nicht eingegangen war, hatte sie ihn gebeten, ihr einmal die verschiedenen Arbeitsabläufe zu erklären, in der Hoffnung, sich irgendwie einbringen zu können. Doch wirklich gelungen war ihr das nicht, und den Arbeitern schien ihr Auftauchen stets eher unangenehm zu sein; oft lag dann eine eigentümliche Spannung in der Luft, kein Wunder, schließlich war sie die Tochter des Chefs. Bevor die Situation für alle Seiten noch unangenehmer wurde, hatte sie schließlich aufgegeben – aber nur für den Moment und auf eine bessere Gelegenheit hoffend.

Immer häufiger musste sie an das Gespräch denken, das sie in München geführt hatten. Damals hatte er ihr in Aussicht gestellt, einmal in die Fabrik eintreten zu dürfen. Aber das war gewesen, bevor sich alles anders entwickelt hatte. Und selbst da hatte er betont, dass er ihren künftigen Gatten in der Firmenleitung sehe. Je mehr Erfolge Wilhelm feiern konnte, desto mehr verwöhnte er seine Frau und seine Tochter, packte sie in Watte und las ihnen jeden Wunsch von den Lippen ab. Elise vermutete, dass das auch mit der eigenen Familiengeschichte ihres Vaters zusammenhing. Seine Mutter hatte – wie durchaus in vielen Handwerksbetrieben der damaligen Zeit noch üblich – unermüdlich geschuftet. Tagsüber hatte sie die Körbe und Flechtwaren ihres Ehemanns verkauft, zwischendurch aus spärlichen Zutaten die Mahlzeiten für die Familie – Wilhelm hatte noch sieben jüngere Geschwister – zubereitet und nachts die Wäsche gekocht und das Haus in Ordnung gehalten; wie ihr Vater ihr eines Tages erzählt hatte, war seine Mutter eigentlich immer schwanger gewesen. Als sie bei der Geburt ihres achten Kindes im Wochenbett starb, war sie gerade einmal neununddreißig Jahre alt. Wilhelm hatte unter bitteren Tränen an ihrem Bett gestanden und sich geschworen, dass seine Frau es einmal besser haben sollte als seine Mutter. Zum Glück der Familie hatte sein Vater eine wirklich reizende Dame in zweiter Ehe geheiratet, die die Kinder wie ihre eigenen behandelte und die Mär von der allzeit bösen Stiefmutter widerlegte. Und auch Elise war ihrer gutmütigen Stiefgroßmutter sehr zugetan.

»Mir war der Schnee lieber als dieses furchtbare Wetter«, sagte ihre Mutter Margarethe nun in Elises Gedanken hinein. »Das will ja gar nicht mehr aufhören zu regnen.«

»Allerdings«, murmelte Wilhelm gedankenverloren.

Er hatte am Feuer gesessen und ein Glas Cognac genossen. Nun erhob er sich und trat neben seine Tochter. »Wenn ich ehrlich bin, bereitet mir dieses Wetter ziemliche Sorgen.«

Er blickte hinaus auf die Straße, auf der vor wenigen Tagen noch vierzig Zentimeter Schnee gelegen hatten. Jetzt war dort nur noch eine matschige graue Masse zu sehen. Die einst weiße Pracht schmolz, und es war einfach nur nass und unangenehm. Der starke Regen tat ein Übriges, um die Situation draußen mehr als unschön zu machen.

»Der Boden ist noch gefroren. So kann er die Regenmassen und das viele Wasser der Schneeschmelze nicht aufnehmen.«

Beunruhigt blickte Elise ihn von der Seite an. Ihr Vater hielt Sorgen und Probleme sonst stets von ihr fern. Dass er sie nun doch teilhaben ließ, konnte nichts Gutes bedeuten.

»Das Wasser wird in die Pegnitz fließen«, murmelte er. »Ich habe heute von Müller Mauer erfahren, dass sie schon zu einem reißenden Fluss angeschwollen ist. In seinem Wasserrad, aber auch in den Wehren, hat sich wohl jede Menge Treibholz verfangen. Das führt dazu, dass sich das Wasser anstaut.«

In Elise wurde das Gefühl des Unbehagens immer größer. »Wir hatten doch häufig harte Winter und sehr viel Regen. Auch Hochwasser gab es schon. Aber wirklich schlimm war es noch nie«, versuchte sie nun ihren Vater zu beruhigen.

Doch der schüttelte besorgt den Kopf. »Da irrst du dich«, meinte er ernst. »Vor etwa dreihundert Jahren sind acht Menschen am Henkerssteg ertrunken. Die Fluten haben sie einfach mitgerissen. Entschuldige, Liebes. All das sollte dir keine Sorgen machen. Manchmal bist du nur so groß und vernünftig, dass ich vergesse, dass du eigentlich mein kleines, schutzbedürftiges Mädchen bist.«

Elises Herz schlug schneller. Wie gern hätte sie ihm gesagt, dass sie dieses schutzbedürftige Mädchen gar nicht mehr war, gar nicht sein wollte. Dass sie ihm gern zuhörte, seine Sorgen mit ihm teilen wollte. Doch in diesem Moment trat von hinten ihre Mutter zu ihnen.

»Schatz.« Wilhelm Lusin zog seine Frau in seine Arme und lächelte sie liebevoll an.

Elise dachte wieder einmal mehr, wie glücklich ihre Eltern doch miteinander waren. Das machte sie froh und zugleich traurig, denn sie konnte sich nicht vorstellen, dieses tiefe, innige Glück einmal mit Simon zu erleben.

»Es tut mir leid, dass ihr wegen dieses furchtbaren Wetters auf euren Faschingsball verzichten müsst«, sagte Wilhelm nun, doch Margarethe winkte ab, und ein feines Lächeln zog über ihr schmales Gesicht, das unter den dichten schwarzen Haaren wirkte, als habe ein virtuoser Bildhauer es kunstvoll geschaffen. Ihre hellen blauen Augen bildeten einen reizvollen Kontrast zu ihrem Haar; und Elise dachte nicht zum ersten Mal, dass ihre Mutter, die im Vorjahr ihren vierundvierzigsten Geburtstag gefeiert hatte, mit jedem Jahr schöner wurde.

»Ich bin froh, dass wir nicht zu diesem Ball müssen«, versicherte sie. »Ich weiß, ich dürfte es eigentlich gar nicht laut sagen, aber ich kann dem Fasching nun mal nichts abgewinnen.«

»Ich schon«, seufzte Elise. »Und ich finde es sehr schade, dass wir absagen mussten.«

»Die halbe Stadt wird das getan haben«, vermutete Wilhelm. »Überall hängen schließlich Tafeln; und auch die Ausrufer warnen davor, sich draußen aufzuhalten.« Er küsste seine Tochter auf die Stirn. »Aber wenn es deiner Mama recht ist, feiern wir einen großen Frühlingsball bei uns.«

»Oh ja, das wäre wundervoll«, rief Elise. »Gestattest du es, Mama?«

Margarethe lächelte. »Bei so viel Begeisterung kann ich schlecht Nein sagen. Und die Ausrede, dass es mir zu viel Arbeit ist, zählt vermutlich nicht, schließlich wird die Dienerschaft alles erledigen.«

»Dann ist es also ausgemacht«, erklärte Wilhelm Lusin und entließ seine Frau aus seinen Armen. »Ich hoffe, ihr verzeiht mir, wenn ich euch nun noch einmal alleinlassen muss.«

»Aber wo willst du denn jetzt hin?«, rief Margarethe besorgt.

Ernst sah Wilhelm sie an. »Es ist zu erwarten, dass das Hochwasser in Kürze auch unsere Fabrik erreicht. Ich will unbedingt die teuren Gewürze nach oben räumen lassen. Wenn die Lagerhallen überschwemmt werden, wäre der Schaden enorm. Und die Fabrikarbeiter sind, wenn ich Glück habe, ohnehin schon vor Ort, um zu helfen.«

»Bitte, geh nicht, Vater«, flehte Elise eindringlich.

Doch er strich ihr als Antwort nur über die Wange. »Ich muss, Liebes. Ich habe keine Wahl.«

***

Elise wusste, sie würde den Zorn ihres Vaters auf sich ziehen, wenn er sie entdeckte. Aber sie konnte nicht einfach hier sitzen und warten. Nachdem sie stundenlang am Fenster gestanden und in den Regen hinausgestarrt hatte – diesmal nicht in der Bibliothek, sondern in ihren Gemächern in der zweiten Etage –, hielt sie es nicht mehr aus. Ihr Vater war dort draußen vielleicht ganz allein; und der Regen wurde immer heftiger, die Nacht immer finsterer. Was, wenn er sich in einer schwierigen Lage befände und keiner zur Stelle wäre, um ihn zu retten?

»Ich habe keine Wahl«, hatte er zum Abschied gesagt. Nun, sie hatte auch keine Wahl. Sie spürte, dass ihr Vater in Gefahr war, und sie würde alles tun, um ihm zu helfen.

Fieberhaft blickte sie sich um. Agathe hatte sie schon für die Nacht zurechtgemacht, und alleine wäre sie nicht imstande, sich damenhaft anzukleiden. Doch in ihrem Schrank befanden sich auch einige Kleider, die nicht hinten geschnürt, sondern vorne geknöpft wurden und die sie auch ohne Mieder tragen konnte. Da es zudem von ihrem Wintermantel verdeckt sein würde, sollte das Kleid ohnehin niemandem auffallen, schon gar nicht in der Dunkelheit und bei dem Unwetter, das draußen herrschte.

Ein wenig unbehaglich war Elise allerdings schon, als sie nun begann, sich anzukleiden. Sie war noch niemals nach Anbruch der Dunkelheit allein draußen im Freien gewesen, das ziemte sich einfach nicht! Und dann noch bei diesem Wetter! Aber es half alles nichts, zumal das ungute Gefühl in ihrem Inneren immer größer wurde.

Nachdem sie sich fertig angekleidet hatte, zog sie sich ihren dunklen Wollmantel über und schlich über die große Treppe nach unten in die Eingangshalle. Dort, im großen, geschnitzten Mahagonischrank, bewahrte die Dienerschaft die Regenschirme auf. Allerdings war sie sich nicht sicher, ob der Schlüssel steckte. Wenn sie selbst oder ein anderes Mitglied der Familie einen Regenschirm benötigte, wurde er ihr stets aufgespannt in die Hand gedrückt.

In tiefer Dunkelheit ging Elise in der Halle umher und tastete nach dem Schrank. Zum Glück, der Schlüssel steckte. Vorsichtig öffnete sie die Tür und erschrak, als das uralte Möbelstück ein Knarzen von sich gab, das unfassbar laut durch das nächtliche Haus hallte.

Mit angehaltenem Atem wartete Elise, eng an den Schrank gepresst, eine scheinbar ewig währende Weile ab, doch nichts regte sich. Erleichtert zog sie schließlich einen großen schwarzen Regenschirm heraus und öffnete die Haustür. Ihr wurde klar, dass sie augenblicklich bis auf die Haut durchnässt wäre, sobald sie das Haus verließ. Der Regen tröpfelte nicht, sondern ging als wahre Wasserwand hernieder. Die Nässe würde auch durch ihre Schuhe dringen – bis zu ihren Knien hinauf. Den Regenschirm hatte sie noch immer nicht aufgespannt, aber er würde sie sowieso nicht schützen können, wie ihr jetzt bewusst wurde. Dazu war es zu viel Wasser. Und zu mächtiges Wasser.

Ihre Sorge um ihren Vater wuchs ins Unermessliche. Aber ihr war auch klar, dass sie es wohl kaum allein bis zur Fabrik schaffen würde.

»Kann ich Ihnen helfen, gnädiges Fräulein?«

Sie hätte vor Schreck um ein Haar aufgeschrien und fuhr herum. »Herr Düber«, erkannte sie dann erleichtert den Kutscher der Familie.

»Ich nehme an, Sie wollten nach Ihrem Vater Ausschau halten und haben bemerkt, dass er auch nicht schneller kommt, wenn Sie bei der Kälte im Hauseingang nass werden«, mutmaßte der Kutscher süffisant.

»Ähm … ja, so ähnlich«, stammelte Elise.

»Sie wären nicht so unvernünftig, bei dem Wetter zu Fuß bis in die Tafelfeldstraße zu laufen, um dort nach Ihrem Vater zu sehen?«, fuhr der Mittfünfziger fort, und Elise fragte sich, ob er sie auf den Arm nahm.

»Ich …«

»Nun, ich gestehe Ihnen etwas«, sagte er. »Ich bin auch nicht zufällig bereits im Regenmantel. Ich sorge mich ebenfalls um Herrn Lusin – und wollte deshalb mit der Kutsche zur Fabrik fahren.«

»Oh, bitte nehmen Sie mich mit«, rief sie hastig.

Nun wirkte der Kutscher überrumpelt. »Aber, gnädiges Fräulein, Ihr Herr Vater wird mich schelten, wenn ich …«

»Herr Düber«, unterbrach ihn Elise streng. »Das war keine Frage.«

Nur wenige Minuten später starrte Elise aus dem Fenster der Kutsche, und je näher sie der Pegnitz kamen, desto besorgter war sie – da draußen schien die Welt unterzugehen. Unzählige Menschen waren zu ihrem Erstaunen unterwegs, Schaulustige, die sich das so bedrohliche wie spektakuläre Naturschauspiel nicht entgehen lassen wollten.

Plötzlich kam die Kutsche zum Stehen. Elise lehnte sich, so nah sie nur konnte, ans Fenster, um in Richtung Kutschbock zu schauen. Schemenhaft erkannte sie einen Mann, der im Begriff war, mit dem Kutscher zu diskutieren. Wenig später stapfte der Herr davon, und Jacob Düber sprang vom Bock und öffnete nur Sekunden später die Tür. »Es tut mir leid«, sagte er. »Aber um zur Tafelfeldstraße zu kommen, müssten wir durch die Altstadt, und die ist, wie ich gerade erfahren habe, unpassierbar. Am Hauptmarkt steht das Wasser zwei Meter hoch, der Pegel liegt bei vier Meter siebenundsechzig. Das sieht übel aus.«

»Oh nein!«, rief Elise, deren Angst um ihren Vater ins Unermessliche wuchs. »Das ist ja entsetzlich! Wir müssen irgendwie zu meinem Vater!«

Jacob Düber nickte ernst. »Ich kenne einen Umweg. Das können wir versuchen. Aber einfach wird es nicht. Von Wöhrd bis hin zur Kleinweidenmühle steht alles unter Wasser.«

»Wie sieht es denn mit den Gebäuden aus, die in der Nähe der Pegnitz stehen?«, fragte sie bang.

Ernst erwiderte er ihren Blick. »Die sind bis zum Obergeschoss überflutet.«

»Oh Gott«, flüsterte sie.

Zum Glück stand die Fabrik nicht direkt an der Pegnitz, sondern etwas weiter entfernt. Aber dennoch …

»Dann wird es schon so schlimm nicht sein«, wollte Jacob sie beruhigen. »Ich versuche, uns dorthin zu bringen.«

Sie fuhren auf Elise unbekannten Wegen weiter. Streckenweise gab es keine Gaslaternen, es war stockfinster, und der Regen prasselte weiterhin erbarmungslos auf sie nieder. Elise fühlte sich ihren Sorgen um den Vater vollkommen ausgeliefert. Aber schließlich sah sie die vertrauten Fabrikgebäude der Lebkuchen-Großbäckerei Lusin schemenhaft vor sich aufragen.

Kaum war die Kutsche zum Stehen gekommen, sprang Jacob vom Bock – um sofort bis zu den Knien im Matsch zu stehen. »Ihre Sorgen dürften unbegründet sein«, rief er ihr zu. »Das Wasser erreicht ja gerade einmal die oberste Stufe der Außentreppe der Fabrik. Ich gehe davon aus, dass drinnen alles trocken ist. Bleiben Sie bitte hier in der Kutsche.«

Ohne ein weiteres Wort begann Jacob Düber, in Richtung Fabrik zu waten.

»Warten Sie!«, rief ihm Elise ein wenig verärgert nach, doch der Kutscher hörte sie nicht.

Sie wollte gerade aussteigen, da hörte sie jemanden rufen: »Einen Augenblick bitte!«

Elise bemerkte eine hochgewachsene Gestalt, die sich durch den Matsch zu der Kutsche durchkämpfte, bis sie schließlich vor ihr stand. Der Mann mochte Mitte zwanzig sein. Unter der schwarzen Kapuze hingen ihm einige braune Haarsträhnen in das, soweit sie erkennen konnte, ausgesprochen markante Gesicht.

»Sie wollen auch in die Fabrik?«, vergewisserte er sich.

»Ja, ich mache mir Sorgen um Wilhelm Lusin«, erklärte Elise. »Er ist mein Vater.«

»Dann müssen Sie Elise sein«, schlussfolgerte der Fremde. »Mein Name ist Corbinian Waldmeister. Ich habe mich heute Nachmittag bei Ihrem Vater als Meisterbäcker vorgestellt.«

»Ah, Sie sind das, er hat das Gespräch erwähnt«, erinnerte sich Elise.

Ihr Vater war von dem jungen Lebküchner, der sein Handwerk in Aachen gelernt hatte, recht begeistert gewesen – schon morgen sollte er seine Stellung in der Fabrik antreten.

»Ich habe Herrn Lusin vorhin an meiner Pension vorbei zum Werk gehen sehen«, erläuterte Waldmeister. »Und da wollte ich schauen, ob ich helfen kann.«

»Dann hatten wir dieselbe Idee«, erklärte Elise.

»Sie erlauben?«, fragte er, und als sie nickte, hob er sie an den Hüften aus der Kutsche und auf eine leichte Erhöhung, auf der sie zumindest von unten nicht so nass wurde.

Am Fabrikgebäude angekommen, kramte sie in ihrer Manteltasche nach dem Ersatzschlüssel, den sie hütete wie einen Schatz. Mit zitternden Fingern steckte sie ihn ins Schloss. »Herr Düber? Vater?«, rief sie in die Dunkelheit hinein.

Doch niemand erwiderte ihr Rufen, nur das Prasseln des Regens drang von draußen herein.

»Kommen Sie!«, sagte sie zu ihrem Begleiter und ging ihm voraus in die Lagerhallen. Alle Gewürze standen fein säuberlich auf den Regalen, auf dem bis zur Knöchelhöhe überfluteten Boden befand sich kein einziger Gegenstand mehr.

»Mein Vater wollte nach dem Rechten sehen und die Gewürze nach oben stellen«, erklärte sie dem Lebküchner.

»Das ist ihm auch gelungen«, stellte er fest. »Schließlich befinden sich auf dem Boden keine Gewürze.« Er trat zu den Regalen und befühlte die Säcke von unten. »Sie sind feucht. Das ist ein Anzeichen dafür, dass sie auf dem Boden gestanden haben.«

Elise stimmte ihm zu, doch dann durchfuhr es sie wie ein Blitz. Ihr Vater hätte die teuren Gewürze niemals in feuchten Säcken zurückgelassen, sondern in trockene Säcke oder andere Gefäße umgefüllt. Und die lagerten im Keller. Entsetzt keuchte sie auf. Ihr Vater würde doch nicht nach unten gegangen sein?

»Was?«, fragte Corbinian Waldmeister, der das Entsetzen in ihrem Gesicht bemerkt hatte.

»Der Keller!«, stieß sie hervor. »Die neuen Säcke und die Eimer befinden sich im Keller. Ich nehme an, dass er hinuntergegangen ist, um sie zu holen. Er würde die Gewürze nicht in nassen Säcken lassen.«

»Wo ist der Eingang zum Keller?«, fragte Waldmeister, und sie hörte die Anspannung in seiner Stimme.

»Kommen Sie!« Die Fabrikantentochter führte den jungen Lebküchner zur Kellertür und öffnete sie mit bebenden Fingern. Das Herz schlug ihr bis zum Hals.

»Vater?«, rief sie nach unten, doch es war nur ein unheimliches Glucksen zu hören. Auch von Herrn Düber keine Spur.

»Sie bleiben hier«, bestimmte Herr Waldmeister und schickte sich an, die Stufen hinabzusteigen. Als er etwa auf der Hälfte angekommen war, wandte er sich um. »Der Keller steht bis oben voll mit Wasser«, rief er. »Ich habe mit der Hand die Fläche zwischen Wasseroberfläche und Decke getastet, das sind keine fünf Zentimeter.«

»Nein!«, flüsterte Elise. »Vater.«

In diesem Moment trat Kutscher Jacob Düber zu ihnen. »Ich habe die ganze Fabrik abgesucht, der gnädige Herr war unauffindbar.«

Elises Knie drohten zu versagen, und sie starrte auf die schwarzen Wassermassen im Keller. »Vater! Vater!«, schrie sie gellend. Doch ihre Stimme hallte nur von den Wänden wider, klang einsam durch die Fabrik.

21

Es sollte drei Tage dauern, bis die böse Ahnung zu einer tragischen, traurigen, ja entsetzlichen Gewissheit wurde: Wie Elise befürchtet hatte, war ihr Vater tatsächlich in den Keller gegangen, vermutlich in der Absicht, Behältnisse für die Gewürze zu holen. Die Feuerwehr, die seit Beginn der Flutkatastrophe auf Hochtouren arbeitete, konnte nur noch seine Leiche aus den Fluten bergen.

Der Feuerwehrkommandant, ein korpulenter Mann um die fünfzig, dem die Erschöpfung ins Gesicht geschrieben stand, konnte Elise und ihrer Mutter nicht in die Augen sehen, als er ihnen erklärte, dass der Keller, als Wilhelm Lusin ihn betreten hatte, vermutlich noch nicht oder nur sehr leicht überschwemmt gewesen war, es dann jedoch eine größere Flutwelle gegeben hatte, die den Lebkuchenbäcker überrascht haben musste. Margarethe und Elise waren außer sich vor Schmerz und Kummer, klammerten sich aneinander und wussten gar nicht, wohin mit ihrem Leid. Auch die Dienerschaft war tief getroffen. Margarethe hatte Hausdiener Heinrich Mannfeld, der bei Verkündung der Todesnachricht anwesend war, gebeten, das Personal im Salon zu versammeln. Sichtlich um Fassung bemüht, hatte Heinrich gesagt: »Sehr wohl, gnädige Frau. Wenn gnädige Frau mir erlauben, Ihnen und dem gnädigen Fräulein mein herzlichstes, tief empfundenes Beileid auszu…«

Es war dem gestandenen Mittfünfziger, der in allen Situationen des Lebens stets Ruhe und Fassung bewahrt hatte, nicht möglich gewesen, den Satz zu Ende zu sprechen. Er drehte ihnen hastig den Rücken zu, um nach draußen zu eilen und das Gesinde zu holen. An ihren betretenen Mienen konnte Elise erkennen, dass sie, die die ganzen letzten Stunden und Tage ebenso wie sie auf eine Nachricht gehofft hatten, mit dem Schlimmsten rechneten.

Margarethe erhob sich und musste sich an der Sofalehne abstützen, als sie sagte: »Es tut mir leid, Ihnen mitteilen zu müssen, dass mein geliebter Ehemann ein Opfer der Fluten wurde.«

Vereinzeltes Schluchzen war zu hören, das Gesinde war zutiefst betroffen, Claire, Margarethe Lusins Zofe, eilte zu ihrer Herrin, nahm ihren Arm und führte sie vorsichtig zum Sofa, auf dem Elise saß. Die starrte vor sich hin und fragte sich, wie um alles in der Welt sie nun weiterleben sollte.

Da fühlte sie plötzlich zwei Arme um sich und hörte eine vertraute Stimme an ihrem Ohr. »Es tut mir so unendlich leid«, flüsterte Agathe. »Wenn ich nur wüsste, wie ich Ihnen helfen soll.«

Schluchzend ließ Elise sich enger in die Umarmung ihrer Zofe ziehen.

Aber anders als sonst, wenn Elise ihr anvertraut hatte, dass sie Kummer oder Sorgen plagten, sagte Agathe nicht: »Es wird alles wieder gut.«

Denn diesmal würde es nicht wieder gut werden.

***

Die Märzsonne stand am trüben Nürnberger Himmel und beleuchtete die traurige Gesellschaft, die auf dem St.-Johannis-Friedhof zusammengekommen war. Elise hatte das Gefühl, dass ganz Nürnberg herbeigeeilt war, um dem großen Lebkuchenkönig, wie man ihren Vater insgeheim genannt hatte, die letzte Ehre zu erweisen. Tränenblind stand Elise neben ihrer Mutter, die sich vor Kummer kaum auf den Beinen halten konnte, und nahm die Beileidsbekundungen, eine um die andere, mechanisch entgegen. Ein Gefühl der Fremdheit bemächtigte sich ihrer. Das war doch nicht sie, die hier stand. Und das war doch nicht ihr Vater, der in diesem kalten, dunklen Grab lag!

Sie ertrug den Anblick des Sarges nicht und hob panisch den Blick. Da sah sie, etwas abseits, eine schmale, hochgewachsene Gestalt: Corbinian Waldmeister. Er stand, die Hände in den Taschen vergraben, unter einem Baum und blickte sie ebenfalls an.

Als der endlose Zug derer, die ihnen ihr Beileid bekunden wollten, zu Ende war, raunte sie Simon an ihrer Seite zu, dass sie gleich zurück sei, und ging dem jungen Lebküchner entgegen.

»Es tut mir so unendlich leid«, sagte er, als sie vor ihm stand. »Und ein wenig kommt es mir so vor, als sei es meine Schuld.«

»Ihre Schuld?«, fragte sie. »Aber warum das denn?«

»Ich habe ihn nicht retten können.«

Sie schüttelte den Kopf. »Das hätte niemand gekonnt.«

»Wie geht es denn nun für Sie weiter?«

Sie hob die Schultern und senkte sie wieder. »Wenn ich das nur wüsste.« Sie wandte sich um und blickte zu ihrer Mutter, die ganz verloren neben dem Grab ihres Vaters stand. Auch Simon war dort und sah ungeduldig zu ihnen herüber. Es war deutlich, dass er es mehr als unpassend fand, dass seine Verlobte am Grab ihres Vaters mit einem Fremden plauderte. Jeden Moment würde er zu ihnen herüberkommen.

Hinter dem Rücken ihrer Mutter näherte sich in diesem Moment ein hochgewachsener Mann mit braunen Haaren, die an den Schläfen bereits grau wurden. Elise sah, wie Kämmerer sich fürsorglich zu ihrer Mutter beugte und ihr den Arm reichte. Wenigstens war auch Simon durch Kämmerers Ankunft von ihnen abgelenkt worden.

»Alles in Ordnung?«, fragte in diesem Moment Corbinian Waldmeister.

»Ja«, erwiderte sie.

»Ich möchte Ihnen von ganzem Herzen dafür danken, was Sie in jener Nacht für mich getan haben.«

»Ich konnte ja leider nicht helfen«, murmelte er.

»Oh doch«, sagte sie. »Sie haben geholfen.«

Elise zögerte. Sie wusste, dass sie nun aufbrechen sollte, man würde sie sicherlich vermissen. Gleich begann der Leichenschmaus, ein furchtbares Wort, wie sie fand, und sie sollte ihrer Mutter beistehen. Aber aus irgendeinem unerfindlichen Grund konnte sie sich nicht vorstellen, sich nun von Corbinian Waldmeister zu verabschieden. Denn dann, das war klar, würde sie ihn niemals wiedersehen. Was es war, das sie so an ihm faszinierte, konnte sie gar nicht sagen. Vermutlich waren es die gemeinsamen schrecklichen Erlebnisse an jenem Abend vor einer Woche, die dazu führten, dass sie sich in seiner Nähe so sicher fühlte und so … geborgen. Ihr war, als könne nur er sie in all dem verstehen, was sie gerade durchmachte. Am liebsten hätte sie ihn zum Abendessen eingeladen – und das wäre auch angemessen gewesen nach allem, was er für sie getan hatte. Aber natürlich konnte sie in der Trauerzeit keinen Fremden einladen. Außerdem war ihr auch daran gelegen, ihre Mutter nicht daran zu erinnern, dass sie sich in jener schrecklichen Nacht nach draußen geschlichen hatte. Margarethe Lusin hatte es zwar mitbekommen, schließlich hatte Elise in jener Nacht Alarm geschlagen. Im Bann der nachfolgenden, schrecklichen Ereignisse hatte die Mutter zu Elises Erleichterung aber nicht näher nachgefragt.

»Ich muss jetzt gehen«, sagte sie daher leise.

Er nickte. »Ich weiß.«

Die Hände in den Taschen vergraben, starrte er zu Boden, dann sah er auf und ihr zaghaft ins Gesicht. »Elise?«

»Ja?«

»Ich würde Sie gern wiedersehen«, sagte er leise. »Und glauben Sie mir, ich würde gern einen anderen Moment wählen, um Sie um ein Treffen zu bitten, aber ich fürchte, wenn ich jetzt gehe, ohne das zu tun, werden wir uns nicht so schnell wieder begegnen.«

Ihr Herz schlug schneller. Aber sie konnte doch nicht ... sie war doch verlobt! Hastig warf sie einen Blick über die Schulter und sah nun, dass Simon wirklich mit großen Schritten auf sie zukam.

»Morgen Mittag gegen zwei Uhr am Eingang des Rosenauparks«, sagte sie hastig.

»Ich werde da sein«, entgegnete Corbinian Waldmeister. »Ich freue mich. Sehr sogar.«

Sie nickte und eilte dann Simon entgegen.

»Wer war das?«, fragte er argwöhnisch und nahm ihren Arm. Sie drehte sich noch einmal um. Corbinian stand noch da, die Hände noch immer in den Taschen vergraben, und sah ihr nach.

***

Im Nachhinein konnte Elise nicht sagen, wie sie den Nachmittag überstanden hatte. All die vielen, teils fremden, teils bekannten Menschen, all die mitfühlenden Worte, all die Traurigkeit. Ja, das Mitgefühl der Trauergäste war eigentlich das Schlimmste gewesen. Denn wann immer jemand das Wort ergriff, um ihr sein Beileid auszusprechen, musste Elise alle Kraft zusammennehmen, um nicht in Tränen auszubrechen und ihre mühsam aufrechterhaltene Fassade zu schützen. Sie war froh gewesen, dass Simon an ihrer Seite war, trotz all der Verwirrung, die Corbinian zuvor in ihr ausgelöst hatte. Als sie am frühen Abend endlich nach Hause gingen, war sie zu Tode erschöpft. Hermann Kämmerer ließ es sich nicht nehmen, sie zu begleiten. Er saß ihnen gegenüber und bemühte sich, Margarethe Trost zu spenden. Er werde dafür sorgen, dass die Firma weiterhin gut laufe, und sich um sie kümmern, versprach er. Margarethe nickte geistesabwesend. Elise hatte den Eindruck, dass ihre Mutter all das noch gar nicht begriffen hatte. Es war, als säße Margarethe Lusin unter einer Glocke, die sie vor der schmerzenden Wahrheit beschützte. Elise hatte große Angst vor dem Moment, in dem sich die Glocke heben und ihre Mutter mit dem Verlust konfrontiert sein würde.

***

»Agathe, ich brauche deine Hilfe«, sagte Elise am nächsten Tag, als sie sich an der Seite ihrer Zofe wie jeden Nachmittag auf den Weg zu ihrem Spaziergang machte.

Fragend sah die Zofe sie an.

»Alles, was Sie wollen«, entgegnete Agathe beflissen.

»Ich treffe gleich einen jungen Herrn«, erklärte Elise. »Und es ist nicht Herr Hertlein.«

»Oh.« Die Zofe errötete.

»Wir werden nichts Unschickliches tun, nur spazieren gehen«, winkte Elise ab. »Er hat in jener Nacht bei der Suche nach meinem Vater geholfen, und ich möchte ihm danken. Sie folgen uns außer Hör-, aber noch in Sichtweite. So bleibt der Anstand gewahrt.«

Agathe nickte eifrig. »Gut. Das will ich tun.«

»Und bitte, Agathe«, fügte Elise noch hinzu, »bitte sagen Sie meiner Mutter nichts davon. Sie hätte zwar nichts dagegen, aber es würde sie vermutlich doch ein wenig aufregen, und ich will sie schonen. Mein Verlobter muss es natürlich erst recht nicht wissen. Er würde es möglicherweise falsch verstehen.«

Agathe nickte wieder. »Selbstverständlich, gnädiges Fräulein.« Wie leicht es Agathe fiel, Elise dies zu versichern, konnte Elise gar nicht ahnen. Seit dem grässlichen Vorfall hatte die Zofe es vermieden, auch nur in der Nähe von Simon zu sein.

Inzwischen hatten sie den Rosenaupark erreicht, und Elise fühlte sich gleich ein wenig besser. Diese Gegend war nicht vom Hochwasser getroffen worden, hier war nichts zerstört worden, wenn auch die Wege und Wiesen von den heftigen Regenfällen noch etwas schlammig waren. Doch inmitten des braunen Matschs bahnten sich die ersten Frühjahrsblüher ihren Weg durch die dunkle Erde ans Licht und verströmten damit so viel Hoffnung, dass Elise trotz all ihres Kummers mit einem Mal ganz leicht ums Herz wurde. Auch ihr Vater hatte diese Jahreszeit immer geliebt. Eine ihrer ersten, verschwommenen Kindheitserinnerungen war, wie er neben ihr auf dem winterharten Boden kniete und auf ein Schneeglöckchen deutete, das sich seinen Weg ans Sonnenlicht bahnte. »Siehst du, meine Kleine«, hatte Wilhelm Lusin gesagt, »die ersten Blümchen kommen schon. Die harte Winterzeit ist bald vorbei. Jetzt wird alles schön und bunt und gut.«

Ihr Blick fiel auf ein weiteres Schneeglöckchen am Wegesrand, und sie musste die aufsteigenden Tränen wegblinzeln. Als hätte ihr Vater aus dem Himmel einen stillen Gruß geschickt!

Als sie den Blick wieder hob, stand Corbinian vor ihr, in derselben Haltung wie am Nachmittag zuvor auf dem Friedhof. Die Hände in den Taschen vergraben, das Haar ein wenig zerzaust, mit dem Hauch eines Lächelns um die Lippen.

Er ging ihr entgegen, verbeugte sich leicht und griff nach ihrer behandschuhten Rechten, um galant einen Handkuss anzudeuten.

»Elise, Sie sehen zauberhaft aus.«

»Danke.« Sie lächelte und fragte sich, ob sein Kompliment ernst gemeint war. Als sie ihr Aussehen zuvor im Spiegel überprüft hatte, war sie ganz und gar nicht zufrieden gewesen. Man sah ihr den Kummer deutlich an: Sie war blass, unter ihren Augen lagen dunkle Schatten, und das Schwarz ihrer Trauerkleidung betonte ihre traurige Erscheinung noch. »Traurig, aber zauberhaft«, fügte er leise hinzu.

Sie nickte. »Gehen wir ein Stück?«

»Sehr gern.«

Die Hände auf die für ihn so typische Weise in den Taschen vergraben, schlenderte er neben ihr her.

»Wie geht es Ihnen?«, fragte er.

Sie zuckte die Achseln. »Das kann ich Ihnen gar nicht beantworten«, sagte sie. »Ich habe das Gefühl, dass ich alles noch gar nicht recht begriffen habe.«

»Kein Wunder«, erwiderte er. »So etwas kann man auch nicht so einfach begreifen. Das wird Zeit brauchen. Viel Zeit.«

»Ja, wahrscheinlich.«

»Gibt es irgendetwas, dass Sie jetzt trösten würde?«, fragte er, und sie dachte, dass allein schon seine Gegenwart ihr ein großer Trost war.

»Ich weiß nicht.«

»Möchten Sie …«, er zögerte. »Möchten Sie mir von Ihrem Vater erzählen?«

»Gern. Mein Vater hat sehr geliebt, was er tat. Lebkuchen waren sein Leben, und er liebte es, neue Rezepte zu kreieren. Ich liebte es auch.«

»Und jetzt nicht mehr?«

»Ich weiß es nicht«, sagte sie. »Lebkuchen und mein Vater, das ist irgendwie untrennbar miteinander verbunden. Ich kann mir nicht einmal vorstellen, wieder in die Fabrik zu gehen. Dorthin, wo er gestorben ist. Und eigentlich könnte man sogar sagen: Die Lebkuchen sind schuld an seinem Tod. Wenn wir keine Lebkuchenfabrik hätten, wäre mein Vater nicht hinausgegangen, um nach den Gewürzen zu sehen. Und dann …«, sie schluckte und versuchte mit aller Macht, die aufsteigenden Tränen niederzukämpfen, »dann wäre er vielleicht noch am Leben.«

Corbinian blieb stehen und sah sie liebevoll an. »Elise, ich habe Ihren Vater nicht gekannt. Aber ich glaube, gerade wenn er seine Lebkuchen so geliebt hat, dann gibt es eines, was er sich von Ihnen gewünscht hätte und was Sie immer noch für ihn tun können.«

»Und was ist das?«, fragte sie hilflos.

»Sorgen Sie dafür, dass sein Lebenswerk erhalten bleibt. Kümmern Sie sich darum. Er soll vom Himmel aus stolz auf Sie sein.«

22

»Er soll vom Himmel aus stolz auf Sie sein.«

Bei diesen Worten war es um Elises Beherrschung geschehen. Ihre Tränen flossen, ganz selbstverständlich zog er sie in seine Arme und hielt sie fest.

Über seine Schulter blickte sie in die Augen Agathes, die etwas abseitsstand und zu ihr herüberlächelte. Sie nickte ihr leise zu, als sich ihre Blicke trafen.

Sacht strich er ihr über den Rücken. Es dauerte lange, bis sie sich beruhigt hatte, und sie genoss es, von ihm gehalten und getröstet zu werden. Sie fühlte sich so geborgen in seinem Arm! Und außerdem, bemerkte sie erstaunt: Da war es ja, dieses Kribbeln im Magen, von dem Helene immer geschwärmt und von dem Elise gedacht hatte, sie selbst werde es nie erleben.

Als sie sich schließlich wieder von ihm löste, sah Corbinian sie derart zärtlich an, dass sie verlegen den Blick senkte. »Geht es Ihnen besser?«, fragte er.

Sie bejahte und bemühte sich um eine feste Stimme. »Bitte verzeihen Sie mir meinen Ausbruch.«

»Da gibt es nichts zu verzeihen«, versicherte er. »Im Gegenteil. Ich finde es wunderschön, Sie in den Armen halten und trösten zu dürfen.«

»Wissen Sie, mein Vater hat mir, als ich vor einiger Zeit sehr krank war, einen Lebkuchen gebacken – mit vielen Gewürzen und statt mit Mehl nur mit gemahlenen Mandeln.

Dieses Gebäck machte mich wieder gesund. Er hat ihn nach mir benannt.«

»Elisenlebkuchen! Natürlich!«, rief er. »Darauf bin ich noch gar nicht gekommen. Eine wunderschöne Geschichte.« Er griff zaghaft nach ihrer Hand. »Elise, sicher wird kein Lebkuchen der Welt Ihren Vater wieder lebendig machen. Aber Sie könnten einen eigenen Lebkuchen für ihn kreieren und ihm widmen.«

Ihre Augen wurden erneut feucht, als sie seine Hand drückte und sagte: »So wie er das damals für mich getan hat. Das ist eine ganz wunderbare Idee.« Doch dann verfinsterte sich ihre Miene wieder. »Aber es ist schon furchtbar lange her, dass ich das letzte Mal Lebkuchen gebacken habe.«

»Ich hätte gedacht, dass die Tochter eines Lebküchners nichts anderes tut?«, fragte er überrascht.

»Das sollte man meinen«, gab sie ihm recht. »Aber leider war es ganz anders.«

»Was ist passiert?«

»Als ich noch ein Kind war, hatte mein Vater nur eine kleine Bäckerei in der Bergstraße unterhalb der Kaiserburg«, erzählte Elise. »Da standen wir so manche Stunde Seite an Seite und haben gebacken. Ich durfte Gewürze abwiegen, Teig kneten, und besonders gern habe ich Mandeln geschält. Mein Vater hatte sie in kochendes Wasser gegeben und sie danach abkühlen lassen. Ich durfte sie dann zwischen Daumen und Zeigefinger nehmen und sie aus der Haut herausquetschen.«

»Ihre Augen leuchten richtig, wenn Sie davon sprechen«, sagte er und drückte erneut ihre Hand, die er noch immer in der seinen hielt.

Sie nickte. »Es ist auch eine meiner liebsten Erinnerungen.«

»Und was ist dann geschehen?«

Elise seufzte. »Nicht nur ich fand die neuen Lebkuchen meines Vaters lecker. Ganz Nürnberg liebte sie. Die Nachfrage stieg und stieg. Irgendwann erwarb Papa die Fabrik in der Nähe der Pegnitz.«

»Und da blieb ihm keine Zeit mehr, mit seiner kleinen Tochter Lebkuchen zu backen?«, vermutete Corbinian.

»Das auch. Vor allem aber wollte mein Vater uns verwöhnen. Als er noch ein kleiner Lebküchner war, stand meine Mutter im Laden und hat verkauft. Und ich musste immer mit in die Backstube, um nicht allein zu sein. Nun wollte mein Vater uns aus der Fabrik fernhalten und uns einfach nur ein schönes Leben bieten.«

»Das ist ja zunächst einmal sehr ehrenhaft und gut gemeint«, sagte Corbinian.

»Oh ja, das ist es«, bestätigte Elise hastig. »Ich wollte auch meinen Vater ganz bestimmt nicht schlecht machen.«

»Das haben Sie nicht«, beruhigte Corbinian sie. »Aber Sie hätten jeden Komfort der Welt gern gegen ein paar Stunden mit Ihrem Vater in der Backstube eingetauscht?«

»Ganz genau.«

»Dann gehen Sie doch jetzt in die Backstube«, ermutigte er sie. »Wie wird es denn mit seiner Fabrik weitergehen?«

Sie zuckte mit den Schultern. »Das weiß ich noch nicht. Morgen ist die Testamentseröffnung.«

»Wenn Sie wollen, helfe ich Ihnen.«

»Ich weiß ja noch nicht, ob ich in Vaters Letztem Willen überhaupt bedacht werde. Aber falls ich irgendetwas in der Fabrik zu sagen habe, würde ich mich über Ihre Hilfe sehr freuen«, erklärte Elise und warf ihm einen liebevollen Blick zu. Auch in seinem Gesicht war etwas fast Zärtliches. Sie wandte sich rasch ab, um weiterzugehen. Schließlich befanden sie sich in der Öffentlichkeit. Außerdem war sie verlobt, was sie ihm dringend gestehen musste!

Inzwischen hatten sie das Fürther Tor erreicht. An den Häusern waren immer noch lange Schnüre angebracht, mit denen sich die Bewohner, während das Wasser weiterhin hoch in der Straße stand, versorgt hatten.

Corbinian erwiderte ihren fragenden Blick. »Ich habe ein schlechtes Gewissen, wenn ich Sie so lange durch die Kälte führe. Ich würde Sie ja auf eine Tasse Tee einladen, aber ich fürchte, das ziemt sich nicht, schon gar nicht so kurz nach dem Tod Ihres Vaters?«

»Da haben Sie recht, das geht nicht. Die Leute würden reden. Wir müssen wohl hier draußen bleiben. Mir ist aber auch nicht kalt.«

»Gut«, sagte er. »Zumal es in Teilen der Altstadt sicherlich noch schlimmer aussieht als hier.«

Er deutete auf die Holzreste, die offenbar einmal zu einer Brücke gehört hatten.

»Wenn es Ihnen recht ist, würde ich gern zur Burg hinaufgehen. Dann muss ich den Fluss nicht sehen.«

»Aber natürlich«, entgegnete er sogleich. »Das ist eine gute Idee.«

»Dann kann ich Ihnen unterwegs auch noch das Haus zeigen, in dem mein Vater früher seine Lebküchnerei hatte.«

»Sehr gern«, freute er sich.

Sie machten sich, immer gefolgt von der treuen Agathe, auf den Weg hinauf zur Burg. Gerührt bemerkte Elise, dass Corbinian aus Rücksicht auf sie langsam ging, obwohl sie trotz der Steigung zu keinem Zeitpunkt außer Atem war.

Wenig später kamen sie am oberen Ende der Bergstraße an, und Elise deutete auf eines der aneinandergebauten Häuschen, das sich an den Berghang schmiegte. »Das hier«, sagte sie. »Das ist es. Hier hat alles angefangen.«

Er musterte das kleine Fachwerkhäuschen interessiert. »Lebkuchen Lusin«, las er die weiße, geschwungene Schrift auf dem Schild über der Tür. Überrascht sah er sie an. »Es gehört immer noch Ihrer Familie?«

»Hier werden unsere Lebkuchen verkauft. Nur in der Beerdigungswoche ist hier und auch die Fabrik geschlossen.«

»War Ihr Vater sehr beliebt?«

»Oh ja, das war er. Er hat sich wirklich um die Arbeiter und ihre Familien gekümmert. Keinen Geburtstag hat er je vergessen, und vor allem, wenn Kinder von Mitarbeitern Geburtstag hatten, bekamen die immer einen wunderbaren Gugelhupf aus Lebkuchenteig mit nach Hause.«

Corbinian lächelte. »Das klingt schön. Ich hätte ihn sehr gern näher kennengelernt.«

Sie deutete auf die Tür. »Wollen wir hineingehen?«

»Haben Sie denn einen Schlüssel?«

»Oh ja.« Schmunzelnd zog sie den Bund aus der Rocktasche, den sie immer bei sich trug und an dem sich die Schlüssel zum Haus in der Bergstraße und zur Fabrik befanden. »Ich habe ihn meinem Vater einmal abgeschwatzt und nie wieder hergegeben.«

Er lachte. »Sie sind mir ja eine.«

Während sie den Schlüssel ins Schloss steckte, wandte sie sich zu Agathe um, die in einiger Entfernung stehen geblieben war. »Komm ruhig mit hinein, Agathe«, rief sie. »Ich zeige Herrn Waldmeister den Laden. Und wir wärmen uns etwas auf.«

»Sehr wohl, gnädiges Fräulein«, murmelte Agathe und kam schüchtern näher.

»Guten Tag, Fräulein Agathe«, sagte Corbinian freundlich.

»Guten Tag, gnädiger Herr«, erwiderte sie scheu.

»Es tut mir leid, dass wir Ihnen solche Umstände machen und Sie durch die ganze Stadt scheuchen«, beteuerte er.

»Sie machen keine Umstände, gnädiger Herr«, versicherte Agathe und huschte nach drinnen, wo sie versuchte, sich möglichst unsichtbar zu machen.

»Gemütlich hier«, befand Corbinian und sah sich in dem kleinen Verkaufsraum um.

Elise nickte. »Ja, hier habe ich meine Kindheit verbracht.« Sie deutete auf die Lebkuchen, die in der Glasvitrine oder in den Regalen, verpackt in hübsche Blechdosen, darauf warteten, gekauft und verspeist zu werden.

»Was wurde aus der alten Backstube?«, fragte er.

»Oh«, sagte sie. »Die ist immer noch da, aber es backt hier schon lang niemand mehr. Wir nutzen sie jetzt als Lagerraum für die Waren, die vorne verkauft werden.«

»Darf ich sie trotzdem sehen?«

»Natürlich.« Sie ging ihm voraus in die kleine Backstube, an deren Wänden sich nun, in deckenhohen Regalen, Schachteln voller Lebkuchen stapelten.

Auch auf dem alten Tisch in der Mitte des Raumes, an dem sie immer mit ihrem Vater gestanden und gebacken hatte, türmten sich Kisten, sogar auf dem Backofen standen welche.

»Darf ich Ihnen einen Lebkuchen anbieten?«, fragte Elise und griff nach einer der Schachteln.

Er fing ihre Hand ab, hielt sie fest und sah ihr in die Augen. »Gern«, sagte er. »Aber am liebsten hätte ich einen Elisenlebkuchen.«

»Natürlich.« Ihr Herz raste, als sie seine Hand aus der ihren löste, um eine Schachtel zu öffnen und einen der großen, runden Lebkuchen herauszuholen. »Bitte sehr!«

Sie beobachtete sein Gesicht genau, als Corbinian hineinbiss. Er schloss genießerisch die Augen. »Köstlich«, sagte er zwischen zwei Bissen. »Einfach köstlich.« Dann sah er sie fragend an. »Ich habe Ihnen ja vorhin angeboten, das Lebkuchenbacken mit Ihnen ein wenig zu üben.«

Sie nickte. »Ja, das haben Sie.«

»Und wie Sie wissen, bin ich vom Fach«, fuhr er fort.

Wieder nickte sie. Worauf wollte er hinaus?

»Was halten Sie davon, wenn wir mit unseren Experimenten hier beginnen?«, fragte er. »In diesem Raum, wo Sie einst auch mit Ihrem Vater gebacken haben?«

Ein Lächeln huschte über ihr Gesicht. »Das halte ich für eine ziemlich gute Idee.«

Er sah sich um. »Allerdings müssten wir zumindest den Tisch und den Herd freiräumen. Und Zutaten bräuchten wir auch.«

»Das lässt sich sicher schnell bewerkstelligen«, war Elise überzeugt. »Die Kartons können in den Laden, während wir backen. Und die Zutaten zu bekommen, ist natürlich kein Problem.«

»Wunderbar«, freute sich Corbinian. »Dann müssen wir nur noch einen Zeitpunkt finden, an dem wir backen können. Nach der Trauerwoche werde ich natürlich tagsüber arbeiten müssen. Und ob Sie in den Abendstunden so allein …«

Elise dachte, dass sie sich problemlos aus dem Zimmer schleichen könnte, für den Anfang war ihr aber eine andere Lösung lieber.

»Nun«, sagte sie. »Es muss ja auch außerhalb der Geschäftszeiten sein. Das ginge nur am Sonntag.«

Er nickte. »Dann haben wir also eine Verabredung? In drei Tagen zum Lebkuchenbacken?«

»In drei Tagen zum Lebkuchenbacken. Sagen wir doch, um zwei Uhr am Nachmittag.«

23

Dem Notar, einem dicklichen Mittfünfziger mit Glatze und Kartoffelnase, auf der eine viel zu kleine Brille balancierte, war Elise schon öfter begegnet. Herr Martin war häufig im Haus zu Gast gewesen und dann stets rasch im Arbeitszimmer ihres Vaters verschwunden.

Traurig sah er sie nun an, als er sie in Wilhelm Lusins Büro begrüßte und sie bat, Platz zu nehmen. Es kam Elise komisch vor, ihn auf dem mächtigen, mit braunrot glänzendem Leder bezogenen Stuhl ihres Vaters sitzen zu sehen. Irgendwie fühlte es sich falsch an – wie so vieles falsch war in den letzten Tagen.

Schließlich begann der Notar mit der Testamentseröffnung, zu der neben Elise und ihrer Mutter auch die gesamte Dienerschaft und Wilhelms jüngerer Bruder Albrecht geladen waren. Zu seinen anderen Geschwistern hatte ihr Vater keinen Kontakt mehr gehabt.

Wilhelm Lusin verfügte, dass Köchin Caroline Stift, Kutscher Jacob Düber, Hausdiener Heinrich Mannfeld, Zofe Claire Maier und Hausdame Bärbel Hauder jeweils eine Summe von 100 Gulden erhielten. Elises Zofe Agathe war in dem Testament besonders bedacht worden, sie sollte ein zusätzliches Büchergeld pro Monat erhalten sowie weiterhin unterrichtet werden.

Die Dienerschaft reagierte auf die Großzügigkeit ihres Herren gerührt, einige der Damen betupften sich sogar die Augen.

Der Notar fuhr mit der Testamentseröffnung fort.

»Meiner geliebten Tochter Elise vermache ich eine Summe von zehntausend Gulden, die auf ein von Notar Martin verwaltetes Treuhandkonto gezahlt werden und ihr nach ihrer Hochzeit ausbezahlt werden soll«, las der Notar, blickte auf und lächelte der jungen Frau zu. Elise war fassungslos. Zehntausend Gulden! Das war ein Vermögen! Selbst nach seinem Tod sorgte ihr Vater noch dafür, dass sie sich zumindest in monetärer Hinsicht keine Sorgen machen musste. Dennoch stieg eine leise Enttäuschung in ihr auf. Auch wenn ihr natürlich klar war, dass Wilhelm Lusin nicht im Traum daran gedacht hatte, sie an der Spitze der Lebkuchen-Fabrik zu sehen, so hatte sie doch insgeheim auf ein Wunder gehofft. Was sollte nun werden? Wem würde ihr Vater die Fabrik vermachen? Simon?

Sie musste nicht lange auf die Antwort warten. »Meine Fabrik, meine Villa und all meinen sonstigen weltlichen Besitz vermache ich meiner geliebten Frau Margarethe Lusin, die auch die Leitung von Lebkuchen Lusin übernehmen soll – gemeinsam mit meinem Prokuristen Hermann Kämmerer.«

Elise und ihre Mutter Margarethe blickten einander erschrocken an. »Die Firma leiten. Das kann ich doch gar nicht«, sagte Margarethe entsetzt.

»Wenn Sie erlauben, gnädige Frau«, wandte sich nun der Notar an sie, »so habe ich hier noch einen Brief für Sie. Und für Sie auch, gnädiges Fräulein.«

Er überreichte den beiden Frauen jeweils einen Umschlag, und als Elise die vertraute, geschwungene Handschrift ihres Vaters erblickte, musste sie die Tränen der Rührung wegblinzeln. Ihre Mutter schien ebenfalls um Fassung zu ringen.

»Wir öffnen die Briefe dann nach der Testamentsverlesung«, stieß Elise hervor.

»Selbstverständlich, gnädiges Fräulein. Das ist eine gute Idee«, beeilte sich der Notar, ihr beizupflichten. »Wir sind auch bereits am Ende angekommen.«

Eine halbe Stunde später saßen Mutter und Tochter nebeneinander im Salon auf dem Sofa, jede von ihnen einen Brief auf dem Schoß.

Elise atmete tief durch. »Ich öffne meinen jetzt.«

»Ja«, erwiderte Margarethe. »Ich meinen auch.«

Elise schlitzte den Umschlag auf und zog den dicht beschriebenen Bogen schweren Büttenpapiers heraus.

Nürnberg, den 12. Februar 1864

Mein geliebtes Kind, meine kleine Elise!

Wenn Du diesen Brief in Händen hältst, bedeutet das, dass ich zu früh gestorben bin. Irgendein unvorhergesehenes, grausames Schicksal hat mich aus dem Leben gerissen, und ich durfte nicht erleben, wie Du heiratest und vielleicht sogar irgendwann die Firma übernimmst. Denn, mein Lieschen, ich kenne Dich gut, und ich habe sehr wohl bemerkt, dass das Leben, das ich Dir biete, Dir nicht genügt. Ja, im Grunde wird mir beim Schreiben dieser Zeilen klar, dass ich Dir, wohlmeinend zwar, aber dennoch, meinem Traum von einem glücklichen Leben aufzwängen wollte, das ich nicht hatte. Doch ich sehe, dass Dich dieses Leben langweilt, dass Du mehr sein willst – und ja auch bist – als ein reiches Fabrikantentöchterlein.

Bitte denk nicht, dass ich Dir nicht mehr, viel mehr zutraue. Ich ahne, auch wenn Du es nie gesagt hast, dass Du einmal die Leitung der Firma übernehmen willst, und eigentlich wollte ich Dich ab Deinem fünfundzwanzigsten Lebensjahr, nach Erreichen Deiner Volljährigkeit, mehr einbinden. Ich hoffte, bis dahin meinen Dünkel überwunden zu haben, der mir vorgab, dass es sich für einen Mann der guten Gesellschaft nicht ziemt, seine Tochter arbeiten zu lassen. Vielleicht findest Du ja auch einen Mann, der nichts dagegen hat, wenn seine Gattin nach ihr benannte Lebkuchen backt und die zugehörige Fabrik leitet.

Elise ließ den Brief sinken, und Corbinians Bild stieg vor ihrem Inneren auf. Warum nur wollte er ihr einfach nicht aus dem Kopf gehen? Trotz der Trauer konnte sie ein Lächeln nicht unterdrücken. Sie warf einen Blick auf ihre Mutter, die ihrerseits in den Brief ihres Mannes vertieft war. Freude und Leid zeichneten sich auf ihrem Gesicht ab, die Tränen rannen ihr über die Wangen. Elise griff nach ihrer Hand, Margarethe drückte sie, ohne die Lektüre zu unterbrechen. Und auch Elise las weiter.

Nur: Wenn Du diesen Brief liest, bin ich ja bereits tot, durfte nicht lange genug leben, um Dich in das Unternehmen einzuführen, und durfte auch nicht bei Deiner Hochzeit dabei sein, Dich nicht zum Traualtar führen. Das Leben wollte es anders. Deswegen, mein Lieschen, vermache ich nun vorerst Deiner Mutter die Fabrik und bitte sie, Dich teilhaben zu lassen und Dir zu gestatten, ihr zur Seite zu stehen. Deine Mutter braucht Dich wirklich. Sie schafft das nicht alleine. Auch wenn sie damals in unse-

rer kleinen Bäckerei eine hervorragende Verkäuferin war, so hat sie sich doch sehr an unser komfortables Leben gewöhnt. Zum Glück gibt es meine rechte Hand und treue Seele Herrn Kämmerer, der dafür sorgen wird, dass die Fabrik weiterläuft. Ich schreibe Deiner Mutter, dass sie Dich als ihre Nachfolgerin bestimmen soll. Meine eigentliche Nachfolgerin bist also Du, mein Lieschen. Sorge nur dafür, dass Lebkuchen Lusin in seiner Qualität am Leben bleibt. Dass es seinen Zauber nicht verliert. Werde glücklich, mein Kind!

In Liebe, aus dem Himmel,

Dein Vater

Inzwischen rannen auch Elise unaufhaltsam die Tränen über das Gesicht. Im Brief ihres Vaters stand kein Wort von Simon. Was allerdings, wie sie bei einem Blick auf das Datum feststellte, vermutlich daran lag, dass er den Brief geschrieben hatte, als Simon noch gar nicht in ihr Leben getreten war. Sie spürte, dass ihre Mutter ihre Hand aus ihrer löste und sie in ihre Arme zog. »Er will, dass du die Firma einmal übernimmst«, flüsterte Margarethe an ihrem Ohr. »Du musst sein Andenken bewahren, Liebes. Das ist jetzt deine Aufgabe.«

Sie nickte gerührt. »Ja, das werde ich.«

***

Elise war bereits eine halbe Stunde vor der vereinbarten Zeit in der alten Backstube. Nach dem Mittagessen, das sich für ihr Empfinden viel zu lange hingezogen hatte, hatte sie es einfach nicht mehr ausgehalten. Ihre Sehnsucht, Corbinian wiederzusehen, war das eine. Zum anderen war ihr, seit sie den Brief ihres Vaters gelesen hatte, so viel eingefallen, was Wilhelm Lusin ihr in Kindertagen beigebracht, was sie aber inzwischen wieder vergessen hatte, sodass sie es gar nicht erwarten konnte, endlich anzufangen. Vor allem zur Sorgfalt hatte er sie erzogen. »Die Mandeln müssen wirklich ganz trocken sein, bevor wir sie reiben, Lieschen, sonst verklebt die Maschine«, hatte er zu ihr gesagt. »Und den Zucker musst du nach Gebrauch unbedingt wieder verschließen, damit kein Staub hineinkommt. Es gibt nichts Schlimmeres als Zucker, der nach Staub schmeckt.«

Sie hatte ihr glückliches Kleinmädchenlachen gelacht und darauf geachtet, dass sie alles so machte, wie der Vater es ihr sagte.

Gestärkt und ermutigt durch den Wunsch Wilhelm Lusins, der ja ganz klar zum Ausdruck gebracht hatte, dass sie die Tradition von Lebkuchen Lusin fortführen solle, hatte sie beschlossen, dass sie doch nicht in der kleinen Backstube, sondern in der Fabrik backen würden, zumal ihnen dort alle nötigen Maschinen zu Verfügung stünden.

Zwar graute ihr ein wenig davor, mit der Fabrik jenen Ort zu betreten, an dem ihr Vater gestorben war, aber sie wusste auch, dass es nichts brachte, es noch länger vor sich herzuschieben. Dass es ihr in Begleitung Corbinians leichter fallen würde. Und zu guter Letzt, dass sie die Geister der Vergangenheit besser jetzt als später bannen sollte.

Fünf Minuten nach ihrem Eintreffen öffnete sich die Tür zum Laden. Lächelnd wandte sie sich um. Das war ein gutes Zeichen. Corbinian hatte den Moment des Wiedersehens also ebenso wenig abwarten können wie sie selbst.

Und da stand er. Lächelnd, groß und gut aussehend. »Guten Tag, Elise.«

»Guten Tag, Corbinian«, erwiderte sie.

»Heute ganz ohne Zofe?«

»Ja, ich habe ihr freigegeben.«

Er nickte und sah ihr in die Augen. »Ich konnte es gar nicht erwarten.«

Sie schluckte. »Ich auch nicht.«

Diesmal war er es, der sich zuerst von ihrem Blick löste. »Fangen wir gleich an?«

Sie schüttelte den Kopf. »Ich würde gerne mit Ihnen in die Fabrik gehen.«

»In die Fabrik?« Überrascht sah er sie an.

Sie nickte, und dann erzählte sie. Vom Brief ihres Vaters. Von ihrem Entschluss, die bösen Geister so schnell wie möglich zu verbannen. »Wissen Sie, hier mit Ihnen zu backen, das hätte schon einen gewissen Zauber gehabt. Schließlich hat mein Vater hier das erste Mal mit mir Lebkuchen hergestellt und die Leidenschaft für dieses besondere Gebäck in mir erweckt. Aber es hätte auch etwas von Heimlichtuerei gehabt. Von einem Versteckspiel, das wir nicht nötig haben, denn mein Vater hat nun ganz offiziell geschrieben, dass er sich mich in einigen Jahren als Nachfolgerin wünscht. Und obendrein …«, sie lächelte, »obendrein ist es drüben viel einfacher. Da haben wir alle Maschinen.«

Eindringlich sah er sie an. »Ich muss gestehen, dass mir das Versteckspiel mit Ihnen gar nicht so schlecht gefallen hätte.«

Wieder schlug ihr Herz schneller. »Allein sind wir dort auch. Heute ist Sonntag. Und wir haben die ganze Fabrik für uns.«

»Wohl wahr, aber auch viel unpersönlicher, und die Maschinen brauchen wir nicht.« Er öffnete den Beutel, den er bei sich getragen hatte, und holte nacheinander gemahlene Mandeln, Zucker, Mehl und verschiedene Gewürze heraus. »Ich habe vorgesorgt. Was halten Sie davon, wenn wir, in Erinnerung an die Anfänge Ihres Vaters, doch hier backen?«

Elise musste lachen. »Sie sind sehr überzeugend«, sagte sie und fügte dann hinzu: »Einverstanden.«

»Welche Lebkuchen sollen wir backen? Schachtellebkuchen? Und sie unterschiedlich glasieren?«, fragte er.

»Das wäre eine Möglichkeit«, erwiderte Elise. »Aber ich finde die Idee sehr schön, für meinen Vater einen eigenen Lebkuchen zu kreieren. Er mochte ganz besonders weiße Lebkuchen.«

Corbinian nickte. »Gut.«

Elise schmunzelte. »Wunderbar. Bei mir ist es nämlich schon so lange her, dass ich glaube, ich habe keine Ahnung, wie das geht.«

»Es ist mir ein Vergnügen, es Ihnen zu zeigen.«

Er ging ihr voraus in die Backstube, wo er sich sofort daranmachte, die Kisten von Tisch und Herd zu räumen.

Sie wollte ihm zur Hand gehen, doch er hielt sie davon ab. »Das geziemt sich nun wirklich nicht für eine Dame, Fräulein Lusin«, schalt er sie scherzhaft.

»In Ordnung, Herr Waldmeister«, erwiderte sie kokett. »Dann werde ich einfach herumstehen und nichts tun.«

Brav faltete sie die Hände vor dem Bauch und sah ihm bei seiner Arbeit zu.

»Sie müssen nicht nichts tun«, grinste er. »Sie können mir auch zuhören.«

»Aber ich höre Ihnen doch immer zu, werter Herr Waldmeister«, beteuerte sie.

Er setzte den Karton, den er gerade vom Tisch gehoben hatte, ab, lächelte sie an und sagte dann: »Gut zu wissen. Fangen wir also mit unserer Lektion über die weißen Lebkuchen an.«

»Ich bin ganz Ohr.«

»Und ich schon fertig.« Er deutete auf den Tisch. »Das heißt, wir können gleich beginnen und müssen uns nicht mit der Theorie aufhalten.«

»Gut«, sagte sie. »Fangen wir an. Was soll ich tun?«

Er deutete auf die Eier, die er ebenfalls aus seiner Tasche gezogen und schon auf den Tisch gelegt hatte. »Sie können drei Eier in die Schüssel schlagen und sie mit dem Zucker anrühren. Allerdings sollte die Masse nicht schaumig werden. Dann bleiben die Lebkuchen länger saftig.«

»Gut.« Sie nickte und griff nach dem ersten Ei. Als sie es an den Schüsselrand schlug, stieg aus den Tiefen des Vergessens eine Erinnerung in ihr empor. »Mein Vater hat mir einen Trick beigebracht«, sagte sie. »Ich sollte nur etwa ein Drittel Zucker und Eier gut verrühren, so lange, bis es anfängt, schaumig zu werden. Und dann den Rest dazugeben und einfach noch gut verrühren, bis Ammonium und Pottasche hinzugegeben werden.«

Er lächelte sie an. »Diesen Trick kannte ich noch gar nicht. Sieht so aus, als würden am Ende doch Sie mir das Lebkuchenbacken beibringen und nicht umgekehrt.«

Sie erwiderte sein Lächeln. »Das glaube ich nicht«, sagte sie. »Sie haben viel mehr Erfahrung als ich. Es ist nur so – je mehr ich mich mit dem Backen beschäftige, desto mehr erinnere ich mich an das, was mein Vater mir beigebracht hat.«

»Das ist doch ganz natürlich. In Ihrer Erinnerung lebt Ihr Vater fort.«

»Ja.« Sie begann, wie sie es von ihrem Vater gelernt hatte, die Eier und den Zucker zu verrühren.

»Ich habe diese Stunden in der Backstube mit ihm so genossen«, sagte sie leise. »Danke, dass Sie darauf bestanden haben, dass wir doch hier zusammen backen.«

»Ich freue mich, dass Sie es auch richtig finden.«

»Beim Backen haben wir uns auch viel unterhalten, mein Vater und ich. Und vor allem ging es dabei um Lebkuchen und um ihre Entstehung.«

»Da bin ich jetzt aber gespannt«, sagte Corbinian, der gerade im Begriff war, die kleinen Säckchen mit den Gewürzen zu öffnen und sie in die dafür vorgesehenen Schüsseln zu geben. »Ich habe bisher nämlich noch keine Antwort auf die Frage gefunden, seit wann es Lebkuchen überhaupt gibt.«

Elise lachte. »Da kann ich Ihnen leider auch nicht weiterhelfen. Mein Vater war immer der Meinung, dass es Lebkuchen schon in vorchristlicher Zeit gab. Es handelte sich damals um einen Teig aus Brot und Honig, der mit Gewürzen, getrockneten Früchten, Nüssen und Mandeln angereichert wurde.«

»Ja, diese Geschichte kenne ich auch. Es gab diese Art von Honiggebäck in den verschiedensten Kulturen, man verwendete sie als Opferkuchen und als Grabbeigabe.«

Elise ließ den Löffel sinken und sah Corbinian an. Es gefiel ihr, dass er sich ebenso sehr für die Ursprünge des köstlichen Gebäcks zu interessieren schien wie sie selbst.

»Horaz und Ovid wiesen dem Lebkuchen als göttliche Speise einen Platz im Olymp zu«, wusste sie. »Und die alten Germanen haben Lebkuchen in Tierform gebacken, um sie statt des Viehs zu opfern. In den Raunächten gab es Lebkuchen als Nachspeise.«

»Da gibt es doch diese Anekdote, laut der sich sogar der grimmige Höllenhund Zerberus durch die Süßspeise von seiner Pflichterfüllung hat ablenken lassen?«

»Ja«, stimmte Elise zu, »Psyche bestach den Höllenhund zunächst mit einem Honigkuchen, um sich Zugang zur Unterwelt zu verschaffen, denn sie sollte im Auftrag der Venus eine Dose mit Schönheit von Proserpina zurückerlangen, die Pluto in die Unterwelt entführt hatte.«

»Und wie kam sie wieder zurück von dort?«, wollte Corbinian wissen.

»Sie bestach den Zerberus erneut mit einem Honigkuchen und konnte so den Hades verlassen.«

Er sah sie liebevoll an, als er sagte: »Sehr gut gefällt mir allerdings auch das, was die Römer mit den Lebkuchen machten. Sie profanierten das Gebäck und verwendeten es als Geburtstagsgeschenk für ihre Geliebten.«

»Oh.« Elise errötete und wandte sich rasch wieder ihrer Ei-Zucker-Masse zu. »Ich glaube, jetzt sollten wir die anderen Eier dazugeben.«

»Gute Idee«, sagte er so dicht hinter ihr, dass sie eine Gänsehaut bekam. »Ich bin aber überzeugt, dass die Lebkuchen besser schmecken, wenn wir ihnen in dieser Phase noch etwas Zeit geben.«

»Zeit brauchen sie doch erst im Trockenschrank«, versetzte Elise, während er sie sanft zu sich umdrehte.

»Da kennt sich aber jemand bis zum letzten Detail aus«, murmelte er und sah ihr noch einmal tief in die Augen, bevor er sie an sich zog, um sie zu küssen.

24

»Wir sollten wohl langsam weitermachen«, flüsterte Elise, als sie sich aus seinen Armen löste.

»Ja«, murmelte er. »Wie gut, dass wir nachher noch viel Zeit für die wichtigen Dinge haben, wenn die Lebkuchen im Trockenschrank sind.«

Mit etwas zittrigen Fingern schlug Elise die restlichen Eier zu der Masse in der Schüssel, während Corbinian die Gewürzschälchen holte. Jetzt! Jetzt musste sie ihm von ihrer Verlobung erzählen. Sie öffnete gerade den Mund, um ihm das Geständnis zu machen, da umschlang er sie mit einer Hand von hinten. »Schließ die Augen.«

Sie tat wie ihr geheißen. Jetzt war doch nicht der richtige Moment, sagte sie sich.

»Gut«, raunte er zufrieden. »Du musst die Gewürze an ihrem Geruch erkennen.«

Das Ziehen in ihrer Magengrube verstärkte sich, und sie empfand diesen Augenblick fast noch aufregender als seine umwerfenden Küsse.

»Nelken«, erkannte sie sofort, als er ihr das erste Schälchen unter die Nase hielt.

»Sehr gut«, lobte er. »Aber das war ja auch nicht schwer. Von den Nelken geben wir nun ein paar Gramm hinzu.«

Sie musste lachen. »Also, schwer ist diese Aufgabe nicht wirklich. Die Gewürze, die in Lebkuchen kommen, sind so einprägsam, dass ich sie alle sofort erkennen werde.«

»Spielverderberin«, lachte er. »Schließ wieder die Augen.«

Erneut kniff sie die Augen zu, und wie sie es vermutet hatte, erriet sie auch die restlichen Zutaten ohne Schwierigkeiten: »Zimt. Kardamom. Muskat.«

»Du bist wirklich gut«, sagte er. »Aber warte es ab. Eines Tages zeige ich dir die Gewürzspeicher von Hamburg. Dort wirst du Gewürze und Düfte kennenlernen, die dir die Sinne rauben.«

Er küsste ihren Nacken, und Elise merkte, dass ihr die Knie weich wurden. Gleichzeitig spürte sie eine leise Panik in sich aufsteigen. Sie war mit diesem Mann allein, ohne ihre Zofe. Sie durfte auf keinen Fall zu weit gehen.

Als ob er ihre Bedenken spüren würde, ließ er von ihr ab und sagte: »Nun, meine Liebste, gibst du je fünf Gramm von dem Kardamom und dem Muskat sowie fünfzehn Gramm Zimt in den Teig.«

Elise achtete darauf, für jedes Gewürz ein eigenes kleines Löffelchen aus Horn zu verwenden. Dann schnitt sie das Orangeat und das Zitronat sorgsam klein – Wilhelm Lusin hatte sie diese Tätigkeit früher aus Angst um ihre zarten Finger nie ausführen lassen –, während Corbinian das Mehl und die gemahlenen Mandeln hinzugab und alles gründlich verrührte.

»Er hat die perfekte Konsistenz«, befand der Lebküchner zufrieden. »Wenn der Teig zu flüssig ist, läuft er von den Oblaten herunter, und wenn er zu fest ist, bekommt der Lebkuchen nicht seine schöne, glatte Form.«

Elise nickte und holte die Bleche hervor, die sie nach ihrer Ankunft bereits aus dem Ofen gezogen hatte. Mit geschickten Fingern belegte Corbinian die Bleche mit Papier, das er mit Baumöl eingefettet hatte, während Elise die Oblaten bereitlegte. In schönster Eintracht verteilten sie diese schließlich auf den Blechen und gaben die Lebkuchenmasse darauf.

»Ich würde sie gerne mit Mandeln verzieren«, schlug Elise vor. »Das gefiel meinem Vater am besten.«

Er nickte. »Das ist eine gute Idee.«

Während sie die Mandeln sternförmig auf den Lebkuchen anordnete, fühlte sie seinen liebevollen Blick auf sich ruhen. Sie sah auf und lächelte.

Er erwiderte das Lächeln.

»Da wir hier offenbar keinen Trockenraum haben, schlage ich vor, wir lassen die Lebkuchen einfach auf dem Tisch stehen, bevor wir sie in den Ofen schieben.«

»In Ordnung«, sagte sie. Sie sehnte sich danach, dass er sie erneut in seine Arme ziehen würde. Gleichzeitig drängte es sie aber auch zur Fabrik ihres Vaters. Das hatte sie sich für heute vorgenommen, und sie wusste: Je länger sie es aufschieben würde, desto schwerer würde es werden. Außerdem hätte sie Corbinian gern an ihrer Seite, und der würde morgen ja mit seiner regulären Arbeit im Unternehmen beginnen, hätte also wohl kaum noch Zeit für sie.

Als könne er ihre Gedanken lesen, griff er nach ihrer Hand und sagte leise: »Zeit genug, um zur Fabrik zu gehen.«

Sie atmete tief durch und nickte dann. »Gut. Lass uns gehen.«

Seite an Seite schritten sie den Berg hinunter. Unten in der Altstadt angekommen, waren die Spuren des Hochwassers noch deutlich sichtbar. Elise schluckte hart. Dieser Anblick schnitt ihr jedes Mal mitten ins Herz, und sie fühlte sich gleichermaßen so hilflos, ausgeliefert und klein, wenn sie sich bewusst machte, welche Macht die Elemente hatten und dass sie einen einzelnen Menschen schnell zu ihrem Spielball machen konnten.

»Alles in Ordnung?«, fragte er leise, als sie den Hauptmarkt überquerten.

»Nein«, sagte sie ehrlich. »Es ist einfach entsetzlich, was das Hochwasser angerichtet hat.« Nachdenklich blieb sie vor dem kleinen Behelfsübergang stehen, den irgendjemand notdürftig an der Stelle errichtet hatte, an der sich bisher die kleine Fußgängerbrücke in die Altstadt befunden hatte, und sagte dann: »Weißt du, ich habe die Pegnitz immer geliebt. Sie war der lieblich plätschernde Fluss, an dem ich viele unbeschwerte Kinderstunden verbracht habe. Und jetzt … jetzt habe ich das Gefühl, ihr nie wieder vertrauen zu können. Es ist, als sei meine Kindheit endgültig vorbei, jetzt, da mein Vater tot ist.«

Ungeachtet der Tatsache, dass in der Stadt eine Menge Menschen unterwegs waren und ihnen zahlreiche misstrauische Blicke zugeworfen wurden, zog er sie in seine Arme und hielt sie fest. »Hab keine Angst! Das Erwachsensein kann ziemlich schön sein. Und jetzt bin ja ich da, um auf dich achtzugeben.«

In diesem Moment ertönte hinter ihnen eine kalte Stimme. »Da bist du ja, Elise. Ich habe schon nach dir gesucht.«

Entsetzt fuhr sie herum. »Simon!«

***

»Oh Gott, oh Gott, oh Gott«, sagte Helene von Tucher ein ums andere Mal und strich der schluchzenden Elise wieder und wieder über die Haare. »Sonst bin doch eigentlich ich es, die für derartige Verwirrungen der Gefühle zuständig ist. Und du diejenige, die mich tröstet. Wir haben die Rollen getauscht, meine Liebe!«

»Ja, das haben wir wohl«, schluchzte Elise und löste sich nun endlich aus den Armen der anderen. »Weißt du, ich hatte recht.«

»Womit?«

»Als ich der Verlobung mit Simon damals zugestimmt habe, da geschah das aus zwei Gründen: Zum einen dachte ich, dass die große Liebe wohl ohnehin nicht mehr kommen wird.«

»Da warst du aber ungeduldig«, kommentierte Helene. »Du warst erst neunzehn.«

»Ich weiß«, erwiderte sie und fuhr dann fort: »Und außerdem hattest du damals so schrecklichen Liebeskummer wegen Eberhard Faber. Und da dachte ich mir, dass die große Liebe zwar ganz wunderbare Gefühle im Bauch verursacht, vor allem aber schrecklich wehtut. Und dass es vielleicht besser ist, einen Mann wie Simon an meiner Seite zu haben, der diese Gefühle in mir zwar nicht hervorruft, mit dem das Zusammenleben aber durchaus angenehm ist.«

»Oh, Liebes, das tut mir leid. Das heißt, du hast dich meinetwegen auf die Verlobung mit Simon eingelassen?«

Elise schüttelte den Kopf. »Das muss dir nicht leidtun. Aber ja: Ich habe mich auch wegen deiner Traurigkeit dafür entschieden. Und wie sich jetzt zeigt, hatte ich recht. Denn nun begegne ich diesem wunderbaren Mann, und es ist nicht wunderbar, sondern nur furchtbar.«

»Du verwechselst da etwas«, widersprach Helene. »Es ist doch nur furchtbar, weil du nicht auf ihn gewartet hast, sondern dich mit einem Mann verlobt hast, den du nicht liebst. Sonst wäre jetzt alles ganz wunderbar.«

Elise sah sie nachdenklich an. »Da hast du auch wieder recht.«

»Was sagt Corbinian denn?«

»Das weiß ich eben nicht«, schluchzte Elise. »Als Simon uns Arm in Arm am Pegnitz-Ufer vorgefunden hat und sich als mein Verlobter vorgestellt hat, zog er nur seinen Hut und sagte: ›Angenehm, Corbinian Waldmeister. Empfehle mich.‹ Und dann ist er einfach gegangen.«

»Und du bist ihm nicht nach?«

»Wie denn?«, rief Elise. »Ich war wie gelähmt, und ich habe gespürt, wie böse Simon auf mich ist. Wenn ich da auch noch hinterhergelaufen wäre … Corbinian, er muss ja nun denken, ich habe mit seinen Gefühlen gespielt.«

»Ja«, bestätigte Helene ernst. »Ja, den Eindruck wird er wohl in der Tat haben.« Eindringlich sah sie ihre Freundin an. »Was mir aber viel mehr Sorgen bereitet: Du hast in der letzten Zeit nicht mehr so von Simon gesprochen wie am Anfang. Immer wieder, auch jetzt wieder, habe ich den Eindruck, dass du dich ein wenig vor ihm fürchtest.«

Elise nickte. »Das stimmt. So charmant und aufmerksam er am Anfang war – er verändert sich immer mehr. Ständig gibt er mir das Gefühl, nichts zu wissen, nichts zu können und nichts wert zu sein.«

»Das ist leider ein Bild, das viele Männer von Frauen haben.«

»Aber mein Vater war ganz anders«, begehrte Elise auf. »Er hat meine Mutter wirklich geliebt, sie vergöttert und sie auf Händen getragen. Er hat ihr nie das Gefühl gegeben, wertlos zu sein – und er ist sie auch nicht ständig angegangen.«

»Simon geht dich an?«, hakte Helene nach. »Inwiefern?«

»Na ja, es sind eigentlich Kleinigkeiten. Aus dem Nichts heraus regt er sich plötzlich sehr auf. Ich habe ständig Angst, einen Fehler zu machen. Ich fühle mich, als ginge ich auf rohen Eiern.«

Elise musste nun nur noch mehr weinen, und Helene nahm sie tröstend in den Arm. »Aber warum hältst du denn dann an der Verlobung fest? Noch kannst du dich umentscheiden.«

»Das hätte ich schon längst«, schluchzte Elise. »Aber ich wollte Vater nicht enttäuschen.«

»Der hätte doch niemals gewollt, dass du unglücklich bist«, war Helene überzeugt. »Und schon gar nicht hätte er zugelassen, dass du seinetwegen einen Mann heiratest, der nicht gut zu dir ist.«

»Aber unsere Firmen sind doch miteinander verflochten. Wenn ich die Verlobung löse, produzieren die Hertlein-Druckwerke möglicherweise nicht mehr für uns.«

»Das kann ich mir nicht vorstellen«, meinte Helene. »Sie brauchen euch so dringend wie ihr sie.«

Doch Elise schüttelte den Kopf. »Sie haben sehr viele Aufträge.«

»Verstehe.« Helene nickte finster. »Wie hat Simon denn eigentlich reagiert?«

»Er hat mich ganz böse angesehen, in seinem Blick war nur Eiseskälte, als er sagte, dass ich mich auf etwas gefasst machen kann, wenn er mich noch einmal in Corbinians Nähe sieht. Und dass ich froh sein soll, dass wir uns in der Öffentlichkeit befinden. Denn sonst könne er für nichts garantieren.«

»Und was meinte er zum Testament und den Wunsch deines Vaters, dass du einmal die Firma übernimmst?«

»Das habe ich ihm noch gar nicht gesagt«, gestand Elise leise. »Ich hatte Angst vor seiner Reaktion.«

»Wenn du meinen Rat hören willst«, sagte Helene, »dann

geh. Geh, so schnell du nur kannst. Und versuch, Corbinian zu finden.«

***

»Sie haben Besuch, gnädiges Fräulein«, empfing Hausdiener Heinrich Mannfeld Elise bereits an der Haustür.

Sofort begann ihr Herz schneller zu schlagen. Corbinian! Er war gekommen! Doch das aufgeregte Flattern in der Magengrube verwandelte sich gleich darauf in namenlose Angst, als der Diener sagte: »Es ist Ihr Verlobter.«

Mit weichen Knien ging sie zum Salon und öffnete vorsichtig die Tür.

»Elise«, begrüßte Simon sie kalt. »Wo bist du gewesen?«

»Bei Helene«, antwortete sie zaghaft, aber auch ein wenig trotzig. Sie war ihm keine Rechenschaft schuldig!

»Ich glaube dir nicht«, blaffte er sie an.

»Dann geh eben zu ihr und frag sie«, erwiderte sie und spürte, dass die Wut ihre Angst vor ihm besiegte.

»Das werde ich ganz gewiss nicht tun«, zischte er. »Und das weißt du sehr wohl. Ich werde es nicht zulassen, dass meine Frau mich vor der ganzen Stadt lächerlich macht. Denn genau das hast du getan, als du dich diesem Fremden am Pegnitz-Ufer hingegeben hast.«

»Erstens«, erwiderte Elise kühl, »bin ich nicht deine Frau, und zweitens habe ich mich ihm nicht hingegeben. Es hat mich traurig gemacht, den Fluss zu sehen, in dem Vater ertrunken ist. Er hat mich getröstet, das war alles.«

Simons Gesicht war zornesrot. Er machte zwei große Schritte auf sie zu, bis er ganz dicht vor ihr stand. Grob packte er sie am Arm und zog sie zu sich heran. »Du bist nicht meine Frau?«, fragte er. »Das können wir sofort ändern.«

Er bohrte seine Zunge in ihren Mund und schob den Rock ihres Kleides hoch. Sie wehrte sich heftig, doch er hielt sie mit eisernem Griff fest. Als sie um Hilfe rufen wollte, presste er ihr grob die Hand auf den Mund.

Elise spürte eine namenlose Angst in sich aufsteigen, gleichzeitig empfand sie unfassbaren Ekel für diesen Mann, der da im Begriff war, sich an ihr zu vergehen. Sie schloss die Augen, um ihn wenigstens nicht sehen zu müssen, da ertönte die Stimme ihrer Mutter von der Tür her: »Lassen Sie sie sofort los!«

Simon folgte dem Befehl so schnell, dass Elise keine Gelegenheit hatte, das Gleichgewicht wieder zu erlangen. Hart fiel sie zu Boden. Langsam wandte sie den Blick zur Tür, wo ihre Mutter stand, klein und schmal und blass in ihrer Trauerkleidung. Und doch hatte Elise Margarethe Lusin noch nie so wütend, so entschlossen gesehen.

»Ich …«, stammelte Simon und deutete dann auf Elise, die sich inzwischen hochgerappelt hatte. »Sie wollte mich verführen. Ich habe noch versucht, sie davon abzuhalten, aber …«

»Halten Sie den Mund, sparen Sie sich Ihre Lügen, und verlassen Sie auf der Stelle mein Haus!«

»Sie werfen mich hinaus?«

»Allerdings.«

»Das«, schnaubte Simon, »wird Ihnen noch leidtun. *Euch beiden* wird es noch leidtun. Schließlich sind wir auch beruflich miteinander verbunden.«

»Sie können uns nicht drohen«, erwiderte Margarethe kalt. »Ich weiß, dass ich im Sinne meines verstorbenen Mannes handle, wenn ich das Glück unserer Tochter über das unseres Unternehmens stelle. Und im Übrigen gibt es auch noch andere Drucker in Nürnberg, nicht umsonst nennt man uns auch die Hauptstadt der Druckerei.«

Ein bösartiges Lächeln spielte um Simons Lippen. »Sie vergessen da nur ein kleines, aber wichtiges Detail.«

»Ach ja?«, erwiderte Margarethe scheinbar ruhig, doch Elise konnte sehen, dass ihre Mutter viel unsicherer war, als sie sich den Anschein gab. Als ihr Mann sie brauchte, hatte sie selbstverständlich im Laden gestanden und ihre Lebkuchen und Kerzen verkauft, aber viel wohler fühlte sie sich, wenn sie zu Hause war und sich nicht um das Unternehmen kümmern musste. Dass Wilhelm es ihr überlassen hatte, war für Margarethe eine schwere Bürde, und sie war Hermann Kämmerer sehr dankbar dafür, wie umfänglich er sich der Firma annahm, sodass sie dort eigentlich nicht gebraucht wurde. Doch Simon kannte ihre Mutter nicht so gut wie sie.

»Ja«, sagte er nun triumphierend. »Unsere Väter haben nämlich praktischerweise miteinander vereinbart, dass sie diese Art von Lebkuchen nur gemeinsam herstellen: Weder dürfen wir uns einen anderen Lebküchner suchen noch ihr euch einen anderen Drucker.«

Falls ihre Mutter darüber erschrak, gelang es ihr, die Sorge zu überspielen. »Wenn dem wirklich so ist, handelt es sich um eine extrem ungerechte Vereinbarung. Schließlich ist mein Mann mit der Idee zu Ihnen gekommen, und Sie sind nicht sehr viel mehr als ein Dienstleister. Ich kann mir nicht vorstellen, dass Wilhelm sich auf so eine Abmachung eingelassen hat.«

»Wie? Sie kennen die Vereinbarung nicht? Dabei sind Sie doch die Inhaberin«, ätzte Simon. »Was wieder einmal beweist, wie ungeeignet Frauen im Berufsleben sind. Eine

Hochzeit mit mir und eine Übernahme von Lebkuchen Lusin wäre die einzige Möglichkeit, das Unternehmen zu retten.«

Margarethes Stimme klirrte vor Kälte, als sie sagte: »Wagen Sie es nicht, so mit mir zu sprechen und das Andenken meines verstorbenen Mannes in den Schmutz zu ziehen. Nach Ihrem Verhalten gehe ich davon aus, dass wir die Verlobung lösen. Wenn Sie uns für den Fall den Vertrag aufkündigen – so er denn wirklich existiert –, würde auch für Ihr Unternehmen ein herber Verlust entstehen. Sie wissen so gut wie ich, dass sich die gemeinsam hergestellten Lebkuchen zigfach verkaufen.«

»Das …«, setzte Simon an, doch sie hob nur abwehrend die Hand.

»Genug jetzt. Verlassen Sie sofort mein Haus! Oder wäre es Ihnen lieber, wenn ich Sie hinausbegleiten lasse?«

»Das wird Ihnen noch leidtun«, wiederholte Simon und sandte Elise zum Abschied einen derart hasserfüllten Blick zu, dass sie erschauderte.

Dann war er endlich zur Tür hinaus. Sekunden später war Margarethe bei ihrer Tochter, nahm sie in die Arme und setzte sie dann auf eines der Biedermeier-Sofas, die mit hellblauem Samt bezogen waren.

»Liebes!«, sagte Margarethe und wiegte Elise in ihren Armen. »Es tut mir so leid, was du durchmachen musst. Willst du mir erzählen, was passiert ist?«

Elise nickte. Und dann gestand sie alles. Dass Simon nie ihre große Liebe gewesen war, dass er dann aber so charmant gewesen sei und sie irgendwie dachte, die große Liebe gebe es für sie eben nicht. Und dass die ja ohnehin nur schmerzhaft sei, wie sie bei ihrer Freundin gesehen hatte. Und dass sie sich auch in der Pflicht der Familie gegenübersah. Sie beschrieb, wie Simon sich immer mehr verändert hatte, fast unmerklich zunächst, und dass aus dem höflichen Galan nach und nach ein herrschsüchtiger, unfreundlicher Mann geworden war, neben dem sie sich immer klein fühlte und vor dem sie in gewisser Weise auch Angst hatte. Sie erzählte ihrer Mutter, die die ganze Zeit über ihre Hand hielt, auch von Corbinian. Und davon, welche Gefühle er in ihr auslöste. Sie berichtete, dass er sie getröstet hatte, als sie zum ersten Mal seit dem Tod des Vaters die Pegnitz wiedergesehen hatte. Und dass ausgerechnet in dem Moment, als Corbinian sie in den Armen hielt, Simon zu ihnen gestoßen war.

»Das hat seine Wut entfacht«, erkannte Margarethe.

Elise nickte. »Er hat mich angebrüllt, dass er es nicht zulässt, dass seine Frau ihn vor der ganzen Stadt blamiert. Ich habe dann gesagt, ich bin nicht seine Frau. Dann hat er geschrien, das könne er sofort ändern. Und dann ist er auf mich los.«

»Was für ein furchtbarer Mensch«, befand ihre Mutter angewidert. »Du wirst diese Verlobung sofort lösen. Ich stimme einer Hochzeit nicht mehr zu.«

»Nichts lieber als das. Aber ich habe schon ein wenig Angst vor den Folgen. Ich will nicht daran schuld sein, dass Vaters Lebenswerk zerstört wird.« Nun war es um Elises Beherrschung geschehen, und sie weinte bittere Tränen in den Armen ihrer Mutter.

»Ach, Liebes. Zunächst einmal musst du dir keine Sorgen machen«, versicherte Margarethe. »Auch Wilhelm hätte niemals gewollt, dass du so einen Teufel heiratest, nur damit es der Firma gut geht. Und ich hätte keine ruhige Minute mehr.«

»Danke, Mutter.« Elise wischte sich die Augen.

»Ich glaube nicht, dass es so schlecht um uns steht, dass wir ohne die Hertleins verloren sind. Wenn aber doch, nun, dann ziehen wir zur Not in unser altes Haus in der Bergstraße und stellen deinen Corbinian als Lebküchner an. Und du und ich stehen im Laden. Wie in alten Zeiten.«

»Oder ich backe auch Lebkuchen«, ergänzte Elise mit leuchtenden Augen.

»Das wäre natürlich noch schöner«, stimmte ihre Mutter lächelnd zu. »Aber so weit wird es gar nicht kommen. Du wirst sehen. Ich berate mich gleich morgen mit Herrn Kämmerer.«

Elise nickte.

»Darf ich dich begleiten?«, fragte sie hoffnungsvoll.

»Sicher«, willigte ihre Mutter ein. »Zumal dein Vater ja ohnehin bestimmt hat, dass du meine Nachfolgerin werden sollst, sobald du alt genug bist. Er wusste eben, dass du von diesen Dingen viel mehr verstehst als ich.«

»Also, ich fand dich vorhin ziemlich beeindruckend«, sagte Elise.

»Danke«, erwiderte ihre Mutter lächelnd. »Vielleicht hast du, wenn wir in der Firma sind, ja auch die Gelegenheit, deinen Corbinian wiederzusehen und ihm alles zu erklären.«

»Ja«, erwiderte Elise und hatte mit einem Mal schreckliches Herzklopfen.

25

Je näher die Kutsche der Firma kam, desto beklommener war Elise zumute. Sie hatte die Fabrik seit jener schrecklichen Nacht nicht mehr betreten. Eigentlich hatte sie es ja gestern in Corbinians tröstender Gegenwart tun wollen, doch dann war alles anders gekommen. Sie spürte, dass es ihrer Mutter ähnlich zu gehen schien, denn Margarethe Lusin griff nach der Hand ihrer Tochter und hielt sie fest umklammert.

Schließlich hielt die Kutsche vor dem lang gestreckten Gebäudetrakt, die Frauen stiegen aus und schritten untergehakt die Treppen hinauf. Als sie an ihnen vorbeikamen, unterbrachen die Angestellten ihre Arbeit und nickten ihnen zu, die Männer nahmen ihre Mützen ab.

»Schön, dass Sie da sind«, flüsterte eine junge Arbeiterin, die Elise schon verschiedentlich aufgefallen war.

Sie bedankte sich und setzte ihren Weg dann fort. Ihr Herz klopfte wild, da sie hoffte, hier auf Corbinian zu treffen. Auch wenn das unwahrscheinlich war, denn der Weg zu Hermann Kämmerers Kontor führte nicht durch die Bäckerei.

Sie folgte ihrer Mutter die Treppe hinauf. Es versetzte ihr einen Stich, am Büro ihres Vaters vorbeizugehen. Wie oft war sie durch diese Tür gegangen, um ihm eine aufregende Neuigkeit zu erzählen oder ihn für ein kurzes Mittagessen in der Stadt zu entführen.

Ihre Mutter ging zielstrebig an der Tür vorbei und klopfte an die nächste.

»Herein!«

Als Hermann Kämmerer Margarethe und Elise Lusin erblickte, erhob er sich rasch von seinem Schreibtisch und eilte lächelnd auf sie zu. »Wie schön, Margarethe, dass du mir die Ehre erweist und dann auch noch in Begleitung deiner Tochter, Fräulein Lusin.«

Er wies auf die beiden Besucherstühle vor seinem Schreibtisch. Elise hatte den Eindruck, dass seine Freude ehrlich und aufrichtig war. »Hat dein Besuch einen bestimmten Grund?«

»Allerdings«, sagte Margarethe, und dann erzählte sie dem Prokuristen von Simons Übergriff und dem folgenden Streit. Im Verlauf des Berichts verfinsterte sich Hermanns Miene immer mehr.

»Das ist ungeheuerlich«, schnaubte er schließlich mit hochrotem Kopf. »Wie hat er sich nur so an Ihnen vergehen können?« Doch plötzlich schwand der Zorn aus seinem Blick, und er wandte sich mitfühlend an Elise: »Geht es Ihnen gut?«

»Danke«, sagte sie lächelnd. »Ja, es geht mir gut. Zum Glück ist meine Mutter noch rechtzeitig gekommen. Ich möchte nur gern verhindern, dass dieser Mensch das Lebenswerk meines Vaters zerstört.«

»Das wird ihm nicht gelingen«, kündigte Kämmerer mit finsterer Miene an. »Dafür werde ich sorgen.«

Nachdem Margarethe dem Prokuristen genau beschrieben hatte, was Simon Elise auseinandergesetzt hatte, fragte sie bang: »Gibt es diesen Passus in dem Vertrag wirklich?«

»Das kann ich mir nicht vorstellen«, meinte Hermann stirnrunzelnd. »Herr Lusin hat eigentlich stets sehr hart zu unseren Gunsten verhandelt. Aber ich werde nachsehen.«

Er erhob sich umständlich und ging nach nebenan in das Büro seines verstorbenen Vorgesetzten, das mit dem seinen durch eine Zwischentür verbunden war. Elise atmete scharf ein, als er die Bürotür öffnete. Ihre Mutter nahm ihre Hand und drückte sie.

Keine Minute später war der Prokurist wieder zurück. Er hielt eine Mappe in der Hand und setzte sich wieder, bevor er sie aufschlug. Mit gerunzelter Stirn studierte er das Papier, das vor ihm lag.

»Simon Hertlein hat leider recht«, stellte er dann fest. »Die Vertragspartner sichern sich gegenseitig zu, diese Art von Lebkuchen nur gemeinsam herstellen zu dürfen.«

»Das kann doch nicht sein«, rief Elise. »Was machen wir denn jetzt?«

Ratlos sah Hermann Kämmerer sie an. »Offen gestanden weiß ich das im Moment auch nicht. Aber uns wird etwas einfallen. Fest steht: Wir werden nicht zulassen, dass jemand all das hier kaputtmacht. Dafür verbürge ich mich.«

»Ich würde noch gerne einen Besuch in der Bäckerei machen«, sagte Elise, als sie wieder auf dem Weg nach unten waren, wo Jacob mit der Kutsche wartete.

Margarethe nickte und lächelte. »Natürlich.«

»Kommst du mit?«, fragte Elise bittend, doch ihre Mutter verneinte. »Das musst du alleine machen, meine Kleine.«

»Gut.«

Elise atmete noch einmal tief durch und stieß dann die Tür zu der Backstube auf. Sie entdeckte Corbinian Waldmeister sofort. Er stand mit einigen anderen Lebküchnern am Ende eines langen Holztisches und formte aus einem dicken Teigstück die kleinen Kuchen. Seine Miene war so finster, wie sie es bei ihm noch nie gesehen hatte.

Eugen Baum, der rechts von ihm arbeitete, entdeckte sie

zuerst. Hastig nahm er seine Kochmütze vom Kopf. »Fräulein Lusin. Wie schön, dass Sie gekommen sind. Und ich möchte Ihnen im Namen von uns allen auch noch einmal unser herzliches Beileid aussprechen. Es ist schrecklich, was mit Ihrem Vater geschehen ist.«

»Danke«, entgegnete Elise. »Das ist wirklich sehr nett von Ihnen.«

Dann sah sie Corbinian, der seine Arbeit nicht unterbrochen hatte, bittend an. »Könnte ich Sie kurz sprechen, Herr Waldmeister?«

»Ich wüsste nicht, was ich mit Ihnen zu besprechen hätte, Fräulein Lusin«, gab er knapp zurück.

»Was soll das? Das ist die Tochter der Chefin«, hörte Elise den Leiter der Lebküchnerei raunen.

»Natürlich stehe ich für ein Gespräch dienstlicher Natur zur Verfügung«, sagte Corbinian knapp.

Elise nickte. »Gut. Dann folgen Sie mir bitte.«

Sie führte ihn in ein kleines Büro im ersten Stock, von dem sie wusste, dass es leer stand. Als sie die Tür hinter ihm geschlossen hatte, wandte sie sich zu ihm um und sah ihn bittend an. »Setz dich.«

»Danke«, erwiderte er knapp. »Ich stehe lieber.«

»Corbinian …«, begann sie mit belegter Stimme. »Gib mir doch wenigstens die Chance, es zu erklären.«

»Da gibt es nichts zu erklären«, erwiderte er stur. »Das ist doch alles sehr eindeutig. Du bist verlobt und wirst einen anderen Mann heiraten. Ich war für dich nur ein Spielzeug. Bei einem Mann würde man sagen, du wolltest dir noch einmal die Hörner abstoßen.«

»Das ist einfach nicht wahr«, widersprach Elise. »Und im Übrigen habe ich die Verlobung gelöst.«

Überrascht sah er auf, nachdem er zuvor die ganze Zeit über auf den Boden gestarrt hatte.

»Ach ja?«

»Ja.«

»Wegen mir?«

»Unter anderem. Aber auch wegen mir. Weißt du, ich wollte so etwas wie mit dir schon immer erleben, meiner Freundin Helene war es vergönnt, und sie hat mir immer gesagt, so müsse Liebe sein. Aber bei mir war es nicht so. Simon hat in mir nie wirkliche Gefühle ausgelöst. Er war höflich und galant, hat um mich geworben, außerdem war die Verbindung aus Sicht des Unternehmens eine glückliche.«

Er sah sie an, aufmerksam jetzt und offen.

»Mit der Zeit hat sich Simon immer mehr verändert, hat immer öfter sein wahres Gesicht gezeigt. Und dann ist mein Vater gestorben, da warst wie durch ein Wunder du für mich da. Und …«

»Aber warum hast du mir nicht von deiner Verlobung erzählt?«, hakte er nach.

»Ich wollte ja«, sagte sie. »Aber irgendwie kam nie die richtige Gelegenheit. Zum Beispiel als wir gebacken haben, wollte ich es dir sagen. Aber dann hast du mir die Augen zugehalten und ich sollte Gewürze erraten.«

»Na gut«, murmelte er. »Ich glaube dir. Und jetzt bist du also nicht mehr verlobt.«

Elise verneinte und überlegte kurz, ob sie ihm Simons Übergriff verheimlichen sollte, da sie damit rechnete, dass Corbinian sehr wütend werden würde. Aber andererseits wollte sie keine Geheimnisse mehr. Sie schilderte ihm die Szene, wie sie sich zugetragen hatte, und er schnaubte vor Wut. »Dieser … Ich werde ihn …«

»Bitte nicht!«, unterbrach sie ihn und machte zaghaft einen Schritt auf ihn zu. »Simon hat nicht einmal verdient, dass wir auch nur einen Gedanken an ihn verschwenden.«

Corbinian nickte ernst. »Da hast du recht.« Dann sah er ihr tief in die Augen. Wieder verspürte sie das nun schon so vertraute, süße Ziehen in der Magengegend.

»Jetzt versucht er, der Firma zu schaden«, berichtete sie und sah ihm unverwandt in die Augen.

»Soll er nur«, erklärte Corbinian entschlossen. »Und das musst du mir gleich auch alles ganz ausführlich erzählen. Aber zuerst muss ich dich unbedingt küssen.«

***

Margarethe Lusin teilte Simon schriftlich mit, dass die Verlobung mit ihrer Tochter gelöst sei. Anschließend fuhr sie mit Hermann Kämmerer in die Druckerei, um Oskar Hertlein über die Ereignisse in Kenntnis zu setzen und ihn über die Drohung seines Sohnes zu informieren. Elise wartete bang am Fenster ihres Zimmers in der Erlenstegenstraße auf die Rückkehr, denn sie setzte große Hoffnungen in das Gespräch. Sie hatte ihren Beinah-Schwiegervater immer als vernünftigen Geschäftsmann erlebt. Bestimmt würde er nicht wegen der Eskapaden seines Sohnes zulassen, dass sein Geschäft Schaden nähme. Und er brauchte sie ja ebenso dringend wie sie ihn. Endlich kam die Kutsche, und ihre Mutter stieg aus. An ihrer Haltung konnte Elise erahnen, dass das Gespräch alles andere als gut verlaufen war.

Sie eilte die Treppe nach unten und ging ihr im Foyer entgegen.

»Und?«, fragte sie, doch ihre Mutter schüttelte nur traurig den Kopf.

»Lass uns in den Salon gehen. Dann erzähle ich dir ausführlich alles.«

»Gut. Wo ist eigentlich Herr Kämmerer?«

»Wir haben ihn unterwegs im Kontor abgesetzt. Er will sich den Vertrag noch einmal ganz genau daraufhin ansehen, ob sich nicht doch eine Lösung findet.«

Inzwischen hatten sie den Salon erreicht, und Margarethe steuerte auf die Sitzgruppe in der Mitte des Raumes zu.

»Darf ich Ihnen Tee und Gebäck servieren lassen, gnädige Frau?«, fragte Hausdame Bärbel Hauder.

»Bitte«, erwiderte Margarethe, zog die langen Handschuhe von den Fingern und strich sich müde über das Gesicht.

»Also?«, drängte Elise ungeduldig. »Nun erzähl doch endlich.«

»Es war eigentlich von Anfang an klar, dass es schiefgehen wird«, sagte Margarethe. »Ich konnte es schon an Herrn Hertleins Miene erkennen, als er uns empfing. Offenbar hat sein Sohn ihm eine ganz andere Geschichte aufgetischt. Seinen Schilderungen zufolge ist er es, der die Verlobung lösen möchte. Er hat seinem Vater gesagt, dass er dich und Herrn Waldmeister in eindeutiger Pose ertappt hat und dass es ihm aus diesem Grunde nicht mehr möglich sei, dich zu heiraten.«

»Was?«, rief Elise entsetzt. »Aber das ist ja …«

»Ich weiß, Liebes«, erwiderte ihre Mutter. »Ich wollte die Dinge richtigstellen, glaube mir, aber er ließ uns gar nicht zu Wort kommen. Das Geschäftsverhältnis will er sofort beenden. Und das ist leider noch nicht alles.«

»Was denn noch?«, stöhnte Elise.

»Oskar Hertlein hat unmissverständlich zu verstehen gegeben, dass er nicht möchte, dass auch nur der geringste Makel auf seinen feinen Herrn Sohn fällt.«

»Und das bedeutet?«

Margarethe atmete tief ein und wieder aus. »Er hat mir klipp und klar gesagt, dass er in der Stadt kundtun wird, dass sein Sohn es war, der die Verlobung löste. Und warum.«

Elise wurde blass. »Aber das bedeutet ja …«

Ihre Mutter nickte ernst. »Genau das bedeutet es. Eine unverheiratete Frau, die noch dazu mit einem anderen verlobt war, hat sich einem Fremden hingegeben. Und zwar seid ihr, äh, nach Ausführungen des Herrn Hertlein bis zum Äußersten gegangen. Und das so kurz nach dem Tod deines Vaters.«

»Nein«, hauchte Elise mit brechender Stimme und verbarg das Gesicht in den Händen. »Das bedeutet, dass ich am Ende bin. Niemand wird mehr etwas mit mir zu tun haben wollen, geschweige denn mich heiraten.«

»Zumindest was das angeht, kann ich dich beruhigen«, widersprach ihre Mutter und rang sich trotz allem ein Lächeln ab. »So wie ich Corbinian einschätze, setzt er herzlich wenig darauf, was die Leute sagen. Er wird dich bestimmt mit Vergnügen heiraten. Und er kennt ja auch die Wahrheit.«

Elise lächelte, doch die Worte ihrer Mutter waren ihr nur ein schwacher Trost. »Es ist lieb, dass du mich aufheitern willst. Aber wie soll es denn dann weitergehen? Wenn Hertlein wirklich all das über mich herumerzählt, werden wir nicht mehr Teil der Nürnberger Gesellschaft sein. Wir werden nicht mehr dazugehören, was auch bedeutet, dass wichtige Kontakte verloren gehen.«

»Ich weiß«, bestätigte ihre Mutter bedrückt.

»Es tut mir so leid, dass ich all diesen Ärger bereite, ausgerechnet jetzt, da du doch ohnehin schon so unter Vaters Tod zu leiden hast.«

Beinah empört sah ihre Mutter sie an. »Du kannst doch nichts dafür, Schuld hat ganz allein dieser … dieser …«

»Na ja«, erwiderte Elise leise. »Irgendwie ist es schon meine Schuld. Ich wusste im tiefsten Inneren immer, dass Simon nicht der Richtige ist, und statt auf mein Herz zu hören, habe ich mich aus den falschen Gründen für ihn entschieden.«

»Ja«, murmelte ihre Mutter. »Es ist immer richtig, auf das Herz und nicht auf den Verstand zu hören. Aber deswegen trifft dich doch keine Schuld, hörst du? Das darfst du nicht denken.«

Elise nickte. »Gut. Ich versuche, mir keine Schuld zu geben.«

»Anfangs stand ich unter Schock«, fuhr ihre Mutter fort. »Aber jetzt … jetzt macht sich langsam eine unglaubliche Wut in mir breit. Wie kann er dir, wie kann er *uns* das antun? Gerade jetzt, da Wilhelm tot ist?«

Elise sah die sonst so sanftmütige Mutter erstaunt an. Sie konnte sich nicht daran erinnern, wann Margarethe jemals das Wort gegen jemanden erhoben hatte.

In Margarethe Lusins Blick lag eiserne Entschlossenheit. »Ich werde das nicht zulassen, dass dieser Mensch dich, uns und unser Leben zerstört. Außerdem kenne ich die Wahrheit. Ich habe ihn ja dabei ertappt, als er …«

»Aber niemand wird dir glauben«, befürchtete Elise. »Schließlich bist du meine Mutter, und jeder wird denken, dass du für mich lügst.«

»Da magst du recht haben, mein Kind. Aber das wird nichts daran ändern: Ich werde, ich will weiterkämpfen. Klar ist: Wir brauchen Verbündete, wenn wir eine Chance haben wollen. Wenn du einverstanden bist, würde ich Herrn

Kämmerer und deinen Corbinian zum Abendessen einladen. Dann können wir gemeinsam überlegen.«

»Aber natürlich bin ich einverstanden«, sagte Elise rasch. Die Aussicht auf ein Treffen mit ihrem Liebsten war mehr als nur verlockend. »Aber ist das unter den gegebenen Umständen nicht äußerst leichtsinnig? Zumal wir uns ja noch im Trauerjahr befinden.«

Margarethe schüttelte den Kopf. »Da mach dir keine Sorgen. Hermann Kämmerer ist der Prokurist unserer Firma, deren Wohl wegen dieses furchtbaren Menschen auf dem Spiel steht. Und Corbinian ist schließlich von der Verleumdung ebenso betroffen wie du.«

»Gut«, sagte Elise. »Dann habe ich natürlich nicht das Geringste dagegen einzuwenden.« Der Gedanke, dass Corbinian an ihrer Seite sein würde, gab ihr Kraft.

26

Elise war ungemein aufgeregt, drehte und wendete sich wieder und wieder vor dem Spiegel und wünschte sich, etwas anderes tragen zu können als Schwarz. Gleich darauf schämte sie sich für den Gedanken. Ihr Vater war erst seit Kurzem unter der Erde, und sie dachte nur an Äußerlichkeiten! Und am Ende war sie doch ganz zufrieden mit ihrem Aussehen. Sie trug ein schlichtes schwarzes Kleid mit ausgestellten Ärmeln, das an den Säumen mit schwarzen Perlen bestickt war und durch einen weißen Spitzenkragen komplettiert wurde. Und in Corbinians leuchtenden Augen sah sie, wie gut sie ihm gefiel. Formvollendet hatte der Lebküchner ihrer Mutter einen Blumenstrauß mitgebracht, ihr für die Einladung gedankt und kondoliert. Hermann Kämmerer war kurz nach ihm eingetroffen, und nun saßen sie zu viert um die reich gedeckte Tafel im Speisesaal. Nur Wilhelms Platz, den ihre Mutter stets freihielt, war verwaist und hinterließ eine Leere.

Margarethe und Elise brachten Corbinian auf den neuesten Stand – er konnte sich vor Wut kaum halten angesichts des üblen Spiels, das Simon Hertlein mit ihnen allen trieb.

Hermann Kämmerer fasste zusammen: »Wir haben ja nun eigentlich zwei Probleme: Zunächst dürfen wir die Lebkuchen, derentwegen wir neben den Elisenlebkuchen so berühmt geworden sind, in Zukunft nicht mehr produzieren. Des Weiteren verbreitet Simon Hertlein derartige Lügen, dass Elise und auch ihre Mutter aus der Gesellschaft ausgestoßen werden, was natürlich wiederum einen furchtbaren Nachteil und Schaden für die Fabrik bedeuten würde.«

Corbinian hatte die ganze Zeit über nachdenklich vor sich hingestarrt, nun hob er den Blick und sah nacheinander erst Elise, dann ihre Mutter und dann Hermann Kämmerer an. »Für das erste Problem hätte ich vielleicht eine Lösung.«

»Ja?« Hoffnungsvoll sah Elise ihn an, die anderen taten es ihr gleich.

»Wie ich dir ja schon sagte«, begann er, »war ich, bevor ich hierher nach Nürnberg kam, sehr viel auf Wanderschaft. Ich habe viel gesehen, viele Menschen kennengelernt und vor allem auch viele Ideen gesammelt.«

»Und das heißt?«, fragte Elise ungeduldig. »Mach es doch bitte nicht so spannend!«

»Es tut mir leid«, er lächelte Elise zärtlich an, »aber ich fürchte, ich muss sogar noch etwas weiter ausholen. Unser Problem bezieht sich ja nur auf das Äußere des Lebkuchens. Den wichtigen Inhalt, den wir beispielsweise im Elisenlebkuchen verbacken, haben wir – und den kann uns keiner nehmen.«

»Richtig«, bestätigte Hermann Kämmerer.

In diesem Moment trug Diener Hannes den nächsten Gang auf. Kämmerer lehnte sich leicht zurück, um ihm Platz zu machen. Als alle ihre Teller – es gab gebackenen Karpfen und Kartoffeln – vor sich stehen hatten, fuhr er fort: »Ich hätte zwei Ideen, wie wir dem Problem Herr werden könnten. Wir könnten die Lebkuchen mit Schokolade überziehen. Ich glaube, dass dieser Geschmack wunderbar mit den Elisenlebkuchen harmonieren würde. Und ich hatte das Glück, einige Zeit in der Schweiz zu verbringen, beim

Schokoladenfabrikanten Philippe Suchard. Ich bin mir sicher, er wäre nur zu gern bereit, uns zu helfen.«

»Elisenlebkuchen mit Schokolade«, rief Elise. »Das klingt himmlisch.«

»Das ist wirklich eine gute Idee«, zeigte sich auch Margarethe begeistert. »Es hat auch den Vorteil, dass die Lebkuchen nicht so schnell austrocknen. Sie werden dann unten von den Oblaten und oben durch die Schokolade geschützt.«

Auch Hermann Kämmerer war angetan und nickte zustimmend.

»Das Einzige, was mich daran stört, ist, dass wir damit nicht der Tradition der alten Lebküchnerkunst folgen«, gab Elise zu bedenken. »Und das war Vater doch so wichtig. Ich möchte sein Andenken unbedingt bewahren.«

»Auch dafür habe ich eine Idee«, sagte Corbinian, und Elise konnte ihm anmerken, dass er schon ein wenig stolz darauf war, für jedes Problem eine Lösung präsentieren zu können.

Mit einem Blick in die Runde versicherte er sich, dass alle ihm gespannt zuhörten, dann berichtete er: »In Altona gibt es einen Marzipanfabrikanten, sein Name ist Louis Oetker. Er stellt Figuren und Früchte aus Marzipan her, die reinsten Kunstwerke. Das Interesse ist so groß, dass er sogar eine neue Fabrik bauen musste. Ich bin mir sicher, es wäre ein Leichtes, unsere Lebkuchen mit Marzipan zu überziehen, das modelliert ist. Dann würden wir dem Andenken Ihres verehrten Gatten gerecht werden.« Er nickte Margarethe freundlich zu.

Elise wäre ihm am liebsten um den Hals gefallen. Doch das ging natürlich nicht in Anwesenheit ihrer Mutter und des Prokuristen, die sich beide ebenso begeistert zeigten.

»Das ist eine wunderbare Idee«, rief Margarethe Lusin.

Und Hermann Kämmerer erklärte: »Das finde ich auch. Wenn das wirklich gelingen könnte, dann würde das unsere Rettung bedeuten. Die Schwierigkeit, die ich sehe, ist allerdings, dass wir unsere Bilderlebkuchen ab sofort nicht mehr herstellen dürfen. Hertlein hat angekündigt, uns bereits morgen eine entsprechende Verfügung zukommen zu lassen. Er wollte, dass wir die bereits hergestellten Lebkuchen auch nicht mehr verkaufen, immerhin davon konnte ich ihn jedoch abbringen.«

»Ein Glück«, seufzte Margarethe. »Das wäre dann wirklich unser Ruin gewesen.«

»Ja, aber dennoch ist es so, dass wir wirklich keine Zeit zu verlieren haben«, warnte Kämmerer und wendete sich an Corbinian. »Wie schnell könnten Sie sich auf den Weg machen?«

»Wenn meine Dienste hier nicht gebraucht werden, sofort«, erwiderte der junge Lebküchner.

»Leider verhält es sich tatsächlich so, dass Sie nicht viel zu tun haben werden«, gab Margarethe zu. »Insofern könnten wir Sie sofort entbehren.«

In Elises Kopf überschlugen sich die Gedanken. Sie würde nichts lieber tun, als Corbinian zu begleiten. Aber ihr war vollkommen klar, dass ihre Mutter das nie erlauben würde. Und dass es auch ansonsten, gerade jetzt, eigentlich unmöglich war. Sie beschloss, später trotzdem mit ihr darüber zu reden.

Glücklich, eine mögliche Lösung gefunden zu haben, widmeten sie sich weiter ihrem Mahl, und als sie den Hauptgang beendet und die Diener die Teller abgetragen hatten, lehnte sich Kämmerer zufrieden seufzend zurück. »Damit hätten wir, vorausgesetzt, die Herren Suchard und Oetker lassen sich darauf ein, mit uns zu kooperieren, zumindest ein Problem weniger.«

»Das Hauptproblem besteht aber nach wie vor fort«, lenkte Margarethe das Gespräch wieder in eine unangenehme Richtung. »Uns bringt das beste Geschäft nichts, wenn wir von der Nürnberger Gesellschaft geächtet werden.«

»Immerhin setzen wir jetzt auf Handelspartner von außerhalb«, erinnerte sie Corbinian. »Beiden wird diese Geschichte vollkommen egal sein. Und beide würden mir Glauben schenken, wenn ich ihnen alles erkläre.«

»Mag sein«, stimmte Margarethe zu. »Dennoch ist so eine Situation weder für mich noch für meine Tochter auf Dauer zumutbar. Und ich sehe es einfach auch nicht ein, dass dieser schreckliche Mensch mit seinen Lügen durchkommt.«

In diesem Moment mussten sie ihr Gespräch erneut unterbrechen, weil der Diener den nächsten Gang – das Dessert – auftrug: Himbeerbekränzten Rahmschnee mit Meringen.

Sie nahmen die Nachspeise weitgehend schweigend ein, jeder für sich auf der Suche nach einer Lösung. Doch keinem von ihnen wollte etwas einfallen.

***

Agathe wälzte sich in ihrem Bett unruhig hin und her. Sie fand einfach keinen Schlaf. Die Lage ihres gnädigen Fräuleins ließ ihr keine Ruhe. Lang schon hatte Elise sich ihr anvertraut. Und lang schon, seit sie die junge Frau einmal schluchzend in ihrem gemeinsamen Zimmer im Bett vorgefunden hatte, wusste Agathe, dass sich Simon auch an Dienstmädchen Maria vergangen hatte. Sollte sie nun nicht endlich handeln? Sie hatte die Macht, etwas zu ändern. Aber hatte sie die wirklich? Sie war doch nur ein Dienstmädchen. Würde man ihr Glauben schenken? Andererseits hatte sie nicht nur eine Zeugin, sondern auch eine Leidensgenossin.

Entschlossen weckte sie Maria.

»Maria?«, fragte sie.

Brummend drehte sich die Braunhaarige zu ihr um. »Es ist mitten in der Nacht«, maulte sie. »Und ich muss um fünf aufstehen, um die Öfen anzuheizen.«

»Es ist wirklich wichtig«, beharrte Agathe. »Ich muss mit dir reden. Es geht um das gnädige Fräulein.«

»Na gut.« Murrend setzte sich das Dienstmädchen auf. Wie auch der Rest der Dienerschaft war Maria ihrer Herrschaft treu ergeben, und es gab eigentlich niemanden, der die gutherzige und meist fröhliche junge Frau nicht liebte. Sie war immer freundlich, hatte ein feines Gespür für das Personal, und wenn sie einmal ein Kleid ausrangierte, erhielten es die Dienstmädchen im Wechsel.

»Leider ist das gnädige Fräulein in Schwierigkeiten.«

»In Schwierigkeiten?«, fragte Maria nun hellwach zurück.

Agathe erzählte, was sie wusste. »Simon Hertlein hat Elise im Salon versucht, das anzutun, was er auch mit uns beiden …«

»Was?«, rief Maria empört. »So ein Scheusal. Er hätte sie ja ohnehin bald bekommen. Sie ist doch seine Verlobte.«

»War sie. Sie hat die Verlobung gelöst.«

»Na, das ist doch wenigstens mal eine gute Nachricht«, rief Maria. »Ich hatte immer wieder ein schlechtes Gefühl, dass ich sie so in ihr Verderben rennen lasse.«

»Ich auch«, bekräftigte Agathe. »Aber leider stellt Simon

es so dar, als habe sie sich Corbinian Waldmeister hingegeben. Bis zum Letzten. Und deshalb sei er es gewesen, der die Verlobung löse.«

»Dieser Mistkerl!«, brauste Maria auf. »Unser gnädiges Fräulein würde nie … ich kenne sie. Und ich kenne ihn.«

»Es kommt noch schlimmer. Er hat diese Geschichte auch seinem Vater erzählt. Und der ist nun furchtbar erbost und kündigt der Herrschaft die Zusammenarbeit auf. Soweit ich es mitbekommen habe, hat wohl unser verstorbener Dienstherr, Gott hab ihn selig, mit dem Hertlein einen Vertrag geschlossen. Aus dem geht hervor, dass die Lebkuchen nicht mit einer anderen Druckerei hergestellt werden dürfen. Und Hertlein will nun nicht mehr mit Lusin arbeiten.«

»Wie entsetzlich«, meinte Maria. »Was können wir tun?«

»Nun«, erwiderte Agathe. »Da hätte ich tatsächlich eine Idee. Erinnerst du dich an den jungen Offizier, der hier während des Krieges bei uns einquartiert war?«

»Wie könnte ich den vergessen?«, seufzte Maria. »Ein Bild von einem Mann.«

»Das auch«, sagte Agathe. »Vor allem aber ein Zeuge.«

»Ein Zeuge?«, fragte Maria begriffsstutzig.

»Ganz genau. Er kam damals dazu, als sich Herr Hertlein an mir vergehen wollte.«

»Das hast du mir ja gar nicht erzählt.« Es klang vorwurfsvoll.

»Entschuldige, ich wollte dir das nicht verschweigen. Ich rede nur nicht gern drüber. Aber darum geht es ja auch eigentlich nicht. Sondern darum, dass von Albedyll damals drohte, Wilhelm alles zu erzählen. Simon flehte ihn an, es nicht zu tun. Der Offizier sagte zu, unter der Bedingung, dass er Elise auf Händen trägt und sie nie wieder verletzt.«

»Und jetzt?«

»Er hat mir seine Anschrift dagelassen«, erklärte Agathe.

Maria riss die Augen auf. »Du hast die Adresse von diesem feinen Herrn?«

»Ja, er lebt in Berlin. Ich könnte ihn aufsuchen, ihm alles erzählen und ihn bitten, als Zeuge aufzutreten. Er hat mir angeboten, sofort zu helfen, wenn sich Simon Hertlein danebenbenimmt. Und genau das tut er ja jetzt.«

»Ob man einem preußischen Offizier glaubt?«

»Warum nicht?«, fragte Agathe. »Sicherlich mehr als einem Dienstmädchen. »Außerdem lief es ja friedlich ab mit den Preußen damals, zudem sind wir ja nie preußisch geworden. Und es reicht ja auch, wenn er hierherkommt und droht, alles öffentlich zu machen. Er muss Simon ja nur dazu bringen, Elise nicht in den Schmutz zu ziehen. Dann wird auch er schweigen.«

Maria nickte. »Verstehe. Aber reicht denn die Zeit dafür noch? Ich meine, wie willst du nach Berlin kommen? Du bekommst doch nicht frei. Und es ist weit. Dieser Unmensch fängt ja außerdem jetzt schon an, über das gnädige Fräulein schlecht zu sprechen.«

»Wie ich das mit Berlin anstellen soll, weiß ich auch noch nicht«, gab Agathe zu. »Zur Not schreibe ich ihm. Aber ich würde es ihm lieber persönlich sagen.« Insgeheim musste sie sich eingestehen, dass ihr Herz beim Gedanken an ein Wiedersehen schneller schlug. Auch wenn sie wusste, dass es aussichtslos war: Sie hatte Richard von Albedyll nie vergessen. »Aber ein wenig Zeit haben wir noch«, fuhr sie nun fort. »Der Herr Kämmerer hat nämlich erklärt, er habe sich mit Hertlein darauf geeinigt, dass die Lösung der Verlobung noch bis nach dem Christkindlesmarkt geheim gehalten wird.«

»Dann haben wir ja wirklich eine Gnadenfrist«, sagte Maria erleichtert. »Bis zum Christkindlesmarkt sind es noch viele Monate.«

»Ganz genau«, bestätigte Agathe. »Und es wäre doch gelacht, wenn es mir in dieser Zeit nicht gelingen würde, nach Berlin zu kommen.«

27

»Ich weiß einfach nicht, was ich tun soll«, sagte Elise, als Agathe ihr am nächsten Morgen dabei half, sich anzukleiden und ihr Haar zu frisieren. »Er ist ein ganz und gar böser Mensch. Und ich bin ziemlich verzweifelt. Was soll ich nur tun?«

Sie stand mit dem Rücken zu ihrer Zofe, die gerade im Begriff war, ihr Mieder zu schnüren, und spürte nun, wie sie innehielt.

»Was?«, fragte sie und wandte sich halb um. »Was ist?«

»Ich habe darüber sehr gründlich nachgedacht. Und ich kann Ihnen tatsächlich eine Lösung vorschlagen.«

Überrascht wandte sich Elise ganz um. »Da bin ich aber sehr gespannt.«

»Es ist eine längere Geschichte«, setzte Agathe an. »Vielleicht möchten Sie sich setzen.«

Verwundert tat Elise, was Agathe ihr vorgeschlagen hatte, und ließ sich an ihrem Frisiertisch nieder. »Bitte«, sagte sie und deutete auf einen bereitstehenden Stuhl. »Nimm doch ebenfalls Platz.«

»Danke.« Und dann berichtete Agathe ihrer entsetzt dreinblickenden Herrin alles, was sie wusste und was sich zugetragen hatte – einschließlich der Überlegung, Herrn von Albedyll in Berlin aufzusuchen.

Als sie geendet hatte, saß Elise nur stumm da und versuchte, der Gefühle, die nun in ihr loderten, Herr zu werden. Sie war ungemein wütend, fühlte sich verraten. Was für ein Ungeheuer Simon doch war! Gleichzeitig war sie ungemein erleichtert, dass sie ihn nicht geheiratet hatte. Nicht auszudenken, sie wäre in den Bund der Ehe mit ihm eingetreten und hätte ihn dann erst durchschaut. Gleichzeitig aber war sie auch enttäuscht über das Verhalten Agathes. Warum hatte sie ihr nicht schon früher von dem Übergriff erzählt? Weshalb hatte sie sie nicht gewarnt? Genau das fragte sie die Zofe nun mit düsterem Blick.

»Ich habe dir so oft von meinen Zweifeln erzählt, ich habe dir vertraut. So leid es mir tut, was dir dieses Scheusal angetan hat, so entsetzlich es ist. Aber du hättest es mir nicht verschweigen dürfen.«

»Das weiß ich doch!«, rief Agathe verzweifelt. »Und ich kann Ihnen gar nicht sagen, wie sehr ich das alles bedauere. Aber er hat mich erpresst, müssen Sie wissen. Er hat gesagt: Wenn ich auch nur ein Wort zu Ihnen sage, dann würde er behaupten, dass ich versucht habe, ihn zu verführen. Und dann hätte ich meine Stellung verloren. Und ich unterstütze doch auch meine Eltern mit dem Geld, das ich hier verdiene, und meine Geschwister. Außerdem hat er gesagt, man würde mir niemals glauben. Und am Ende wollte ich Sie auch nicht verletzen, indem ich Ihnen all diese Dinge über den Mann sage, mit dem Sie sich gerade verlobt hatten.«

»Aber ich hätte dir doch geglaubt, Agathe«, rief Elise.

»Hätten Sie das wirklich?«, fragte die Zofe zweifelnd. »Ich habe mich so geschämt, und ich war damals noch recht neu in der Stellung bei Ihnen. Wem hätten Sie eher geglaubt? Ihrem Verlobten oder mir?«

»Du hast recht«, räumte Elise ein. »Zumal ich bis vor Kurzem ja nicht im Mindesten an Simons Charakter gezweifelt habe – allenfalls an meinen Gefühlen für ihn.«

»Und ich wusste ja auch, wie schwer Sie sich die Entscheidung ohnehin machen und wie sehr Sie sich Ihrem Vater verpflichtet fühlen«, fügte Agathe hinzu.

Elise nickte. »Bitte entschuldige, dass ich dir Vorwürfe gemacht habe.«

»Da gibt es nichts zu entschuldigen«, versicherte Agathe. »Ich verstehe Sie ja, und ich kann Ihnen versichern, dass ich die ganze Zeit über mit mir gerungen habe, ob ich nicht doch etwas sagen soll.«

»Dass Richard von Albedyll geschwiegen hat, kann ich allerdings weitaus weniger nachvollziehen«, meinte Elise verärgert. »Ich hielt ihn für einen Freund des Hauses.«

»Ich weiß nur, dass er damals zu Ihrem Vater gehen wollte. Er hat sich dann von Herrn Hertlein überreden lassen, nichts zu sagen, und hat ihm noch eine Chance gegeben. Er hat aber auch klargemacht: Sollte Herr Hertlein irgendwann Schwierigkeiten bereiten, kommt er zurück und klärt alles auf. Er hat mir eigens zu diesem Zweck seine Adresse dagelassen und mich gebeten, ihn zu informieren.«

Elise seufzte. »Nur konnte er nicht wissen, dass Vater sich Simons Vater gegenüber in dem Vertrag verpflichtet hat.«

»Dafür haben Sie ja nun eine Lösung gefunden«, sagte Agathe lächelnd. »Ich stelle mir das so vor: Von Albedyll kommt zurück, sucht Herrn Hertlein auf und erklärt ihm, wenn er nicht genau so handelt, wie Sie das wollen, erzählt er, was er gesehen hat.«

»Das könnte funktionieren«, gestand Elise. »Allerdings ist Vater ja nun tot und die Zusammenarbeit ohnehin beendet. Ob diese Drohung noch so großes Gewicht hat? Er ist ja nun nicht mehr auf die Gunst seines künftigen Schwiegervaters angewiesen.«

»Er möchte doch aber bestimmt nicht, dass diese unrühmliche Sache in der Stadt bekannt wird.«

»Das glaube ich eigentlich auch nicht«, pflichtete Elise ihr bei. »Andererseits weißt du so gut wie ich: Was man Frauen übel nimmt, darüber sieht man bei Männern hinweg. Sich an Dienstmädchen zu vergehen, gilt in manchen Kreisen leider als normal.«

»Darüber habe ich auch schon nachgedacht«, murmelte Agathe. »Und mir eine andere Möglichkeit überlegt.«

»Welche?«

»Sie erinnern sich sicherlich daran, dass damals einige Wertgegenstände verschwunden sind«, sagte die Zofe mit gesenkter Stimme und beugte sich auf ihrem Sessel leicht vor.

»Ja«, flüsterte Elise, obwohl sie das angesichts der doppelten Tür, die ihr Zimmer mit dem Flur verband, wirklich nicht hätte tun müssen. »Der Dieb wurde nie gefunden.« Dann riss sie die Augen auf. »Du willst doch nicht etwa sagen, dass Simon …«

Agathe schüttelte den Kopf. »Nein, aber man könnte es ja behaupten. Wenn die Sache mit den Dienstmädchen nicht reicht. Rittmeister von Albedyll war damals so verärgert, er würde sich sicherlich als Zeuge zur Verfügung stellen. Und ich ebenso. Und dann ist da noch Maria, an der hat Herr Hertlein sich ebenfalls …«

»Maria auch?«, fragte Elise entsetzt.

»Ja.«

»Was für ein Mistkerl.«

»Allerdings.«

Da kam Elise eine Idee. »Wie du ja weißt, denkt Corbinian darüber nach, geschäftlich für uns auf Reisen zu gehen. Nun, man könnte diese Reise sicherlich um einen Abstecher nach Berlin erweitern. Ich habe bei Tisch darüber nachgedacht, dass ich ihn nur zu gern begleiten würde. Aber mir fiel kein Weg ein, wie ich das in der jetzigen Situation bewerkstelligen sollte. Mutter würde dem niemals zustimmen. Zumal man mir die Reise, wenn nach Weihnachten die Verlobung aufgelöst werden wird, zu meinen Lasten auslegen würde: eine Reise mit meinem Geliebten. Aber da die Sache nun, wenn unser Plan aufgeht, ganz anders laufen wird, ist es nur eine Reise, auf die ich als Firmenerbin gehe. Und zwar in Begleitung meiner Zofe.«

»Das ist wunderbar«, bestätigte Agathe. »Ich habe manchmal den Eindruck, dass sich Dinge mitunter genauso fügen, wie sie sich fügen sollen.«

»Das denke ich ebenfalls«, bestätigte Elise. »Wenn mir natürlich auch klar ist, dass es trotzdem Gerede geben wird. Aber das halte ich aus. Jetzt muss ich nur noch Mutter überzeugen.«

***

Sie hatten sich entschieden, erst die Reise in den Norden anzutreten und dann in die Schweiz zu fahren. Man müsse ja befürchten, dass Richard von Albedyll in Berlin nicht anzutreffen war und die Suche nach ihm einige Zeit in Anspruch nehmen würde. Schließlich verweile ein Offizier nicht immer in seiner Kaserne, hatte Margarethe Lusin kommentiert.

Zu Elises Überraschung hatte die Mutter nicht das Geringste dagegen einzuwenden gehabt, dass Elise Corbinian auf seiner Reise begleitete, sondern sich dem Vorschlag vollkommen angeschlossen. Außerdem gebe es niemanden, dem sie ihre Tochter lieber anvertrauen würde als Corbinian, und Agathe würde schon dafür sorgen, dass die beiden genügend Abstand zwischen sich hielten.

Die Reise nach Berlin war dann auch zu ihrer vollsten Zufriedenheit verlaufen. Sie hatten Richard von Albedyll ohne weitere Schwierigkeiten in dessen Kaserne angetroffen und sich für später mit ihm im Café Kranzler verabredet, wo sie ihm alles erzählten.

Er hatte auf die Geschichte mit Empörung reagiert, umgehend Hilfe zugesagt und auch Agathes Idee aufgegriffen, im Notfall auf die Diebstahlsvariante zurückzugreifen. Um einen derart bösen Menschen zur Rechenschaft zu ziehen, sei er gern zu einer kleinen Flunkerei bereit.

Das einzige Problem war, dass er sich vermutlich nicht sofort von seinem Regiment loseisen konnte. Kurz vor Weihnachten habe er aber Urlaub und wolle ohnehin seine Mutter besuchen. Und dann werde er Simon Hertlein nur allzu gern aufsuchen. Zuvor aber werde er ihm einen Brief senden, um ihn ruhig zu halten.

Elise hatte sich überschwänglich bei ihrem einstigen Einquartierten bedankt. »Damals war ich zunächst gar nicht begeistert über Ihr Kommen«, gestand sie. »Aber heute kann ich sagen: Sie hat wohl der Himmel geschickt.« *Das findet Agathe übrigens auch*, fügte Elise im Stillen hinzu, die schon die ganze Zeit über bemerkt hatte, wie verzückt das Dienstmädchen den Offizier ansah.

»Agathe, wollen Sie Herrn von Albedyll nachher zum Postamt begleiten?«, fragte sie daher, wohl wissend, dass sich das weder für Agathe ziemte noch für sie selbst, da sie dann ja ohne Anstandsdame war. Aber was machte das schon? Die ungehörigen Dinge ereigneten sich trotzdem, hinter verschlossenen Türen, wie sie hatten erfahren müssen. Sowohl Richard als auch Corbinian waren absolut vertrauenswürdig, und obendrein befanden sie sich in Berlin, wo sie keiner kannte.

»Das will ich gern, gnädiges Fräulein«, sagte Agathe lächelnd und sah Richard fragend an.

»Und mir wäre es eine große Freude«, bestätigte der Offizier sofort. »Sie können mir auch dabei helfen, den Brief zu verfassen. Ich bin dankbar, wenn ich das nicht allein tun muss.«

Nachdem sich Elise und Corbinian verabschiedet hatten – sie war noch nie in der preußischen Hauptstadt gewesen, und er wollte ihr Berlin ein wenig näherbringen –, sah Richard Agathe eindringlich an.

»Ich bin so froh, dass Sie sich gemeldet haben. Und nicht nur, weil ich mehr als gern dazu beitrage, dass dieses Scheusal – entschuldigen Sie meine Wortwahl – in die Schranken verwiesen wird.«

»Sie müssen sich nicht entschuldigen«, sagte Agathe. »Er ist ja wirklich ein Scheusal.«

»Wollen Sie denn gar nicht wissen, warum ich mich noch gefreut habe?«

»Das … das würde ich gern«, stammelte sie, denn sie ahnte, nein, hatte fast Gewissheit über das, was als Nächstes kommen würde, und sie war darüber gleichermaßen entzückt wie eingeschüchtert. Er war ein Offizier, sie eine Dienstmagd.

Da schob er auch schon seine Hand näher an ihre, sodass sie sich, auf der Tischplatte liegend, nun beinah berührten. Aber nur beinah. Sie starrte auf den kleinen Abstand.

»Agathe«, sagte er leise. »Bitte sehen Sie mich an.«

Zaghaft hob sie den Blick.

»Sie haben mich verzaubert«, schwärmte er.

Agathes Herz schlug schneller. Zaghaft lächelte sie. »Das … das geht doch nicht. Das wissen Sie doch so gut wie ich. Sie sind ein Offizier, und ich bin eine einfache Dienstmagd.«

»Keine einfache Dienstmagd, sondern eine Zofe«, korrigierte er. »Und vor allem eine wunderbare Frau.«

Inzwischen hatte sich seine Hand noch ein Stückchen näher an die ihre geschoben. Sein kleiner Finger berührte nun ihren Daumen und bewegte sich kaum merklich auf und ab. Es durchfuhr Agathe wie ein heißer Blitz.

»Ich …«, stammelte sie, verstummte jedoch gleich darauf wieder.

»Ich muss gestehen, dass ich anfangs die gleichen Bedenken hatte wie du jetzt«, sagte er. »Und das hat nichts damit zu tun, dass ich dich nicht als standesgemäß empfinden würde, sondern ich habe mich eher gefragt, wie ein gemeinsames Leben denn aussehen könnte. Ich bin Offizier hier in Berlin, und du lebst in Nürnberg. Ich habe versucht, dich zu vergessen.«

»Aber das ist dir nicht gelungen?«

»Ganz und gar nicht«, bestätigte er. »Ich habe ununterbrochen an dich denken müssen. Und soll ich dir was verraten? Ich hatte ohnehin geplant, vor Weihnachten nach Nürnberg zu kommen. Um dich wiederzusehen.«

»Das ist ja …«, setzte sie an, fand aber erneut keine Worte. Was ihn nicht zu stören schien, denn er war nun, da er ihr endlich seine Liebe gestanden hatte, so voller Mitteilungsdrang, dass die Worte nur so aus ihm heraussprudelten: »Und als der Wachposten dich dann ankündigte, da hatte ich so weiche Knie, ich war kaum in der Lage, die Treppe hinunterzugehen. Ich dachte, du wärst gekommen, weil es dir genauso geht wie mir und du es nicht ohne mich ausgehalten hast.«

»Oh«, kam es von Agathe. »Dann warst du sicherlich sehr enttäuscht, als du vom wahren Grund meines Besuchs erfahren hast?«

»Ein wenig«, gestand er. »Aber nichtsdestotrotz habe ich die Hoffnung noch nicht aufgegeben, dass du ebenfalls etwas für mich empfindest.«

Sie schluckte. Und dann traute sie sich und sagte ganz leise: »Ja. Ja, das ist auch so.«

***

Im Anschluss an ihr gegenseitiges Liebesgeständnis im Café Kranzler hatte Richard Agathe zu einem Spaziergang durch die Stadt eingeladen. Wie sehr sie es genoss, an der Seite dieses charmanten, gutherzigen und hochherrschaftlichen Mannes durch Berlin zu spazieren! Sie störte sich nicht einmal am einen oder anderen spöttischen Blick der Passanten, denn natürlich war anhand ihres Äußeren deutlich zu erkennen, dass hier ein Offizier mit einer Frau spazieren ging, die den niederen Kreisen entstammte.

»Schau«, sagte er, als sie an der Prachtstraße Unter den Linden angekommen waren. »Hier wurde letztes Jahr Bismarck angeschossen.«

»Wie schrecklich!«, rief Agathe, die davon in der Zeitung gelesen hatte. »Und zugleich ist es bewegend, an so einem geschichtsträchtigen Schauplatz zu sein.«

»Ich war sogar dabei, als es geschah.«

Sprachlos sah sie ihn an. »Wirklich?«

»Es war gegen fünf Uhr nachmittags und Bismarck gerade auf dem Weg in sein Hotel, als es ihn erwischte.«

»Wie schauderhaft! Wer tut so etwas?«

»Ein Landwirtschaftsstudent namens Julius Cohen. Unser

Bataillon marschierte gerade vorbei, und den Lärm unserer Schritte hat er genutzt, um auf unseren Ministerpräsidenten zu schießen.«

»Aber Bismarck lebt doch noch«, wusste Agathe. »Hat der Täter denn nicht getroffen?«

»Doch, aber er hatte wahnsinniges Glück.«

Agathe nickte. »Er ist ziemlich unbeliebt, nicht wahr?«

Richard lachte auf. »Das kann man wohl sagen.«

»Und woran liegt das?«

»Ich glaube, er ist den Berlinern einfach zu konservativ«, mutmaßte Richard. »Aber das ist nicht der einzige Grund.« Richard erklärte Agathe, dass Bismarck schon vor zwanzig Jahren, in der Zeit der Revolution, die demokratische und liberale Bewegung ja regelrecht verhöhnt habe. Und als er dann Ministerpräsident wurde, habe er die Heeresreform im Parlament vollkommen rücksichtslos durchgesetzt – und zwar gegen die liberale Mehrheit. »Ich bin mal gespannt, wie die Wahlen im August ausgehen werden.« Mit einem Seitenblick auf Agathe unterbrach er sich: »Entschuldige. Ein Mordanschlag, Militär und Politik sind wirklich keine Themen für den ersten Abend mit seiner Liebsten.«

»Nein, nein«, wehrte Agathe ab. »Ich finde das wirklich interessant. Auch wenn ich mich nicht gut damit auskenne. Hast du … hast du den Mörder denn gesehen? Und wie es geschah?«

Richard nickte finster. »Wir haben natürlich sofort eingegriffen und den Täter gestellt. Er hat sich dann im Zuchthaus das Leben genommen. Verzeih mir dieses unromantische Thema.«

Sie schmiegte sich an ihn. »Dann zeig mir doch etwas Romantisches.«

»Gern«, entgegnete er lächelnd, »du kannst wählen zwischen dem Alten oder dem Königlich-preußischen Museum, dem Brandenburger Tor und einem Schloss in einem wunderschönen Park.«

»Also«, sagte Agathe, »das ist ja nun wirklich eine schwere Entscheidung. Aber da ich das Brandenburger Tor gestern schon gesehen habe, schlage ich tatsächlich das Schloss in dem wunderschönen Park vor.«

»Gut«, freute er sich. »Ich denke, wir nehmen den Kremser.«

»Was ist denn ein Kremser?«, fragte Agathe.

Er lachte. »Das ist ein anderer Begriff für einen Planwagen, ziemlich überholt, aber ich mag den Kremser ausgesprochen gern.«

»Und warum heißen die Planwagen Kremser?«, fragte Agathe. »Was bedeutet das?«

»Es bedeutet nichts, es ist nur ein Name«, antwortete er ihr und erklärte weiter, dass sie nach ihrem Erfinder Hofrat Simon Kremser benannt worden waren, der einst beantragt hatte, an den zentralen Plätzen Standplätze für Mietkutschen bauen zu dürfen. »Sonderlich komfortabel sind sie jedoch nicht, denn es holpert ganz schön. Sie sind allerdings nicht sehr teuer, sodass es sich auch weniger Betuchte leisten können.«

»Also, ich fand das gar nicht so unbequem«, ließ Agathe ihn wissen.

»Wie? Du bist schon mit einem Kremser gefahren?«, fragte er.

Sie nickte. »Ja, ich wusste nur nicht, dass er so heißt. Gestern nach unserer Ankunft sind wir damit zum Brandenburger Tor gefahren. Dank der Schienen war es doch sehr bequem. Ich fand es allerdings etwas merkwürdig – eine Kutsche auf Schienen.«

Ihr Verehrer lachte auf. »Nein, mein Liebes, das war kein Kremser, das war eine Pferdestraßenbahn. Die gibt es erst seit zwei Jahren.«

»Ganz schön viele Auswahlmöglichkeiten«, kommentierte sie und schmiegte sich an ihn. »Dann lass uns gern mit dem Kremser fahren.«

Richard bezahlte den Kutscher großzügig, sodass sie den ganzen Wagen für sich allein hatten. Er wies ihn an, so zu fahren, dass sie an der Schlossbrücke vorbeikamen. Glücklich schmiegte Agathe sich noch ein bisschen dichter an ihn. »Das ist wunderschön«, flüsterte sie, als die Schlossbrücke mit dem prachtvollen Schloss im Hintergrund in Sichtweite kam. Das warme Nachmittagslicht ließ die Wasserfläche funkeln, ein Boot lag verlassen am Ufer, und auf der Brücke spiegelte sich in prachtvollen Marmorstatuen die Sonne.

»Du wolltest doch was Romantisches«, raunte er in ihr Ohr. »Ist das romantisch genug?«

»Und ob. Die Statuen gefallen mir ebenfalls sehr. Von wem sind sie?«

Richard lächelte und wirkte mit einem Mal ein wenig traurig: »Die sind von unserem großen Baumeister Schinkel. Sie wurden aber erst nach seinem Tod vor etwas mehr als zehn Jahren aufgestellt.« Fragend sah er sie an. »Hast du schon einmal von Schinkel gehört?«

Etwas verlegen schüttelte sie den Kopf.

»Karl Friedrich Schinkel ist ein Genie«, erklärte er über den Baumeister, der die Stadt mit Bauwerken wie der Neuen Wache oder der Schlossbrücke geprägt hatte wie kein anderer.

»Danke, dass du mir das gezeigt hast«, sagte sie und küsste ihn zaghaft auf die Wange.

In diesem Moment hielt die Kutsche auch schon an der Ecke Oranienburger Straße und Monbijouplatz.

Richard stieg als Erster aus und streckte Agathe dann seine Hand entgegen. »Darf ich bitten?«

Sie nahm seine Hand und sprang aus der Kutsche. Er ließ ihre Hand nicht los, als er mit ihr die Straße überquerte und den kleinen, hübsch angelegten Park betrat.

»Das Schloss war für Preußen und seine Herrscher einst von großer Bedeutung«, erklärte er. »Ein Mann hat es für seine geliebte Frau gebaut, später wurde es dann allerdings von einer unglücklichen Ehefrau bewohnt. Und Friedrich der Große hat hier heimlich Flöte gespielt.«

Agathe sah ihren Liebsten bewundernd, aber auch ein klein wenig überfordert an. So viel Wissen auf einmal! Dennoch sog sie gierig auf, was Richard ihr erzählte, und wieder einmal dachte sie, was sie beim Blick auf die reichhaltige Bibliothek ihrer Herrschaft schon so oft gedacht hatte: Wie faszinierend doch die Welt des Wissens war – und die der Geschichte ohnehin.

Richard schien ihr Interesse zu spüren und sich darüber zu freuen, denn er fuhr eifrig fort: »Im Mittelalter lag dieser Bereich noch vor den Toren der Stadt, und der Kurfürst hat hier ein kurfürstliches Vorwerk betrieben. Hier befand sich eine Meierei, dort, wo jetzt das Schloss steht, grasten damals Kühe, es war eine ländliche Idylle.«

»Das kann man sich gar nicht mehr vorstellen«, sagte Agathe und musterte das schmucke Schloss mit seinem prächtigen Mittelbau und der aufgesetzten Terrasse, die mit unzähligen Statuen und Steinvasen den Blick wie magisch anzog.

»Das war mit dem Dreißigjährigen Krieg dann auch zu Ende«, fuhr Richard fort. »Berlin und auch diese Meierei wurden schwer zerstört. Aber 1649 ließ Kurfürst Friedrich Wilhelm von Brandenburg hier für seine holländische Gemahlin Luise Henriette von Oranien wieder einen Bauernhof errichten.«

»Ein Bauernhof als Liebesgabe? Das ist aber nicht sonderlich romantisch«, befand Agathe.

Er lachte. »Vielleicht. Aber wichtig war er allemal. Es handelte sich nämlich um einen Musterbauernhof, der Bauern, die sich nicht gut auskannten, Anregungen zur Viehhaltung geben sollte. Hier wurden immerhin die ersten Kartoffeln der Mark Brandenburg angepflanzt.«

»Es ist so aufregend, dir zuzuhören«, sagte sie.

Zärtlich sah er sie an. »Und ich freue mich, dass es dich so interessiert, denn normalerweise sind das alles Themen, die Frauen gemeinhin langweilen. Aber ich finde nichts so interessant wie die Geschichte unseres Landes, deren Auswirkungen wir ja teilweise heute noch spüren.«

»Oh ja, das geht mir ebenso. Leider ziemt sich das ja nicht wirklich für eine Frau, noch dazu meines Standes.«

»Ich finde es ganz wunderbar«, sagte er. »Und als ich dich damals mit dem Buch in der Bibliothek gesehen habe …«

Sie verzog das Gesicht. »Daran will ich lieber nicht denken. Denn damit sind auch ziemlich unschöne Erinnerungen verbunden. Erzähl mir lieber, wie es hier weiterging.« Sie deutete auf das kleine Schloss.

»Mit Vergnügen«, sagte er und hob ihre Hand an seine Lippen, um sie zu küssen. »Henriette starb 1667, und ihre Nachfolgerin ließ hier ein Sommerhaus bauen. Sie liebte es, hier draußen vor der engen Stadt in der Natur zu sein.«

Agathe nickte. »Und dieses Sommerhaus ist das, vor dem wir jetzt stehen?«

Wieder lachte er. »Nicht ganz. Friedrich Wilhelms Sohn Friedrich I., der ja ab 1701 der erste König in Preußen war, ließ das Lustschloss errichten. Sein Premierminister Johann Kasimir Graf Kolbe von Wartenberg trat als Bauherr auf, bewohnt hatte das Anwesen Friedrichs Mätresse, Reichsgräfin Catharina von Wartenberg.«

»Wieso hießen die denn beide Wartenberg?«, wollte Agathe wissen. »Also die Mätresse und der Baumeister?«

»Gut aufgepasst«, lobte er sie. »Catharina war Johann Kasimirs Ehefrau.«

»Wie bitte?«, rief Agathe und stemmte empört die Hände in die Hüften. »Verstehe ich das richtig? Der König hat bestimmt, dass sein Premierminister ein Lustschloss für seine Geliebte baut, die aber dessen Frau war? Dann war der König ja fast so ein übler Kerl wie Simon.«

»Nun ja, sympathisch war Friedrich I. sicher nicht«, bestätigte Richard lachend. »Aber in dem Fall ist er unschuldig und von Wartenberg der Übeltäter.«

»Wie das?«, fragte Agathe, nun völlig im Bann der Geschichte.

»Nun, er hatte nicht nur den Posten des Premierministers inne, sondern noch zahlreiche weitere, was ihm enorme Macht verlieh – und die verstand er auszunutzen: Er bereicherte sich am Staat. Dadurch, dass seine Gattin zur offiziellen Mätresse wurde, vergrößerte sich sein politischer Einfluss noch.«

»Er hat seine Frau also benutzt?«, fragte Agathe.

»So könnte man das sagen, ja.«

Empört schüttelte Agathe den Kopf. »Er hat seine eigene

Frau verkauft, um mehr Macht zu haben! Dann ging es ihr ja fast ein wenig wie der armen Elise. Sie hat sich ja auch geopfert, weil es anderen dient.«

»Nun ja, nach allem, was du mir erzählt hast, hat sie das ja freiwillig getan«, sagte er. »Aber du hast schon recht, Frauen werden nur gar zu oft Opfer solche Rankünen. Und das finde ich furchtbar.«

»Und ich finde es großartig, dass du so denkst. Wo bleibt die unglückliche Ehefrau, die du bei der Geschichte angekündigt hast? Oder meinst du damit die arme Ehefrau von diesem Premierminister?«

Er schüttelte den Kopf. »Nein, die kam später. Das war die Frau von unserem Soldatenkönig, der damals noch ein Königssohn war, Friedrich Wilhelm I. Als der seinen Vater auf dem Thorn beerbte, hat er zwar den Staat entschuldet, den Handel gefördert, das Steuerwesen reformiert, die Staatseinnahmen verdoppelt und unsere Armee auf Vordermann gebracht, aber er war ein furchtbarer Mensch.«

»Wie war er denn?«

»Nun, er war auch privat sehr pietistisch und streng und hat seine Gattin Sophie Dorothea von Braunschweig-Lüneburg und seine Kinder geschlagen. Sophie Dorothea zog sich in den Sommermonaten mit ihren Kindern hierher zurück, meist ohne ihren Gatten, fand hier ein wenig Ruhe und Frieden; und Friedrich hatte die Gelegenheit, von seinem Vater, dem Soldatenkönig, unbemerkt zu musizieren.«

»Wie traurig«, seufzte Agathe. »Und gleichzeitig wie gut, dass sie hier einen Ort hatten, der ihnen Zuflucht bot.«

Er nickte. »Ja. Sophie Dorothea war es übrigens auch, die Schloss und Park den heutigen Namen gab, denn ›mon bijou‹ bedeutet: mein Schmuckstück. Und ihr musikalischer

Sohn hat uns am Ende bewiesen, dass das Interesse an den schönen Künsten gar nicht so furchtbar ist, wie sein Vater immer fand: Immerhin hat er Preußen zur europäischen Großmacht gemacht und die Folter abgeschafft. Und für seine einst so unglückliche Mutter hat er das Schloss noch mal erweitern lassen. Sie lebte hier in den Sommermonaten bis zu ihrem Tod und machte das Schloss zu einem Mittelpunkt gesellschaftlichen Lebens.«

»Was für eine schöne und gleichzeitig traurige Geschichte«, seufzte sie.

»Ja«, erwiderte er. »Und ich könnte dir noch so viel mehr erzählen. Aber ich befürchte, wenn ich dich nun nicht zu deiner Unterkunft bringe, dann bereuen Fräulein Lusin und Herr Waldmeister noch, dich mir anvertraut zu haben.«

28

Elise lächelte ihren beiden Begleitern zu. »Berlin war wirklich eine Reise wert«, seufzte sie zufrieden und lehnte sich vertrauensvoll an Corbinians Schulter. Der erwiderte die Geste mit einem Kuss auf ihre Schläfe.

»Ja«, sagte er. »Aber Altona wird dir auch gefallen. Und das benachbarte Hamburg noch mehr.«

Agathe starrte hingegen nur trübsinnig aus dem Fenster.

»Du siehst ihn doch wieder, Agathe«, sagte Elise. »Bis Weihnachten sind wir längst zurück.«

Sie hatte ihre Zofe am Abend vor ihrer Abreise aus Berlin auf deren Gefühle für Richard angesprochen, und Agathe hatte sie, wenn auch verlegen, bestätigt.

Elise hatte ihr gut zugeredet, ihren Zweifeln wegen Standesunterschied und Entfernung nicht zu viel Gewicht beizumessen. »Eines habe ich gelernt in den letzten Jahren: Es kommt nicht darauf an, wer jemand ist, sondern *wie* jemand ist. Die Liebe kennt keine Standesunterschiede, und das Leben wäre so viel schöner, wenn alle Menschen das begreifen könnten. Ich bin überzeugt, dass unser Planet ein glücklicherer Ort wäre.«

Agathe hatte zwar immer noch gezaudert, doch Elise hatte nicht aufgegeben. »Schau, ich war mit einem sehr wohlhabenden Mann verlobt, hätte aber nicht unglücklicher sein können. Jetzt habe ich einen im Vergleich zu ihm fast schon mittellosen Verehrer – und weiß gar nicht, wohin mit meinem Glück.«

»Aber ihr seid auch noch nicht offiziell verheiratet, nicht einmal offiziell ein Paar«, hielt Agathe dagegen. »Der schwerste Weg steht euch noch bevor.«

Dann sah sie die anderen, die ihr in der Kutsche gegenübersaßen, erschrocken an. »Entschuldigen Sie bitte. Wie unpassend von mir. Ich wollte keineswegs …«

»Du musst dich nicht entschuldigen, Agathe«, versicherte Elise. »Du hast ja recht. Dennoch sind wir voller Zuversicht. Weil uns unsere Liebe zueinander Kraft gibt. Und das solltest du auch versuchen.«

»Ja, ich will mir Mühe geben«, versprach Agathe. »Aber ich muss zugeben: In Berlin, in seiner Nähe, war ich überzeugt davon, dass seine Worte wahr sind und wir eine glückliche Zukunft haben werden. Aber mit jedem Meter, den wir uns von Berlin entfernen, schwindet die Zuversicht.«

Die Reise nach Altona dauerte fast neun Stunden. Nachdem sie am Berliner Bahnhof in Hamburg ankamen, wechselten sie auf eine Mietkutsche, die sie an den rund sechshundert Meter entfernten Bahnhof Klosterthor brachte, um dann mit der Hamburg-Altonaer Verbindungsbahn ihre Zugreise fortzusetzen. Als sie die von etwa 50 000 Einwohnern bewohnte Stadt vor den Toren Hamburgs erreichten, zeigte Elise sich entzückt. »Das ist ja wirklich ein schmuckes Städtchen«, fand sie.

»Und es gehört erst seit Kurzem zu Preußen«, wusste Corbinian. »Als ich das letzte Mal hier war, war es noch dänisch.«

»Wann war das?«, fragte Agathe interessiert. Die Gespräche in Berlin mit ihrem Galan hatten ihr Interesse an der Geschichte noch verstärkt.

»Das muss so vor vier, fünf Jahren gewesen sein. Ich glaube, es wurde 1864 preußisch. Damals gab es dann auch ein großes Fest, bei dem zweihundert Jahre Altonaer Stadtrecht gefeiert wurden. Ich hätte das gern gesehen, Louis berichtete mir in einem Brief, dass es einen prachtvollen Umzug gegeben haben soll.«

»Louis?«, fragte Agathe.

»Bitte verzeih, ich meinte Louis Oetker, den wir jetzt gleich besuchen werden.«

»Und war es sehr anders als heute?«, fragte Elise. »Also das dänische Altona?«

»Dem Aussehen nach nicht«, erklärte er. »Ob ansonsten, kann ich dir erst sagen, wenn wir eine Weile hier waren.«

»Und die Einwohner?«, fragte Elise verblüfft. »Mussten sie so plötzlich eine andere Sprache lernen?«

»Nein, denn in Altona wurde all die Jahre hindurch deutsch gesprochen, und der dänische König wurde als Fürst von Altona bezeichnet, aber sicherlich war es trotzdem nicht leicht«, vermutete Corbinian.

Schließlich bogen sie auf die Palmaille ein. Dort zeigte er hinaus: »Das ist übrigens die Sternwarte Altona.«

Elise und Agathe betrachteten die repräsentativen Bauten, die sich längs der Straße erstreckten, da fiel Agathe eine merkwürdige Skulptur auf.

»Wer ist denn dieser Mann dort?«, fragte sie.

»Das weiß ich zufällig«, meinte Corbinian. »Die Statue ist mir nämlich schon bei meinem letzten Besuch aufgefallen wegen des kleinen Elefanten, den er als Orden trägt.«

»Tatsächlich?« Agathe reckte den Hals. »Wo denn?«

»Das kann man von hier aus nicht erkennen, aber vielleicht haben wir Gelegenheit, es uns einmal aus der Nähe anzusehen«, sagte Corbinian und fuhr dann, während die Kutsche das Denkmal passierte, dramatisch fort: »Darf ich vorstellen? Das ist Conrad Daniel Graf von Blücher-Altona. Er ist erst vor zwanzig Jahren gestorben. Und bei dem Elefanten handelt es sich um den bedeutendsten Orden des Staates Dänemark. Er war Oberpräsident, also ein ganz wichtiger Mann und oberster Repräsentant der Krone.«

»Und deshalb hat er die Medaille bekommen?«, vermutete Elise.

»Nein«, stellte Corbinian richtig. »Sondern weil er einfach ein durch und durch guter Mensch war und viel Gutes getan hat, vor allem bei einem furchtbaren Brand, der Altona 1842 verwüstete. Den Elefantenorden hatte er damals aber schon, er erhielt ihn 1838.«

»Und warum ein Elefant?«, wollte Agathe wissen.

»Es ist das Ordenstier der Dänen. Warum, weiß ich nicht.«

Agathe nickte. »Ein Mann jedenfalls, den man gerne gekannt hätte.«

Blücher war längst aus ihrem Blickfeld entschwunden, und kurz darauf hielt die Kutsche auch vor dem großen, lang gestreckten Firmengebäude in der Reichenstraße.

»Hast du deinen Freund über unser Kommen unterrichtet?«, fragte Elise.

»Selbstverständlich«, sagte Corbinian. »Und auch seine Bestätigung abgewartet. Glaubst du, ich schleppe euch auf gut Glück mit und unternehme so eine weite Reise?«

»Keine Ahnung«, erwiderte Elise lächelnd. »Ganz so gut kenne ich dich ja nun auch wieder nicht.«

»Das wird sich bald ändern«, sagte er und küsste sie.

***

Louis Carl Oetker war überraschend jung, noch keine dreißig, wie Elise schätzte. Er war groß, hatte einen ernsten Ausdruck in seinen dunklen Augen und einen ausladenden, aber gepflegten Kinnbart. Sein hellbraunes Haar war zu Wellen auf seinem Kopf frisiert. Ebenjene ernsten Augen leuchteten auf vor Freude, als sein Sekretär die Besucher in sein Büro in den Geschäftsräumen führte. Sogleich sprang der Fabrikant auf und umrundete seinen Schreibtisch, um zunächst die Damen mit einem Handkuss zu bedenken und dann Corbinian begeistert in seine Arme zu ziehen.

»Corbinian, mein alter Freund«, rief er und klopfte ihm auf die Schultern. »Konnte es gar nicht glauben, als ich deine Depesche erhalten habe. Hatte ja nicht zu hoffen gewagt, dass ich dich so bald wiedersehe.«

Er bat seine Besucher, Platz zu nehmen, und klingelte dann nach einem Dienstmädchen, das Elises Eindruck zufolge eine Sekunde später in der Tür stand.

»Sie können nun servieren, Henriette«, erklärte Louis Oetker, woraufhin das junge Mädchen mit einem »Sehr wohl, gnädiger Herr« und einem angedeuteten Knicks verschwand, um fünf Minuten später mit einem Tablett wieder in der Tür zu stehen. Die Köstlichkeiten, die da serviert wurden, in Augenschein zu nehmen, verschlug ihr beinah die Sprache. So etwas Schönes hatte sie noch nie gesehen. Auf dem Tablett befanden sich die reinsten Kunstwerke aus Marzipan in den unterschiedlichsten Farben.

»Das ist ja wunderschön«, rief Elise. »Womit färben Sie das Marzipan ein?«

Louis Oetker sah sie lächelnd an. »Mit Anilin. Freut mich, wenn es Ihnen gefällt. Mein alter Freund hier« – wieder klopfte er Corbinian auf die Schulter – »hat in seinem Brief den Grund Ihres Schreibens ja schon angekündigt. Ich denke, dass die Kombination Lebkuchen und Marzipan ganz wunderbar funktionieren kann.«

»Das glaube ich auch«, rief Elise eifrig, die das Aber sehr wohl herausgehört hatte und Angst verspürte, der sympathische Oetker würde ihnen einen Korb erteilen.

»Ich will ganz offen zu Ihnen sein«, fuhr er tatsächlich fort. »Als ich vor Kurzem den Weg in das Unternehmertum gewagt habe, hätte ich nie gedacht, dass ich so schnell so erfolgreich und die Nachfrage so groß sein würde.« Beinah entschuldigend sah er seine Besucher an: »Mein Geschäft ist inzwischen eine der größten Konditoreien in der Stadt, die Leute lieben meine Torten und mein Gebäck, vor allem aber mein Marzipan. Sie kommen sogar aus Hamburg, scharenweise, nur um bei mir Kuchen und Marzipan zu essen. Das muss man sich mal vorstellen. Ich arbeite rund um die Uhr, meine Leute auch, und trotzdem sind wir ständig ausverkauft!«

»Ich freue mich sehr über deinen Erfolg«, sagte Corbinian aufrichtig.

»Aber für uns bedeutet es, dass Sie keine Zeit haben, mit uns zusammenzuarbeiten?«, sprach Elise aus, was bisher ungesagt im Raum stand.

Louis Oetker nickte. »Leider. Ich weiß einfach nicht, wo ich das unterbringen soll. Zumindest zurzeit. So gern ich Ihnen helfen würde. Ich darf meine Kunden nicht noch mehr verärgern, indem ich ihnen ständig leere Regale präsentiere. Und vor Kurzem haben wir auch damit begonnen, das Marzipan zu exportieren. Ich werde bald eine neue Fabrik bauen und dann natürlich eine Dampfmaschine einsetzen. Dann werde ich in der Lage sein, viel schneller viel mehr herzustellen. Bis dahin jedoch …« Er machte eine entschuldigende Geste.

»Aber …«

Louis hob die Hand und unterbrach seinen Freund, der offenbar gerade zu einem Protest hatte ansetzen wollen. »Warte«, sagte er, »ich habe da eine Idee.«

Fragend sahen die drei den Marzipanfabrikanten an.

»Du, mein lieber Corbinian«, sagte er, »bist einer der fähigsten Lebküchner, die ich jemals kennengelernt habe. Und glaube mir, die Gewerke sind einander sehr ähnlich. Ich mache euch ein Angebot: Ihr bleibt einige Tage bei mir und schaut mir und meinen Leuten über die Schulter. Marzipan herzustellen ist nicht schwer. Und das Formen der Figuren braucht zwar etwas Übung, aber das traue ich euch zu.«

»Sie meinen, wir sollen das Marzipan bei uns selbst herstellen?«, vergewisserte sich Elise.

Der Fabrikant nickte. »Ganz genau. Wobei ich damit eigentlich gegen meine eigenen Interessen handle, denn schließlich ziehe ich mir Konkurrenz heran. Aber Lebkuchen mit Marzipan ist ja andererseits etwas ganz anderes als das, was ich herstelle.«

»Und wir würden Ihnen natürlich zusichern, vertraglich zusichern meine ich, dass wir niemals nur Marzipan herstellen und Ihnen damit Konkurrenz machen würden«, betonte Elise eifrig.

Der Fabrikant winkte ab. »Das müssen Sie nicht. Ich bin zwar eigentlich ein Geschäftsmann, der zu jedem Detail einen Kontrakt abschließt, aber in diesem Fall vertraue ich Ihnen. Und außerdem habe ich ja ohnehin mehr als genug zu tun. Selbst wenn Sie mir also Konkurrenz machen wollen würden, würde mir das nicht wehtun.«

»Gut«, freute sich Corbinian. »Das ist wirklich ein sehr freundliches Angebot.«

»Dann erwarte ich euch gleich morgen früh in der Fabrik«, erwiderte Louis und sah seine Besucher dann entschuldigend an. »Bitte verzeihen Sie meine mangelnde Gastfreundschaft. Weder kann ich Ihnen eine Unterkunft anbieten noch Sie zum Essen ausführen. Ich habe mich bisher nur auf die Firma konzentriert und wohne daher recht beengt. Und heute Nacht muss ich unbedingt in die Backstube, da gleich zwei meiner Konditoren ausgefallen sind.«

»Bitte machen Sie sich um uns keine Gedanken«, entgegnete Elise. »Wir sind bestens untergebracht, und Sie tun ohnehin schon mehr als genug für uns.«

Der Abschied war herzlich, und als Elise mit Corbinian und Agathe die Konditorei verließ, hatte sie das Gefühl, eine perfekte Lösung gefunden zu haben. Außerdem freute sie sich sehr auf den kommenden Tag und darauf, den Marzipankünstlern bei der Arbeit zuzusehen.

***

Als sie vor dem Waterloo-Hotel in der Dammtorstraße angekommen waren, blieb Agathe plötzlich wie angewurzelt stehen.

»Was ist denn in dich gefahren?«, fragte Elise, die fast gegen ihre Zofe gelaufen wäre.

»Entschuldigen Sie, gnädiges Fräulein, aber …«, setzte sie an. Und dann rannte sie einfach los.

»Agathe!«, rief Elise ihr nach, doch Corbinian, der neben ihr ging, legte ihr die Hand auf den Rücken.

»Lass sie rennen«, sagte er. »Schau doch!«

Im selben Moment erkannte Elise den Grund für das Verhalten ihrer Zofe: Dort, vor dem Eingang ihres Hotels, stand in seiner schmucken Uniform Richard von Albedyll und fing die strahlende junge Frau auf.

»Richard«, hörte Elise Agathe sagen, als sie bei ihr angekommen waren. »Ich bin ja so glücklich. Wie kommst du denn hierher?«

»Ich habe es nicht mehr ohne dich ausgehalten«, flüsterte er.

Dann entließ er sie aus seinen Armen und begrüßte Corbinian mit einem Händedruck und Elise mit einem Handkuss.

»Ich habe mit meinem Kommandeur gesprochen«, berichtete er. »Mir steht noch jede Menge Urlaub zu, und so konnte man mir den nicht verwehren. Also bin ich Ihnen hinterhergereist, in der Hoffnung, Ihnen nicht zur Last zu fallen.«

»Aber nein, gar nicht«, rief Elise. »Wir freuen uns.« *Und Agathe besonders,* fügte sie in Gedanken hinzu.

Auch Corbinian nickte dem Offizier zu. »Es ist auch viel sinnvoller, wenn wir gemeinsam wieder gen Süden reisen als jeweils einzeln. Und gegen die Begleitung eines hochdekorierten Offiziers hat sicherlich niemand etwas einzuwenden.«

Richard von Albedyll lächelte. »Ich freue mich, dass Sie das auch so sehen. Darf ich fragen, wann Sie Ihre Weiterreise planen?«

»In zwei Tagen«, erwiderte Elise. »Wir wollten uns Hamburg gerade etwas ansehen.«

»Wenn Sie erlauben, würde ich mich Ihnen gern anschließen«, sagte Richard beinah schüchtern. »Ich kenne die Hansestadt recht gut.«

»Es wäre uns eine Freude«, erwiderte Elise, und Agathe meinte: »Wenn Richard über Hamburg auch so viele spannende Geschichten kennt wie über Berlin, dann wird das ein vergnüglicher Ausflug.«

»Ganz so viele vielleicht nicht«, schränkte Richard ein. »Aber einige werden es doch sein. Zum Beispiel kann ich berichten, dass dieses Hotel auf einem Teil des ehemaligen Renaissancegartens des Bürgermeisters Peter Lütkens junior errichtet worden ist.«

»Und wie sah der Garten einmal aus?«, fragte Agathe.

»Nun, er war zweigeteilt, er enthielt auch einen Nutzgarten, der jedoch von dem anderen Bereich mit einem hohen Holzzaun abgetrennt war. Und in der Mitte des wunderschön angelegten Prunkgartens stand ein hoher Turm. Außerdem gab es eine Lustgrotte.«

»Wozu das denn?«, wunderte sich Elise.

»Das weiß man leider nicht so genau«, sagte Richard und schüttelte bedauernd den Kopf. »Aber zumindest wird vermutet, dass dort womöglich die eine oder andere geheime Ratssitzung stattgefunden haben soll, denn zu dieser Zeit galt es, so einige politische Krisen abzuwenden.«

»Ich sagte doch, mein Richard kennt sich hervorragend in Geschichte aus«, flüsterte Agathe Elise zu.

»Mein Richard«, neckte Elise ihre Zofe.

»Ja«, sagte sie leicht verlegen und dann, wieder an den schmucken Offizier gewandt: »Kannst du noch mehr Geschichten erzählen?«

»Ja, eine davon ist besonders amüsant und hat sich nicht weit entfernt zugetragen. Ich berichte sie Ihnen später.«

»Ich würde mich gern etwas frisch machen«, sagte Elise zu ihrer Zofe. »Und würde daher vorschlagen, wir treffen uns alle in einer halben Stunde wieder hier unten am Empfang?«

»Sehr gern, dann bleibt mir ausreichend Zeit, mein Zimmer zu beziehen«, erklärte Richard Albedyll sich einverstanden.

29

»Dein Galan scheint es sehr ernst mit dir zu meinen«, sagte Elise, als sie mit ihrer Zofe auf ihrem Zimmer angelangt war.

Agathe winkte errötend ab. »Ach, es ist sicher nur wegen des Reisewegs. Es ist ja wirklich viel geschickter, die Reise gemeinsam und nicht einzeln anzutreten. Er will ja direkt danach zu seiner Mutter in den Süden.«

»Nein, Agathe«, widersprach Elise ihr lächelnd. »Da geht es nicht um den Reiseweg, zumal das ein ganz schöner Umweg ist. Sondern darum, dass er die Reise gemeinsam mit dir antreten will. Wenn du mich fragst, hat er mehr als ernste Absichten.«

»Glauben Sie wirklich, gnädiges Fräulein?«, fragte Agathe, die ihre Freude über die Vermutung ihrer Dienstherrin kaum verbergen konnte.

»Ja, das glaube ich in der Tat. Und komm mir nun nicht mit Standesunterschied. Den habt ihr wirklich, einen großen sogar, aber den wird eure Liebe überwinden. Und nun würde ich mich freuen, wenn du Kleider für uns herauslegen würdest.«

»Für *uns*, gnädiges Fräulein?«, wunderte sich die Zofe.

»Für uns, Agathe«, bestätigte Elise. »Ich bestehe darauf, dass du für den Rest der Reise deine Zofenkleidung ablegst. Ich habe ohnehin viel zu viele Kleider einpacken lassen – und wir haben die gleiche Größe.«

»Das geht doch nun wirklich nicht, Fräulein Lusin, das ziemt sich nicht.«

»Was sich ziemt oder nicht, meine Liebe, braucht uns hier nicht zu kümmern. Wir sind weit fort von unserem Zuhause und frei wie die Vögel.« Elise warf ihre Hände in die Luft. »Und obendrein wird es nur von Vorteil sein, weil eine elegant gekleidete, schöne junge Frau an der Seite eines Offiziers viel weniger Aufsehen erregen wird.«

»Da mögen Sie natürlich recht haben«, murmelte Agathe dankbar. »Und Sie sind sich wirklich ganz sicher?«

»So sicher ich mir nur sein kann«, sagte Elise. »Und nun Schluss mit den Diskussionen. Wir haben keine Zeit mehr zu verlieren.«

Die Mühe hatte sich gelohnt. Zwanzig Minuten später schritten Zofe und Dienstherrin Seite an Seite die breite Treppe hinunter, und den beiden Männern, die unten standen und auf sie warteten, verschlug es buchstäblich den Atem. Elise hatte recht behalten: Agathe sah in dem hochgeschlossenen dunkelblauen Seidenkleid und der hellen Stola ganz bezaubernd aus. Sie selbst trug ein – der Trauerzeit ebenfalls angemessenes – hochgeschlossenes schwarzes Kleid, dessen Säume mit zarter Lochstickerei besetzt waren.

»Du bist wunderschön«, flüsterte Richard überwältigt, als Agathe bei ihm angelangt war. »Einfach atemberaubend. Ich werde dir die prächtigsten Kleider der Welt kaufen, die einer Königin würdig wären.«

Agathe errötete angesichts seines Kompliments, erwiderte aber schlagfertig: »Und ich werde sicherlich glücklicher als Königin Sophie Dorothea.«

»Wohin gehen wir?«, fragte Corbinian unternehmungslustig. »Haben Sie Lust, die Führung zu übernehmen? Ich war zwar auch für einige Zeit hier, aber da habe ich mich hauptsächlich in Altona aufgehalten.«

»Sehr gern«, sagte der Offizier. »Ich will mich aber wirklich nicht aufdrängen.«

»Sie drängen sich nicht auf, wir drängen Sie«, versicherte Elise. »Wohin gehen wir zuerst?«

»Wenn Sie erlauben, würde ich Sie nun an einen Ort führen, an dem es eine sehr amüsante Geschichte gibt.« Er deutete eine leichte Verbeugung in Richtung Elise und Agathe an. »Wenn ich auch jetzt schon um Verzeihung bitten muss, dass diese Geschichte etwas … nun ja …«

»… anrüchig ist?«, fragte Elise lächelnd.

»Natürlich nicht«, entgegnete Richard, und es klang beinahe beleidigt. »Eine anrüchige Geschichte würde ich Ihnen nicht erzählen.«

»Dann sind wir mal gespannt«, sagte Corbinian.

Der Offizier führte sie zunächst zielstrebig zum Jungfernstieg. »Bevor wir zu der amüsanten Geschichte kommen, habe ich hier noch eine andere für Sie. Die ist mir soeben erst eingefallen.«

Erwartungsvoll blickten ihn die drei anderen an.

»Die Geschichte des Jungfernstiegs begann als Reesendamm«, verkündete er.

»Ach?«, wunderte sich Corbinian.

Richard nickte und fuhr fort: »Bereits 1235 wurde hier ein Staudamm angelegt, damit eine der größten Mühlen in Hamburg betrieben werden konnte. Zum Gedenken an Heinrich Reese 1270, der die dortige Kornmühle betrieb, wurde er Reesendamm genannt.«

»Und warum heißt er dann heute Jungfernstieg?«, wollte Agathe wissen.

»Nun, offiziell benannte man ihn im 17. Jahrhundert um, da wohl auf dem Damm so manche Ehe angebahnt wurde.«

»Mitten auf der Straße?«, hakte Elise interessiert nach.

»Nicht ganz.« Richard schmunzelte. »Auf dem Damm flanierten die ledigen Töchter reicher hanseatischer Familien.«

»Also hat es nichts mit alten Jungfern zu tun«, stellte Corbinian fest.

»Nein, hier soll wie gesagt so manche Verbindung ihren Anfang genommen haben.«

»Wie schön«, erwiderte Agathe, hakte sich demonstrativ bei Richard unter und ließ sich von ihm in Richtung der Hauptkirche St. Petri führen.

Dort angekommen zeigte er ihnen einige Sandsteinsäulen. »Sehen Sie sie sich einmal genau an«, bat er sie. »Fällt Ihnen etwas auf?«

Agathe betrachtete die Säulen, an denen sie bis auf einige helle Verfärbungen nichts Außergewöhnliches erkennen konnte. »Meinst du das da?«

»Ganz genau.« Er deutete auf die hellen Zacken. »Das meine ich. Und dass sie sind, wo sie sind, hat etwas mit Napoleon zu tun.«

»Sie machen es wirklich spannend«, meinte Elise. »Was könnten solche Zacken mit dem französischen Kaiser zu tun haben?«

Richard lächelte triumphierend und wusste zu berichten, dass Napoleons Truppen Hamburg im Zuge des Vierten Koalitionskrieges am 19. November 1806 besetzt hatten. Es war eine schwere Zeit für die Hanseaten gewesen, denn zwei Tage später erließ er eine Kontinentalsperre gegen England:

Die Franzosen untersagten es allen europäischen Staaten, so auch Hamburg, mit Großbritannien Handel zu treiben. Für die Hanseaten kam das einer Katastrophe gleich, denn neben Frankreich war England der wichtigste Wirtschaftspartner, viele Unternehmen gingen bankrott, die Armut wuchs, ebenso die Arbeitslosigkeit.

»Schlimme Zeiten gibt es immer wieder«, kommentierte Corbinian. »Aber was hat das nun mit diesen hellen Spuren zu tun?«

»Geduld, mein lieber Herr Waldmeister, Geduld«, sagte der Offizier. »Denn nun komme ich zu einer Situation, die Sie, wertes Fräulein Lusin, aus eigener Anschauung kennen.«

Elise sah ihn fragend an.

»Zum einen gab es für die Bewohner Sondersteuern, mit denen die Verpflegung der Besatzung bezahlt werden sollte, zum anderen hatten sie Zwangseinquartierungen hinzunehmen.«

»Wie wir mit Ihnen in Nürnberg«, sagte Elise.

»Wie Sie mit mir in Nürnberg«, erwiderte der Offizier und sah Agathe zärtlich an. »Und wie wir nun wissen, können aus Zwangseinquartierungen auch die schönsten Dinge entstehen.«

»Alles schön und gut«, rief Elise mit leiser Ungeduld. »Aber was hat das nun mit diesen weißen Zacken zu tun?«

»Es ging noch ein wenig hin und her, kurzzeitig wurde Hamburg von den Russen befreit, doch schon bald kamen die Franzosen wieder zurück, und nun wurde es noch härter für die Hamburger«, ließ der Offizier sich nicht beirren. »Unter Marschall d'Avoût sollten sie nun dabei helfen, die Stadt zur Festung auszubauen. Wegen seiner Härte und seines strengen Regimes in der Hansestadt nannte man ihn auch den eisernen Marschall oder Robespierre von Hamburg. Auch die Kirchen – mit Ausnahme der Michaeliskirche – wurden unter d'Avoût beschlagnahmt und, man mag es kaum glauben, zu Pferdeställen umgewandelt.« Grinsend deutete der Offizier auf die Sandsteinsäule. »Dieses Schicksal ereilte auch diese schmucke Kirche«, sagte er. »Das hier ist, mit Verlaub, meine Damen, Pferdeurin. Weil die flüssigen Exkremente so ätzend sind, entstanden die hellen Spuren in den Mauern.«

Elise schüttelte sich, Agathe war jedoch fasziniert. »Es ist einfach unglaublich, dass man anhand dieses Details erkennen kann, dass die Kirche vor sechzig Jahren ein Pferdestall war.«

Richard schenkte ihr einen zärtlichen Blick. »Das, meine Liebe, finde ich auch.«

***

»Ich hoffe, Sie hatten einen schönen Abend«, begrüßte Louis Oetker seine Gäste am nächsten Morgen freundlich. Ihm war jedoch deutlich anzumerken, wie sehr er unter Zeitdruck stand, denn bevor einer der Angesprochenen die Gelegenheit hatte zu antworten, winkte er schon einen jungen Mann herbei, der einen kleinen, etwa fünfjährigen Jungen an der Hand hatte. »Das hier ist unser Adalbert Kröger mit seinem Sohn Jakob. Da Jakob vor Kurzem ein großer Bruder geworden ist und seine Mutter etwas Ruhe braucht, hilft er uns momentan aus.«

»Das ist aber freundlich von dir, Jakob«, sagte Elise und ging vor dem kleinen Mann in die Hocke. »Wie heißt denn dein Geschwisterchen?«

»Sophia«, erwiderte der Kleine mit piepsiger Stimme. »Und sie ist sehr süß.«

»Das glaube ich dir«, sagte Elise, die Corbinians liebevolle Blicke auf sich spürte. Ob er sich in diesem Moment wohl vorstellte, wie sie mit ihren gemeinsamen Kindern umgehen würde?

»Du kennst dich bestimmt gut aus mit Marzipan, oder?«

»Ja«, strahlte der Kleine. »Ich weiß alles.«

»Wie wunderbar«, entgegnete Elise schmunzelnd. »Willst du es mir zeigen?«

Der kleine Jakob nickte eifrig.

Die drei Nürnberger folgten Vater und Sohn zu einer silbrig glänzenden Maschine, die ziemlichen Lärm machte. »Ein Mandelhäuter«, erkannte Elise. »So etwas haben wir bei uns auch.«

Oetker, der für einen kurzen Augenblick wieder zu ihnen gestoßen war, bevor er sich erneut davonmachte, nickte. »Das dachte ich mir schon. Das meinte ich ja, als ich sagte, dass das für euch wirklich keine Kunst ist. Die meisten Maschinen habt ihr schon, und im Gegensatz zu mir könnt ihr sogar mit Dampfkraft arbeiten.«

Auch die nächste Maschine in Oetkers Fabrik, Schimpfle's Mandel-Reibemaschine, kannte Elise noch aus Zeiten, als ihr Vater die Lebkuchen ohne Dampfkraft in der Bergstraße gebacken hatte. Louis Oetker hatte so recht mit seiner Überlegung gehabt, dass sie das Marzipan gleich vor Ort in Nürnberg herstellen sollten. Denn im Gegensatz zu der Altonaer Fabrik verfügten sie ja tatsächlich über Dampfkraft, während Schimpfle's Mandel-Reibemaschine mit ihrer großen Kurbel in der Bergstraße ein trauriges Dasein fristete.

Die nächste Maschine, die die Lebküchner besichtigten, war ein Gerät, in dem der Kristallzucker zu Staubzucker umgewandelt wurde – ebenfalls eine technische Errungenschaft, die im Nürnberger Werk zu finden war.

»Würden wir Kristallzucker statt Staubzucker verwenden, würde es keine schöne Masse geben, und die Zuckerkörner würden beim Kauen vielleicht sogar knirschen«, erklärte er. »Wenn der Zucker und die gemahlenen Mandeln vermengt sind, rösten wir beides an, das verstärkt den Geschmack. Dabei muss sehr darauf geachtet werden, dass nichts anbrennt. Das heißt, die Mandeln müssen in der Pfanne eigentlich ständig gewendet werden.«

Er führte sie zum nächsten Tisch, und hier fand das statt, was Elise am meisten interessierte: Die Marzipanmasse wurde weiterverarbeitet.

Mit Begeisterung sah Elise, dass die Marzipanbäcker nicht nur kleine Figürchen aus der Mandel-Zucker-Masse formten, sondern sie auch in Model drückten. Am liebsten wäre sie dem freundlichen Kröger um den Hals gefallen. Strahlend sah sie Corbinian an. »Besser geht es ja gar nicht. Das ist ja viel wunderbarer als die Drucke. Wir können Vaters alte Model verwenden.«

»Das ist richtig«, stimmte Corbinian ihr zu. »Wir müssen nur einen Weg finden, sehr dünne Marzipanbilder anzufertigen, denn sie sollen ja nur die Oberfläche unserer Lebkuchen sein. Reine Marzipankuchen herzustellen wäre sicherlich auch sehr köstlich – aber dann wären wir ja keine Lebküchner mehr.«

Stirnrunzelnd sah Elise ihren Geliebten an. »Meinst du, dass uns das gelingen wird?«

»Da bin ich ganz sicher«, sagte er und küsste sie auf die Schläfe. »Mein Vorschlag wäre, für unsere runden Lebkuchen neue Model anzufertigen, denn die deines Vaters passen ja von Form und Größe nicht. Ich habe die Kunst des Modelschnitzens auch gelernt.«

Überrascht sah sie ihn an. »Du kannst das auch?«

Er lächelte. »Ja, ich kann das auch.«

»Aber was machen wir dann mit Vaters alten Modeln?«, fragte sie. »Ich würde sie so gerne zu Ehren kommen lassen.«

»Da habe ich auch eine Idee, die dir gefallen wird.«

»Verrätst du sie mir?«

Doch er schüttelte den Kopf. »Damit musst du dich noch eine Weile gedulden.«

30

Sie hatten die Grenze zur Schweiz eben passiert. »Was für eine wunderbare Landschaft«, seufzte Elise, als sie immer tiefer ins Land der Eidgenossen vordrangen. »Es ist einfach unfassbar schön hier.«

»Ein Wintermärchen«, bestätigte der neben ihr sitzende Corbinian und griff nach ihrer Hand.

»Dann ist das ja genau die richtige Zeit, um in die Schweiz zu reisen«, sagte Elise.

»Ach, dieses Land ist zu allen Jahreszeiten reizvoll«, meinte ihr Schwarm.

Agathe allerdings hatte keinen Blick für die landschaftliche Schönheit, die draußen vorbeizog. Wie auch schon bei der Fahrt von Berlin nach Hamburg starrte sie – voller Sehnsucht nach ihrem Liebsten – betrübt vor sich hin.

»Ich kann es nur immer wiederholen«, wandte sich Elise mitleidsvoll an ihre Zofe. »Du siehst ihn doch wieder.«

»Und letztes Mal ging es ja auch viel schneller als gedacht«, setzte auch Corbinian an, Agathe zu trösten.

Doch die brachte nur ein trauriges Lächeln zustande. »Ich glaube nicht, dass er noch einmal als Überraschungsgast vor unserem Hotel auftauchen wird. Und das ist ja auch gut so.«

»Allerdings ist es das«, bestätigte Elise ernst. »Ich bin sehr froh, dass er sich in Nürnberg um die unangenehme Angelegenheit kümmert. Das ist so wichtig. Offen gestanden bin ich schon ein wenig unruhig. Ich wäre lieber vor Ort, um alles genau mitzubekommen.«

»Du könntest ohnehin nichts ausrichten«, sagte Corbinian und drückte tröstend ihre Hand. »Viel wichtiger ist, was wir hier in der Schweiz vorhaben.«

Sie seufzte. »Du hast recht. Wie immer. Und außerdem hat Richard ja versprochen, uns unermüdlich über den weiteren Fortgang der Ereignisse per Depesche auf dem Laufenden zu halten.«

Inzwischen hatte der Zug das kleine Städtchen Neuenburg erreicht, wo Philippe Suchard, wie Elise von Corbinian erfahren hatte, bereits 1825 seine Confiserie und Chocolaterie eröffnet hatte. Die Tatsache, dass der Chocolatier dieses Unternehmen nun also schon seit vierzig Jahren führte, schüchterte sie etwas ein.

»Wie alt ist Monsieur Suchard denn eigentlich?«, fragte sie nun.

»Oh, er ist ein recht betagter Herr«, erwiderte Corbinian. »Wenn mich nicht alles täuscht, müsste er dieses Jahr seinen siebzigsten Geburtstag feiern. Er hat es wirklich zu was gebracht im Leben: Immerhin ist er einer der größten Schokoladenhersteller auf der ganzen Welt.«

»Vor allem aber hat er diese Maschine gebaut, das beeindruckt mich besonders.«

Nachdem sie in ihrem Hotel Quartier genommen hatten – einem entzückend urigen, aber eleganten Haus mit Blick auf den Neuenburgersee –, beschlossen sie spontan, noch einen Spaziergang durch die winterliche Landschaft zu machen. Corbinian wäre gern durch die Seyonschlucht gegangen oder im Norden ins Juragebirge, doch die Wirtin, eine freundliche, aber resolute Person um die fünfzig, erklärte ihm rundheraus, er riskiere damit das Leben seiner reizenden Gattin – als diese hatte Elise sich nämlich bei ihr ausgegeben. Am Seeufer und am Fuß der Berge lasse es sich wunderbar und vor allem gefahrenlos spazieren gehen. Corbinian fügte sich widerspruchslos in sein Schicksal; seine Liebste in Gefahr zu bringen, war schließlich das Letzte, was er wollte.

Dick eingepackt in ihr wärmstes schwarzes Wollkleid, den schweren Walkmantel und ein zusätzliches Paar Strümpfe, griff Elise voller Vorfreude nach Corbinians Hand. Seite an Seite verließen sie das Hotel und erreichten schon bald den Fuß des Berges. Fasziniert beobachtete Elise, wie sich mehrere Männer mit merkwürdigen staksigen Bewegungen daranmachten hinaufzusteigen.

»Was haben die denn an den Füßen, und warum laufen die so seltsam?«

»Die Herren haben Schneeschuhe an.«

»Schneeschuhe?«, fragte Elise verständnislos.

»Ja, genau. Hättest du Lust, es selbst einmal auszuprobieren?«

»Hmm«, erwiderte Elise unschlüssig, »ach, warum nicht?«

»Beim Bauer Burchen konnte man früher Schneeschuhe leihen«, erinnerte sich Corbinian, »komm, wir statten ihm einen Besuch ab.«

Der fröhliche Landwirt verlieh noch immer Schneeschuhe, und ein paar Minuten später hatte Corbinian seine bereits angezogen.

Währenddessen hatte Elise die beiden Gebilde aus Holz und Leder unschlüssig vor sich in den Schnee gelegt. Wie ihr angeblicher Ehemann setzte nun auch sie den einen Fuß in die Mitte des Netzes, das durch einen Holzring gespannt wurde. Dann griff sie nach den beiden Lederbändern und befestigte damit den Schneeschuh an ihrem Stiefel. Vorsichtig hob sie den Fuß und stellte zufrieden fest, dass der Schneeschuh an Ort und Stelle blieb. Zufrieden verfuhr sie mit dem zweiten genauso.

Corbinian war inzwischen auf Armeslänge herangekommen und reichte ihr seine Hand: »Und, wollen wir uns jetzt in den tiefen Schnee wagen?«

»Sehr gerne«, sagte Elise, und ihre Augen funkelten voller Vorfreude.

Mit roten Wangen und leuchtenden Augen kamen Elise und Corbinian vier Stunden später wieder in die Pension zurück.

»Sie sehen ja ganz schön durchgefroren aus«, rief Agathe besorgt. »Ich werde Ihnen gleich ein heißes Bad einlassen.«

»Oh, das wäre wundervoll«, rief Elise dankbar. »Ich hätte nicht zu hoffen gewagt, dass das hier möglich ist.«

»Es ist zwar nicht so bequem wie das Hotel in München mit der Schaukelbadewanne, aber Feuer, auf dem ich das Wasser für Ihr Bad erhitzen kann, gibt es hier durchaus«, erklärte Agathe.

»Das Städtchen ist aber auch ganz reizend, und das Schloss ist ausgesprochen malerisch«, meinte Elise unternehmungslustig. »Wenn ich mich etwas aufgewärmt habe, können wir nachher noch einen kleinen Stadtspaziergang machen, und ich würde mich freuen, wenn du uns begleiten würdest.«

»Mit Vergnügen«, sagte Agathe. »Und in der Zwischenzeit werde ich die Wirtin fragen, ob ich eine heiße Schokolade für Sie und den gnädigen Herrn bekomme. Damit Sie sich auch von innen aufwärmen können.«

***

Auch Corbinian hatte Lust auf einen erneuten Spaziergang durch die reizende Altstadt von Neuenburg, die aus zwei Teilen bestand: Der eine erstreckte sich oben auf dem Hügel über dem Seyongraben, der andere direkt unten am See. Da ihre Pension in der Nähe des oberen Teils lag, gingen sie zunächst dort spazieren, betrachteten die Kollegiatskirche und ließen sich natürlich vor allem das reizende Schloss Neuenburg nicht entgehen. Elise gefiel besonders die Rue du Seyon, eine malerische kleine Geschäftsstraße, die auf dem ehemaligen Flussbett der Seyon gebaut worden war. Das erfuhren sie von einem älteren Herrn, dessen Geschäft sie aufgesucht hatten. »Der Fluss hat uns immer wieder Ärger gemacht«, ließ der Ladenbesitzer seine Besucher wissen. »Gar zu oft ist er über die Ufer getreten und hat schlimme Schäden angerichtet. Da haben sie Rohre verlegt und ihn damit ein wenig gezähmt.«

Corbinian griff tröstend nach Elises Hand und drückte sie. Auch Agathe musterte ihre Herrin besorgt. Elise schluckte. Bei der Geschichte des Flusses, der ständig über die Ufer getreten war, fuhr es ihr durch Mark und Bein, und als sie den Laden wieder verlassen hatten, sagte sie leise: »Ich glaube, ich würde doch lieber wieder zurück ins Hotel gehen, wenn ihr nichts dagegen habt. Nach einem Spaziergang am Seeufer ist mir jetzt so gar nicht.«

»Aber natürlich, mein Liebling«, beeilte sich Corbinian zu sagen. »Es tut mir leid, dass du auf so schmerzliche Weise an deinen tragischen Verlust erinnert wurdest.«

»Ich muss nicht daran erinnert werden«, erklärte sie, während sie langsam wieder in Richtung ihrer Pension gingen. »Ich bin in Gedanken ohnehin ständig bei meinem Vater. Aber meistens sind das eher schöne Gedanken. Gedanken, bei denen ich darüber nachdenke, wie es am besten gelingen kann, sein Andenken zu bewahren. Sein Lebenswerk fortzuführen. Diese Gedanken tun gut. Aber solche Erinnerungen …«

»Ja«, sagte Corbinian und drückte ihre Hand. »Ja, ich weiß.«

***

Früh am nächsten Morgen machten sich Elise und Corbinian auf den Weg zur Schokoladenfabrik Suchard. Agathe hatte Elise am Vorabend etwas verlegen gefragt, ob es in Ordnung sei, wenn sie die beiden nicht begleite. Sie fühle sich bei diesen Gelegenheiten immer etwas überflüssig. Rasch hatte die junge Frau hinzugefügt, dass sie sich natürlich keineswegs vor ihren Pflichten drücken wolle und selbstverständlich zur Stelle sei, sollte die gnädige Frau es bevorzugen. Doch Elise konnte ihre Zofe durchaus verstehen und hatte kein Problem damit, ohne ihre Begleitung zu der Schokoladenfabrik zu fahren.

Selbige lag in Serrières, einem Vorort der Stadt, und erwies sich als lang gestrecktes, funktionales Gebäude.

Philippe Suchard, ein stattlicher, eleganter älterer Herr, erwartete sie bereits. Die Begrüßung verlief ebenso herzlich wie bei Louis Oetker in Hamburg. Er freue sich außerordentlich, dass sein einstiger Lehrling den Weg zu ihm gefunden habe – und dann noch in derart liebreizender Begleitung, erklärte der Chocolatier.

Auch Philippe Suchard ließ sie bewirten. Es gab Tee, Gebäck und eine Auswahl selbst hergestellter Schokoladen.

»Ist das köstlich«, rief Elise begeistert aus, nachdem sie das erste Stück probiert hatte.

»Es freut mich sehr, dass sie Ihnen schmecken«, sagte Suchard. »Ich bin sehr glücklich darüber, dass ich eine Möglichkeit gefunden habe, die wunderbare Schokolade für so viele Menschen zugänglich zu machen.«

»Wie fing Ihr Weg denn eigentlich an?«, fragte Elise und griff sich noch ein Stück. Sie konnte einfach nicht widerstehen.

»Mit einer Krankheit«, antwortete Suchard zu ihrer Verblüffung.

»Mit einer Krankheit?«, rief Elise. »Das gibt es doch nicht.«

»Was ist denn daran so erstaunlich?«, wunderte sich Philippe Suchard.

»Das erläutere ich Ihnen gern später«, sagte Elise. »Wenn Sie erlauben – ich bin nun erst einmal sehr neugierig auf Ihre Geschichte.«

Er nickte. »Gut, ich will sie Ihnen gern erzählen. Ich war zwölf Jahre alt, als meine Mutter sehr krank wurde. Ich sollte in die Apotheke gehen und ein Pfund Schokolade holen.«

»Schokolade als Medizin?«, vergewisserte sich Corbinian.

Suchard lächelte. »Schokolade *ist* Medizin, glaub mir, mein lieber Junge«, sagte er, und Elise musste über den Umstand, dass der Fabrikant seinen einstigen Lehrling »Junge« nannte, etwas schmunzeln.

»Damals galt Schokolade als Stärkungsmittel, was sie ja auch ist. Und meiner Mutter ging es tatsächlich etwas besser, nachdem sie die Schokolade zu sich genommen hatte. Leider war sie unfassbar teuer, wir konnten sie uns kaum leisten. Und ich hätte doch so gerne mehr für Mutter besorgt. In der Denkweise eines kleinen Jungen meinte ich damals: Es ist ganz einfach, reich zu werden. Ich stelle Schokolade her und verkaufe sie zum selben Preis wie in der Apotheke. Dann bin ich reich.«

Elise lachte, und der alte Mann, den sie sich nur schwer

als kleinen Jungen vorstellen konnte, wurde ihr immer sympathischer.

»Ich war nämlich überzeugt, dass noch viel mehr Menschen Schokolade wollen.« Ein verschmitztes Lächeln glitt über sein Gesicht, als er fortfuhr: »Nun, Sie können mich ja bei meiner Mutter nicht mehr verraten, also kann ich es wohl gestehen: Ich habe damals selbst ein kleines Stückchen probiert und war sofort begeistert. Wenn die Schokolade auch lang noch nicht so schmeckte, wie wir das heute kennen.« Fragend sah er Elise an. »Nun müssen Sie mir aber erzählen, warum Sie der Umstand, dass ich wegen einer Krankheit auf die Schokolade kam, so überrascht hat.«

»Weil ich eine ganz ähnliche Geschichte habe«, erklärte sie. »Mein verstorbener Vater hat den Elisenlebkuchen erfunden, als ich sehr krank war. Meine Eltern fürchteten damals wohl um mein Leben. Als nichts helfen wollte, fuhr er in seine Backstube und schuf einen Lebkuchen ohne Mehl, nur mit Mandeln und Gewürzen. Das Gebäck war noch warm, als er es aus dem Ofen zog und mir ans Krankenbett brachte. Ich nahm zuerst nur den Geruch wahr. Dann öffnete ich den Mund und biss ab. Ich hatte wirklich das Gefühl, dass mich dieser Lebkuchen von innen heraus gesund machte. Heute verkaufen wir nur noch Lebkuchen dieser Machart. Und nun ist es an mir, das Andenken meines Vaters lebendig zu halten. Zumindest das. Ihn selbst kann ich ja leider nicht wieder lebendig machen.«

Ihre Stimme schwankte, und sie atmete tief durch. Die gestrige Begegnung mit dem alten Mann und dessen Erzählungen über den Seyon hatten sie mehr aus dem Gleichgewicht gebracht, als sie gedacht hatte. Sie durfte jetzt auf keinen Fall die Fassung verlieren. Da fühlte sie plötzlich eine

Hand auf der ihren. Sie blickte auf und sah direkt in das freundliche Gesicht Philippe Suchards.

»Ihr Verlust tut mir aufrichtig leid«, sagte er. »Corbinian hat mir in seinem Brief davon berichtet. Und bitte halten Sie mich nicht für unhöflich, dass ich nicht kondoliert habe. Ich weiß nur aus eigener schmerzlicher Erfahrung, wie schwer es ist, die Fassung zu bewahren, wenn einen ständig jeder auf den schmerzhaften Verlust anspricht.«

»Danke«, brachte Elise hervor und blinzelte die Tränen fort, die sie angesichts seiner mitfühlenden Worte nun doch nicht mehr ganz hatte zurückhalten können. »Sie sind wirklich zu freundlich.«

Er lächelte und griff nach einem weiteren Stück Schokolade. »Hier«, sagte er. »Sie wissen ja. Schokolade macht gesund. Auch die Seele.«

Corbinian hatte der Szene schweigend beigewohnt, ergriff aber nun, als Elise sich lächelnd ihr drittes Stück Schokolade in den Mund schob, wieder das Wort.

»Wir sind Ihnen sehr dankbar, dass Sie uns dabei helfen wollen, das Andenken von Elises Vater zu bewahren«, erklärte er nun. »Ich habe Ihnen ja schon alles geschrieben.«

»Ja«, bestätigte Suchard. »Es ist unglaublich, dass Sie sich zusätzlich zu all Ihrem Kummer nun auch noch mit so etwas herumschlagen müssen. Die Elisenlebkuchen haben mir ausgezeichnet gemundet. Sie mit Schokolade zu überziehen, ist eine großartige Idee. Ich kann mir das sehr gut vorstellen und unterstütze Sie sehr gern, wenn ich dabei helfen kann, das Lebenswerk Ihres Vaters fortzuführen. Ihre Geschichte rührt mich sehr.«

»Danke«, sagte Elise. »Ich danke Ihnen von ganzem Herzen.«

»Dann schlage ich vor, dass ich Ihnen jetzt zunächst das Werk zeige und wir dann überlegen, wie wir konkret in die Umsetzung kommen können. Wenn ich es richtig verstanden habe, haben wir ja keine Zeit zu verlieren.«

»Ja«, bestätigte Elise. »So ist es leider.« Im Stillen dachte sie, dass es zwar, wie sie jetzt durch Simon schmerzlich hatte lernen müssen, ausgesprochen böse Menschen auf der Welt gab, dass das aber die guten, hilfsbereiten und herzlichen, wie eben Philippe Suchard, mehr als wettmachten.

Nachdem sie ihren Tee ausgetrunken hatten, gingen sie hinüber in die Schokoladenfabrik, und noch bevor sie die Halle betraten, lag ein verführerischer Kakaoduft in der Luft.

»Wie himmlisch das riecht«, schwärmte Elise.

»Warte mal ab, bis wir im Werk sind«, erwiderte Corbinian.

»Das ist die Rösterei«, begann Philippe Suchard die Führung durch das Werk, nachdem sie die Halle betreten hatten. »Bei einer Temperatur von rund hundertfünfzig Grad Celsius werden die Kakaobohnen etwa zwanzig Minuten geröstet. Dadurch soll zum einen der Geschmack verstärkt werden, zum anderen lässt sich dann auch die Schale leichter von den Kakaobohnen lösen.«

Elise beobachtete, wie die Mitarbeiter nach einiger Zeit die heißen Kakaobohnen aus dem Trommelröster nahmen und zum Abkühlen beiseitestellten.

»Sehen Sie, hier werden die Kakaobohnen dann weiterverarbeitet«, unterbrach Suchard Elises Beobachtungen und lenkte ihren Blick auf den nächsten Arbeitsbereich.

»Hier werden die Schalen von den Kakaobohnen entfernt«, erklärte Suchard und deutete auf zwei große Steinwalzen.

»Siehst du, Elise«, sagte Corbinian, »durch den zugeführten Luftstrom werden die Schalen, die leichter sind als die Bohnen, abgetrennt.«

»Die so gereinigten Kakaobohnen werden im nächsten Schritt dann bei einer Temperatur von dreißig bis vierzig Grad Celsius in einer Walze noch weiter zerkleinert und gewalzt«, fuhr der Fabrikant fort. »Dabei entsteht die eigentliche Kakaomasse.«

Elise blickte interessiert auf die Maschine, in der aus den Kakaobohnensplittern mit der Zeit ein grober Brei wurde.

»Durch das Walzen wird die Masse immer zähflüssiger«, erklärte Corbinian.

Philippe Suchard deutete auf eine Rührmaschine. »Das ist er, der sogenannte Mélangeur. Ich habe diese Maschine bereits 1826 erfunden. Ich würde empfehlen, für Ihr Unternehmen auch so eine zu bauen.« Freundlich lächelte er seinen einstigen Lehrling an. »Wenn es jemand kann, dann Corbinian Waldmeister.«

Überrascht sah Elise Corbinian an. »Könntest du das denn?«

Etwas verlegen erwiderte ihr Galan: »Nun, ich könnte es zumindest versuchen.«

»Und was genau passiert in dem Mélangeur?«, fragte Elise neugierig.

»Darin wird die Kakaomasse mit dem Zucker und den Gewürzen gemischt.«

»Wie himmlisch es hier duftet«, schwärmte Elise.

Corbinian lächelte. »Habe ich dir doch versprochen!«

»Nach dem Mélangeur«, erläuterte Suchard, »muss die Rohmasse noch mal gewalzt werden.«

»Noch würde die Schokolade nämlich recht sandig

schmecken«, erklärte Corbinian. »Erst wenn sie erneut ganz fein gewalzt wurde, bekommt sie den wunderbaren Schmelz.«

»Was für ein Aufwand«, entfuhr es Elise, »von nun an werde ich Schokolade mit noch viel mehr Genuss essen.«

31

Nachdem Suchard ihnen auch die Gießerei gezeigt hatte, in der die Schokoladentafeln in Form gebracht wurden, lud er seine Gäste in sein Büro ein.

»Darf ich Sie noch etwas fragen?«, bat Elise.

»Alles.« Suchard sah sie abwartend an.

»Wie ist aus dem kleinen Jungen denn der große Fabrikant geworden?«

Suchard lachte. »Nun, zu meinem Glück hatte mein Bruder Fréderic in Bern eine Confiserie. Er war Zuckerbäcker, und ich durfte bei ihm eine Lehre absolvieren. Dort habe ich acht Jahre verbracht und enorm viel über Zutaten, Qualität und sauberes Arbeiten gelernt. Am Ende hat mein Bruder mich sogar zum Teilhaber gemacht.«

»Das hat er bestimmt nicht bereut«, war Corbinian überzeugt.

»Ich hoffe es«, erwiderte der Fabrikant. »Mich hat es dann nach acht Jahren aber erst einmal in die Neue Welt getrieben. Ich war jung, ich war unternehmungslustig, und ich hatte schon auch den Traum vom großen Geld – oder zumindest davon, ein sehr erfolgreicher Mann zu werden.«

»Und das wurde dann ja auch wahr«, stellte Elise fest.

»Ja, aber nicht in Amerika«, erwiderte Suchard. »Das sollte noch eine ganze Weile dauern. Nach meiner Rückkehr habe ich zuerst einmal eine eigene Confiserie aufgebaut. Und in der habe ich dann auch Schokolade hergestellt.

Feine hausgemachte Schokolade habe ich das genannt. Die hat sich gut verkauft.«

»Wenn sie nur halb so gut geschmeckt hat wie die, die ich probieren durfte, verstehe ich das mehr als gut«, erklärte Elise lächelnd.

»Ein Jahr später lief es dann so gut, dass meine Confiserie schon zu klein wurde. Glücklicherweise hatte ich die Gelegenheit, diese Mühle hier in Serrières zu erwerben und dort meine Fabrikation aufzunehmen.«

»Und die Geräte, die dafür nötig waren, hat er alle selbst konstruiert«, erzählte Corbinian und klang dabei so stolz, als sei das sein Verdienst. »Er ist nämlich nicht nur ein großartiger Chocolatier, sondern auch ein findiger Konstrukteur.«

»So viele Schmeicheleien wie jetzt von euch beiden habe ich schon lange nicht mehr bekommen«, sagte Suchard und lächelte feinsinnig. »Ihr beiden macht einen alten Mann ganz verlegen.«

»Nicht umsonst ist er auch Dampfschiff-Unternehmer, Raupenzüchter und Asphalt-Produzent«, zählte Corbinian auf. »Es ist unglaublich, was Sie alles machen.«

»Aber mein Herz gehört der Schokolade«, sagte Suchard und lächelte.

»Ich habe bei Ihnen unglaublich viel gelernt«, betonte Corbinian und sah seinen einstigen Lehrmeister voller Zuneigung an. »Ich möchte die Jahre nicht missen. Sie haben mir beigebracht, wie wichtig es ist, sich mit voller Hingabe dem zu widmen, was man tut. Das schmecke man, haben Sie einmal zu mir gesagt. Und Sie haben mich gelehrt, dass es auf die kleinen Dinge ankommt. Darauf, allem und jedem sehr viel Sorgfalt beizumessen.«

Philippe Suchard nickte. »Ja, man kann, man *muss* zielstrebig sein, sein Ziel immer fest im Auge haben. Dabei darf man aber nicht den Weg aus dem Blick verlieren und zu große Hast an den Tag legen, sonst stolpert man.«

»Andererseits ist es aber auch wichtig, sich nicht zu sehr im Detail zu verlieren, sonst wird man niemals fertig«, entgegnete Corbinian.

Suchard lachte. »Du meinst David«, sagte er und wandte sich dann erklärend an Elise: »Zur gleichen Zeit, in der auch Ihr Corbinian bei mir in der Lehre war, hatte ich einen Lehrling, der hieß David. Ein freundlicher junger Mann und sehr sorgfältig. Aber er hat für alles zehn Mal so lang gebraucht wie andere.«

»Solche Fälle gab es in unserer Fabrik auch«, erinnerte sich Elise. »Vater tat es immer schrecklich leid, aber er hat sie dann entlassen. Er sagte, das käme ihn viel zu teuer.«

»Ja«, nickte Suchard. »Das sind die schmerzlichen Entscheidungen, die ein Unternehmer manchmal treffen muss. Man kann nicht immer alle glücklich machen und alle mitnehmen.«

»Ich habe bei Monsieur Suchard aber noch etwas ganz Bedeutsames gelernt«, sagte Corbinian nun zu Elise. »Wie wichtig es ist, eine Marke aufzubauen. Sie haben ja immer viel Werbung gemacht.«

Suchard nickte. »Das war mir stets ein großes Anliegen und sehr wichtig. Ich habe es mich was kosten lassen, teure Drucksachen herzustellen. Und selbstverständlich habe ich unser Unternehmen auch bei sämtlichen Weltausstellungen vertreten. Denn was nutzt die beste Schokolade, wenn die Welt nicht davon erfährt?«

»Monsieur hat sogar Hausfassaden und Fahrzeuge bedrucken lassen«, fuhr Corbinian fort. »Die ganze Welt sollte erfahren, wie lecker Suchard-Schokolade ist.«

»Ist sie ja auch«, sagte Elise und bekam erneut Lust auf die braune Köstlichkeit. »Ich habe schon vorhin gedacht, wie schön und kunstvoll die Verpackungen sind, mit denen Sie Ihre Schokolade verpacken.«

»Es ist ja was Gutes drin«, erklärte Philippe und strich andächtig über die rechteckige Tafel, die in ein Papier eingeschlagen war, das von zwei Straußen und dem Schriftzug ›Chocolat Suchard‹ geziert wurde. »Die Verpackung muss des Inhalts würdig sein.«

***

Begeistert erzählte Elise am frühen Nachmittag Agathe von ihrem Besuch in der Schokoladenfabrik.

»Jetzt ärgere ich mich fast, dass ich nicht mitgekommen bin«, seufzte die Zofe, »Schokolade in Hülle und Fülle. Ich glaube, da wäre ich gerne für immer geblieben.«

»Zum Glück ist Philippe Suchard überzeugt, dass Corbinian auch die wichtigste Maschine, diesen Mélangeur, selbst bauen kann. Dank der könnten wir bald auch in Nürnberg feinste Schokolade essen.«

»Oje, ich hoffe, ich passe dann noch in meine Kleider«, seufzte Agathe.

»Bestimmt«, meinte Elise. »Aber was ich noch erzählen wollte, ein Freund von Herrn Suchard stellt Absinth her und hat uns ebenfalls zu einer Besichtigung eingeladen.«

»Oh, wie schön für Sie«, erwiderte Agathe mit leiser Enttäuschung. Denn während Corbinians und Elises Abwesenheit, als es keine Ablenkung gegeben hatte, war die Sehnsucht nach Richard übermächtig geworden und kaum zu ertragen gewesen. Sie fürchtete sich vor dem Alleinsein. »Wir haben zugesagt, aber nur unter der Bedingung, dass meine Zofe ebenfalls mitkommen darf«, sagte Elise, der Agathes Enttäuschung nicht entgangen war.

»Sehr gerne«, freute die sich nun.

***

»Meine Damen«, begrüßte Corbinian Elise und Agathe im Empfangsbereich des Hotels.

Diskret wandte Agathe den Blick ab, als Corbinian Elise auf die Wange küsste und ihr seinen Arm anbot.

Gut gelaunt folgte sie den beiden zur Kutsche, die sie zur Destille Hughes in der Nähe des Neuenburger Schlosses bringen sollte.

Agathe genoss die Kutschfahrt in vollen Zügen. Der Kutscher hatte die Sitzbänke mit Decken ausgelegt, und so konnten sie trotz der eisigen Temperaturen mit offenem Verdeck über die schneebedeckten Straßen dahingleiten.

»Herzlich willkommen in meiner Destille«, begrüßte sie Monsieur Henriod wenig später.

»Wir bedanken uns für die Einladung«, sagte Corbinian, nachdem er sowohl Elise als auch Agathe aus der Kutsche geholfen hatte.

»Kommen Sie«, rief Monsieur Henriod, »kommen Sie rein ins Warme.«

»Wie gut es hier nach Kräutern duftet«, raunte Agathe Elise zu.

»Das stimmt«, pflichtete Elise ihr bei.

»Oh, Sie haben schon alles vorbereitet«, stellte Corbinian fest.

»Selbstverständlich«, erwiderte der Destilleur. »Wir

freuen uns ja, dass sich jemand für unsere Arbeit interessiert.«

Auf dem Tisch stand eine große Glaswasserflasche, in der kleine Eisbrocken schwammen, mit mehreren Hähnen bereit. Darunter waren kleine Gläschen mit je einem Silberlöffel drapiert.

»Bevor ich Ihnen etwas zur Geschichte des Absinths erzähle, der hier bereits seit 1750 destilliert wird, sollten wir erst einmal einen trinken«, schlug Monsieur Henriod vor. »Schließlich müssen Sie wissen, von was wir hier sprechen.«

Während Corbinian zustimmend nickte, sahen sich Agathe und Elise betroffen an.

»Auch wenn Frauen normalerweise keinen starken Alkohol in der Öffentlichkeit trinken, ist das bei Absinth etwas anders«, erklärte der Destilleur, der den Blickwechsel sehr wohl bemerkt hatte. »Also nur zu, meine Damen.«

Elise nickte Agathe aufmunternd zu und sagte dann zu dem Destilleur: »Nun gut.«

Monsieur Henriod nahm es zufrieden zur Kenntnis und goss die grüne Flüssigkeit ein.

Anschließend reichte er jedem ein Zuckerstück und bat sie, es auf den Silberlöffel zu geben.

»Wenn Sie jetzt langsam das eiskalte Wasser aus der Glasflasche in der Mitte des Tisches auf den Zucker geben, löst er sich leicht auf, und die Zuckerwassermischung tropft langsam in den Absinth.«

»Ach, deshalb hat der Silberlöffel diese durchbrochene Ornamentstruktur«, schlussfolgerte Elise.

»Genau«, bestätigte der Destilleur.

»Und wie viel Wasser gibt man dazu?«, wollte Corbinian wissen.

»Machen Sie es einfach so wie ich«, forderte Monsieur Henriod auf. »Bis der Absinth komplett milchig geworden ist.«

»So?«, fragte Agathe und hielt ihm ihr Glas unter die Nase.

»Genau so ist es richtig, Mademoiselle«, nickte er ihr zu, »und diese Trübung nennt man Louche.«

»Dann lasst uns auf einen schönen Abend anstoßen«, schlug Corbinian vor, und nachdem alle von dem Getränk genippt hatten, ergriff Elise als Erste das Wort: »Das schmeckt ja wunderbar, zunächst der leicht bittere Geschmack und dann dieses aufregende Kräuteraroma.«

»Das freut mich zu hören, aber ich hatte Ihnen ja auch noch die Geschichte des Absinths versprochen.«

»Die würde ich sehr gerne hören«, sagte Agathe zaghaft.

»Meine Vorfahren warben bereits 1769 für ihr Heilmittel Bon Extrait d'Absinthe in Zeitungsannoncen«, begann Monsieur Henriod.

»Absinth war ursprünglich ein Heilmittel?«, hakte Elise nach.

»Oui«, bestätigte Henriod, »es bestand aus Alkohol, Wermut, Anis, Fenchel, Zitronenmelisse – und unserer geheimen Kräutermischung. Später wurde es auch als Magentherapeutikum vermarktet.«

»Das ist ja spannend, dass so viele Genussmittel als medizinisches Produkt begannen«, sagte Elise, »unsere Lebkuchen, Schokolade und jetzt auch Absinth.«

»Ja, das ist in der Tat erstaunlich«, stimmte Monsieur Henriod zu, »doch große Bekanntheit erreichte der Absinth erst dank Henri Louis Pernod.«

»Aber stellt er nicht in Frankreich her?«, warf Corbinian ein.

»Am Anfang nicht, zunächst füllte er auch hier in Neuenburg ab, erst als die Nachfrage insbesondere in Frankreich wuchs, verlagerte er seine Fabrik nach Pontarlier.«

»Weil die Wege kürzer waren?«, schlussfolgerte Elise.

»Zum einen, aber vor allem konnte er so die Zollformalitäten umgehen, denn zu diesem Zeitpunkt stand das Fürstentum Neuenburg unter preußischer Verwaltung.«

»Neuenburg gehörte zu Preußen?«, fragte Agathe verblüfft. »Obwohl es so weit im Süden liegt?«

»Ja, zweimal«, bestätigte Henriod, »zunächst von 1707 bis 1806 und dann noch mal von 1814 bis 1857.«

»Wie spannend«, sagte Agathe und bat: »Könnten Sie wohl noch ein bisschen mehr darüber erzählen?«

»Sehr gern, junge Dame«, sagte der Destilleur erfreut. »Es kommt nicht oft vor, dass sich jemand für diese Geschichte interessiert.« Fürstin Marie de Nemours sei 1707 kinderlos gestorben, erklärte er weiter, und so habe nach über zweihundert Jahren die Herrschaft des Hauses Orléans-Longueville über Neuenburg geendet. Ein landständiges Tribunal habe verfügt, dass die Rechte des preußischen Königs Friedrich I. sowie seiner Erben förmlich anerkannt wurden und er fortan den Titel souveräner Fürst von Oranien, Neuchatel und Valangin führen durfte.

»Und warum verlor Preußen dann Neuenburg wieder?«, fragte dieses Mal Corbinian nach.

»Ich erzähle gerne weiter«, sagte der freundliche Destilleur, »aber bevor ich das tue, darf ich Ihnen noch mal nachschenken?«

Elise und Agathe lehnten dankend ab. Da sie beide nicht an Alkohol gewöhnt waren, merkten sie die Wirkung des starken Getränkes deutlich. Corbinian ließ sich hingegen gerne noch mal sein Glas auffüllen.

»Nach der Französischen Revolution besetzte Frankreich nach und nach immer weitere Teile der Schweiz. Zunächst handelte Preußen mit Frankreich im Frieden zu Basel 1795 aus, dass das Fürstentum Neuenburg weiterhin preußisch bleiben und nicht der Helvetischen Republik angeschlossen werden sollte. Aber gut zehn Jahre später, 1806, überließ dann Friedrich Wilhelm III. von Preußen Neuenburg Napoleon I.«

»Und warum fiel es dann wieder an Preußen?«, wollte Agathe wissen, die dem Destilleur sehr aufmerksam zugehört hatte, schließlich wollte sie Richard die Geschichte später so detailliert und richtig erzählen können wie möglich. Als preußischer Offizier würde sie ihn mit Sicherheit faszinieren, falls er sie nicht ohnehin schon kannte.

»Nach dem Sturz Napoleons I. wurde der Erste Pariser Frieden geschlossen, und das Fürstentum Neuenburg ging wieder an Preußen. Der restlichen Schweiz wurden Unabhängigkeit und Selbstregierung zugesichert. Und Neuenburg wurde mit dem 1815 in Kraft getretenen Bundesvertrag als Schweizer Kanton und preußisches Fürstentum anerkannt«, beendete der Destilleur seinen Rapport. »1857 entband der preußische König dann in einer feierlichen Proklamation die Neuenburger von ihrem Treueeid.«

»Das ist ja noch gar nicht so lange her«, sagte Corbinian ganz erstaunt.

»Ja, ich kann mich noch gut daran erinnern, wie die Royalisten das Schloss in Neuenburg gestürmt und die preußische Flagge gehisst hatten, denn sie wollten weiterhin zu Preußen gehören.«

»Allen wird man es wohl nie recht machen«, resümierte Elise.

Nachdem sie eine Weile geschwiegen hatten, räusperte

sich Agathe: »Monsieur Henriod, dürfte ich noch eine Bitte äußern?«

»Natürlich, Mademoiselle.«

»Ich würde gerne eine Flasche Absinth erwerben, für meinen, meinen …«

»Für einen guten Freund«, sprang Elise ihr bei, die sah, wie sehr Agathe mit sich rang.

»Genau, für einen guten Freund«, nahm Agathe die Hilfestellung dankend an.

»Natürlich packe ich Ihnen eine Flasche für einen guten Freund ein«, schmunzelte der Destilleur und ließ angesichts seiner Reaktion deutlich erkennen, dass er natürlich durchschaut hatte, dass es sich bei dem guten Freund in Wirklichkeit um einen Galan handelte.

Auch Elise wollte gerne etwas von dem Absinth mit nach Hause nehmen, und so baten sie schließlich Herrn Henriod, eine ganze Kiste zu packen.

Doch als sie diese gemeinsam in die Kutsche verladen hatten, trat der Destilleur, eine kleine Schachtel in der Hand, noch einmal an Agathe heran.

»Liebe Mademoiselle, diese hier ist nur für Sie und Ihren Galan.«

»Aber das kann ich doch nicht annehmen«, versuchte Agathe das Geschenk abzulehnen.

»Ach, das Leuchten in Ihren Augen zu sehen, als Sie von Ihrem … werten Freund sprachen, hat mich an meine erste große Liebe erinnert. Genießen Sie sie, solange Sie können. Möge die kleine grüne Fee aus dem Absinth Ihnen dabei helfen.«

32

»So schön unsere Reise war – und vor allem: so eindrucksvoll und so erfolgreich, so kann ich doch nicht verhehlen, dass ich mich wieder sehr auf Nürnberg freue«, gestand Elise, kurz bevor sie ihre Heimatstadt erreicht hatten. Freundlich lächelte sie ihrer Zofe zu. »Und ich kann mir vorstellen, wie es dir erst ergehen muss.«

Wie versprochen, hatte Richard von Albedyll die Zofe auf dem Laufenden gehalten: Er hatte wieder in der Villa in der Erlenstegenstraße Quartier genommen – diesmal allerdings als sehr willkommener Gast. Am Abend vor ihrer Abreise aus der Schweiz hatte sie eine Depesche des Offiziers erreicht: FREUE MICH MITTEILEN ZU KOENNEN: MISSION ERFOLGREICH BEENDET. FRAEULEIN ELISE HAT NICHTS MEHR ZU BEFUERCHTEN.

Zu Agathes Bedauern hatte ihr Galan kein Wort darüber geschrieben, ob er noch in Nürnberg bleiben oder gleich zu seiner Mutter reisen würde. Da bis Weihnachten aber noch einige Zeit blieb, hoffte sie, ihn noch im Hause ihrer Herrschaft anzutreffen. Wenn sie sich gleichzeitig auch ein wenig davor fürchtete: In Berlin hatten sie sich ihre Liebe gestanden, und in Hamburg waren sie ein unbeschwertes, glückliches Paar gewesen. Im Hause der Lusins wären sie aber wieder das, was sie eigentlich waren: sie eine Dienerin, während es sich bei ihm um einen hochgestellten Gast handelte.

Als die Villa in der Erlenstegenstraße in ihr Blickfeld

kam, klopfte Agathes Herz beinahe schmerzhaft gegen ihren Brustkasten. Kaum hatte die Kutsche vor dem Eingangsportal gehalten, als sich die Tür auch schon öffnete. Ihre Ankunft war dem stets wachsamen Hausdiener Heinrich Mannfeld nicht entgangen.

»Ich freue mich sehr, dass Sie wieder zurück sind«, begrüßte er die Rückkehrer herzlich und fuhr dann, an Elise gewandt, fort: »Ihre Mutter und Rittmeister von Albedyll nehmen gerade ihren Nachmittagstee ein.«

Agathe spürte einen freudigen Stich im Magen. Richard war noch da! Aber durfte sie ihn denn sehen? Und falls ja, wie? Sie konnte schließlich nicht ganz selbstverständlich an einem Tee mit ihrer Herrschaft teilnehmen, und bis zu ihrem freien Tag war es noch lang.

»Wenn du uns ganz kurz Zeit gibst, uns ein wenig frisch zu machen, dann können wir gleich gemeinsam zu meiner Mutter und Rittmeister von Albedyll gehen und ihnen von den Erfolgen unserer Reise berichten. Und natürlich über die Ergebnisse von Rittmeister von Albedylls Gesprächen sprechen«, sagte Elise zu Corbinian. Dann wandte sie sich wieder an den Hausdiener. »Bitte zeigen Sie Herrn Waldmeister, wo er sich ebenfalls ein wenig erfrischen kann.«

Agathe folgte Elise, die ihr in den letzten Tagen mehr eine Freundin denn eine Dienstherrin gewesen war, die Treppe hinauf. Das seltsame Gefühl verstärkte sich. Während der Reise waren die Unterschiede zwischen ihnen – und damit auch die Unterschiede zwischen ihr und Richard – irgendwie verblichen. Hier aber, zu Hause, da gab es nichts Verschwommenes. Da wurde Agathe plötzlich mit aller Wucht klar, wie verrückt es war, auf eine glückliche Zukunft mit Richard zu hoffen!

***

In ihrem Zimmer angekommen, wandte sich Elise strahlend zu Agathe um und fiel ihrer Zofe um den Hals. »Er ist noch da, liebe Agathe! Ich freue mich ja so für dich.« Im nächsten Moment löste sie sich wieder von der anderen. »Aber was machst du denn für ein Gesicht? Freust du dich denn gar nicht?«

Agathe entschloss sich zur Wahrheit. »Natürlich freue ich mich, aber gleichzeitig bin ich ungemein traurig.«

»Aber warum denn das?«, rief Elise. »Nun setz dich erst einmal.«

Sie drückte ihre Zofe entschlossen auf das Sofa.

»Gnädiges Fräulein«, sagte Agathe. »Ich habe die letzten Wochen ebenso genossen wie Sie. Wir wurden Freundinnen, verzeihen Sie, wenn ich das sage, denn es ist nicht standesgemäß, aber so empfinde ich es nun einmal. In dem Moment, als ich dieses Haus betreten habe, traf mich die Erkenntnis wie eine Keule. Obwohl wir uns so nahe sind, trennen uns doch Welten.«

Elise sah sie nachdenklich an. »Das verstehe ich. Und ich kann deine Worte nur erwidern, Agathe. Auch du bist mir eine wichtige Freundin. Und ich glaube, ich habe auch eine Idee, wie wir dieses Problem lösen könnten.«

Neugierig und hoffend sah Agathe ihre Dienstherrin an.

»Ich würde vorschlagen, du bist nicht mehr länger meine Zofe, sondern meine Gesellschafterin. Das hatte Vater ja ohnehin schon einmal angedacht. Und dann sind alle Probleme aus der Welt.«

»Das wäre ja wunderbar!«, rief Agathe und sprang auf. »Oh, Elise, ich danke Ihnen so sehr. Sie sind ein guter Mensch.«

»Du bist auch ein guter Mensch, Agathe«, erwiderte Elise lächelnd. »Ich muss das natürlich alles noch mit Mutter besprechen, aber ich glaube nicht, dass sie etwas dagegen hat. Zumal es im Prinzip dir zu verdanken ist, dass die gesellschaftliche Ächtung von uns abgewendet wurde.«

Agathe nickte. »Ich danke Ihnen wirklich von ganzem Herzen.«

»Dann sollten wir uns jetzt darauf konzentrieren, uns etwas frisch zu machen, und die anderen nicht allzu lange warten lassen«, fuhr Elise fort. »Leider kann ich dir diesmal keines von meinen Kleidern anbieten. Das wäre zum jetzigen Zeitpunkt noch ziemlich merkwürdig und würde beim Gesinde nur Unmut erregen.«

Agathe nickte. »Das ist völlig klar. Aber soll ich denn wirklich mitkommen? Noch bin ich Ihre Zofe, und es wäre doch reichlich unpassend, wenn ich Sie zum Tee mit Ihrer Mutter und einem hochgestellten Gast begleite.«

»In erster Linie bist du meine Reisebegleiterin und die Frau, die den Einfall hatte, Herrn von Albedyll um Hilfe zu bitten«, blieb Elise bei ihrem Standpunkt. »Da ist es nur recht und billig, wenn du bei dem Gespräch dabei bist, in dem er uns berichten wird, wie es ihm mit Simon ergangen ist.«

»Gut«, sagte Agathe, und tausend Schmetterlinge schickten sich an, das unangenehme Gefühl in ihrem Magen zu vertreiben.

***

Corbinian war schon vor ihnen fertig gewesen und hatte sich bereits zu Elises Mutter und Richard von Albedyll gesellt. Als die beiden Frauen den Raum betraten, Agathe hielt sich etwas schüchtern hinter Elise, sprang Margarethe Lusin auf und eilte mit ausgebreiteten Armen auf ihre Tochter zu.

»Liebes«, rief sie. »Wie schön, dass du zurück bist. Herr

Waldmeister hat schon angedeutet, dass eure Reise sehr erfolgreich war, wollte aber mit seinen Erzählungen warten, bis ihr da seid.« Dann wandte sie sich zu der Zofe und nahm deren Hände in die ihren: »Ich hatte gehofft, dass Sie meine Tochter zu unserem Nachmittagstee begleiten werden und ich die Gelegenheit habe, Ihnen zu danken, meine Liebe«, sagte sie. »Ohne Sie wären wir in einer sehr schwierigen Lage. Wir sind Ihnen zu tiefem Dank verpflichtet.«

»Das ist doch nicht der Rede wert«, wehrte Agathe verlegen ab.

»Oh doch, das ist es«, sagte Margarethe ernst. »Und ich werde mich Ihnen auch noch erkenntlich zeigen. Nun kommt aber endlich und setzt euch.«

Als Margarethe ihnen den Rücken zuwandte und wieder auf die kleine Sitzgruppe unter dem Fenster zusteuerte, wagte Agathe es endlich, den Blick zu heben. Sie sah direkt in Richards Augen und las darin so viel Liebe, dass sie weiche Knie bekam. Etwas unbeholfen nahm sie am Tisch Platz und fühlte sich seltsam, als Maria, das Dienstmädchen, mit dem sie ja sonst immer gemeinsam im Dienstbotenzimmer die Mahlzeiten einnahm, ihr Tee servierte. Schnell jedoch war sie vollkommen in Richards Erzählungen gefangen und vergaß ihre Unsicherheit: Als Maria den Raum mit dem leeren Tablett verlassen hatte, begann er mit seinen Schilderungen.

»Es war eigentlich recht einfach, Herrn Hertlein zu überzeugen«, sagte er. »Am Anfang hat er sich zwar stur gestellt und auf seiner Version beharrt, hat gar versucht, mich zu verhöhnen und gerufen, ich solle doch nicht davon ausgehen, dass man einem Dienstmädchen eher glaube als ihm, einem wichtigen Fabrikantensohn. Ich habe ihm dann erklärt, dass ich zwar in Diensten sei, nämlich in denen des preußischen

Königs, aber doch sicher kein Dienstmädchen. Und wie er annehmen könne, dass man meinen Worten keinen Glauben schenke?« Er räusperte sich. »Zudem: Niemand werde es schlimm finden, wenn sich ein junger Mann vor der Ehe noch die Hörner abstoße, und beide Mädchen, sowohl Maria als auch Agathe« – er sah sie entschuldigend an – »hätten es darauf angelegt, ihn zu verführen.«

»Das …«, fuhr Agathe peinlich berührt auf, doch Margarethe hob beruhigend die Hand. »Keine Sorge, Agathe. Wir wissen, wer hier der Übeltäter ist und dass Sie sich ganz gewiss nichts haben zuschulden kommen lassen.«

»Als er dann immer noch nicht überzeugt war, habe ich zu der Variante mit dem Diebstahl gegriffen. Er hat getobt. Er sei ein Sohn aus gutem Hause, habe mehr Geld, als er je ausgeben könne, und es gewiss nicht nötig, einen Diebstahl zu begehen. Ich habe ihm dann gesagt, dass ich ihn dabei beobachtet habe und dass das doch ein sehr schlechtes Gesamtbild ergäbe. Da hat er dann verstanden: Wenn er Lügen erzählt, kann ich es auch. Er hat schließlich eingelenkt, die Auflösung der Verlobung nicht Elise in die Schuhe zu schieben. Und schon gar nicht ihr Ansehen in den Dreck zu ziehen.«

»Ich bin so erleichtert«, seufzte Elise. »Ich danke Ihnen wirklich von ganzem Herzen.«

»Es war mir ein Vergnügen«, versicherte der junge Offizier.

»Ein Problem für euch beide gibt es aber noch«, sagte Margarethe, ernst an Corbinian und Elise gewandt. »In der Öffentlichkeit solltet ihr euch eine Weile nicht zusammen blicken lassen, denn wenn eine Verlobung gelöst wird, fällt das leider immer schneller negativ auf die Frau als auf den Mann zurück, selbst wenn er der Übeltäter ist: Wenn wir nicht aufpassen, erzählt der Stadtklatsch genau die gleiche Geschichte, die wir Simon jetzt so mühsam ausgetrieben haben.«

»Ja«, bestätigte Elise. »Da hast du recht. Wir müssen uns wirklich vorsehen.«

***

»Das ist ja alles unglaublich erfolgreich verlaufen«, freute sich Margarethe, als Corbinian und Elise – Agathe hatte sich zurückgehalten – abwechselnd von ihrer Reise berichtet hatten. »Und wie freundlich von den Herren Oetker und Suchard, uns zu unterstützen.«

»Ja, es sind wirklich zwei sehr besondere Menschen.«

»Wie Sie auch«, sagte Margarethe und schenkte dem Galan ihrer Tochter einen freundlichen Blick. »Es ist ausgesprochen freundlich von Ihnen, uns so unter die Arme zu greifen.«

»Nun, ich habe ja zwei gute Gründe«, entgegnete Corbinian. »Sie sind meine Arbeitgeberin, die ich retten muss, wenn ich meine Arbeit behalten will. Der wichtigste aber …« Er sah Elise zärtlich an und sprach nicht weiter.

»Der wichtigste aber ist: Sie lieben meine Tochter«, ergänzte Margarethe schmunzelnd. »Und damit machen Sie auch mich sehr glücklich. Wie gut, dass sie diesem schrecklichen Herrn Hertlein in letzter Minute noch entkommen ist.« Dann sah sie fragend in die Runde. »Ich habe eine Idee. Haltet ihr es für denkbar, unsere neuen Lebkuchen mit Marzipan und Schokolade bereits auf dem Christkindlesmarkt zu verkaufen? Das wäre die allerbeste Gelegenheit, sie bei der Kundschaft einzuführen.«

»Das ist eine hervorragende Idee«, fand Elise. »Zumal

wir mit Herrn Suchard auch darüber gesprochen haben, wie wichtig es ist, sich entsprechend zu präsentieren. Er war auf allen Weltausstellungen. Könnt ihr euch das vorstellen?« Dann wandte sie sich fragend an Corbinian: »Aber ob wir das schaffen?«

Er runzelte die Stirn. »Na ja, das wird schon eine ziemliche Herausforderung, aber ich bin ganz Ihrer Meinung, gnädige Frau«, er lächelte Margarethe zu, »der Christkindlesmarkt ist die beste Gelegenheit überhaupt, unsere beiden neuen Lebkuchensorten einzuführen. Das dürfen wir uns nicht entgehen lassen.« Fragend sah er Margarethe Lusin an. »Wie belastbar ist denn die Belegschaft?«

Sie lächelte. »Sehr belastbar. Der Tod meines Mannes hat uns noch mehr zusammengeschweißt, und sie müssen ja auch alle Angst haben, ihren Arbeitsplatz zu verlieren, wenn es uns nicht gelingt, unsere Waren gut in den Markt einzuführen.«

»Sie denken also, alle würden mit anpacken? Und im Zweifelsfall auch über die übliche Arbeitszeit hinaus?«

»Ja, das denke ich«, bestätigte Margarethe. »Ich werde aber nachher Hermann Kämmerer im Kontor aufsuchen und mit ihm darüber sprechen. Dann können wir auch gemeinsam überlegen, was wir der Belegschaft sagen und wie wir erklären sollen, dass unsere bisherigen Lebkuchen nicht mehr hergestellt werden.«

»Eine große Herausforderung wird noch sein, den Mélangeur so schnell zu bauen und an die Zutaten zu kommen«, sagte Corbinian. »Und wir wollten ja eigentlich für das Marzipan nicht die alten Model verwenden.«

»Was die Zutaten angeht, so mache ich mir nicht allzu große Sorgen«, sagte Elise. »Was wir für das Marzipan benötigen, haben wir sowieso in unseren Lagerräumen und obendrein ja gute Beziehungen zu den Händlern. Nur für den Kakao haben wir noch niemanden.«

Corbinian lächelte. »Zumindest hier kann ich Sie beruhigen. Monsieur Suchard hat uns nämlich noch ein Abschiedsgeschenk gemacht. Einen großen Sack voller gerösteter und geschälter Kakaobohnen. Damit wir gleich beginnen können.«

»Was?«, rief Elise. »Wie nett von ihm. Wo hast du den denn versteckt?«

»Es war in der Tat gar nicht so einfach, ihn unbemerkt hierherzubringen«, sagte er. »Aber da ihr Frauen euch in der Regel nicht mit Gepäck befasst ...«

Elise lächelte. »Das heißt, die Zutaten für die Schokolade haben wir, die für das Marzipan auch. Dann brauchen wir noch die Model und die Maschine, bevor wir uns an die Herstellung machen können. Und beides wirst du machen müssen.« Sie sah Corbinian entschuldigend an.

»Wenn Sie erlauben«, schaltete sich in diesem Moment der Offizier ein, »beim Bau der Maschinen kann ich unterstützen. Ich habe sogar einige Semester lang am Polytechnikum studiert, bevor ich mich dem Militär verpflichtet habe.«

»Das wäre ganz wunderbar!«, rief Corbinian begeistert. »Denn auch wenn Herr Suchard mich ja sehr gelobt hat, so muss ich doch ganz ehrlich gestehen, dass ich mir diese Aufgabe zwar zutraue, aber darin weder der Schnellste noch der Beste sein werde.«

»Dann ist es doch wunderbar, dass Rittmeister von Albedyll dir zur Seite steht«, sagte Elise. »Und du kannst dich dann auf die Model konzentrieren.«

»Was sollen die Model denn abbilden?«, fragte Corbinian.

»Also, ich finde, wir sollten den bisherigen Motiven folgen, die wir auch schon auf die Zuckerlebkuchen aufgebracht haben«, schlug Margarethe vor. »Die Kaiserburg. Und dann dein Gesicht.« Zärtlich sah sie ihre Tochter an.

»Das zu schnitzen, wird mir ein ganz besonderes Vergnügen sein«, versicherte Corbinian lächelnd, und Elise dachte, wie wunderbar es war, so viel Liebe zu bekommen.

»Auf Dauer können es dann ja noch mehr Motive werden«, schlug sie vor. »Aber ich glaube auch, dass diese beiden für den Anfang erst einmal ausreichen. Zumal wir ja schon mehr als genug zu tun haben.«

Sie hatte sehr wohl bemerkt, dass Agathe sich immer noch etwas unwohl zu fühlen schien, und versuchte jetzt, sie ins Gespräch einzubeziehen. »Oder was denkst du, meine Liebe?«

»Nun«, sagte Agathe, »ich finde es genau so richtig, wie Sie es vorgeschlagen haben, gnädiges Fräulein. Denn sowohl die Kaiserburg als auch Sie sind ja in gewissem Sinne der Ursprung der Tradition beziehungsweise dieses Lebkuchens. Damit anzufangen, finde ich sehr passend.«

Margarethe nickte der eingeschüchterten jungen Frau aufmunternd zu. »Ein kluger Gedanke.«

Agathe senkte, etwas verlegen ob des Kompliments, den Blick und murmelte ein leises »Danke«.

»Wenn ich auch noch einen Vorschlag machen dürfte«, mischte sich Richard ins Gespräch.

»Aber mit Vergnügen, mein lieber Rittmeister von Albedyll«, ermunterte ihn Margarethe.

»Was halten Sie davon, ein weiteres Model zu schnitzen, auf dem ›Nürnberger Christkindlesmarkt‹ steht? Ich kann mir vorstellen, dass sich das ganz hervorragend verkaufen und eine große Nachfrage erzeugen würde.«

»Das ist eine ganz wunderbare Idee«, sagte Elise. »Dann hätten wir also drei Model. Hoffen wir nur, dass die Arbeiter mitziehen.«

Die Sorge war unbegründet, wie sich herausstellen sollte, als Corbinian, Elise und ihre Mutter wenig später bei Hermann Kämmerer in dessen Kontor beisammensaßen. Der Prokurist begrüßte die aktuellen Entwicklungen und zeigte sich begeistert. »Das Gute ist ja, dass der Inhalt unserer Lebkuchen der gleiche sein wird. Verändern wird sich nur sein Mantel. Das heißt, so groß wird die Herausforderung gar nicht, die neuen Lebkuchen auf dem Nürnberger Christkindlesmarkt zu präsentieren. Unsere Teilnahme dort ist ohnehin klar, bisher sind wir eben davon ausgegangen, dass wir dort noch mit den alten Waren vertreten sein werden. Die Teige für sehr viel mehr Nachschub sind ja schon längst fertig und ruhen in den Fässern, teilweise sind sie auch bereits ausgebacken. Wir müssen also nur neu dekorieren.«

»Stimmt«, rief Elise freudig. »Daran habe ich noch gar nicht gedacht. Das ist ja wunderbar.«

Kämmerer lächelte. »Es wird trotzdem eine Herausforderung, aber ich denke, wenn hinsichtlich des Marzipans und der Schokoladenmaschine alles glattgeht, dann dürfte es machbar sein.«

»Ich freue mich auf das Gesicht der Hertleins, wenn sie feststellen, dass wir eine Lösung gefunden haben«, gestand Elise.

Ihre Mutter stimmte ihr zu: »Ja. Das geht mir ganz genauso.«

33

Die Idee, dass Corbinian Elises Antlitz in ein Model bannen sollte, hatte noch einen weiteren Vorteil: Die beiden hatten nun ganz offiziell einen Grund, einander sehr oft zu sehen. Er arbeite am besten, wenn er das Motiv, das er schnitze, direkt vor sich habe, erklärte Corbinian jedem, der es hören wollte. Tatsächlich begab er sich auch mit schöner Regelmäßigkeit auf den Nordturm von St. Sebald, von wo aus die Kaiserburg besonders gut zu sehen war.

Sein Atelier hatte er in der Bergstraße eingerichtet, was Elise ausgesprochen stimmig und schön fand, schließlich hatte dort auch ihr Vater seine Modelwerkstatt gehabt. Im hinteren Teil der Kerzenzieherei fanden sich denn auch jede Menge Werkzeuge und sogar noch einige hochwertige Hölzer. Für das Pärchen war es der perfekte Ort, um sich zu treffen. Tagsüber konnten sie dort beisammen sein, ohne Verdacht zu erregen, zumal im Gebäude ja auch die Kerzenzieher und die Verkäuferinnen zugegen waren. Und auch in den Abendstunden schlich sich Elise oft zu dem Ladengeschäft in der Bergstraße. Hier, in der kleinen Backstube im Schatten der Burg, schufen sie sich ihre eigene kleine Welt. Und wenn die Vorbereitungen für den Christkindlesmarkt vorbei sein würden und sie wieder mehr Zeit hatte, wollte Elise sich hier auch wieder an die Lebkuchenbäckerei wagen und mit den Teigen experimentieren, unbeobachtet von den Arbeitern in der Tafelfeldstraße. Für die war sie eben in erster Linie die Tochter des verstorbenen Chefs – nach der obendrein die Elisenlebkuchen benannt worden waren. Während Corbinian konzentriert an den Modeln arbeitete, bereitete es ihr, sofern sie nicht Modell sitzen musste, Freude, ein wenig auf- und umzuräumen und die Backstube im Erdgeschoss wieder so herzurichten wie ehedem. Auch die alten Apparaturen ihres Vaters, die in der neuen Fabrik wegen der Dampfmaschine keine Verwendung mehr fanden, hatte sie aufgebaut. Hier stand nun Wilhelm Lusins geliebte Universal Knet- und Mischmaschine Typ V neben Schimpfle's Mandel-Reibemaschine. Als Kind hatte Elise es geliebt, an der großen Kurbel zu drehen und gegen den Widerstand die Mandeln zu zermahlen.

Liebevoll betrachtete sie die beiden Maschinen, als sie hinter sich Schritte vernahm. Sie wandte sich um und sah sich Corbinian gegenüber, der lächelnd in der Tür stand.

»Was machst du?«, erkundigte er sich. »Ich fühle mich oben so einsam.«

»Ach«, erwiderte sie und ging zu ihm, um sich von ihm in die vertraute Umarmung ziehen zu lassen. »Ich bin einfach glücklich. Ich habe das Gefühl, dass Vater vom Himmel auf uns heruntersieht und es gut findet, was wir hier tun. Und dass er ziemlich stolz auf uns ist.«

Corbinian drückte sie fester an sich. »Das macht mich sehr, sehr glücklich, dass du dieses Gefühl hast.« Dann sah er sie ein wenig verlegen an. »Denkst du, er hätte das mit uns gutgeheißen?«

Elise zögerte keinen Moment, bevor sie die Frage bejahte. »Mein Vater wollte immer nur, dass ich glücklich bin. Und ich war nie glücklicher als an deiner Seite.«

Er lächelte. »Ich habe dir doch bei Oetker gesagt, dass ich

noch eine Idee habe, wie wir den alten Modeln deines Vaters wieder zu Ehren verhelfen können.«

»Ja«, erwiderte sie. »Du wolltest mir aber noch nicht verraten, wie.«

»Jetzt will ich es. Wenn du es noch hören möchtest.«

»Da fragst du noch? Ich platze vor Neugier.«

»Dann würde ich dich bitten, mich nach oben zu begleiten.«

Galant reichte er ihr den Arm und führte sie ins Treppenhaus, wo er sie dann allerdings wieder loslassen musste. Die doch recht enge Stiege in dem kleinen Fachwerkhaus erklomm man besser hintereinander.

In den Räumen hinter der Wachszieherei angekommen, ging er zu dem Schrank, in dem sich die kunstvollen Model Wilhelm Lusins befanden, und öffnete ihn.

Vorsichtig, als wäre es aus Glas, nahm Corbinian eines der Model in die Hand und betrachtete es beinah zärtlich. »Dein Vater war wirklich ein großer Künstler. Es ist mir eine Ehre, jetzt gewissermaßen in seine Fußstapfen zu treten und die Model für Lebkuchen Lusin zu fertigen.«

Gerührt sah Elise ihn an, konnte ihre Ungeduld jedoch nur schwer bezähmen. »Was hast du denn nun für eine Idee?«

Er lächelte. »Es ist dir doch so wichtig, die alten Traditionen hochzuhalten«, setzte er an.

Sie nickte. »Ja, das ist es.«

»Nun, die Lebküchnerei, wie sie dein Vater noch praktiziert hat, war ja eng mit der Wachszieherei verbunden«, begann er.

»Vater hat mir mal gesagt, dass die Lebküchnerei für viele aus seiner Zunft außerhalb von Nürnberg gewissermaßen eine Nebenbeschäftigung war. Dass es ihnen eigentlich um das Wachs ging und um die Kerzenzieherei. Dass sie den Honig aber auch irgendwie verwerten mussten.«

Corbinian nickte. »Ja, das war so. Schließlich haben sie von den Imkern die Waben samt Honig gekauft.«

»Ich weiß noch, wie mein Vater mit mir zu Josef Welser nach Feucht gefahren ist. Dort hat der Zeidler die Waben in Stücke geschnitten und in Tücher gegeben«, schwelgte Elise in ihren Erinnerungen. »Und dann mussten die Wabenstücke immer ganz kräftig gepresst werden.«

»Ja, das musste ich in meiner Lehrzeit auch immer mal wieder machen«, warf Corbinian ein, »das war sehr anstrengend.«

»Josef Welser hatte auch einen ganz roten Kopf, und als der Honig dann herausgepresst war, setzte er den Rest in einem Topf mit heißem Wasser auf.«

»Dann treibt das Wachs obenauf.«

»Stimmt«, bestätigte Elise. »Und der noch verbliebene Honig in den Waben löst sich im Wasser auf.«

»Und nachdem das Wachs abgeschöpft war, wurde in meinem Lehrbetrieb die Honig-Wasser-Mischung in einen Gärballon gegeben und daraus Met gemacht.«

»Das hat Josef Welser nicht, soweit ich weiß«, meinte Elise. »Aber was ist denn nun deine Idee?«

»Wir gießen Wachsbilder aus den alten Modeln«, sagte er triumphierend. »Und folgen damit der alten Tradition, Wachsbilder an Christbäume zu hängen oder als Votivgaben zu verwenden.«

Elise strahlte. »Das ist eine wunderbare Idee, Liebster.« Und nach einem Kuss fuhr sie fort: »So kommen Vaters alte Model doch noch zu Ehren.«

***

Zwei Wochen später präsentierten ein stolzer Corbinian und ein ebenso stolzer Richard ihre neue Mischmaschine. Umgeben von den Arbeitern, folgten Elise und Agathe interessiert der Vorstellung der Lusinschen Mischmaschine, wie Corbinian die Konstruktion genannt hatte.

»Die flache Granitplatte hier wird erwärmt«, erklärte Richard und deutete auf die Maschine. »Und wenn ich jetzt Corbinian bitten dürfte, die Granitwalzen in Bewegung zu setzen?«

Staunend sahen die Umstehenden, wie sich die steinernen Rollen abwechselnd langsam gleitend über die Granitplatte wälzten. Elise starrte fasziniert auf das Gestänge, an dem Rollen befestigt waren, und den Lederriemen, der das Gerät mit der kleinen Dampfmaschine im seitlichen Trakt der Maschinenhalle verband. Ein wahres Meisterwerk der Technik! Und ihr Corbinian hatte es geschaffen, einfach so!

»Aber wir wollten die Maschine nicht nur vorführen«, ergriff er nun das Wort, »sondern auch gleich in Betrieb nehmen.«

Beherzt strich er einen Teil der zerkleinerten Kakaobohnen, die ihnen Herr Suchard mitgegeben hatte, auf die erwärmte Granitplatte. »Nun streue ich Zucker darüber, den ich bereits mit Vanille vermischt habe«, erklärte er den Umstehenden und setzte die Maschine erneut in Betrieb.

Zunächst knirschte es noch gewaltig unter den schweren Walzen, aber mit der Zeit veränderte sich der Ton, und die Masse wurde immer feiner.

»Oh, dieser Duft«, entfuhr es einem der Arbeiter.

Elise schenkte ihm ein Lächeln. »Genauso erging es mir in der Fabrik von Philippe Suchard.«

Und so wie sie seinerzeit gewusst hatte, dass der Aufstieg von Lebkuchen Lusin kometenhaft werden würde, so wusste sie heute mit untrüglicher Sicherheit: Die schokoladenüberzogenen Backwerke würden sich hervorragend verkaufen.

34

Und dann war es endlich so weit: Der Nürnberger Christkindlesmarkt wurde eröffnet. Aufgeregt gesellte sich Elise an ihrem Stand zu Corbinian und ihrer Mutter, auch Herr Kämmerer, Richard, Agathe und einige Mitarbeiter aus der Fabrik, die an diesem Tag den Verkauf übernehmen sollten, waren gekommen. Wie jedes Jahr wurde der Weihnachtsmarkt mit einer Ansprache des Bürgermeisters und einem Blasmusikkonzert eröffnet. Unauffällig schob Elise ihre Hand in Corbinians, der sie liebevoll drückte. Dann beugte er sich zu ihr und flüsterte ihr ins Ohr: »Siehst du den Stern dort oben?«

Sie blickte hinauf. Wegen der Straßenbeleuchtung und den vielen Rüböl-Lampen, die an den Ständen um die Wette funkelten und den Christkindlesmarkt erleuchteten, war der Sternenhimmel nur schwach zu erkennen. »Ich sehe viele Sterne«, flüsterte sie zurück. »Welchen genau meinst du?«

»Na, den dort zwischen den beiden anderen«, wisperte er spitzbübisch zurück.

»Ach, klar, jetzt weiß ich, welchen du meinst«, ging sie auf sein Spiel ein. »Er leuchtet ja auch viel heller als die anderen.«

»Kein Wunder. Ich bin nämlich davon überzeugt, dass auf diesem Stern dein Vater sitzt und zu uns herunterschaut.«

Gerührt sah sie ihn an und dachte, dass sie ihn wohl nie mehr geliebt hatte als in diesem Moment.

Sie sah zu dem Stern hinauf, als die Menschen um sie herum wie in jedem Jahr zu singen anhoben. »Ihr Kinderlein kommet, oh kommet doch all.«

Elise musste daran denken, dass sie dieses Lied im Vorjahr mit ihrem Vater gesungen hatte, aber trotzdem war sie nicht traurig. Denn sie fühlte, dass Corbinian recht hatte. Ihr Vater war ja bei ihr auf eine gewisse Weise.

Kaum war der Weihnachtsmarkt eröffnet, begann auch schon der Ansturm auf ihren Stand. Die Leute zeigten sich begeistert von den neuen Elisenlebkuchen. Elise vermutete aber, dass es auch die Neugierde war, die die Nürnberger zu ihnen trieb. Die meisten von ihnen hatten weder sie noch ihre Mutter seit dem Tod ihres Vaters gesehen, etliche kondolierten noch etwas verlegen. Dann bedankten Elise und Margarethe sich höflich und erklärten den Leuten, dass ihre Aufgabe nun sei, das Andenken an den Vater hochzuhalten. Die Wachsbildchen, die sie aus Wilhelms alten Modeln geformt hatten, fanden reißenden Absatz. Es schien, als wolle ganz Nürnberg Wilhelm Lusin an diesem kalten Novemberabend mit dem Kauf der Wachsbildchen die letzte Ehre erweisen.

»Wenn das so weitergeht, sind wir bis heute Abend ausverkauft. Und zwar sowohl was die Lebkuchen als auch was die Wachsbildchen angeht«, flüsterte Elise Corbinian, der an ihrer Seite einen Kunden nach dem anderen bediente, besorgt zu.

»Besser als umgekehrt, oder?«, wisperte er zurück. »Etwas Besseres, als schnell ausverkauft zu sein, könnte uns gar nicht passieren.«

»Aber wir enttäuschen die Leute doch, wenn wir nichts mehr haben«, murmelte Elise.

»Da mach dir keine Sorgen«, gab er zurück. »Bisher haben wir doch schon viel größere Schwierigkeiten gemeistert, oder nicht?«

»Ja«, sagte sie. »Da hast du wohl recht.«

»Na also.«

»Elise, wie schön, dich wieder einmal zu sehen«, sagte eine freundliche Stimme.

Elise blickte auf und sah sich ihrer Schulfreundin Clara Ehrlich gegenüber.

»Clara«, rief sie. »Die Freude ist ganz meinerseits. Wie geht es dir?«

»Gut, danke der Nachfrage.« Claras Lächeln verschwand. »Es tut mir so leid mit deinem Vater.«

Elise nickte. »Danke. Ich habe mich damals sehr über dein Kondolenzschreiben gefreut. Es tut immer noch sehr weh. Aber dass wir all das hier tun«, sie machte eine weit ausholende Bewegung, »das hätte ihm sehr gefallen.«

»Das habt ihr ganz wunderbar gemacht«, sagte Clara und nahm eines der kleinen Wachsbildchen zur Hand. »Das erinnert mich an den ABC-Lebkuchen, den dein Vater für dich gebacken hat, als wir in die Schule kamen.«

»Das weißt du noch?«, fragte Elise gerührt.

»Natürlich!« Clara lachte. »Alle waren damals furchtbar neidisch.«

Elise stimmte in ihr Lachen ein.

»Unglaublich, wie lange wir uns nicht mehr gesehen haben«, meinte ihre Schulkameradin, zog lächelnd ihren Handschuh von den Fingern und hielt Elise ihre Linke hin, an der ein Ring mit einem prächtigen Diamanten funkelte.

»Du bist verlobt?«, rief sie. »Wer ist denn der Glückliche?«

»Er heißt Salomon Forchheimer und kommt aus Bamberg«, erzählte Clara. »Seine Eltern haben ein Sägewerk und einen Hopfen- und Bauholzhandel.«

»Wie wunderbar!«, freute sich Elise. »Lerne ich ihn einmal kennen?«

»Das wirst du sicher sehr bald«, meinte Clara. »Und wie steht es mit dir? Wie ich höre, bist du mit Simon Hertlein verlobt?«

Täuschte sie sich, oder war Clara auf einmal seltsam distanziert? Hatte sie etwa schon von den Gerüchten gehört und verurteilte sie nun? Mit einem Mal hatte Elise ein flaues Gefühl im Magen. Ohne zu wissen, ob sie das Richtige tat, schüttelte sie nun den Kopf und sagte: »Nein, Clara. Nein, wir haben die Verlobung gelöst. Wir wollen es allerdings erst nach Weihnachten bekannt geben. Ich sage dir das daher ganz im Vertrauen.«

»Dem Himmel sei Dank«, rief Clara. »Ich bin ja so froh.«

Bevor sie ihrer Freundin noch näher erläutern konnte, warum sie die Tatsache, dass die Verlobung zwischen Elise und Simon gelöst war, so erleichterte, wurde Clara grob beiseitegeschoben.

»Ich habe nun wirklich lange genug Geduld bewiesen«, fauchte eine burschikose Frau Mitte fünfzig. »Andere Leute sind auch noch da.«

»Entschuldigen Sie bitte«, sagte Elise.

Auch wenn die Frau nicht ganz so grob hätte sein dürfen, hatte sie ja recht. Es ging nicht an, hier herumzuplaudern, während sich eine Schlange von Kaufwilligen bildete. Andererseits wollte sie natürlich unbedingt wissen, was Clara mit ihren geheimnisvollen Worten gemeint hatte.

»Ich besuche dich demnächst«, rief ihre Freundin Elise zu, während die resolute Kundin Elise ihre Einkäufe diktierte.

»Während deiner Unterhaltung habe ich Agathe und Richard gebeten, in die Fabrik zu fahren und Nachschub zu holen«, flüsterte Corbinian, als die Frau mit ihren Einkäufen abgezogen war und Elise sich anschickte, die nächsten Kunden zu bedienen.

Sie sah ihn dankbar an. »Tut mir leid. Das war unmöglich von mir. Aber ich habe Clara so lange nicht gesehen, und sie hat auch eine geheimnisvolle Bemerkung zu Simon gemacht.«

Corbinian sah sie fragend an, doch die beiden hatten keine Gelegenheit mehr, sich zu unterhalten, da der Kundenansturm nicht nachließ. Elise, Corbinian und ihre Mutter verkauften gleichzeitig, und kurz darauf kehrten zu ihrer aller Erleichterung auch schon Richard und Agathe mit Nachschub an Lebkuchen und Wachsbildchen zurück.

Als sie spät am Abend Seite an Seite zum Rand des Weihnachtsmarktes gingen, wo Jacob, der Kutscher, schon auf sie wartete, war Elise erschöpft wie noch nie in ihrem Leben. Und unfassbar glücklich. Sie hatte das Gefühl, aus eigener Kraft unheimlich viel erreicht zu haben.

Nur das Gespräch mit der Schulfreundin ging ihr nicht aus dem Kopf. Was hatte Clara nur gemeint?

In den nächsten Tagen kam Elise nicht dazu, noch weiter über die geheimnisvolle Andeutung der Kameradin aus Kindertagen nachzugrübeln. Rasch hatte sich herumgesprochen, dass die Elisenlebkuchen in der Kombination mit Schokolade und Marzipan einfach himmlisch schmeckten und dass es am Stand von Lebkuchen Lusin obendrein zauberhafte Wachsbildchen zu kaufen gab. Das rührte vor allem die älteren Nürnberger sehr, kannten sie die Wachsbildchen doch noch aus ihrer Kindheit.

»Ich glaube, wir haben uns getäuscht«, seufzte ein erschöpfter Hermann Kämmerer, als er am Morgen des fünften Christkindlesmarkttages in der Erlenstegenstraße vorfuhr und mit ernster Miene um ein Gespräch bat. Er traf Mutter und Tochter beim Frühstück an, zu dem Margarethe ihn spontan einlud.

»Inwiefern getäuscht, mein lieber Hermann?«, fragte Margarethe.

»Die Vorräte reichen höchstens noch drei Tage. Dann sind wir ausverkauft«, platzte der Prokurist heraus.

»Aber das kann doch nicht sein!«, rief Margarethe. »Der Christkindlesmarkt dauert noch sechzehn Tage. Und wir waren noch nie ausverkauft!«

»Haben wir denn weniger Lebkuchen hergestellt als in den Jahren zuvor?«, fragte Elise.

Kämmerer schüttelte den Kopf. »Nein, es waren genauso viele.«

»Das bedeutet, wir haben in fünf Tagen ebenso viel Umsatz gemacht wie in den Vorjahren während des ganzen Weihnachtsmarktes?«

»Das, äh, ja, das bedeutet es«, behauptete Kämmerer.

Elise tat zwar so, als ob sie sich mit dieser Antwort zufriedengab, doch es war offensichtlich, dass hier etwas nicht stimmen konnte. Ja, der Andrang war groß gewesen in den letzten Tagen. Sehr groß sogar. Aber keineswegs so immens viel größer als in den Vorjahren, wie Kämmerer sie das glauben machen wollte.

Merkwürdig, dachte sie, wollte aber Kämmerer nicht widersprechen und sagte daher: »Aber das ist ja wunderbar.« Sie schenkte ihm ein strahlendes Lächeln. »Und wenn es jemandem gelingen kann, die Situation zu retten und zu erreichen, dass wir unsere Lieferschwierigkeiten überwinden, dann sind es Sie, der das Vertrauen meines Vaters genossen hat und es nun ja auch offensichtlich seitens meiner Mutter« – diese Spitze hatte sie sich nicht verkneifen können – »genießt.«

Margarethe sandte ihr ob dieser Lobeshymne einen verwunderten Blick, und auch in Kämmerers Augen ließ sich Misstrauen erahnen, doch in ungebrochener Freundlichkeit fragte Elise: »Was schlagen Sie vor?«

»Nun«, erwiderte Kämmerer. »Mein Vorschlag wäre, eine Versammlung einzuberufen und die Arbeiter über den aktuellen Stand zu unterrichten. Sie werden einfach in den nächsten Tagen bis Weihnachten mehr arbeiten müssen. Akkord, Doppelschichten, dann ist es zu schaffen.«

»Das ist eine wunderbare Idee, Hermann«, rief Margarethe, und Elise nickte. »Ja, das finde ich auch. Ich bin allerdings der Ansicht, dass die Arbeiter auch etwas davon haben sollen.«

»Etwas davon haben sollen?«, fragte Kämmerer verständnislos. »Sie sind unsere Arbeiter. Sie bekommen von uns Lohn und Brot. Dafür sollten sie dankbar sein.«

»Das sehe ich auch so«, pflichtete Margarethe ihm bei. »Schließlich stand das Fortbestehen unserer Fabrik auf der Kippe. Wir waren kurz davor, schließen zu müssen. Die sollten lieber dankbar sein.«

»Das sind sie sicher auch. Aber ich bin der Ansicht, dass sie noch besser arbeiten, wenn sie zum Beispiel pro verkauftem Lebkuchen eine Beteiligung bekommen«, beharrte Elise.

Kämmerer und ihre Mutter sahen sie verwundert an.

»Eine *Beteiligung*?«, wiederholte der Prokurist langsam.

»Liebes«, sagte Margarethe. »Dein Einsatz für die Arbeiter

und das Personal in allen Ehren. Aber findest du nicht, dass du es etwas übertreibst? Es gibt immer noch Unterschiede, und das ist gut so. Ich glaube, damit, dass du deine Zofe zur Gesellschafterin ernannt hast, hast du schon genug getan, und ich denke, wir sollten es dabei bewenden lassen.«

Enttäuscht sah Elise ihre Mutter an. Sie hatte sich von ihr eine andere Reaktion erhofft. Bei Kämmerer allerdings hatte sie genau damit gerechnet. Vielleicht war die Zeit noch nicht gekommen, aber sie würde nicht aufgeben. Irgendwann, so hatte es ihr Vater in seinem Brief an sie ja auch gewünscht, würde sie die Firma übernehmen. Und dann würde sie dafür sorgen, dass die Arbeiter für gesonderte Mühen auch gesonderten Lohn erhielten und auch ansonsten mehr Rechte bekamen. Außerdem wollte sie mehr Frauen beschäftigen. Nun galt es jedoch erst einmal herauszufinden, was hinter Kämmerers fragwürdiger Behauptung steckte, sie hätten schon alle Lebkuchen verkauft.

Gespielt überzeugt lächelte sie ihre Mutter und den Prokuristen an. »Nun, ihr habt vielleicht recht«, sagte sie. »Das war eine alberne Idee von mir. Ich bin überzeugt, dass die Leute auch ohne diesen Bonus hervorragend arbeiten werden.«

***

»Ich liebe unseren Christkindlesmarkt«, sagte Agathe, als sie Seite an Seite mit Richard zwischen den weihnachtlich geschmückten Ständen entlangbummelte. Wie gern hätte sie seine Hand gehalten, aber das wagte sie angesichts der Tatsache nicht, dass sie mindestens jeder Zweite in der Stadt kannte. Ohnehin tuschelten die anderen Dienstboten schon über sie und den schmucken Preußen. Und seit Elise Agathe zu ihrer Gesellschafterin gemacht hatte, erntete sie viele neidische, oft missgünstige Blicke. Ausgerechnet Maria, ihre einstige Verbündete, schien ihr ihre Liebe zu Richard besonders übel zu nehmen. Ob es Neid war oder ob Maria, die ihr gegenüber ja einmal sehr von Richard geschwärmt hatte, ebenfalls in den Offizier verliebt war, ließ sich nicht sagen. Agathe hatte mehrfach das Gespräch gesucht, doch Maria hatte stets abgeblockt.

»Er ist auch wunderschön«, sagte Richard. »Wie ich nachgelesen habe, ist er einer der ältesten?«

Sie nickte. »So heißt es, ja. Angeblich findet er seit dem siebzehnten Jahrhundert statt.« Es gebe da eine kleine bunte Holzschachtel, auf der geschrieben stünde: »Regina Susanna Harßdörfferin von der Jungfrau Susanna Eleonora Erbsin zum Kindles-Marck überschickt 1628«.

»Kein Wunder«, murmelte Richard.

Fragend sah Agathe ihn an. »Was meinst du? Dass sich der Nachweis auf einer Holzschachtel findet?«

Lachend schüttelte er den Kopf. »Nein, dass der Markt ungefähr zu jener Zeit entstanden ist. Ich nehme nicht an, dass es ihn sehr viel länger gibt als auf der Holzschachtel vermerkt.«

»Weshalb?«

»Nun, der Weihnachtsmarkt dient ja vor allem auch dazu, dass man dort Geschenke für seine Liebsten kaufen kann«, erklärte er. »Und diesen Brauch gibt es erst seit dem siebzehnten Jahrhundert.«

»Ach wirklich?«, vergewisserte sich Agathe. »Da habe ich offen gestanden noch nie drüber nachgedacht.« Dann fuhr sie fort: »Es gab aber wohl schon zuvor einen Nikolausmarkt. Und während der Reformation wurde er dann zu dem, wie wir ihn heute kennen. In der Bibliothek des gnädigen Herrn habe ich ein kleines Büchlein über den Christkindlesmarkt gefunden«, fuhr Agathe fort. »Wenn du möchtest, zeige ich es dir, wenn wir nachher nach Hause kommen. Ich bin noch nicht dazu gekommen, es mir genauer anzusehen.«

Mit einem Mal klang sie bedrückt, und Richard sah sie von der Seite forschend an.

»Was belastet dich so sehr, mein Liebling?«, fragte er.

»Ach«, murmelte sie. »So viele aus der Dienerschaft sind mittlerweile gegen mich. Früher war ich Teil von ihnen. Nun bin ich eine Außenseiterin.«

»Dafür bist du ein Teil von *uns*.« Ungeachtet der Tatsache, dass sie sich in der Öffentlichkeit befanden, zog er sie an sich.

Doch sie entwand sich ihm und sah ihn ernst an. »Bin ich das wirklich? Ein Teil von euch? Oder wünschst du dir das nur?«

Ebenso ernst erwiderte er: »Ich war noch nie der Ansicht, dass sich die Wertigkeit eines Menschen nach seinem Stand ausrichten sollte. Sondern nach der Art und Weise, wie er denkt, wie er handelt und für was er sich interessiert.«

»Aber …«, setzte sie an.

»Nein, hör mir zu«, unterbrach er sie. »Bitte. Du bist eine der ungewöhnlichsten Frauen, die mir je begegnet sind, Agathe. Und die Tatsache, dass du ein Dienstmädchen bist, macht dich noch ungewöhnlicher. Denn die höheren Töchter werden von ihren Eltern immerhin in gewissen Dingen unterrichtet. Du aber musstest dir alles selbst aneignen und dabei sicherlich auch gegen Widerstände kämpfen.«

»Nun ja, der gnädige Herr Lusin hat mich dabei ja schon unterstützt«, widersprach sie. »Er hat mir sehr geholfen.«

»Rede es dir nicht klein«, sagte er. »Ich kenne keine klügere Frau als dich. Und keine stärkere. Ich bewundere dich, Agathe Welser. Und ich liebe dich.«

Sie schluckte, wusste nicht, was sie sagen, wie sie auf diese Worte reagieren sollte. Ihr Traum wurde wahr. Und gleichzeitig hatten ihr die letzten Wochen doch gezeigt, wie schwer es werden würde, Seite an Seite weiterzugehen. Sie gehörten unterschiedlichen Welten an. Die Grenzen dazwischen ließen sich nicht so einfach überwinden.

»Ich fühle mich so zerrissen«, gestand sie. »Und irgendwie auch so, als hätte ich keinen Halt mehr. Zu der Welt, die bisher die meine war, gehöre ich nicht mehr. Man schließt mich aus ihr aus. Und zu deiner Welt gehöre ich irgendwie auch nicht.«

»Doch«, beharrte er. »Du gehörst zu meiner Welt. Du *bist* meine Welt.«

Hilflos sah sie ihn an.

»Vielleicht wird es einfacher, wenn du offiziell zu meiner Welt gehörst«, murmelte er zaghaft und nahm ihre Hände in die seinen. Er sah ihr zärtlich und zugleich flehend in die Augen, als er fragte: »Agathe Welser, willst du meine Frau werden?«

35

Agathe war völlig außer Atem, als sie in der Erlenstegenstraße ankam. Sie umrundete das große gelbe Haus mit den weißen Stuckverzierungen, um dann auf der Nordseite durch den Dienstboteneingang zu gehen, der von einem kleinen Vorhof, über den die Waren angeliefert wurden, ins Souterrain führte. Hier hatte die Hausdame ihr Arbeitszimmer, hier befanden sich Küche und Speisekammern, das Dienstbotenzimmer, außerdem der Raum, in dem das Silber poliert wurde, die Wäscherei und die Schuhputzerei.

»Sieh an, sieh an«, höhnte Maria, die mit Fritz, einem der Diener, draußen vor dem Eingang stand und offensichtlich in einen Plausch vertieft war. »Das Fräulein Gesellschafterin gibt sich die Ehre. Aber warum denn durch den Dienstboteneingang? Das haben gnädiges Fräulein doch gar nicht mehr nötig.«

Ihre Worte verletzten Agathe, versetzten ihr einen Stich. Sie hielt inne, um etwas zu erwidern, doch beim Blick in Marias hasserfüllte Augen schloss sie den Mund wieder und ging stumm in die Küche. Sie wusste, es würde nichts bringen. Bedrückt nickte sie Köchin Caroline Stift und Hausdame Bärbel Hauder zu, die am Tisch im Dienstbotenzimmer saßen und den Speiseplan für die nächste Woche durchgingen. Sie schenkte sich aus dem großen, tönernen Krug, der auf dem Tisch bereitstand, ein Glas Wasser ein und setzte sich ans andere Ende des Tisches, wo sie trüb vor sich hinstarrte.

»Agathe«, wandte sich die Hausdame in diesem Moment an sie. »Können wir dir helfen?«

Von Agathe unbemerkt, hatte sich Frau Hauder neben sie gesetzt, während sich Frau Stift über ihre Einkaufsliste beugte.

Agathe winkte müde ab. »Ich will Sie nicht stören.«

»Das tust du nicht«, erklärte Bärbel Hauder mit einem warmherzigen Lächeln. »Und wir waren ohnehin schon fertig mit unserer Besprechung.«

»Er hat mich gefragt, ob ich ihn heiraten will«, stieß Agathe hervor.

Frau Stift blickte von ihrer Liste auf und stieß einen leisen Freudenschrei aus. »Aber das ist ja ganz wundervoll, mein liebes Kind«, rief sie und eilte vom Tischende herbei. Sie setzte sich auf Agathes andere Seite und nahm die Hände der Jüngeren in die ihren. »Ich freue mich so für dich!«

»Ich freue mich auch von ganzem Herzen«, sagte die Hausdame. »Meine allerherzlichsten Glückwünsche.«

Doch Agathe schüttelte nur den Kopf. »Ich werde Nein sagen.«

»Aber warum denn das?«, rief die Hausdame entsetzt. »Er liebt dich und du ihn. Ich habe dich noch nie so glücklich gesehen.«

»Ich gehöre nicht in seine Welt«, brachte Agathe leise hervor. »Auch die Dienerschaft – mit Ausnahme von Ihnen beiden und Herrn Mannfeld – zeigt es mir ja ganz deutlich, wie albern mein Verhalten im Grunde ist. Ich schäme mich dafür, dass ich mir eingebildet habe, etwas sein zu können, was ich nicht bin.«

»Mein liebes Kind, nun rede nicht einen solchen Unsinn«, rügte die resolute Köchin. »Und gib missgünstigen

Menschen wie der armen Maria, die dir das Glück nur neidet, doch nicht die Macht, dein Leben zu zerstören.«

Zaghaft sah Agathe auf. Der Zuspruch tat ihr gut.

»Bitte sei mir jetzt nicht böse«, kam es in diesem Moment von der Hauswirtschafterin. »Aber ich bin enttäuscht von dir.«

Agathe fuhr herum. »Ich habe doch noch gar nicht Ja gesagt«, verteidigte sie sich.

»Du verstehst mich falsch«, sagte die Hausdame. »Meine Enttäuschung rührt nicht daher, dass du, wie du glaubst, deinen Platz nicht kennst. Meine Enttäuschung rührt daher, dass du dich von Menschen wie Maria so verunsichern lässt, dass du damit den Mann, den du über alles liebst, und auch dich selbst zutiefst verletzt.«

»Aber …«

»Wenn ich ehrlich sein soll, dann hast du nie ganz zu uns gepasst«, gestand die Köchin. »Du warst immer mehr eine von denen«, fügte sie liebevoll hinzu.

Die Hausdame nickte. »Als du dich damals vorgestellt hast, da dachte ich: Das ist eine ganz feine Dame. Und je besser ich dich kennenlernte, desto klarer wurde mir, dass du nicht nur eine sehr vornehme Art an dir hast, sondern dass du auch noch eine der klügsten Frauen bist, die mir jemals begegnet sind.«

Dasselbe hatte Richard auch zu ihr gesagt. Und die Worte von Bärbel Hauder klangen noch laut in ihr nach. So weit hatte sie vor lauter Verwirrung noch gar nicht zu denken vermocht. Es stimmte, was die Hausdame sagte. Was gab es Wichtigeres, als Richard glücklich zu machen? Sie aber hatte das Gegenteil getan. In ihrer Verwirrung war sie vorhin einfach davongelaufen!

»Sie haben recht«, sagte sie und sah die beiden älteren Frauen dankbar an. »Was für ein Glück, dass Sie mir den Kopf zurechtgerückt haben. Allerdings fürchte ich, dass es nun zu spät ist. Ich habe ihn nach seinem Antrag einfach auf dem Christkindlesmarkt stehen lassen und bin davongelaufen.«

»Ich bin mir sicher, dass Rittmeister von Albedyll das versteht«, meinte die Köchin. »Er ist ein kluger Mann.«

»Das glaube ich auch«, pflichtete die Hausdame ihr bei. »Du solltest ihn nur nicht mehr allzu lange warten lassen.«

»Wenn ich es richtig weiß, hat er es sich zur Gewohnheit gemacht, sich um fünf Uhr nachmittags in der Bibliothek Tee und Gebäck servieren zu lassen«, wusste die Köchin über ihren Hausgast. »Vielleicht wäre das eine gute Gelegenheit.«

Da breitete sich ein Strahlen auf Agathes Gesicht aus. Dankbar sah sie zuerst die Köchin und dann die Hausdame an. »Wie gut, dass es Sie beide gibt.«

***

Seit sie denken konnte, war das Haus in der Bergstraße für Elise ein Zufluchtsort gewesen, an dem es nach Lebkuchen und Gewürzen duftete, an dem es immer etwas zum Naschen gab – und außerdem eine gehörige Portion Liebe und Verständnis. Lange Jahre von ihrem Vater und nun von Corbinian, seit ihr Galan seinen Arbeitsplatz in die Bergstraße verlegt hatte. Sie hoffte, ihn hier vorzufinden, als sie eilig auf das vertraute Haus zusteuerte. Sie musste unbedingt mit ihm sprechen und ihm von den merkwürdigen Behauptungen Hermann Kämmerers erzählen. Doch zu ihrer Enttäuschung fand sie die Eingangstür verschlossen vor. Natürlich! Schließlich hatte Corbinian die Arbeit an den Modeln beendet, und wenn Margarethe ihn auch ermuntert hatte, in der alten Werkstatt ihres Mannes neue Experimente zu wagen, so war dafür im Moment natürlich keine Zeit. Corbinian hielt sich mit Sicherheit in der Fabrik in der Tafelfeldstraße auf.

Sie kehrte dem altehrwürdigen Gebäude ihrer Kindheit den Rücken und ging den Berg wieder hinunter, überquerte die Pegnitz – inzwischen gelang ihr das einigermaßen gut – und hatte rund zwanzig Minuten später die Fabrik erreicht. Hier herrschte hektische Betriebsamkeit. Die Arbeiter waren konzentriert bei der Sache und schenkten ihr weniger Aufmerksamkeit als sonst, ein kurzes Kopfnicken war das höchste der Gefühle. Elise kannte das schon aus den Vorjahren: In der Weihnachtszeit galten immer andere Gesetze, die Arbeiter waren noch emsiger als sonst; und nicht zuletzt deshalb fragte sich Elise, wie es Hermann Kämmerer gelingen wollte, sie zu noch mehr Fleiß zu motivieren, als sie ohnehin schon an den Tag legten.

Sie fand ihren Liebsten in der Backstube vor. Er stand an dem langen Holztisch, an dem die Marzipandecken für die fertigen Lebkuchen hergestellt wurden, und war derart in sein Werk vertieft, dass er Elise zunächst gar nicht bemerkte. Sie ging zu ihm und nickte im Vorübergehen den anderen Arbeitern zu. Bei ihm angekommen, legte sie ihm eine Hand auf den Rücken.

Überrascht sah er auf. »Fräulein Lusin«, sagte er dann und sah sie warnend an. Sie mussten aufpassen, keinen Verdacht zu erregen, denn sie waren inzwischen derart vertraut miteinander, dass es ihnen schwerfiel, immer daran zu denken, dass sie zumindest nach außen hin nichts anderes waren als ein Arbeiter – wenn auch in gehobener Position – und die Tochter der Firmenerbin.

Sie lächelte ihm knapp zu. »Ich würde Sie gern so bald wie möglich sprechen, Herr Waldmeister. Mir ist bewusst, dass Sie in der aktuellen Lage nicht einfach Pause machen können, aber wenn Sie mir Ihre Mittagspause widmen würden, wäre ich Ihnen dankbar. Es ist wirklich wichtig.«

Fragend und besorgt sah er sie an, versuchte aus ihrem Gesicht herauszulesen, was passiert sein könnte, doch sie schüttelte nur leicht den Kopf und formte mit den Lippen das Wort: »Später«.

In diesem Moment war ihr Gespräch ohnehin beendet. In der Tür erschien ein Lehrjunge, der aufgeregt berichtete: »Die Chefin ist da. Sie will gemeinsam mit Herrn Kämmerer etwas verkünden. Wir sollen alle in die Halle kommen.«

»Hat es damit zu tun?«, flüsterte Corbinian Elise zu, als sie den anderen zur Tür folgten.

»Im weitesten Sinne ja«, raunte Elise. »Alles andere erkläre ich dir später.«

Insgeheim gratulierte sie sich, ausgerechnet jetzt in die Fabrik gekommen zu sein. So würde sie ganz unverhofft Zeugin werden, wenn ihre Mutter und der Prokurist das Wort an die Belegschaft richteten.

Margarethe Lusin und Hermann Kämmerer standen leicht erhöht auf dem kleinen Podest am Ende der Eingangshalle, das ihr Vater eigens für Ansprachen an die Belegschaft hatte bauen lassen. Sie unterhielten sich leise, während die Halle sich langsam füllte. Als am Ende alle dreißig Arbeiter, die in dieser Schicht eingeteilt waren, eingetroffen waren, kehrte erwartungsvolle Stille ein. Alle sahen zu Margarethe Lusin und Hermann Kämmerer hinauf. Elise war mit Corbinian nahe der Tür stehen geblieben und hoffte, dass weder ihre Mutter noch Hermann sie bemerken würden. »Guten

Tag«, drang die klare Stimme ihrer Mutter im nächsten Moment durch die Halle. »Ich bitte Sie um Entschuldigung, dass ich Sie in Ihrer Arbeit unterbrochen habe. Aber ich habe eine wichtige Ankündigung zu machen.« Beunruhigtes Gemurmel erklang aus den Reihen der Arbeiter.

»Hoffentlich müssen die Werke nicht doch schließen«, hörte Elise einen jungen Mann, der vor ihr stand, seinem Kollegen zuflüstern. »Ich bin doch gerade erst Vater geworden. Wie soll ich denn sonst meine Familie ernähren?«

Der andere nickte besorgt, legte aber gleichzeitig den Finger auf die Lippen und deutete zu Margarethe Lusin hinauf, die im Begriff war weiterzusprechen.

»Eigentlich ist der Grund meiner Ansprache ein sehr freudiger«, sagte sie. »Nach nur fünf Tagen sind unsere Vorräte so gut wie ausverkauft. Anders gesagt: Wir verkaufen mehr und kommen nicht hinterher. Wenn es so weitergeht, sind wir in drei Tagen ausverkauft.«

Corbinian warf Elise einen verwunderten Blick zu. »Das kann unmöglich sein«, sagte er so leise, dass nur sie es hören konnte.

»Eben darüber wollte ich mit dir sprechen«, flüsterte sie zurück.

Ihre Mutter fuhr indes fort: »Eigentlich sind das ja ganz wunderbare Nachrichten, denn es bedeutet, dass wir auf dem richtigen Weg sind. Lebkuchen Lusin wird auch in Zukunft Bestand haben, obwohl wir uns ja entschieden haben, unsere Zusammenarbeit mit der Druckerei Hertlein nicht fortzuführen und dafür auf Schokolade und Marzipan zu setzen.«

Einer der Arbeiter in der ersten Reihe begann zu applaudieren, und nach und nach brandete Beifall auf.

Margarethe oben auf dem Podest wartete lächelnd ab, und mit einem Mal war Elise mit Stolz auf ihre Mutter erfüllt. Sie hatte, zu Wilhelm Lusins Lebzeiten, immer etwas im Schatten ihres Mannes gestanden und sich dort, wie Elise vermutete, erheblich wohler gefühlt als jetzt auf diesem Podest. Aber sie machte ihre Sache ausgesprochen gut und hielt damit ja auch das Andenken an ihren Mann hoch. Wilhelm Lusin wäre stolz auf seine Frau gewesen!

»So schön diese neue Situation ist, so stellt sie uns doch erneut vor eine große Herausforderung«, fuhr Margarethe fort. »Es wäre nämlich nicht auszudenken, wenn Lebkuchen Lusins Stand in drei Tagen vom Christkindlesmarkt verschwunden wäre.«

Empörtes Raunen wurde in den Hallen laut, und die Arbeiter ließen keinen Zweifel daran, dass allein die Vorstellung schon unmöglich sei. Elise lächelte zufrieden. Ihre Mutter verstand es wirklich, die Arbeiter für ihre Sache zu gewinnen.

»Um das zu verhindern, gibt es nur einen Weg«, erklärte Margarethe Lusin. »Und den können wir nur mit Ihnen allen gemeinsam beschreiten. Wir müssen für die Dauer des Christkindlesmarktes noch mehr arbeiten und noch viel mehr herstellen.«

Die Begeisterung für diese Ankündigung hielt sich in Grenzen, doch die meisten Arbeiter kommentierten die Worte ihrer Chefin mit einem Nicken.

»Selbstverständlich werden die zusätzlichen Stunden vergütet«, fuhr Margarethe Lusin fort. »Meine Tochter Elise brachte mich darüber hinaus auf die Idee, dass wir Ihnen für Ihre Mühe noch eine zusätzliche Belohnung gewähren sollten. Eine Idee, die ich gern aufgreife, wenn auch nicht ganz in der Form, die mein Fräulein Tochter vorgeschlagen hat.« Margarethe Lusin blickte in Elises Richtung, sie war sich aber nicht sicher, ob die Mutter sie tatsächlich bemerkt hatte. »Daher erhält jeder Arbeiter, der diesen Weg mit uns geht, ein großes Paket Lebkuchen für seine Familie, wenn wir das hier alle geschafft haben.«

Während die Arbeiter in Jubel ausbrachen und applaudierten, flüsterte Corbinian Elise zu: »Was hast du vorgeschlagen?«

Doch sie zuckte nur geheimnisvoll die Achseln. »Auch das sage ich dir nachher.«

»Und nun an die Arbeit«, rief Margarethe Lusin vorne auf ihrem Podest. »Wir haben keine Zeit zu verlieren. Ich darf Sie bitten, nach Möglichkeit auch auf Ihre Mittagspausen zu verzichten oder sie zumindest kurz zu halten.«

»Dahin ist sie, unsere Verabredung«, murmelte Corbinian frustriert. »Ich kann unmöglich Mittagspause machen, schließlich habe ich eine gewisse Vorbildfunktion.«

Sie nickte. Dagegen gab es nichts zu sagen. »Was denkst du, wie lange wirst du heute arbeiten?«

»Es wird spät«, vermutete er. »Und bei dir sicher auch, schließlich bist du auf dem Weihnachtsmarkt.«

»Versuche doch, dorthin zu kommen. Richard und Agathe holen mich dort ab. Dann können wir entweder noch in die Bergstraße gehen, oder du begleitest uns nach Hause.«

»Und du denkst, das wird keinen Verdacht erregen, wenn man uns auf der Straße zusammen sieht?«, hakte er nach. »Ich will dich auf keinen Fall in Schwierigkeiten bringen, und noch ist die Verlobung mit Simon ja nicht offiziell gelöst.«

»In diesem Fall musst du dir keine Sorgen machen«, sagte

Elise. »Zumal ja noch meine Gesellschafterin und ein preußischer Offizier dabei sind.« Sie grinste. »Und außerdem haben wir Christkindlesmarkt, und du bist der Mann, der unsere Model geschnitzt hat.«

Er lächelte. »Also dann bis heute Abend.«

36

Aufgeregt betrat Agathe um Viertel vor fünf die Bibliothek. Von Richard war noch nichts zu sehen. Hoffentlich würden die beiden Frauen recht behalten, und Richard nahm auch heute und trotz ihrer unsensiblen Abfuhr seinen Nachmittagstee in der Bibliothek ein. Was, wenn sie ihn so sehr verletzt hatte, dass er abreiste, ohne sich von ihr zu verabschieden? Andererseits konnte das nicht geschehen, ohne dass sie es bemerkte, versuchte sie sich zu beruhigen. Richard würde niemals einfach so verschwinden, ohne Elise und Margarethe zuvor davon in Kenntnis zu setzen und ihnen für ihre Gastfreundschaft zu danken. Und Elise würde sie natürlich sofort darüber informieren.

So wartete sie mit klopfendem Herzen darauf, dass die Tür sich öffnen und Richard hereinkommen würde. Um sich abzulenken, ging sie zu dem reichbestückten Regal und zog den Band über die Nürnberger Stadtgeschichte heraus, von dem sie Richard zuvor erzählt hatte. Der Universitätsprofessor Christoph Wagenseil nannte ihn »Kindleins-Marck«. Agathe, der es tatsächlich gelungen war, sich mithilfe der Lektüre von ihren Sorgen abzulenken, überlegte, warum der Christkindlesmarkt damals so geheißen hatte. Leitete sich »Kindleins-Marck« von Christkindlesmarkt ab? Oder ging es eher darum, dass auf dem damaligen Christkindlesmarkt vor allem Geschenke für Kinder verkauft wurden? Offenbar hatte sie die richtige Vermutung gehabt, denn der Autor schrieb nun vom damaligen Glauben der Kinder, dass das Christkind seine Weihnachtsgeschenke selbst auf diesem Markt einkaufe und sie in eine Schüssel lege, die sie am Weihnachtsmorgen beschert erhalten, und von dem durch diesen Brauch verursachten Lerneifer der Nürnberger Schulkinder im Dezember.

»Interessante Lektüre?«, fragte eine wohlbekannte und sehr geliebte Stimme hinter ihr.

Sie fuhr herum. »Richard.« Vor lauter Schreck ließ sie das Buch fallen. Gleichzeitig bückten sie sich danach, um es aufzuheben. Als sie nebeneinander auf dem Boden knieten, berührten sich ihre Hände.

»Zum Glück ist nichts damit passiert«, sagte Agathe verlegen. »Ich hätte es mir nie verzeihen können, wenn dieses wertvolle Buch durch mich zu Schaden gekommen wäre.«

Eigentlich wollte sie etwas ganz anderes sagen. Dass sie es sich nie verzeihen würde, wenn ihre wertvolle Beziehung durch ihr unbedachtes Verhalten zu Schaden gekommen wäre. Aber die Worte wollten einfach nicht über ihre Lippen kommen.

»Agathe«, murmelte Richard. »Ich möchte mich entschuldigen, dass ich dich vorhin so überrumpelt habe.«

»Nein«, erwiderte sie hastig. »Ich bin es, die sich entschuldigen muss. Ich habe dich einfach stehen lassen, nachdem du mir die schönsten Worte gesagt hast, die ein Mann einer Frau sagen kann. Ich war nur einfach … verwirrt.«

»Ich weiß.« Liebevoll sah er sie an. »Dann war dein Fortlaufen also kein Fortlaufen von mir? Kein Nein?«

»Liebling!«, flüsterte sie und nahm, nun aus ihrer Erstarrung gelöst, seine Hände in die ihren. »Natürlich bin ich nicht von dir fortgelaufen. Und es war auch kein Nein. Ganz im Gegenteil. Ich liebe dich von ganzem Herzen und kann mir nichts Schöneres vorstellen, als deine Frau zu werden. Wenn du dir wirklich sicher bist, dass unsere Liebe alle gesellschaftlichen Schranken überwinden kann …«

»Ja«, bestätigte er im Brustton der Überzeugung, »ja, da bin ich mir ganz sicher.«

»Dann werde ich von Herzen gern deine Frau«, vollendete sie ihren Satz. »Ja, ja, ja …«

»Mein Schatz.« Er zog sie in seine Arme und küsste sie glücklich. Die Geschichte der Stadt Nürnberg lag noch immer zwischen ihnen auf dem Boden.

***

Hand in Hand verließen Agathe und Richard kurz darauf das Haus, um zum Christkindlesmarkt zu gehen, wo sie auch heute wieder aushelfen wollten. »Wie fühlt sich das für dich an?«, fragte Richard und drückte ihre Hand.

»Wunderbar«, schwärmte sie. »Ich fühle mich, als wäre ich im Himmel. Und gleichzeitig weiß ich, dass uns unzählige Blicke folgen werden.«

Sie war überzeugt davon, dass Marie ihnen nachsah, und konnte deren Hass wie Pfeile in ihrem Rücken spüren. Gleichzeitig wusste sie nach dem Gespräch mit der Köchin und der Hausdame aber nun auch, dass sich bestimmt die Hälfte der Belegschaft für sie freuen würde. Und auch Jacob, der Kutscher, sah ihnen strahlend entgegen, als sie auf das Gefährt zusteuerten. Er nahm seinen Hut ab und sagte: »Mit Verlaub, ich freue mich sehr für Sie, und wenn ich mir die Bemerkung erlauben darf: Es wurde auch Zeit.«

Richard und Agathe lachten und bedankten sich für die Glückwünsche, er half ihr in die Kutsche, und als sie sich auf den Weg zum Christkindlesmarkt machten, sah sie ihn bang an. »Aber vor der Begegnung mit deinen Eltern habe ich große Angst.«

»Das musst du nicht. Meine Eltern sind zwar nach außen hin sehr stolz auf ihr Geschlecht und mögen auf den ersten Blick auch sehr eingebildet wirken«, räumte er ein, »aber im Grunde sind sie herzensgute Menschen, denen es eben darauf ankommt, dass jemand das Herz am rechten Fleck hat. Und das ist bei dir der Fall. Sie werden dich lieben.« Zweifelnd sah sie ihn an, doch er erwiderte ihren Blick nur zärtlich und sagte: »Liebes. Genau solche Angst könnte ich doch vor deinen Eltern haben.«

»Du vor meinen? Aber warum denn das?«, fragte sie überrascht.

»Ich muss ja schließlich bei ihnen um deine Hand anhalten«, erklärte er. »Was, wenn sie sie mir nicht geben wollen? Sei versichert, ich fürchte mich mindestens genauso vor deinen Eltern wie du dich vor meinen.«

»Das glaube ich dir nicht«, meinte sie und musste lachen.

»Es ist aber so«, beharrte er und sah sie ernst an. »Liebes, merkst du eigentlich, dass du selbst die allergrößten Barrieren hinsichtlich deines und meines Standes aufbaust? Ich bin ein Mann, der ein wenig nervös ist bei dem Gedanken, die Eltern seiner Verlobten kennenzulernen. Und du bist eine junge Frau, der es umgekehrt genauso geht.«

»Nun ja, ein kleiner Unterschied ist da schon. Allein in der Etikette«, widersprach sie ihm.

»Und die beherrschst du doch mit links«, ließ er sich nicht aus der Ruhe bringen. »Schließlich bist du die Gesellschafterin einer großbürgerlichen Tochter. Wenn jemand die Tischmanieren kennt und weiß, welches Besteck man wann zur Hand nehmen sollte, dann bist das doch wohl du.«

»Danke, dass du versuchst, mir so viel Mut zu machen«, sagte sie.

»Umgekehrt weiß ich überhaupt nichts über deine Eltern«, erinnerte er sie.

»Ich erzähle dir, was immer du wissen willst«, bot sie an. »Aber mein Vater ist auch wirklich der harmloseste Mensch, den du dir vorstellen kannst.«

»Und deine Mutter?«

»Sie hilft im Geschäft mit, wie das für unseren Stand durchaus üblich ist«, erläuterte Agathe. »Und sie kümmert sich natürlich um meine drei jüngeren Geschwister.«

»Dann lerne ich ja auch noch Schwager und Schwägerinnen kennen«, stöhnte Richard gespielt entsetzt. »Wie alt sind sie?«

Agathe lächelte liebevoll. »Karl ist acht, Hannes zehn, und Barbara ist inzwischen auch schon fünfzehn Jahre alt. Und wie steht es mit meinen künftigen Schwägern und Schwägerinnen?«

Er verzog das Gesicht. »Ich habe nur einen jüngeren Bruder, und mit dem komme ich nicht sonderlich gut aus, ebenso wenig wie mit seiner Frau.«

»Warum denn das?«, fragte Agathe.

Er zuckte die Achseln. »Nun, mein Bruder ist wohl wirklich das, was man unter einem Schnösel versteht. Zu seinem großen Leidwesen ist er der Zweitgeborene und deshalb furchtbar neidisch auf mich.«

»Klingt nicht so, als könne er mich mögen.«

»Mein Bruder mag niemanden«, sagte Richard finster. »Zumindest niemanden, der ihm nicht von Nutzen sein kann. Aber es wird noch Zeit vergehen, bis du ihn kennenlernst. Er ist nicht oft zu Hause bei meinen Eltern.«

Inzwischen war die Kutsche vor dem Christkindlesmarkt angekommen, Jacob öffnete ihnen die Tür, Richard reichte Agathe galant den Arm, und während sie untergehakt in Richtung Lebkuchenstand Lusin schlenderten, erkundigte sich Richard: »Hast du eigentlich in dem geheimnisvollen Buch noch mehr über die Geschichte dieses Marktes herausgefunden? Ich wollte dich das schon die ganze Zeit über fragen, aber ich kam irgendwie nicht dazu.«

»Woran das wohl liegt?«, fragte sie und lächelte ihn zärtlich an. »Tatsächlich hast du mich bei der Lektüre unterbrochen. Ich weiß aber, dass es irgendwann einmal fast eine Art Lotterie auf dem Markt geben sollte, die dann aber verboten wurde.«

»Eine Lotterie?«, fragte er.

Agathe nickte. »Ja, ein Goldschmied hatte das wohl vorgeschlagen, weil mit der Zeit immer weniger Menschen auf den Markt kamen. Die Lotterie hätte wie ein Magnet gewirkt. Schade, dass sie nicht erlaubt wurde.«

»Aber warum wurde sie denn verboten?«

Sie zuckte die Achseln. »Das weiß ich leider nicht. Vielleicht wurde es als unsittlich empfunden? Aber dafür weiß ich etwas anderes.«

Fragend sah er sie an. »Ich zeige es dir nachher in der Bibliothek. Die Lusins haben eine Darstellung des ersten Christbaums in Nürnberg. Sie findet sich im Simplizianischen Wundergeschichtskalender.«

»Und wann gab es in Nürnberg den ersten Christbaum?«, fragte er.

»Wohl im Jahr 1795«, erwiderte sie. »Oder zumindest ist das das älteste bekannte Christbaumbild. Er war mit Zuckerfiguren geschmückt, die das Christkind, den Heiligen Geist in Form der Taube, die Mutter Gottes, Engel, Puppen und Tiere zeigten. Außerdem gab es vergoldetes Obst und natürlich Wachskerzen.«

»Das musst du Elise erzählen«, schlug er vor. »Und auch Corbinian. Vielleicht wäre es eine schöne Idee für nächstes Jahr, die alten Zuckerbilder in Wachs nachzubilden – als Christbaumschmuck.«

»Das ist ein wunderbarer Einfall«, befand Agathe. »Ich werde es ihnen vorschlagen. Aber erst wenn wir ihnen von unserer Verlobung erzählt haben.«

Während sie weiter in Richtung Stand schritten, betrachtete Agathe die Auslagen. Denn wenn Elise und natürlich vor allem Margarethe Lusin einverstanden wären, würde sie ihre Familie zu Weihnachten gern besuchen und die Gelegenheit nutzen, Richard vorzustellen. An den Marktbuden gab es Puppenstuben samt Zubehör – ein solches Spielzeughaus würde sie sich allerdings nicht leisten können, und ihre Schwester war dafür inzwischen auch schon viel zu alt. Es wurden aber auch Trommeln und Pauken, Engel, Taschen, Gürtel, Schmuck und allerlei Praktisches für Haus und Wohnung zum Verkauf angeboten. Ihre Brüder würden sich sicherlich über eine Trommel freuen. Oder vielleicht doch besser eines von diesen geschnitzten Holzspielsachen? Und wie wäre es für die Schwester mit einem Kamm? Agathe hatte Barbara viel zu lange nicht gesehen, aber die Jüngere hatte sich schon als kleines Mädchen gern herausgeputzt. Für die Mutter vielleicht ein Plätteisen? Nein, sagte sie sich, das wäre viel zu teuer. Es gab aber auch zahlreiche weitere Haushaltsgeräte wie Messer und andere Werkzeuge, die sicherlich auch ihrem Vater gefallen würden.

»Was schaust du denn so interessiert?«, fragte Richard. »Hast du etwas gesehen, das dir gefällt? Kann ich dir eine

Freude machen? Du bekommst selbstverständlich auch noch einen Verlobungsring, aber den will ich nicht hier auf dem Weihnachtsmarkt erstehen.«

Sie lächelte. »Nein, nein, ich bin nur auf der Suche nach Geschenken für meine Familie. Allerdings haben wir jetzt keine Zeit, um in Ruhe nach etwas Ausschau zu halten.«

Sie deutete auf den Lebkuchenstand der Lusins, der in ihrem Blickfeld aufgetaucht war. Die Schlangen waren immens.

»Dann mal los«, sagte Agathe und beschleunigte ihre Schritte. »Alles andere muss wohl warten bis später.«

»Dann mal los«, wiederholte Richard ihre Worte und folgte seiner frischgebackenen Verlobten.

37

»Das ist ja schön, dass Sie auch zu uns stoßen«, begrüßte Richard einen erschöpft wirkenden Corbinian, als sie nach stundenlanger harter Arbeit gerade im Begriff waren, die Marktbude für die Nacht vorzubereiten.

Elise und Corbinian wechselten einen Blick. Sie hatten eigentlich darauf gehofft, nun endlich miteinander sprechen zu können, doch Agathe und Richard wirkten ganz so, als wollten sie unbedingt noch etwas Zeit mit ihnen verbringen.

»Wir haben euch nämlich etwas Wichtiges mitzuteilen.«

»Oh, da sind wir aber neugierig«, sagte Elise und meinte es ernst. Sosehr es sie auch drängte, Corbinian endlich von dem Verdacht, den sie gegen Hermann Kämmerer hegte, zu erzählen, so neugierig war sie nun auch ob der Neuigkeiten, die Richard angekündigt hatte. Auch wenn an dem Finger ihrer Gesellschafterin noch kein Ring steckte, wie sie sich mit einem Blick auf deren Hand überzeugte, hatte sie doch eine leise Ahnung.

»Ich muss auch noch etwas mit euch besprechen«, entschloss sie sich spontan, Agathe und deren Freund ebenfalls ins Vertrauen zu ziehen. »Ich schlage vor, wir gehen in die Bergstraße, da haben wir unsere Ruhe.«

Die anderen stimmten zu, und kurz darauf marschierten sie in stiller Eintracht nebeneinander den kurzen Weg zum Stammhaus von Lebkuchen Lusin hinauf.

»Ich mache uns erst einmal eine Tasse Tee«, verkündete Agathe. »Damit wir uns etwas aufwärmen können.«

»Oh ja, das wäre wunderbar«, seufzte Elise. »Ich bin ganz durchgefroren.«

In der Backstube mussten sie sich mangels Sitzgelegenheiten stehend um jenen großen Tisch versammeln, auf dem Wilhelm Lusin schon so viele seiner Teige geformt hatte.

»Und nun sind wir sehr gespannt«, meinte Elise, »welche Neuigkeit ihr uns verkünden wollt.«

Richard und Agathe wechselten einen zärtlichen Blick, sie nickte ihm leicht zu, bevor er strahlend erklärte: »Ich habe Agathe gebeten, meine Frau zu werden. Und sie hat Ja gesagt.«

»Oh, wie wundervoll!« Elise sah ihre Vermutung bestätigt, umrundete den Tisch und schloss ihre Freundin und Gesellschafterin in die Arme, während Corbinian Richard mit einem kräftigen Schulterklopfen gratulierte.

»Wann soll es denn so weit sein?«, fragte Elise.

»Wir haben noch kein Datum festgelegt«, erklärte Agathe, die ob der Tatsache, dass sie nun derart im Mittelpunkt des Interesses stand, etwas verlegen war. »Aber ich habe eine große Bitte.«

»Welche denn?«

»Ob es wohl möglich wäre, mich über die Festtage zu entbehren?«, fragte Agathe schüchtern. »Ich würde gern mit Richard zu meinen Eltern und danach zu seiner Familie reisen.«

»Aber natürlich«, stimmte Elise sogleich zu. »Das ist doch gar keine Frage. Bist du sehr aufgeregt bei dem Gedanken daran, seine Familie kennenzulernen?«

»Ja«, bestätigte Agathe und warf Richard, der in ein angeregtes Gespräch mit Corbinian vertieft war, einen zärtlichen Blick zu. »Aber er ist genauso nervös, bei meinen Eltern um meine Hand anzuhalten. Zumindest sagt er das.«

»Ich glaube, ihr müsst euch beide keine Sorgen machen«, war Elise überzeugt. »Zumindest bei deinen Eltern kann ich ja mitreden. Sie werden Richard mögen.«

»Ja«, stimmte Agathe ihr zu. »Davon bin ich überzeugt.«

»Nun, da ihr eure wunderbaren Neuigkeiten losgeworden seid, muss ich leider mit etwas nicht ganz so Angenehmem kommen«, sagte Elise wenig später.

Sofort blickten sie drei Augenpaare besorgt an, wobei Corbinian ja schon ahnte, worum es sich handelte.

»Ihr wisst es noch gar nicht, Corbinian schon. Gestern Abend ist Hermann Kämmerer zu uns gekommen und hat berichtet, der Ansturm auf unseren Stand wäre so groß, dass die Lebkuchen schon fast ausverkauft seien. Unsere Vorräte reichen angeblich nur noch für drei Tage.«

»Was?«, rief Agathe. »Aber das ist ja entsetzlich.«

»Und unglaubwürdig«, ergänzte Elise. »Meine Mutter scheint das zwar alles kein bisschen merkwürdig zu finden, aber da kann etwas nicht stimmen. Auch in den vergangenen Jahren war an unserem Stand sehr viel Betrieb. Und ja, sicher, es ist in diesem Jahr mehr los als früher. Aber zum einen haben wir mit den Wachsbildern auch mehr Waren. Und selbst wenn wir die nicht hätten, es sind nicht so viel mehr Leute, dass tatsächlich wahr sein kann, was Kämmerer sagt.«

»Das klingt wirklich merkwürdig«, gab Richard ihr stirnrunzelnd recht.

»Haben Sie einen Verdacht?«, fragte Agathe.

»Ich weiß nicht«, sagte Elise. »Ich halte Kämmerer eigentlich für sehr vertrauenswürdig – wie auch meine Eltern.«

»In der Firma ist er bei den Arbeitern recht angesehen«, berichtete Corbinian. »Er ist streng, aber nicht unmenschlich, und ich hatte bisher den Eindruck, dass er seine Arbeit ganz ordentlich macht. Aber du hast recht. Ich habe ein ungefähres Gefühl dafür, wie viel wir produzieren und wie viel wir verkauft haben. Das passt nie und nimmer.«

Elise überlegte. »Vielleicht lässt er die Lebkuchen heimlich fortschaffen und verkauft sie an anderer Stelle?«

»Aber wo? Zumal unsere Lebkuchen ja nicht irgendwelche Lebkuchen sind«, sagte Corbinian stolz, »sie sind durch den Schokoladenüberzug und die Marzipanbilder unverkennbar unsere Schöpfung.«

»Das weiß man in Nürnberg. Aber, eure Fabrik in allen Ehren, in Berlin weiß kein Mensch von Lebkuchen Lusin«, gab Richard zu bedenken.

»Na, hören Sie mal!«, rief Elise gespielt empört und fügte dann schmunzelnd hinzu: »Außerdem ist Ihre Aussage nicht richtig. Sie sind auch Berliner, und Sie kennen Lebkuchen Lusin sehr wohl.«

Er stimmte in ihr Lachen ein, wurde dann aber wieder ernst. »Wenn ich ehrlich bin, halte ich diese Vermutung für recht wahrscheinlich«, sagte er.

»Sie müssten in den Büchern nachsehen«, erklärte Agathe nachdenklich. »Darin müsste man Unregelmäßigkeiten ja nachweisen können.«

»Nicht, wenn er geschickt ist«, wandte Richard ein.

»Aber wenn wir wirklich so viele Lebkuchen verkauft haben, wie er behauptet hat, dann muss ja auch das Geld dafür eingegangen sein«, ließ Corbinian nicht locker.

Dann sah er Elise fragend an. »Weißt du, wie viel das sein müsste?«

Doch sie schüttelte hilflos den Kopf. »Ich weiß nur, für wie viel wir täglich verkaufen, aber ich habe keine Ahnung von Kosten und Ähnlichem.«

»Und wenn er geschickt ist, lässt er die Kosten höher aussehen, als sie tatsächlich sind«, vermutete Richard. »In die Karten spielt ihm dabei vielerlei: Der einzige Mann, der die Zahlen vielleicht noch im Ansatz hätte durchschauen können, lebt nicht mehr.«

Er sah Elise entschuldigend an, doch die signalisierte mit einem Nicken, dass seine Äußerung für sie kein Problem darstellte und er fortfahren solle.

»Außerdem stellen wir die Lebkuchen nun anders her als noch bis vor Kurzem. Und diese sind wiederum ganz anders als die Lebkuchen, die ihr bis dahin verkauft habt.«

»Und dann hat Vater ja obendrein noch vor nicht allzu langer Zeit erst die Fabrik übernommen und viele Arbeiter eingestellt«, ergänzte Elise. »Deshalb gibt es nicht viele Zahlen aus den Vorjahren, mit denen man all das so einfach vergleichen könnte.«

»Also hat er sich den allerbesten Zeitpunkt ausgesucht«, stellte Agathe fest.

»Wenn wir ihm nicht unrecht tun«, versuchte Elise zu beschwichtigen. »Noch ist das alles nur ein bloßer Verdacht von mir. Vielleicht stimmt es ja, was er sagt.«

Doch die anderen drei am Tisch schüttelten einvernehmlich den Kopf.

»Das ist kein unbegründeter Verdacht, Liebling«, versicherte Corbinian und legte den Arm um sie. »Da kann etwas nicht stimmen, daran besteht kein Zweifel.«

Fragend sah Richard zwischen Elise und Corbinian hin und her. »Gibt es denn irgendwo belastbare Zahlen darüber, wie viele Lebkuchen am Tag hergestellt und wie viele abverkauft werden? Dann ließe sich das doch ganz einfach feststellen.«

Elise schüttelte mutlos den Kopf und kam sich ungemein hilflos, aber auch dumm vor. Sie sollte die Firma einmal übernehmen und hatte keine Ahnung davon, wie viele Lebkuchen sie jeden Tag herstellten? Wilhelm wäre unendlich enttäuscht von ihr. Das konnte sie nicht zulassen.

»All das hat früher mein Vater gemacht, und jetzt macht es Hermann Kämmerer«, sagte sie mit gesenktem Kopf.

Corbinian gab ihr einen Kuss. »Mach dir keine Sorgen, mein Liebling«, sagte er. »Wir werden alles herausfinden. Und wenn Kämmerer sich etwas zuschulden hat kommen lassen, dann werden wir ihn stellen. Du bist ja nicht allein.«

»Danke«, sagte sie und sah die anderen drei liebevoll an. »Danke, dass ihr mir helft.«

»Wie hoch ist denn die Wahrscheinlichkeit, dass deine Mutter irgendwelche Zahlen kennt?«, fragte Richard.

»Eher gering«, murmelte Elise mutlos. »Sie interessiert sich zwar schon für die Firma, ganz einfach, weil es auch ihr wichtig ist, Vaters Werk fortzuführen. Aber wenn ich es richtig einschätze, hat sie die Buchführung nur zu gern Herrn Kämmerer überlassen.«

»Wenn du dich da mal nicht täuschst«, sagte Corbinian. »Heute, wie sie da so vor der Belegschaft stand, habe ich mich gefragt, ob wir deine Mutter nicht alle unterschätzen.«

»Das mag sein«, gab Elise ihm recht – den gleichen Gedanken hatte sie ja auch schon gehabt. »Aber auf Kämmerer lässt sie nichts kommen. Und ich habe leider auch den Eindruck …« Sie verstummte.

»Ja?«, fragte Corbinian sanft. »Welchen Eindruck hast du?«

»Nun, ich glaube, dass Kämmerer versucht, Mutter den Hof zu machen. Die beiden wirken sehr vertraut miteinander.«

»Das ist mir auch schon aufgefallen«, stimmte Agathe zu.

»Dann ist in der Tat Vorsicht geboten«, meinte Richard. »Denn dann können wir sie bei unseren Nachforschungen nicht einbeziehen. Die Gefahr, dass sie Kämmerer davon erzählt, ist zu groß. Ganz wichtig ist, dass er auf keinen Fall merkt, dass wir ihm auf der Spur sind. Er muss sich in Sicherheit wiegen.«

»Was aber können wir denn konkret tun?«, fragte Elise.

»Ich würde vorschlagen, dass wir uns doch einmal die Bücher vornehmen. Möglicherweise hat er einen Fehler gemacht«, meinte Richard. »Ich glaube, man kann die Zahlen gar nicht so gut fälschen, dass man dabei gar keine Spuren hinterlässt.«

»Fein«, sagte Elise. »Und jetzt habe ich noch ein Anliegen.«

Die drei sahen sie fragend an. »Sollen wir uns nicht endlich alle duzen? Nun, da ihr verlobt seid, zählt dann auch deine Ausrede mit dem Standesunterschied nicht mehr«, sagte sie zu ihrer Gesellschafterin.

Agathe lächelte. »Von Herzen gern. Inzwischen bin ich so weit.«

***

Sosehr sie es auch versuchten: Sie fanden keine Gelegenheit, Einsicht in die Bücher zu nehmen. Dank der Ansprache von Elises Mutter ging es bei Lebkuchen Lusin zu wie in einem Bienenstock, es wurde quasi rund um die Uhr gearbeitet, und Hermann Kämmerer schien sein Kontor nie zu verlassen. Für Elise sowie insbesondere Agathe und Richard, die als Gäste ohnehin auffallend waren, war es somit völlig ausgeschlossen, sich Zutritt zu verschaffen. Corbinian berichtete ihnen nach dem vierten Abend frustriert, dass es selbst ihm völlig unmöglich sei, unbeobachtet in Hermann Kämmerers Kontor zu gelangen. »Auf dem Flur vor seinem Büro ist ständig jemand unterwegs. Es bleibt nie genug Zeit, ungesehen hineinzuschleichen. Und wenn er mal nicht da ist, hat der gute Mann sein Büro leider immer abgeschlossen.«

»Fragt sich nur, warum«, murmelte Agathe.

Elise erkannte noch eine andere Schwierigkeit: »Weil unsere Fabrik ja hufeisenförmig angelegt ist, würde man bemerken, wenn du dich in seinem Büro aufhältst«, sagte sie. »Ohne Kerze wirst du nichts sehen, nimmst du aber eine mit, bemerkt man ihren Lichtschein von der Verpackerei und von der Küche aus.«

»Da hast du recht«, stimmte Corbinian ihr zu. »So weit habe ich noch gar nicht gedacht.«

Sie hatten noch keine Lösung für ihr Problem gefunden, als Margarethe ihrer Tochter und ihrem Gast am Abend nach deren Heimkehr verkündete, dass sie noch einen weiteren Besucher erwarteten. Elise verzog das Gesicht und wechselte einen genervten Blick mit Richard, der den Abend hatte nutzen wollen, um der Dame des Hauses von seiner Verlobung zu erzählen. Vor allem Elise fand es nach wie vor ungut, dass Agathe als Verlobte eines Adeligen nicht mit ihnen speisen konnte, sobald Besuch im Haus war. Aber dann musste das wohl noch etwas warten.

»Wer ist es denn?«, fragte Elise und hatte Mühe, sich ihren Unwillen nicht anmerken zu lassen. Der wurde im nächsten Moment noch größer. »Es ist Herr Kämmerer«, erwiderte Margarethe Lusin, und anders als die letzten Male, wenn sie von dem Prokuristen gesprochen hatte, sah sie nicht erfreut, sondern eher ausgesprochen besorgt aus. »Und wie es scheint, hat er erneut schlechte Nachrichten für uns. Ich verstehe auch nicht, warum er noch nicht da ist. Er hatte eigentlich versprochen, pünktlich da zu sein.«

Elise wechselte einen besorgten Blick mit Richard. Hatte der Prokurist etwa schon wieder etwas ausgeheckt?

»Ich hoffe, Sie empfinden es nicht als unhöflich, wenn ich einen Geschäftspartner zum Abendessen gebeten habe«, sagte Margarethe zu ihrem Gast. »Ich fürchte, es wird um Themen gehen, die Sie nicht allzu sehr interessieren dürften.«

»Aber ich bitte Sie«, tat Richard gespielt brüskiert. »Ich nehme Ihre Gastfreundschaft ja nun auch schon sehr lange in Anspruch.«

»Bitte tragen Sie die Suppe schon einmal auf«, sagte Margarethe schließlich zu der bereitstehenden Maria, die der Aufforderung umgehend Folge leistete.

Sie hatten gerade zu essen begonnen, als es an der Tür klopfte und Heinrich Mannfeld den verspäteten Gast ankündigte. Eine Sekunde später stand Hermann Kämmerer in der Tür. »Bitte, behalten Sie Platz«, sagte er, als die Anwesenden Anstalten machten, sich zu erheben.

Er setzte sich auf den Stuhl, den Mannfeld ihm geflissentlich zurechtrückte.

»Ich hoffe, du verzeihst, dass ich die Suppe schon einmal habe auftragen lassen«, sagte Margarethe Lusin.

»Aber ich bitte dich, meine Liebe«, sagte Kämmerer, »ich wäre untröstlich, wenn ihr noch länger auf mich gewartet hättet. Meine Verspätung ist unverzeihlich, aber ich wurde in der Fabrik noch aufgehalten.«

»Hoffentlich nichts Ernstes«, sagte Margarethe. »Ich muss gestehen, ich bin doch etwas beunruhigt ob deiner Ankündigung.«

Inzwischen hatte Fritz dem verspäteten Gast Suppe aufgetan, und er machte sich hungrig darüber her. Nachdem er seinen ersten Hunger gestillt hatte – Elise fand sein Benehmen etwas ungehörig –, sah er auf und sagte: »Du warst zu Recht beunruhigt, meine Liebe. Es ist wirklich zum Verzweifeln. Momentan geht alles schief, und ich bin untröstlich, dass es mir nicht gelingt, diesen Kummer von dir und deiner geschätzten Tochter« – er schenkte Elise ein Lächeln – »fernzuhalten. Aber es war ja dein Wunsch, über Schwierigkeiten im Unternehmen sofort unterrichtet zu werden.«

Margarethe legte ihren Löffel beiseite und runzelte die Stirn. »Ich war eigentlich davon ausgegangen, dass die Schwierigkeiten nun beseitigt sind«, sagte sie. »Die Arbeiter stehen doch voll an unserer Seite.«

»Das tun sie«, bestätigte Kämmerer. »Aber die besten Arbeiter nutzen nichts, wenn keine Rohstoffe zur Verfügung stehen.«

»Wie meinst du das – keine Rohstoffe?«, fragte Margarethe, während Elise und Richard erneut einen verstohlenen Blick wechselten. Sie las in seinen Augen, dass auch er dem Prokuristen kein Wort glaubte.

»Wir haben keinen Honig mehr für die Lebkuchen«, ließ Hermann Kämmerer die Bombe platzen.

»Keinen Honig?«, erwiderte Margarethe und sah den Prokuristen empört an. »Mach dich doch nicht lächerlich, Hermann.«

Elise sandte ihrer Mutter einen verwunderten Blick. In den letzten Tagen verblüffte Margarethe sie immer wieder. So burschikos kannte sie sie gar nicht. Auch Hermann Kämmerer schien erstaunt und nicht zu wissen, ob er wegen der Zurechtweisung empört oder verlegen sein sollte.

»Unter meinem Mann«, fuhr Margarethe Lusin hoheitsvoll fort, »unter meinem Mann Wilhelm Lusin gab es niemals solche Schwierigkeiten. Du bist sein Prokurist, dir hat er die Firma anvertraut. Enttäusch ihn nicht, Hermann. Enttäusch *mich* nicht.«

Am Tisch herrschte Stille. Hermann Kämmerer starrte Margarethe derart erstaunt und, ja, auch gekränkt an, dass er Elise beinah schon leidtat, auch wenn sie es ihm von Herzen gönnte, dass die Mutter ihn so zurechtgewiesen hatte.

Richard schien es ebenso zu gehen. In dem Bemühen, die Situation zu entspannen, sagte er: »Wenn Sie erlauben, gnädige Frau, so finde ich, dass Sie und Herr Kämmerer gemeinsam Großes zu leisten vermögen. Vor ein paar Tagen gab es schon einmal ein Problem, und im Nu haben Sie es aus der Welt geschafft. Ich bin überzeugt davon, dass das auch dieses Mal gelingen wird.«

Kämmerer sandte ihm einen dankbaren Blick, und Elise dachte, wie geschickt Richard es angestellt hatte: Indem er dem Prokuristen zur Seite gesprungen war, hatte er sich in dessen Augen zu seinem Verbündeten gemacht und jeglichen Verdacht von sich abgelenkt. Spontan beschloss sie, den gleichen Weg zu nehmen.

»Da muss ich Herrn von Albedyll recht geben und unseren geschätzten Herrn Kämmerer in Schutz nehmen«, sagte sie und sah die Überraschung in dessen Augen. »In der Tat ist es gelungen, das Problem sofort zu lösen, indem wir die Arbeiter ins Boot geholt haben. Und dass es so kurz vor Weihnachten zu Lieferengpässen kommen kann, wenn wir auf einmal mehr Rohstoffe benötigen, ist eigentlich nicht verwunderlich.«

Kämmerer sah Elise erfreut an. »Danke, gnädiges Fräulein«, sagte er und wandte sich dann an Richard. »Danke, gnädiger Herr. Tatsächlich verhält es sich so, wie Sie es vermutet haben: So kurz vor Weihnachten ist es schwierig, kurzfristig an Rohstoffe zu kommen. Und sosehr ich es auch bedauere, dich enttäuscht zu haben, liebe Margarethe, so muss ich dir doch leider sagen, dass ich fürchte, dass selbst dein über alles geschätzter verstorbener Mann vor diesem Problem gestanden hätte. Niemand hätte gedacht, dass unsere neuen Lebkuchen sich so wunderbar verkaufen. Das hätten wir wirklich nicht voraussehen können.«

Margarethe nickte, und Elise hatte das Gefühl, dass ihrer Mutter deren für sie eigentlich so untypische Strenge im Nachhinein etwas peinlich war. »Nun gut«, sagte sie, wenn auch unterkühlt. »Aber Wilhelm hätte rasch eine Lösung gefunden. Welche Lösung hast du für uns, Hermann?«

»Ich werde natürlich mit Hochdruck daran arbeiten, einen neuen Lieferanten zu finden. Für Honig, aber auch für … äh … Mandeln.«

»Die Mandeln werden auch knapp?«, fragte Margarethe, und ihre Stimme klang schneidend.

Kämmerer nickte eingeschüchtert. »Ja. Aber wie schon gesagt, ich arbeite an einer Lösung.«

»Ich bin sicher, du wirst uns nicht enttäuschen«, sagte Margarethe und winkte Mannfeld herbei, ein Zeichen, dass sie die Vorspeise beendet hatten und der Hauptgang aufgetragen werden konnte.

Kämmerer nickte, und Elise hätte zu gern gewusst, was in ihm vorging.

38

»Da ist doch was faul«, flüsterte Elise, als sie nach dem Abendessen wie üblich in der Bibliothek beisammensaßen. Als ihre Gesellschafterin hatte sich nun auch Agathe eingefunden, und Richard und Elise hatten ihr im Flüsterton von den Ereignissen bei Tisch berichtet.

»Das wissen wir ja schon«, flüsterte Agathe zurück, in deren Kopf eine Lösung Form annahm.

Aus den Augenwinkeln sah sie zu Margarethe Lusin hinüber, die mit Hermann Kämmerer an dem Tischchen unter dem Fenster saß und eifrig diskutierte. Seit sie von Elise erfahren hatte, dass diese dem Prokuristen misstraute, meinte auch Agathe, etwas Verschlagenes in seinen Augen zu erkennen: Sie war sich aber nicht sicher, ob es der Wirklichkeit entsprach oder diese Empfindung der Sympathie zu ihrer Freundin geschuldet war.

»Ich habe eine Idee«, flüsterte sie.

»Welche?«

»Vater könnte euch sicher helfen.«

»Natürlich«, rief Elise, in ihrer Begeisterung etwas zu laut, sodass Margarethe und Hermann ihr Gespräch unterbrachen und neugierig zu ihnen hinübersahen.

»Natürlich«, fügte sie nun flüsternd hinzu. »Das ist ein hervorragender Einfall.«

»Wir wollten ja ohnehin zu meiner Familie fahren, damit Richard um meine Hand anhalten kann.«

»Aber doch erst an Weihnachten«, gab Elise zu bedenken. »Wir brauchen den Honig aber jetzt.«

»Ich weiß«, sagte Agathe. »Sofern ihr uns auf dem Christkindlesmarkt entbehren könnt, schlage ich vor, dass wir schon morgen zu meinen Eltern fahren.«

»Schon morgen?«, rief Richard, nun seinerseits etwas zu laut, sodass sich Margarethe und Hermann erneut zu ihnen umwandten.

»Ja«, bestätigte Agathe. »Und wenn Vater helfen kann, wovon ich ausgehe, weil er seinen Freund selbst nach dem Tode nicht im Stich lassen würde, dann könnten wir schon bald mit dem Honig zurück sein. Es war ein guter Sommer, die Ernte war sicherlich sehr ertragreich.«

»Aber dann würdet ihr ja Weihnachten nicht bei deiner Familie verbringen«, wandte Elise ein.

Agathe schüttelte den Kopf. »Das wäre ohnehin schwierig geworden. Richard hat seiner Familie nämlich auch versprochen, Weihnachten bei ihnen zu sein, und wir können uns ja nicht an zwei Orten gleichzeitig aufhalten. Das ist mir vorhin erst klar geworden. So würden wir dann eben im Advent Zeit mit meiner Familie verbringen – und Weihnachten bei seinen Eltern.«

»Und das würde dir nichts ausmachen?«

Agathe zuckte die Schultern. »Ich habe ja ohnehin nicht damit gerechnet, Weihnachten bei ihnen sein zu können. Nun sehe ich sie im Advent, das ist mehr, als ich erwartet habe. Und außerdem: Es geht hier schließlich darum, Lebkuchen Lusin zu retten. Das ist wichtiger als Weihnachten.«

»Ja«, wiederholte Elise nachdenklich. »Das ist wichtiger als Weihnachten.«

»Dann bist du also einverstanden?«

»Natürlich bin ich das. Aber die eigentliche Erlaubnis dazu muss Mutter erteilen«, erinnerte sie Elise. »Und wenn sie mit Herrn Kämmerer vorhin auch recht hart ins Gericht gegangen ist, so würde ich doch empfehlen, weder ihr noch ihm vom wahren Grund der Reise zu erzählen. Zumal sie sich ja inzwischen wieder ziemlich nahe zu sein scheinen.«

Mit dem Kinn deutete sie zum Fenster, wo die beiden dicht beisammensaßen. Hatte der Prokurist nicht eben seine Hand auf die von Margarethe Lusin gelegt und sie viel zu lange dort liegen lassen?

»Dann schlage ich vor, dass wir den ursprünglichen Grund unserer Reise als Ausrede nehmen.«

Elise sah ihn fragend an. »Eure Verlobung?«

»Ganz genau«, bestätigte er. »Es ist mir zwar zuwider, wenn sie nun Mittel zum Zweck sein soll …«

Doch seine pragmatische Zukünftige unterbrach ihn: »Hier geht es darum, Lebkuchen Lusin zu retten. Und das ist wichtiger als …«

»Du willst hoffentlich nicht sagen: wichtiger als unsere Verlobung?«, unterbrach er sie mit gespielter Entrüstung.

»Natürlich nicht«, entgegnete sie lachend.

Er nickte. »Gut, dann würde ich vorschlagen, dass wir die Verlobung nun verkünden.« Auf einmal wirkte der junge Mann etwas nervös. »Dann kann ich ja schon mal für den Auftritt bei meinen künftigen Schwiegereltern üben.«

Er atmete tief durch und erhob sich, die beiden Frauen taten es ihm gleich und gingen zum anderen Ende des Zimmers, wo Hermann und Margarethe ihre vertraute Plauderei unterbrochen hatten und ihnen gespannt entgegensahen.

»Ihr schaut ja so ernst drein«, sagte Margarethe erstaunt.

»Ich hoffe, ihr wollt mir nicht die nächste Hiobsbotschaft überbringen.«

Elise schüttelte den Kopf. »Nein, Mutter, es handelt sich um eine äußerst freudige Mitteilung. Agathe bittet um Sonderurlaub.«

»Um Sonderurlaub?«, fragte Margarethe und runzelte die Stirn. »Ausgerechnet jetzt? Ich kann mir nicht vorstellen, was daran erfreulich sein soll.«

»Nun«, machte Elise geheimnisvoll und schob den nervösen Richard etwas nach vorne. »Rittmeister von Albedyll wird es dir erklären.«

»Was hat denn Herr Albedyll mit Agathes Urlaub zu tun?«, fragte Margarethe verständnislos.

»Das will ich Ihnen gern beantworten, gnädige Frau«, sagte Richard, während Agathe vor lauter Aufregung gar nicht wusste, wohin sie blicken sollte. Hoffentlich würde die gnädige Frau nicht gleich anfangen, schallend zu lachen und zu erklären, wie unmöglich dieser Gedanke doch sei und was in aller Welt sie sich nur dabei dachten.

»Ich gedenke, bei Fräulein Agathes Vater um ihre Hand anzuhalten«, stieß Richard mutig hervor.

»Um ihre Hand anzu…«, wiederholte Margarethe perplex die Worte, fing sich dann aber und sagte: »Nun, ich gratuliere herzlich. In diesem Fall genehmige ich den Sonderurlaub natürlich gern.«

So erleichtert Agathe war, dass ihre Dienstherrin keine Probleme gemacht hatte, so enttäuscht war sie gleichermaßen von deren zurückhaltender Reaktion, die keinen Zweifel daran ließ, dass Margarethe Lusin ihre Verbindung ausgesprochen unpassend fand.

***

Voller Vorfreude blickte Agathe aus dem Fenster. Erst jetzt wurde ihr bewusst, wie lange sie schon nicht mehr in ihrer Heimat gewesen war. Wie vertraut und zugleich fremd alles auf sie wirkte. Mit leuchtenden Augen wandte sie sich zu Richard um, der neben ihr in der Kutsche saß. Und stellte im nächsten Moment fest, dass ihr Liebster weiß wie die Wand war. Erst jetzt fiel ihr auf, dass der sonst so pragmatische Offizier schon die ganze Fahrt über so schweigsam gewesen war. Zu gerne hätte sie ihm Mut zugesprochen, hatte aber Bedenken, ob Richard dann nicht noch nervöser werden würde.

»Wusstest du, dass Feucht auch eine ganz bewegte Geschichte hat?«, versuchte sie ihn abzulenken. Ihr Plan schien aufzugehen, denn sichtlich interessiert antwortete ihr Richard: »Nein, aber bitte erzähl.«

Sie ließ sich nicht zweimal bitten und berichtete ihm, dass nach dem Untergang der Staufer sowohl die Burggrafen von Nürnberg als auch die Stadt Nürnberg versucht hatten, Feucht für sich zu vereinnahmen.

»Und wer hat den Streit gewonnen?«, fragte Richard, der allerdings so klang, als sei er mit seinen Gedanken mitnichten bei Agathes Schilderungen.

»Die Stadt Nürnberg. Aber lange sollte der Frieden nicht dauern, im sechzehnten Jahrhundert wurde der Ort bei kriegerischen Auseinandersetzungen gleich zwei Mal zerstört.«

»Da hat es deine Heimat ja im Laufe der Geschichte ganz schön gebeutelt.«

»Allerdings«, bestätigte Agathe, die erfreut feststellte, dass ihre Strategie, ihren Liebsten von seiner Aufregung abzulenken, zu funktionieren schien. »Aber sie haben niemals aufgegeben. So sind sie, die Feuchter.«

»Das erinnert mich an unsere Liebe. Wir geben auch niemals auf, allen Widrigkeiten zum Trotz.«

»Wie recht du hast.« Sie ließ sich in seine Arme ziehen und küssen. »Ich hoffe allerdings, dass unserer Liebe mehr Frieden beschert sein wird als den Feuchtern. Die mussten nämlich auch in den Folgejahren noch ziemlich leiden. Der Dreißigjährige Krieg, durchmarschierende Truppen und Einquartierungen forderten ihren schrecklichen Tribut.«

»Also, ich finde, Einquartierungen haben was«, sagte er und küsste sie erneut.

Sie musste lachen. »Da hast du recht. Einquartierungen haben was. Übrigens war Feucht auch ein paar Jahre lang preußisch.«

»Ich weiß. Als der letzte Markgraf 1792 abgedankt hatte, verkaufte er das Land an das Königreich Preußen«, referierte Richard zur Verblüffung seiner Verlobten. »Aber bereits 1806 mussten die Preußen das Gebiet wieder an das Königreich Bayern abtreten.«

»Du weißt das!«, rief sie empört. »Warum sagst du mir das nicht?«

»Na, ich werde doch die Ausdehnung meines Königreichs im Laufe der Jahrhunderte kennen«, entgegnete er grinsend. »Selbst wenn es sich um einen solch unbedeutenden Ort wie Feucht handelt.«

»Von wegen unbedeutend«, echauffierte sie sich und stieß ihn spielerisch in die Seite. »Immerhin wurde in diesem Ort die Dame deines Herzens geboren.«

»Das macht ihn in der Tat zum bedeutendsten Ort der Welt«, stimmte er zu.

»Da sind wir auch schon«, erklärte Agathe, als sie den

Wald verließen und auf die Lichtung fuhren, auf der ihr Elternhaus stand. »Hier ist es.«

»Sehr hübsch«, sagte Richard angesichts des kleinen, gedrungenen Holzhauses, in dessen Fenster rot-weiß karierte Gardinen hingen. Sie waren neu, Agathe kannte sie noch nicht. Irgendwie schmerzte sie der Anblick, obwohl es natürlich klar war, dass sich die Dinge veränderten.

Mit einem lauten und lang gezogenen »Ho« brachte Jacob die Kutsche zum Stehen und schwang sich vom Kutschbock, um die Türe zu öffnen.

»Vielen Dank, Herr Düber«, sagte Agathe, kaum dass die Türe aufschwang. Nachdem Richard ausgestiegen war, bot er seinen Arm an, um seiner Verlobten aus der Kutsche zu helfen.

»Schau mal, da sind sie schon«, sagte Agathe erfreut und deutete auf ihre Eltern, die, gefolgt von ihren jüngeren Geschwistern, aus dem Haus stürmten.

»Vater! Mutter!«, rief Agathe und umarmte beide gleichzeitig, um sich dann ihren jüngeren Geschwistern zuzuwenden, die strahlend und mit leuchtenden Wangen zu ihr aufblickten. »Karl! Hannes! Wie groß ihr geworden seid!«, rief sie staunend. »Und Barbara, du bist ja die reinste Schönheit!«

Die junge Frau lächelte verlegen. In diesem Moment fiel Agathe ein, dass sie den armen und ohnehin schon so aufgeregten Richard hatte stehen lassen, statt ihn den anderen vorzustellen. Aber die Wiedersehensfreude war einfach zu groß gewesen! Als sie sich nun erschrocken zu ihm umdrehte, stellte sie erleichtert fest, dass entweder er oder ihr Vater inzwischen bereits selbst die Initiative ergriffen hatte und Richard und ihre Eltern in ein angeregtes Gespräch vertieft waren.

Na also, dachte sie erleichtert. *Das lässt sich ja alles ganz hervorragend an.*

Die einst so vertraute elterliche Küche kam Agathe im Vergleich zu der Pracht, an die sie mittlerweile gewohnt war, ganz klein und fast ein wenig armselig vor. Inzwischen hatten sie alle Platz genommen und von dem Gugelhupf gegessen, den Agathes Mutter eigens für sie gebacken hatte. Schließlich lud ihr Vater zu einem Spaziergang ein. Agathe wollte zunächst protestieren, ihre Mutter signalisierte ihr jedoch, die beiden Männer zunächst sich selbst zu überlassen. Schweren Herzens fügte sich Agathe und unterdrückte den Impuls, Richard beizustehen.

Ihre Mutter schickte ihre beiden Brüder nach draußen, und kurz darauf saßen die drei Welserfrauen gemeinsam am Tisch und tranken heißen Tee mit Honig.

Agathes jüngere Schwester Barbara wollte ihre Neugier stillen: »Jetzt erzähl mal von deinem Richard!«

»Genau, ich möchte auch gerne mehr über den Galan meiner Tochter erfahren«, bekräftigte ihre Mutter Ilse.

»Was soll ich sagen, ihr habt ihn doch gesehen«, erwiderte Agathe verschmitzt, »und nicht nur, dass er fantastisch aussieht, er ist klug, zuvorkommend, außerdem weiß er so viel über Geschichte.«

»Und wie habt ihr euch kennengelernt?«, wollte Barbara wissen. »Es ist ja so aufregend, dass ein derart hochwohlgeborener Herr dir den Hof macht.«

Nun ließ sich Agathe nicht länger bitten und erzählte ihrer Mutter und ihrer Schwester haarklein den Beginn ihrer Romanze.

Als Ilse Welser bereits die dritte Kanne Tee aufsetzte, kamen die beiden Männer wieder ins Haus.

»Agathe?«, rief ihr Vater und sah seine Tochter eindringlich an.

»Ja?«, erwiderte diese besorgt. Warum nur klang Josef Welser so streng? Waren er und Richard sich etwa in die Haare geraten? Hatte er doch etwas an der Verbindung auszusetzen?

»Agathe«, wiederholte Josef wieder, »Rittmeister von Albedyll hat mich um deine Hand gebeten. Er hat mir zwar versichert, dass es auch in deinem Interesse sei, aber jetzt frage ich dich: Möchtest du ihn heiraten?«

»Ja, Papa, das möchte ich«, rief Agathe und beobachtete, dass es verdächtig um die Mundwinkel ihres Vaters zuckte. Im nächsten Moment wandte Josef Welser sich an ihren Liebsten, und aus den zuckenden Mundwinkeln wurde ein breites Lächeln, als er sagte: »Nun denn, Richard, dann bist du jetzt wohl bald mein Schwiegersohn. Herzlich willkommen in der Familie Welser!«

Die beiden kleinen Jungen, die inzwischen gar nicht mehr ganz so klein waren, brachen in Jubelrufe aus, und Barbara klatschte begeistert in die Hände, während Agathes Mutter ihre Tochter gerührt in die Arme schloss. »Herzlichen Glückwunsch, meine Kleine«, raunte sie ihr zu. »Ich finde, du hast eine wunderbare Wahl getroffen.«

»Danke, Mutter«, flüsterte sie zurück und wandte sich dann wieder an ihren Vater.

»Dürfte ich noch eine Bitte äußern?«

»Noch eine, Agathe?«

»Nun ja, bisher hat dich ja nur Richard um etwas gebeten«, erwiderte sie keck, »nämlich um meine Hand.«

Josef musste lachen. »Schlagfertig wie immer, meine Agathe«, sagte er stolz. »Um was möchtest du mich denn bitten?«

»Das würde ich gern in Ruhe mit dir besprechen.«

»Nun gut, dann lasst uns doch nach dem Essen in den Reichswald gehen, ich wollte Richard ohnehin die Imkerei zeigen.«

39

Frisch gestärkt hatten sie sich auf den Weg gemacht. »Wie dir vielleicht meine Tochter bereits erzählt hat, ist unsere Familie schon seit Jahrhunderten in der Zeidlerei tätig«, begann Josef Welser.

Statt zu antworten, nickte Richard nur, da er Agathe gerade über einen vom Wind geborstenen, großen Baum half, der mitten auf dem Weg lag.

»Schau mal«, sagte Agathes Vater in diesem Moment und deutete auf ein Symbol in der Rinde, »das ist unser Zeichen, dass wir früher eingeritzt haben.«

»Was bedeutet es?«, wollte Richard wissen, der sich interessiert das quadratische Zeichen mit den beiden Querstrichen ansah.

»Damit haben wir markiert, dass der Baum und das Bienenvolk uns gehören – und dessen Honigertrag«, erklärte Agathes Vater.

»Die Symbole hast du uns auch als Kinder noch gezeigt«, erinnerte sie sich lächelnd. »Ich weiß noch genau, wie aufregend ich das damals fand.«

»Ja«, seufzte Josef ein wenig wehmütig. »Aber es ist lange her, die letzten Zeichen wurden noch von meinem Großvater eingeritzt. Seitdem hat sich das Zeidlerwesen stark verändert.«

Schweigend folgten die drei ein Stück dem Waldweg, bis sie zu einer Lichtung gelangten, auf der eine Hütte stand.

»Ist das auch ein Zeichen?«, wollte Richard wissen und deutete auf eine Markierung in einem stattlichen Baum am Rand der Lichtung.

»Ja, ist es, und jetzt schaut mal unter den Wipfel.«

»Ist da ein Loch in den Baum geschnitten?«, fragte Richard verdutzt.

»Ganz genau«, erläuterte Josef lächelnd. »Früher haben meine Vorfahren eine Höhle in den Baum geschnitten, eine sogenannte Beute. Die wurde dann durch eine Baumscheibe wieder verschlossen – mit Ausflugsloch für die Bienen.«

»Und die haben danach dieses Loch als Brutstätte benutzt«, kombinierte Richard.

»Jawohl«, bestätigte Josef Welser voller Anerkennung über die rasche Auffassungsgabe seines zukünftigen Schwiegersohns.

»Und wie wurde der Honig dann geerntet?«

»Nun, dazu musste man auf den Baum klettern. Dann blies man Rauch in die Beute, sodass die Bienen ausschwärmten, und in der Zwischenzeit wurden die Waben aus der Beute geschabt.«

»Das war sicherlich nicht ganz ungefährlich. Und damit meine ich nicht nur die Absturzgefahr«, kommentierte Richard.

»Das ist richtig, aber als Zeidler gewöhnt man sich daran und weiß mit der Gefahr entsprechend umzugehen«, erwiderte Josef. »Und mit der Zeit macht einem ein Stich hin und wieder kaum noch etwas aus.«

»Vater«, mischte sich nun wieder Agathe ins Gespräch, »ich hatte dir ja vorhin gesagt, dass ich noch etwas mit dir besprechen möchte.«

»Dann lass uns doch in die Hütte gehen, dort können wir uns ein wenig aufwärmen.«

***

Kurz darauf hatte Josef Welser mit geübten Händen ein Feuer entzündet und seiner Tochter als auch seinem künftigen Schwiegersohn je einen Becher mit dampfendem Tee gereicht. »Nun«, sagte er und sah Agathe aufmerksam an. »Wie lautet denn deine Bitte?«

»Es gibt Schwierigkeiten bei Lebkuchen Lusin«, eröffnete Agathe das Gespräch.

»Oje«, sagte Josef betroffen. »Hängt es mit Wilhelm Lusins Tod zusammen? Wie verkraftet seine Frau denn diesen schweren Schicksalsschlag?«

»Sie ist gefasst, aber es ist natürlich sehr schwer für sie, ebenso wie für Elise«, erwiderte Agathe. »Sorgen bereitet uns aber vor allem dieser Hermann Kämmerer …«

»Kämmerer?«, rief Agathes Vater aufgebracht. »Ist der immer noch bei Lusins?«

»Ja, aber was hast du denn mit dem zu schaffen?«, fragte Agathe ziemlich verblüfft darüber, wie sich ihr ansonsten sehr geduldiger Vater über Hermann Kämmerer echauffierte. »Ich wusste gar nicht, dass ihr euch kennt?«

»Ich habe ihm mal fast meinen ganzen Honig verkauft«, erklärte Josef Welser, »aber dann hat Kämmerer zuerst behauptet, ich hätte weniger geliefert als abgemacht. Statt der vereinbarten zwanzig Eimer Honig seien es nur fünfzehn gewesen. Dank eines Zeugen konnte ich dann allerdings belegen, dass ich ihm zwanzig Eimer übergeben hatte und nicht nur die fünfzehn, die er notiert hatte.«

»Arbeitete Kämmerer da auch schon für die Lusins?«

»Ja, beinahe hätte Wilhelm mir damals die Freundschaft aufgekündigt.«

»Wieso das denn?«, fragte Agathe, während sie aufgestanden war und nochmals einen Scheit Holz nachgelegt hatte. Die flackernden Flammen warfen züngelnde Schatten an die Wand der schlichten Holzhütte.

»Nachdem die Stückzahl klargestellt war, ging ich davon aus, dass die Sache damit geklärt gewesen wäre, doch weit gefehlt. Als ich bei der nächsten Lieferung mit Wilhelm abrechnen wollte, gab er mir nur das Geld für fünfzehn Eimer Honig.«

»Hat Kämmerer die Bücher nicht korrigiert?«, mutmaßte Richard.

»Das dachte ich zunächst auch, und gerade als ich das klarstellen wollte, fiel mir Wilhelm ins Wort.«

»Das passt eigentlich gar nicht zu Herrn Lusin«, wunderte sich Agathe. »Und was hat er denn nun zu dir gesagt?«

»Er sei enttäuscht von mir.«

»Was?«, fragte Richard verständnislos. »Das macht doch gar keinen Sinn.«

»Genau das dachte ich auch, aber bevor ich auch nur ein weiteres Wort sagen konnte, fuhr er fort und warf mir vor, warum ich denn nicht einfach zu ihm gekommen sei. Man hätte doch sicherlich eine Lösung finden können.«

»Aber wofür denn?«

»Kämmerer hat behauptet, dass ich zwar zwanzig Eimer geliefert hätte, aber fünf davon verdorben waren.«

»Das gibt es doch nicht«, rief Agathe aus, »dieser, dieser …«

»Mäßige dich, mein Kind, der ist es nicht wert«, fiel ihr Vater ihr ins Wort.

»Aber wie konnte denn Herr Lusin glauben, dass du ihm schlechte Ware lieferst? Er müsste dich doch kennen!«

»Ja, das müsste er«, erwiderte Josef Welser ernst. »Oder besser gesagt: Das hätte er müssen. Schließlich waren wir so etwas wie Freunde, und er hatte dich ja auch in seine Dienste genommen. Wir hatten wirklich eine enge Verbindung. Es zeigt aber auch, wie groß der Einfluss sein muss, den dieser Kämmerer auf ihn hatte. Ihr dürft diesen Mann nicht unterschätzen.«

»Nein«, versicherte Richard von Albedyll seinem künftigen Schwiegervater. »Nein, keine Sorge. Das tun wir nicht.«

»Hast du Herrn Lusin denn dann berichtet, wie es sich wirklich zugetragen hat?«, fragte Agathe.

»Aber natürlich habe ich das«, erwiderte ihr Vater.

»Und? Wie hat er reagiert?«

»Nun, Wilhelm hat mir gesagt, es stünde Aussage gegen Aussage.«

»Aber hatte er nicht den verdorbenen Honig selbst in Augenschein genommen?«

»Tja, Kämmerer hat natürlich behauptet, er habe ihn bereits vernichtet.«

»Das ist aber schon sehr merkwürdig«, fasste Richard die Situation zusammen. »Es klingt beinah so, als hätte er die fünf Eimer Honig gestohlen.«

»Dass es merkwürdig klingt, fand auch Wilhelm, als er mich angehört hatte.«

»Das beruhigt mich«, sagte Agathe, »und wie ging es dann weiter?«

»Nun, da Kämmerer ja den verdorbenen Honig direkt vernichtet hatte, angeblich aus Sorge davor, dass der Honig sonst vielleicht verwendet worden wäre, mussten anderweitig die fehlenden Eimer beschafft werden.«

»Dann hast du nur fünfzehn Eimer bezahlt bekommen?«

»Ja«, sagte Josef. »Am Ende habe ich nur fünfzehn Eimer bezahlt bekommen. Und in einer schweren Zeit wie damals war das für mich wirklich eine Katastrophe. Ich war doch gerade erst wieder auf die Beine gekommen. Ich wollte aber auch keinen großen Ärger machen, weil ich Angst hatte, das könnte deine Stellung bei den Lusins gefährden.«

»Ach, Papa«, sagte Agathe und drückte ihrem Vater die Hände. »Was du nur alles für mich getan hast. Wilhelm Lusin hat sich mir gegenüber aber auch nie etwas anmerken lassen.«

»Das ist gut«, sagte Josef erleichtert. »Ich konnte dich ja nicht danach fragen. Aber es ist gut, dass ich das jetzt weiß.« Dann sah er seine Tochter fragend an. »Was ist denn nun deine Bitte?«

»Oh«, lachte sie. »Das habe ich tatsächlich vor lauter Aufregung über die Sache mit Kämmerer vollkommen vergessen. Es ist so, dass die Lebküchnerei, wie schon einmal, über nicht genügend Honig verfügt. Es gibt Lieferschwierigkeiten. Und da habe ich die Hoffnung, dass du … na ja, dass du uns aushelfen könntest. Aber wenn ich jetzt natürlich höre, wie man mit dir umgegangen ist …«

»Dafür kann ja keiner außer Kämmerer was«, sagte Josef Welser.

Agathe nickte. »Und ich bin sicher, wenn ich der gnädigen Frau alles erzählen würde, würde sie sofort dafür sorgen, dass die fünf Eimer noch bezahlt werden.«

Richard sah sie zweifelnd an. »Ich fürchte, da täuschst du dich, mein Schatz. Wenn Wilhelm Lusin Hermann Kämmerers Wort nicht angezweifelt hat, dann wird es Margarethe vielleicht auch nicht tun.«

»Ich helfe euch trotzdem«, sagte Josef. »Nur habe ich bei Weitem nicht genug Honig. Ich fürchte, angesichts der

Größe von Lebkuchen Lusin ist das, was ich anbieten kann, ein Tropfen auf dem heißen Stein.«

***

Nachdem Josef Welser seinem zukünftigen Schwiegersohn und seiner Tochter die Bienenstöcke am Rand der Lichtung gezeigt hatte, wanderten die drei wieder in Richtung Feucht.

»Sollen wir noch zum Zeidlerschloss gehen?«, fragte Agathe in die Runde.

»Gerne«, antwortete Richard, und auch ihr Vater stimmte Agathes Vorschlag zu.

»Warum heißt der Berufsstand eigentlich Zeidler?«, fragte Richard. »Das habe ich mich schon die ganze Zeit über gefragt.«

»Das ist ganz einfach«, sagte Agathe lachend. »Zeidel bedeutet Honig, und das Zeideln ist das Herausschneiden der Honigwabe aus dem Stock.«

»Das Zeidelwesen hier in Feucht hat eine uralte Tradition, und ich muss gestehen, dass ich ziemlich stolz bin, in dieser Tradition zu stehen.«

»Das können Sie auch sein«, erwiderte Richard herzlich, und Agathe lächelte in sich hinein und war ungemein erleichtert. Es war unschwer zu übersehen, dass die beiden wichtigsten Männer in ihrem Leben sich mehr als sympathisch waren und der Standesunterschied für keinen von ihnen ein Problem darstellte.

»Und wie lange gibt es sie schon, die Zeidlerei in Feucht?«, fragte er.

»Nun, wir wissen von einer Urkunde aus dem Jahr 1296, auf der es um die Ernennung eines Zeidelmeisters geht. Und ab der ersten Hälfte des vierzehnten Jahrhunderts hat Kaiser

Karl IV. die Rechte und Pflichten der Zeidler dann im sogenannten Großen Privileg festgehalten. Als Gegenleistung mussten sie eine bestimmte Menge Honig, später dann das Honiggeld für ihre Güter bezahlen.«

»Ein Zeidelgericht«, wiederholte Richard fasziniert. »Dann hatten die Zeidler also eine eigene Gerichtsbarkeit?«

»Sehr richtig, junger Mann«, freute sich Josef Welser über sein Interesse. »Das machte sie natürlich besonders bedeutsam. Den Vorsitz hatte ebenjener Zeidelmeister, dem wir auch die erste Urkunde zu verdanken haben. Leider hat das Zeidelgericht im Laufe der Zeit an Bedeutung verloren. Anfangs tagte es noch dreimal im Jahr, aber das wurde immer weniger, bis die preußischen Behörden es 1796 aufhoben.«

»Diese Preußen sind ja wirklich überall«, stellte Richard fest.

»Zum Glück«, flüsterte Agathe und drückte seine Hand.

»Um das Zeidelgericht tut es mir nicht leid«, meinte Josef. »Aber so, wie das Zeidelgericht immer mehr seine Bedeutung verlor, wurden auch die Zeidler immer unwichtiger.«

»Weil auch hier der Zucker den Honig verdrängt hat?«, mutmaßte Richard.

»Ganz genau«, erwiderte Josef Welser. »Aber das ist noch nicht alles. Es gibt noch weitere Gründe, warum wir heute nicht mehr wie unsere Vorfahren allein in den Wäldern arbeiten können, sondern immer mehr auf die Stockimkerei umstellen mussten.«

»Was ist die Stockimkerei?«, fragte Richard.

»Die heutige Form, wie wir die Bienenvölker halten, in Körben und Kisten«, erklärte Josef Welser.

»Großvater hatte mir mal erzählt, dass die Förster immer weniger Bäume für die Beuten zur Verfügung stellten, denn wenn die in einen Baum eingeschlagen wurde, starb der oft ab.«

»So war es«, bestätigte Josef Welser. »Die Zeidler hatten sowohl eine sogenannte Früh- als auch eine Spättracht.«

»Unter Tracht versteht man Ernte«, erklärte Agathe, die Richards fragenden Blick bemerkt hatte. »Und zwischen den Bäumen gab es riesige Flächen mit Heidekraut, Heidelbeeren und Preiselbeeren«, ergänzte sie.

»Da aber die geschlagenen Bäume nur durch Nadelhölzer wieder aufgeforstet wurden, ging der Ertrag immer weiter zurück«, beendete Josef seine Erzählung.

»Schau, Richard, das ist das Zeidlerschloss«, sagte Agathe und deutete auf ein rechteckiges, turmartiges Gebäude, das zwischen den Bäumen aufgetaucht war.

»Zu dem Schloss gehörten früher mal zwei große Zeidlergüter«, antwortete Agathe auf Richards fragenden Blick.

»Und fällt dir an der Fassade etwas auf?«, wollte sein zukünftiger Schwiegervater wissen.

»Da ist ein Männchen mit einer Armbrust«, sagte Richard.

»Ja«, schmunzelte Agathe, »das ist das Zeidlermännchen, und es steht auf einem Bienenkorb.«

»Hmm«, machte Richard, »den Bienenkorb kann ich ja noch verstehen, aber die Armbrust?«

»Früher mussten die Zeidler nicht nur das Honiggeld entrichten, sondern auch dem Kaiser sicheres Geleit durch die Wälder gewähren und zu den Waffen greifen, wenn er es verlangte. Deshalb durften die Zeidler Armbrust tragen.«

»Da fällt mir etwas ein«, sagte Josef Welser. »Ich weiß jemanden, der vielleicht noch etwas Honig übrig hat: der

Sohn des Maurermeisters Wild, der gerade das Zeidlerschloss umbaut.«

»Das wäre großartig!«

»Und ich kann euch sicher zehn Eimer Honig zur Verfügung stellen«, fuhr er fort.

»Wie wunderbar, Vater!«, freute sich Agathe.

»Dann schlage ich vor, ihr geht nun zurück ins Haus und wärmt euch auf. Ich organisiere inzwischen noch etwas Honig.«

»Danke!«, freute sich Agathe. »Ich danke dir von ganzem Herzen.«

40

Ihr Vater enttäuschte Agathe nicht. Josef Welser hatte in ganz Feucht herumgefragt und konnte nun zusätzlich zu seinen zehn noch weitere zwanzig Eimer Honig zur Verfügung stellen. Da die Ladung nicht in die Kutsche passte, mit der Richard und Agathe nach Feucht gereist waren, hatte Josef sich bereit erklärt, die Fuhre selbst zur Fabrik in der Nürnberger Tafelfeldstraße zu bringen.

Agathe wollte ihren Vater nicht alleine fahren lassen, daher hatten sie Kutscher Jacob nach Hause geschickt und waren auf Josefs Fuhrwerk mitgefahren, auf dessen Ladefläche dreißig Eimer Honig in Reih und Glied standen.

Agathe hoffte, neben Corbinian auch Elise in der Lebkuchenfabrik anzutreffen. Sie wollte ihr nicht nur den erfolgreich organisierten Honig zeigen, sondern auch berichten, mit welch offenen Armen Richard bei ihrer Familie aufgenommen worden war. Und natürlich wollte sie von den Ereignissen zwischen ihrem Vater und Herrn Kämmerer erzählen.

Doch bevor sie das Fabrikgelände erreichten, lenkte ihr Vater das Fuhrwerk plötzlich an den Straßenrand und hielt an.

»Was?«, fragte Agathe. »Was ist?«

»Nach allem, was wir über diesen Kämmerer wissen, ist es vielleicht nicht ratsam, so offensichtlich mit jeder Menge Honig anzukommen«, erklärte Jacob.

»Da hast du recht«, bestätigte Agathe. »Wie gut, dass du mitgedacht hast. Was schlägst du vor?«

Statt ihre Antwort abzuwarten, sprang Richard vom Kutschbock und begann, zehn der dreißig Eimer mit einer Plane abzudecken und zusammenzubinden.

»Vater, hilfst du uns nachher, die zehn Eimer noch in die Bergstraße zu bringen?«, bat sie. »Da sind wir vor Kämmerer sicher.«

Mit einem Nicken willigte er ein, und als Richard wieder auf dem Kutschbock Platz genommen hatte, sagte Josef: »Weiter gehts.«

Agathes Vater schnalzte mit den Zügeln, und das Gespann setzte sich wieder in Bewegung.

»Ich bin mal gespannt, wie Kämmerer auf den Honig reagiert.«

»Ich auch«, pflichtete Richard ihr bei.

***

Als Elise aus dem ehemaligen Bürofenster ihres Vaters blickte, sah sie ein Fuhrwerk in die Hofeinfahrt biegen. Auf dem Kutschbock erkannte sie Richard, Agathe und deren Vater, auf der Ladefläche konnte sie mehrere Eimer ausmachen. Offenbar war es der Freundin tatsächlich gelungen, an Honig zu gelangen! In Windeseile lief sie in die Backstube, wo sie, wie erwartet, Corbinian am Mélangeur antraf.

Über den Lärm der dampfbetriebenen Maschinen rief sie ihm zu: »Sie sind zurück!«

Corbinian bedeutete ihr mit Zeichensprache, dass er sie nicht verstehen konnte, und sie winkte ihn zu sich, er solle ihr folgen.

»Agathe und Richard sind zurück«, flüsterte sie ihm im Foyer zu. »Und wie es aussieht, haben sie Honig dabei.«

»Warum flüsterst du?«, fragte er leise.

Elise deutete mit dem Blick nach oben in Richtung Kämmerers Kontor.

»Ach so«, formte er mit den Lippen. »Verstehe.«

»Wie schön, dass ihr wieder da seid!«, begrüßte Elise ihre ehemalige Gesellschafterin und deren Verlobten kurz darauf herzlich. »Und wie wunderbar, Sie einmal wiederzusehen, werter Herr Welser.«

»Die Freude ist ganz meinerseits, gnädiges Fräulein«, erwiderte der Zeidler und tippte sich an den Hut.

»Oh, bitte, nennen Sie mich nicht gnädiges Fräulein«, lachte Elise. »Wir kennen einander nun doch schon so lang.«

»Ich weiß, was sich gehört, gnädiges Fräulein«, ließ sich der Vater nicht beirren.

»Nun gut, dann lassen wir den Honig mal abladen«, schlug Elise vor. »Ich danke Ihnen sehr, dass Sie uns aus der Patsche helfen.«

»Es ist mir eine Ehre«, sagte Jacob Welser.

Elise nickte und winkte einen Lehrburschen heran, der in der Nähe auf ihr Signal wartete.

Doch Agathe packte sie beim Arm. »Warte. Wir sollten Herrn Kämmerer dazubitten. Er muss die Ware in Empfang nehmen.«

Verwundert sah Elise ihre einstige Gesellschafterin an. »Kämmerer? Bist du sicher?«

Agathe nickte. »Glaube mir. Ich habe meine Gründe. Ich erkläre es dir später.«

»Na gut, wenn du meinst«, murmelte Elise verwundert und wandte sich dann erneut zu dem Arbeiter um. »Geh und hole Herrn Kämmerer.«

»Sehr wohl, Fräulein Lusin«, sagte der Lehrbub und eilte davon.

»Sagst du mir jetzt, was du im Schilde führst?«, fragte Elise Agathe, kaum dass der Arbeiter in der Halle verschwunden war.

»Gedulde dich noch etwas, ich erzähle dir alles später«, bat Agathe.

In diesem Moment trat auch schon der Prokurist aus der Tür.

»Fräulein Welser, Rittmeister von Albedyll, so schnell hätte ich Sie gar nicht von Ihrer Reise zurückerwartet«, tönte es bereits von Hermann Kämmerer über den Hof. Dann erblickte er Josef Welser. »Oh«, sagte er kühl. »Mit Ihnen hätte ich nicht gerechnet.«

»Ich mit Ihnen schon«, erwiderte Josef Welser schlagfertig.

Statt einer Antwort kniff Kämmerer die Lippen zusammen und wandte sich an Elise. »Der Arbeiter sprach von einer wichtigen Lieferung, möchte mich irgendwer aufklären?«

»Das übernehme sehr gerne ich«, sagte nun Agathe. »Wie Ihnen ja bekannt ist, Herr Kämmerer, verfügt mein Vater über sehr guten Honig.« Sie warf ihm einen vernichtenden Blick zu. »Und den wissen, wie ich hörte, auch Sie sehr zu schätzen.«

Kämmerer lief feuerrot an und stieß wütend den Atem aus.

Elise bedachte Agathe mit einem verblüfften Blick, Corbinian verkniff sich ganz offensichtlich ein breites Grinsen. »Als mein Vater von dem bedauerlichen Mangel hier bei Lebkuchen Lusin erfuhr, war es ihm ein Anliegen, Unterstützung anzubieten.«

Die Verblüffung stand Hermann Kämmerer ins Gesicht geschrieben, und er hatte sichtlich Mühe, sich zu beherrschen.

»Was für gute Neuigkeiten«, presste der Prokurist hervor. »Ich kann das Angebot allerdings leider nicht annehmen.«

»Ach, und warum nicht?«, platzte Corbinian empört heraus.

Elise legte ihm beruhigend die Hand auf den Unterarm. Sie war selbst mindestens genauso wütend, aber das brachte nichts. Jetzt galt es, die Situation zu retten.

Hermann Kämmerer sah den Zeidler provozierend an. »Die Qualität von Herrn Welsers Honig genügt unseren Ansprüchen nicht.«

Agathe schnappte nach Luft. »Wie können Sie es wagen?«, stieß sie hervor. »Mein Vater ist in der ganzen Region bekannt für die erstklassige Qualität seines Honigs.«

»Wie können *Sie* es wagen!«, erwiderte Kämmerer kalt und musterte sie mit beleidigenden Blicken von oben bis unten. »Wer sind Sie überhaupt? Ein dahergelaufenes Dienstmädchen, das jetzt meint, weil es sich mit einem Adeligen verlobt hat, unverschämt werden zu können.«

Richard von Albedyll trat einen Schritt vor und ganz nah an Hermann Kämmerer heran. »Passen Sie auf, was Sie sagen«, sagte er gefährlich leise. »Sie sprechen hier mit meiner Verlobten, und ich dulde nicht, dass sie verletzt oder beleidigt wird. Und was den Honig angeht: Mein künftiger Schwiegervater liefert die allerbeste Qualität. Und wenn Sie das Gegenteil behaupten, dann müssen Sie das erst einmal beweisen.«

»Das kann ich sehr wohl«, sagte Kämmerer und ließ sich zu einem verständnisvollen Lächeln herab, als er sich an Josef Welser wandte. »Ich nehme es Ihnen ja nicht einmal übel, Herr Welser. Sie hatten schwere Zeiten, die Existenz Ihrer Familie stand auf dem Spiel. Da mussten Sie etwas panschen.«

Josef Welser wurde kreidebleich und schwankte. Besorgt

griff Agathe nach seinem Arm, während sie Hermann Kämmerer mit ihren Blicken zu erdolchen versuchte.

»Ich habe nicht gepanscht«, stieß Josef hervor. »Das schwöre ich beim Leben meiner Tochter.«

»Und es gibt nichts, was ihm heiliger wäre«, mischte sich nun wieder der sichtlich zornige Richard von Albedyll ins Gespräch. »Es ist wirklich unsäglich, Herr Kämmerer. Unsäglich, dass Sie diesen freundlichen Herrn, der alles daransetzt, uns zu helfen, nun so in Bedrängnis bringen und beschuldigen. Man könnte fast meinen, Sie wollen gar nicht, dass wir die Produktion am Laufen erhalten.«

»Ich …«, setzte Kämmerer an, doch Richard ließ ihn nicht zu Wort kommen. »Nein, jetzt bin ich dran«, spie er dem Prokuristen entgegen. »Ich weiß von der Geschichte mit dem angeblich verdorbenen Honig, den Sie Herrn Welser anlasten. Nur leider haben Sie den Honig vernichtet, bevor jemand anders die Gelegenheit hatte, sich davon zu überzeugen, dass er wirklich verdorben war. Haben Sie ihn tatsächlich vernichtet, oder haben Sie …«

Rasch trat Agathe vor und legte ihm eine Hand auf den Unterarm. So sehr sie Kämmerer die Abreibung gönnte – sie durften nicht all ihr Pulver auf einmal verschießen, vor allem dann nicht, wenn sie die Chance haben wollten, ihn noch zu überführen.

»Ich habe einen Vorschlag zu machen«, sagte sie daher. »Wenn Herr Kämmerer an der Qualität des Honigs zweifelt, dann testen wir ihn direkt hier vor Ort.«

»Das ist nicht nötig«, sagte Kämmerer, offenbar froh, zumindest ein bisschen aus der Schusslinie zu sein. »Wir haben ja keine andere Wahl, als den Honig zu nehmen.«

»Doch, darauf bestehe ich, und zwar jetzt«, mischte sich

nun Josef Welser ins Gespräch. »Wir testen den Honig hier und jetzt. Andernfalls nehme ich ihn wieder mit.«

»Martin, hol Löffel und Gläser«, wandte sich Elise an den Lehrbub, der dem Streit mit offenem Mund gefolgt war.

»Sehr wohl«, sagte er und stob davon, um Minuten später mit dem angeforderten Besteck zurückzukehren und es Elise zu reichen. Während sie Löffel und Gläser verteilte, öffnete Josef Welser einen Eimer nach dem anderen und schöpfte den Honig in die Probiergläser.

»Tadellos«, stellte Corbinian am Ende fest und bedachte Kämmerer mit einem strafenden Blick.

»Nun, ich muss sagen, diesmal ist wirklich nichts an dem Honig auszusetzen«, gab der Prokurist zähneknirschend zu.

»Und auch damals war nichts daran auszusetzen«, fauchte Agathe.

»Ach, jetzt wird alles gut«, sagte Elise und beobachtete genau, wie die Reaktion von Hermann Kämmerer ausfiel, »nun können wir wieder richtig viel Lebkuchen produzieren und auf dem Christkindlesmarkt weiterhin verkaufen.« Insgeheim wartete sie darauf, dass der Prokurist nun noch einmal den angeblich knappen Mandelbestand ansprach, doch er schwieg. Die Zornesfalte auf Hermann Kämmerers Stirn wurde tiefer, dennoch sagte er lahm: »Ja, da haben Sie vollkommen recht, Elise.«

***

»Fandest du das auch sehr merkwürdig?«, flüsterte Elise Corbinian zu. Eine Viertelstunde nach der Überprüfung des Honigs waren sie Seite an Seite auf dem Weg ins Fabrikgebäude, in dem Hermann Kämmerer zehn Minuten zuvor verschwunden war. Nachdem er seinen Honig abgeladen und sein Geld erhalten hatte, war Josef Welser bereit gewesen, die jungen Verlobten mit seinem Fuhrwerk in die Stadt zu bringen.

»Mehr als merkwürdig«, murmelte Corbinian. »Ich bin gespannt, was die beiden später zu berichten haben. Ich denke, wir werden im Anschluss an den Weihnachtsmarkt Gelegenheit haben, uns auszutauschen.«

»Am besten in der Bergstraße. Da müssen wir nicht befürchten, dass uns irgendjemand belauscht.«

Er nickte, dann sah er ihr tief in die Augen und murmelte: »Ich würde nichts lieber tun, als dich jetzt zu küssen.«

Sie spürte ihr Herz höherschlagen. »Und ich erst … Vielleicht kommen Agathe und Richard ja nachher etwas später in die Bergstraße.«

»Wollen wir es hoffen«, brummte er. »Ich vergehe sonst vor unerfüllter Sehnsucht.«

Inzwischen hatten sie die Eingangstür erreicht. Bevor sie das Fabrikgebäude betraten, blieb Elise noch einmal kurz stehen und sah Corbinian nachdenklich an.

»Was?«, fragte er.

»Ich hatte den Eindruck, dass die beiden noch mehr Honig bei sich hatten.«

»Unter der Plane?«, kombinierte Corbinian sofort. »Das habe ich auch schon gedacht.«

»Aber warum?«

»Ich fürchte, mein Schatz, um das zu erfahren, werden wir uns noch ein wenig in Geduld üben müssen.«

41

»Wie gut, dass du da bist«, ächzte Agathe, die gerade im Begriff war, einen schweren Honigeimer in die Regale in der Bergstraße zu wuchten. »Ich schaffe das nicht alleine.«

»Lass das doch die Männer machen, wenn sie nachher kommen«, schlug Elise vor. »Und erklär mir lieber, warum ihr den Honig vorhin versteckt und jetzt hierhergeliefert und darauf bestanden habt, dass wir alle den Honig probieren.«

Agathe seufzte. »Also schön. Ich wollte es eigentlich nachher euch beiden gleichzeitig erklären, kann aber deine Ungeduld verstehen. Eigentlich ist es ganz einfach, wir trauten Kämmerer nicht, aber nun haben wir den Beweis.«

»Worauf willst du hinaus?«

»Du sagtest doch, dass es Corbinian komisch vorkam, das auf einmal kein Honig mehr da war, bevor wir nach Feucht aufgebrochen sind?«

»Ja, das war auch seltsam«, räumte Elise ein.

»Richard und ich hatten dieselbe Vermutung.«

»Die da wäre?«, platzte Elise ungeduldig heraus.

»Kämmerer bedient sich an den Vorräten, warum, ist uns noch nicht klar. Denn: Je besser es der Firma geht, desto höher ist ja sein Bonus – aber trotzdem …«

»Trotzdem seid ihr der Meinung, die unerklärlichen Fehlbestände gehen auf ihn zurück«, nahm Elise Agathe die Worte aus dem Mund.

»Ganz genau«, bestätigte Agathe und berichtete ihr nun, was sie von ihrem Vater erfahren hatte.

»Dieser Kämmerer ist wirklich ein hinterlistiger Hund«, stellte sie fest. »Ich verstehe nicht, wie Vater sich so in ihm täuschen konnte. Er ist eigentlich ein guter Menschenkenner.«

»Auf den ersten Blick wirkt er auch sehr fähig und freundlich«, räumte Agathe ein. »Außerdem kannte deine Mutter ihn ja gewissermaßen persönlich und hat ihn empfohlen, nicht wahr?«

»Ja, das stimmt schon.« Dann deutete sie auf den Honig. »Und den habt ihr versteckt, falls Kämmerer wieder irgendwelche Lieferschwierigkeiten vortäuschen würde oder behaupten sollte, der Honig sei verdorben?«

»Ganz genau. Die Idee mit dem Probieren entstand ja direkt vor Ort, als wir den Honig bereits versteckt hatten.«

»Natürlich kann er jetzt behaupten, dass irgendwelche anderen Zutaten fehlen«, gab Elise zu bedenken.

»Ja«, bestätigte Agathe. »Ja, das kann er. Und er hat ja auch schon angedeutet, dass die Mandeln knapp werden. Aber irgendwie kann ich nicht glauben, dass er das jetzt noch wagt. Zumal deine Mutter ihm neulich beim Abendessen die Leviten gelesen hat.«

***

»Ich danke dir von ganzem Herzen, dass du mir heute noch einmal aufwartest«, sagte Elise, als die beiden Frauen wenig später zu Hause angekommen waren. »Das müsstest du weder als Gesellschafterin noch als künftige Frau eines adeligen Offiziers.«

»Aber es macht mir doch solche Freude. Und der Gedanke,

dass jemand anderes meinen Platz einnehmen wird, erfüllt mich jetzt schon mit schrecklicher Eifersucht.«

»Ich werde dich auch sehr vermissen«, seufzte Elise. »Aber eine Weile bleibst du mir ja noch erhalten. Und während deiner Abwesenheit wird mir Maria aufwarten.«

Agathe ließ die Bürste sinken und sah Elise wie schon so oft zuvor im Spiegel an.

»Maria?«, vergewisserte sie sich.

»Ja?«, erwiderte Elise erstaunt. »Spricht etwas dagegen?«

»Natürlich nicht«, sagte Agathe rasch.

»Du hast doch was«, hakte Elise nach. »Raus damit, ich kenne dich.«

»Nein, das steht mir nicht zu.«

»Agathe!« Elise drehte sich zu ihr um und sah sie streng an.

»Na ja«, begann sie stockend. »Maria und ich haben uns am Anfang sehr gut verstanden, aber am Ende hat sie es mir ziemlich geneidet, dass ich deine Gesellschafterin geworden bin. Wie einige andere auch.«

»Oh, das tut mir leid«, sagte Elise. »Davon hast du mir gar nichts erzählt. Wurdest du von der gesamten restlichen Dienerschaft ausgegrenzt?«

»Zumindest von einigen«, gestand Agathe. »Und von Maria besonders schlimm. Aber da ich ja zum Glück aus dem Dienstbotentrakt ausziehen durfte, gab es nicht mehr allzu viele Berührungspunkte.«

»Wie steht es mit Hilda?«, fragte Elise. »Hat sie dich auch ausgegrenzt?«

Agathe musste lachen. »Hilda ist viel zu schüchtern und zu unsicher, um irgendjemanden auszugrenzen.«

»Dann also Hilda.«

»Ebendas wollte ich nicht«, murmelte Agathe bedrückt. »Ich wollte Maria nicht um ihre Chance bringen.«

»Das hast du nicht«, meinte Elise. »Oder doch, das hast du vielleicht schon. Aber Maria verdient es nicht anders. Neid und Missgunst sind Charaktereigenschaften, die ich nun wirklich so gar nicht schätze – und ich möchte sie nicht in meiner Umgebung haben. Sehen wir es eher so, dass dadurch ein Mädchen die Chance bekommen hat, mir aufzuwarten, an das ich sonst nicht gedacht hätte.«

»Also gut«, seufzte Agathe. »So hört es sich schon besser an.«

»Du bist zu gut für diese Welt, meine Liebe«, sagte Elise. »Ich hoffe, Richard weiß zu schätzen, was er an dir hat.«

»Das tut er«, sagte sie. »Und ich hoffe, dass meine künftigen Schwiegereltern das auch zu schätzen wissen.«

»Bist du sehr aufgeregt, weil du nun morgen zu ihnen reisen wirst?«

»Oh ja. Mehr als aufgeregt. Sie können diese Verbindung eigentlich gar nicht gutheißen. Der Standesunterschied ist zu groß.«

»Was sagt denn Richard dazu?«

»Dass sie mich mögen werden. Aber das sagt er nur, um mich zu beruhigen. Er stammt aus einem alten Adelsgeschlecht. Ich hingegen bin nur ein Dienstmädchen.«

»Falsch«, widersprach Elise und nahm Agathes Hände. »Du bist die Tochter eines Mannes, der einer uralten Handwerkskunst folgt, und die Gesellschafterin einer Fabrikantentochter.«

»Ist das so viel besser?«

»Na ja«, erwiderte Elise und musste ein Schmunzeln unterdrücken. »Angesichts der Tatsache, dass diese Fabrikantentochter eigentlich selbst ein ganz einfaches Mädchen ist, vielleicht nicht.«

Nun musste auch Agathe lachen.

»Na also«, sagte Elise. »Geht doch. Mach dir nicht allzu viele Gedanken. Sie werden schnell merken, dass du ein wundervoller Mensch bist, und dich in ihr Herz schließen. Da bin ich ganz sicher. Und nun schlage ich vor, dass wir beide meinen Kleiderschrank inspizieren und dich für die Reise ausstatten.«

»Aber das geht doch nicht«, widersprach Agathe einmal mehr.

»Oh doch«, sagte Elise. »Das geht.«

***

Früh am nächsten Morgen fuhr Kutscher Jacob Richard und eine furchtbar aufgeregte Agathe zum Bahnhof, wo sie in den Zug nach Arenswald stiegen. Während der Zugfahrt gelang es Richard zwar, seine Verlobte wieder etwas zu beruhigen, aber als sie viele Stunden später am Ziel ankamen, schlug ihr das Herz buchstäblich bis zum Hals.

»Ich würde am liebsten umkehren«, gestand sie ihm leise. »Ich habe furchtbare Angst, dass sie mich nicht mögen werden.«

»Aber Liebes«, sagte Richard und nahm ihre Hände. »Dafür gibt es überhaupt keinen Grund. Sie werden dich *lieben*. Aber ich weiß, wie du dich fühlst. Mir ging es ja ganz genauso, als ich deine Familie kennenlernen sollte.«

»Und dafür hattest du wiederum keinen Grund«, gab sie zurück. »Du warst, du bist ja im Gegensatz zu mir eine gute Partie.«

»Es geht nicht immer darum, eine gute Partie zu sein«,

meinte er. »Viel wichtiger ist doch, ob man einander schätzt oder nicht.«

»Da hast du wohl recht«, sagte sie.

Mit quietschenden Bremsen fuhr der Zug in den Bahnhof ein, und Richard reichte Agathe die Hand, um ihr beim Aufstehen zu helfen. Seite an Seite verließen sie den Zug.

»Ist es noch weit bis zur Villa Orlik?«, fragte sie.

Er schüttelte den Kopf. »Nein. Etwa eine halbe Stunde. Martin, unser alter Kutscher, erwartet uns sicher bereits. Doch bevor wir aufbrechen, möchte ich dir unbedingt noch etwas zeigen.«

»Ob ich noch mehr Aufregung verkraften kann?«, argwöhnte Agathe, während sie Richard zum Bahnhofsausgang folgte.

»Das wird sich zeigen«, neckte Richard. »Schau, da ist schon unsere Kutsche.«

Er deutete auf das Gefährt, neben dem ein betagter Grauhaariger wartete, dessen auf den ersten Blick grimmiges Gesicht sich bei ihrem Anblick aufhellte.

»Martin hat mich schon als kleines Kind herumkariolt«, raunte Richard ihr zu, bevor er den Kutscher begrüßte.

»Gnädiges Fräulein, gnädiger Herr«, begrüßte der die Ankommenden so strahlend wie formvollendet. »Ich hoffe, Sie hatten eine gute Reise.«

»Lang war sie, Martin, sehr lang, aber in derart charmanter Gesellschaft«, er schenkte Agathe ein liebevolles Lächeln, »reist man doch gerne.«

»Das kann ich mir vorstellen, gnädiger Herr«, sagte Martin freundlich lächelnd, während er sich daranmachte, das Gepäck auf den Wagen zu laden.

»Lass uns einsteigen«, sagte Richard. »In der Kutsche liegen Decken gegen die Kälte bereit.«

Sie nickte und stieg dankbar ins Innere des Wagens, das noch zusätzlich mit warmen Flaschen vorgeheizt war.

»Wolltest du mir nicht noch etwas zeigen?«, fragte sie, als sie sich im Wageninneren eng an ihn schmiegte.

»Das mache ich unterwegs«, erklärte er, während die Kutsche zuerst die Stadtmauer und dann die gotische, aus Backsteinen errichtete Stadtpfarrkirche St. Martin passierte. Und dann, die Kutsche war nur wenige Minuten weitergefahren, stieß Agathe einen entzückten Schrei aus. »Wie zauberhaft«, rief sie.

»Nicht wahr?«, freute sich Richard. »Das ist der Klückensee. Diesen Blick wollte ich dir zeigen.«

»Danke«, erwiderte Agathe gerührt und sah hinaus. Die Gebäude der Stadt spiegelten sich in der untergehenden Sonne auf dem vereisten See, an dessen Ufer die verschneiten Bäume um die Wette glitzerten.

»Und das ist nun auch der passende Moment nachzuholen, was ich bei unserer Verlobung versäumt habe.«

Fragend sah sie ihn an. »Was meinst du?«

Im nächsten Moment wusste sie, wovon er sprach, denn er zog ein mit schwarzem Samt bezogenes, winziges Schächtelchen hervor.

»Ich habe mir von Anfang an vorgestellt, dir meinen Ring hier an diesem Ort an den Finger zu stecken, nachdem ich bei meinem spontanen Antrag keinen zur Hand hatte.«

Er klappte den Deckel auf, und Agathe starrte sprachlos auf den Diamanten, der an einem schmalen Goldring funkelte.

»Er ist so schön«, flüsterte sie, während Richard den Ring

aus seiner Verpackung nahm und ihn ihr an ihren Ringfinger steckte, um diesen anschließend zu küssen.

»Jetzt hat alles seine Ordnung«, sagte er zufrieden.

»Ja«, erwiderte sie glücklich. »Jetzt hat alles seine Ordnung.«

Glückselig schmiegte sie sich an ihren Verlobten, und während die Kutsche weiter in Richtung der Villa Orlik steuerte, stellte sie fest, dass sie gar nicht mehr so aufgeregt war.

Als sie auf die schneebedeckte Einfahrt einbogen, stand das Hauspersonal aufgereiht sowie neben ihnen eine sehr mondän gekleidete Dame mittleren Alters und ein stattlicher Herr, der – wie die inzwischen wieder ausgesprochen nervöse Agathe beim Näherkommen bemerkte – aussah wie Richard in einer etwas älteren Version. Im Stillen schickte sie ein Dankgebet an Elise, die darauf bestanden hatte, sie für die Reise auszustatten. In ihrem eleganten dunkelgrünen Reisekostüm war sie durchaus standesgemäß gekleidet. In einem Bogen fuhr die Kutsche um die Einfahrt und hielt dann genau vor Richards Eltern. Beeindruckt von der prächtigen Villa, die mit all den Häusern und Nebengebäuden, die das Haupthaus umsäumten, eher einem Schloss glich, konnte sich Agathe an der kunstvoll und reich verzierten Fassade gar nicht sattsehen.

»Nur Mut!«, flüsterte Richard ihr noch zu, bevor sich die Kutschentür öffnete. Er stieg zuerst aus und reichte ihr die Hand.

»Richard, wie schön, dass ihr hier seid«, rief da auch schon die Dame des Hauses. Sie eilte ihnen zwei Schritte entgegen, ihr Gatte folgte ihr und begrüßte Agathe mit einem Handkuss.

»Fräulein Welser, es ist mir eine besondere Ehre, Sie hier auf dem Familiensitz, der Villa Orlik, herzlich willkommen zu heißen.«

»Es ist mir eine große Freude, hier sein zu dürfen«, antwortete Agathe ganz verlegen. Mit einem solchen Empfang hatte sie nicht gerechnet, es rührte sie ungemein. Sie war doch nur eine bessere Dienstbotin!

Noch bevor sich Agathe die Gelegenheit bot, vor Richards Mutter Ottilie zu knicksen, hatte die resolute Dame ihr sowohl die rechte als auch die linke Wange geküsst, sie fest an sich gedrückt und versichert: »Wie wir uns freuen, dass Sie da sind. Willkommen in unserer Familie.«

Glücklich und unendlich erleichtert sah sie Richard an. Liebevoll erwiderte er ihren Blick.

»Habe ich dir doch gesagt«, formte er mit den Lippen.

Sie nickte kaum wahrnehmbar. Ja. Er hatte es ihr gesagt.

42

Die Welt steht kopf, dachte Agathe, als sie in den Spiegel sah und die junge Frau, ihr Name war Grete, dabei beobachtete, wie sie ihr langes hellbraunes Haar bürstete. Sie, die ehemalige Kammerzofe, hatte nun eine Kammerzofe, die sie jetzt für das große Abendessen vorbereitete. Obgleich das ja eigentlich klar gewesen war, fand sie diesen Umstand besonders skurril.

»Möchten Sie«, fragte die junge Zofe mit dem lockigen roten Haar, »dass ich Ihnen das Haar aufstecke, gnädiges Fräulein?«

»Sehr gerne«, erwiderte Agathe. »Und kannst du mir auch diese beiden Kämme ins Haar stecken?«

Sie deutete auf die mit Perlen und Granaten verzierten Steckkämme, die Elise ihr geliehen hatte.

»Selbstverständlich«, sagte Grete dienstbeflissen. »Sie passen wunderbar zu Ihrem Kleid.«

»Vielen Dank«, erwiderte Agathe und betrachtete die elegante Abendrobe, ebenfalls eine Leihgabe von Elise. Das cremefarbene Kleid mit weißer Stickerei auf dem Rock und der kleinen Schleppe war ihr Lieblingsstück: Agathe hatte es schon immer bewundert, weshalb Elise darauf bestanden hatte, es ihr zu leihen – ebenso wie den zugehörigen Schmuck: ein Collier mit einer riesigen, tropfenförmigen Perle und dazu passenden Ohrringen, zu denen kleine böhmische Granaten einen reizvollen Kontrast bildeten.

Wie gut ihre Erscheinung auch Richard gefiel, ließ sein bewundernder Blick erkennen, als er Agathe in dem kleinen Salon vor dem Speisesaal in all ihrer Pracht erblickte. Hier versammelte sich die Familie vor dem Abendessen, um einen Aperitif zu sich zu nehmen, bevor man sich nach nebenan in den Speisesaal begab.

»Du siehst atemberaubend aus«, raunte er.

»Du aber auch in deiner Galauniform«, erwiderte Agathe.

Als sie ihre Hand auf dem von ihm angebotenen Arm legte, flatterten Tausende kleine Schmetterlinge in ihrer Magengegend.

»Meine Eltern sind ganz entzückt von dir«, ließ Richard sie wissen. »Mama hat mich vorhin eigens beiseitegenommen, um mir das zu sagen.«

»Aber sie kennen mich doch noch gar nicht«, gab Agathe zu bedenken.

»Doch«, widersprach er. »Meine Mutter war schon immer der Ansicht, dass man einen Menschen auf den ersten Blick erkennen kann und ihn dann entweder mag oder nicht mag. So hat sie es ihr ganzes Leben gehalten – und sich noch nie getäuscht. Meine Mutter ist da kompromisslos. Entweder sie mag einen, oder sie mag einen nicht. In beiden Gefühlen ist sie ziemlich stark. Und es muss viel passieren, bevor sie ihre Meinung wieder ändert.«

»Na, dann bin ich ja froh, dass ich zu denen gehöre, die sie mag«, erwiderte Agathe. »Was, wenn es anders gewesen wäre?«

Doch er schüttelte lächelnd den Kopf. »Mir war von Anfang an klar, dass dem nicht so sein würde.«

In diesem Moment betrat Ottilie, in eine weinrote Abendrobe gehüllt, den Raum. Ein Lächeln flog über ihr Gesicht, als sie ihren Sohn und dessen Verlobte erblickte.

»Meine Liebe, Sie sind eine wahre Schönheit.«

»Vielen Dank, gnädige Frau«, erwiderte Agathe und deutete einen Knicks an. »Das Kompliment kann ich nur zurückgeben.«

Nun kam Georg Friedrich von Albedyll herein, gefolgt von einem weiteren Paar.

»Teuerste«, sagte er zu Agathe, »darf ich Ihnen meinen Cousin Georg von Albedyll und seine Gattin Elisabeth vorstellen?«

Agathe war erleichtert. Im ersten Moment hatte sie befürchtet, es handle sich um Richards eifersüchtigen Bruder. Umso dankbarer war sie nun, ihm noch nicht begegnen zu müssen.

Sie hatten einander gerade begrüßt, als der Hausdiener die Tür zum Speisesaal öffnete, was das Signal war hinüberzugehen. Zum Glück saß sie neben Richard.

Agathe dachte, wie froh sie darüber war, dass die Tischmanieren für sie kein Problem darstellten: Zum einen hatte sie dann und wann, wenn einer der Diener in der Villa Lusin ausgefallen war, auch bei Tisch bedient. Zum anderen aber hatte sie mit Elise und der geduldigen Hausdame Frau Hauder und Hausdiener Mannfeld stundenlang in der Küche geübt. Das Hausvorsteherpaar, das, wie Agathe zu wissen glaubte, heimlich ineinander verliebt war, hatte es als Ehrensache betrachtet, »unser Mädchen« bestens ausgebildet in die Ferne ziehen zu lassen.

Der erste Gang wurde aufgetragen, und als Agathe den ersten Löffel der Wildbretsuppe mit Linsen nahm, bemerkte sie erst, wie hungrig sie war.

Das Gespräch verlief angenehm und ohne große Zwischenfälle, Agathe ließ sich ihre Nervosität nicht anmerken.

Auch als die Diener die silbernen Platten mit den folgenden Gängen anreichten, meisterte sie alles mit Bravour und bediente sich jeweils mit geübten Händen. Und beim Servieren des letzten Gangs, Rahm-Gefrorenes mit Málaga-Wein, parlierte sie neben Richard mit den sie umgebenden Tischgästen, als ob sie nie etwas anderes getan hätte.

***

Als Agathe am nächsten Morgen das Frühstückszimmer betrat, wunderte sie sich, dass Ottilie von Albedyll bereits dort in ein Gespräch mit ihrem Sohn vertieft war. Üblicherweise, so hatte sie es von Bärbel Hauder gelernt, nahmen verheiratete Frauen in ihren Schlafgemächern ihr Frühstück ein. Auch Margarethe Lusin hatte das meistens so gehalten.

»Guten Morgen, Frau von Albedyll«, grüßte Agathe mit einem scheuen Lächeln.

»Wie schön, mein Kind, ich hoffe, deine erste Nacht in der Villa Orlik war angenehm«, sagte Ottilie.

»Ich habe sie sehr genossen«, antwortete Agathe und setzte sich neben Richard auf den Stuhl, den ihr ein diensteifriger Diener zurechtgerückt hatte.

»Ich wollte gerade mit meinem Sohn die Tagesplanung durchgehen«, griff Ottilie wieder das Gespräch auf, »ich würde vorschlagen, dass dir Richard nach dem Frühstück erst einmal das Anwesen zeigt.«

»Gerne«, stimmte Agathe zu.

Statt zu antworten, nickte Richard nur, denn er hatte gerade herzhaft von seinem Brötchen abgebissen.

»Dann wäre das schon geklärt«, fuhr Ottilie unbeirrt fort, »da wir keine Gäste erwarten, würden wir gerne den heutigen Abend nutzen, um nach dem Abendessen mit euch die Details eurer Verlobungsfeier zu besprechen.«

»Natürlich, Mutter«, antwortete Richard, »doch zunächst möchte ich meiner bezaubernden Verlobten alles zeigen.«

»Zunächst solltest du dafür sorgen, dass das arme Mädchen etwas zu essen bekommt«, korrigierte sie ihn lächelnd und wandte sich dann wieder an Agathe.

»Sie dürfen sich gerne bedienen.« Ottilie von Albedyll deutete auf das reichhaltige Buffet mit den prachtvollen Silberplatten und Behältnissen. Rechts und links standen Diener bereit, um ihr im Zweifelsfall zu Hilfe zu eilen.

»Ich danke Ihnen«, sagte Agathe und erhob sich wieder, um sich dann am Buffet zu versorgen. Sie wählte zwei dünne Scheiben Brot, eine verlockend aussehende Eierspeise und Tee.

»Lass es dir schmecken«, sagte Richard, als sie wieder neben ihm Platz nahm.

»Danke sehr«, sagte sie. »Es sieht köstlich aus.«

***

Nach einem Tag, der wie im Flug vergangen war, betraten Agathe und Richard die Bibliothek und setzten sich auf die kleine Bank am Fenster.

Fasziniert betrachtete Agathe die langen Buchreihen und hoffte, bald Gelegenheit zu haben, in Ruhe darin stöbern zu können.

Da sie noch allein in der Bibliothek waren, zog Richard Agathe an sich und küsste sie. Erst als ein Diener mit einem Räuspern ein Tablett mit Teekanne und -tassen auf den Tisch stellte, ließen die beiden voneinander ab.

»Zum Glück waren das nicht deine Eltern«, raunte

Agathe Richard zu, nachdem sie sich von dem Schreck erholt hatte.

»Ach was«, winkte ihr Verlobter ab, »ich glaube, sie hätten uns verstanden.«

»Hast du eine Vorstellung, was deine Eltern hinsichtlich der Verlobungsfeier planen?«, erkundigte sich Agathe.

»Nein, nicht wirklich«, erwiderte er.

»Ottilie«, hörten sie in diesem Moment Georg Friedrich von Albedyll von der Tür her rufen, »sie sind schon in der Bibliothek.«

Nachdem seine Gattin zu ihm geeilt war, gesellte sich das Ehepaar zu Richard und Agathe.

»Agathe, ich hoffe, Sie fühlen sich jetzt schon hier wie zu Hause«, begann Richards Vater freundlich, »denn dereinst werden Sie Hausherrin werden.«

»Mit der Güte, mit der Sie und Ihre Gemahlin mir begegnet sind, und bei den offenen Armen, mit denen Sie mich willkommen geheißen haben, kann ich mich nur wie zu Hause fühlen«, erwiderte Agathe lächelnd.

»Wie sehr mich das freut, meine Liebe«, sagte Ottilie, während sie sich und Agathe eine Tasse Tee eingoss.

»Wir möchten unsere Freude, dass der Erbe von Albedyll heiraten wird, gerne mit unseren Freunden und Bekannten teilen«, erklärte Georg Friedrich, »und deshalb haben wir bereits nach Richards Depesche begonnen, einen Ball zu planen.«

»Einen Ball?«, wiederholte Agathe.

»Aber natürlich, meine Liebe«, sagte Ottilie und griff nach ihrer Hand, nachdem sie ihre Teetasse abgestellt hatte.

Ein Ball, klang es in Agathe nach. Hoffentlich würde sie sich nicht blamieren!

»Wir würden eure Verlobung gern am dritten Advent im Rahmen eines Weihnachtsballs verkünden«, präzisierte Richards Vater.

»Oh«, gelang es Agathe nur zu sagen.

»Liebes, was hast du denn?«, fragte Richard besorgt. »Du bist ja ganz blass.«

»Der Tag heute war bestimmt zu viel für sie«, mutmaßte Ottilie und bedachte ihren Sohn mit einem strengen Blick.

»Sie wünschen?«, fragte in diesem Moment der Diener, der soeben die Bibliothek betreten hatte. Offenbar hatte Frau von Albedyll, von Agathe unbemerkt, geläutet.

»Bitte holen Sie Grete und benachrichtigen Sie Frau Tiefensee, dass sich Fräulein Welser nicht wohlfühlt – und bringen Sie uns kaltes Wasser!«, wies ihn Ottilie an.

»Mir ist etwas schwindelig«, gestand Agathe verlegen.

»Möchtest du dich hinlegen?«, fragte Richard hilflos.

Sie winkte ab. »Das ist nicht nötig, es geht gleich wieder.«

Ihre Unpässlichkeit und die Aufmerksamkeit, die sie damit erregte, waren ihr schrecklich peinlich.

Im nächsten Moment betrat die Hausdame Frau Tiefensee mit einem Tablett, auf dem ein Krug und ein Glas standen, die Bibliothek. Sie stellte die Servierplatte ab, goss ein Glas ein und reichte es Agathe, die es dankbar entgegennahm.

Frau Tiefensee nahm Agathe das Wasserglas ab und betrachtete sie prüfend: »Geht es wieder etwas besser?«

»Ja, es geht schon wieder«, versicherte Agathe. »Bitte entschuldigen Sie die Umstände, die ich Ihnen gemacht habe.«

»Aber meine Liebe, das waren doch keine Umstände«, rief Ottilie. »Es ist alles ja auch sehr viel Aufregung für dich gewesen.«

Während sich das Gespräch nun wieder um den bevorstehenden Ball drehte, wuchs Agathes Sorge erneut. So sehr sie sich darüber freute, dass Richards Eltern ihnen zu Ehren ein großes Fest geben wollten, wich die Angst doch nicht von ihr. Sie hatte ja nicht einmal ein Kleid für einen solchen Anlass! Wie dumm sie doch gewesen war, Elises Angebot, ihr ein Ballkleid vom Ratsherrenball mitzugeben, abgelehnt zu haben.

***

Als sich Agathe am nächsten Morgen auf den Weg in den Frühstücksraum begab, kam sie nicht umhin, die schöne Weihnachtsdekoration zu bewundern. Überall waren die Treppengeländer mit Tannenreisig und roten Bändern geschmückt. In den Schalen standen neben den weihnachtlichen Blumenarrangements mit Nelken gespickte Orangen und verströmten einen herrlichen Duft. Und in der großen Empfangshalle waren die Bediensteten gerade damit beschäftigt, die riesige Tanne mit prachtvollen Weihnachtskugeln und Strohsternen zu schmücken.

Unwillkürlich verspürte Agathe Weihnachtsstimmung. Sie liebte diese besondere Zeit im Jahr, und selbst ihre Mutter, die immer viel mit den Kindern und dem Betrieb zu tun hatte, hatte sich im Advent extra die Zeit genommen und gemeinsam mit ihr kleine Köstlichkeiten gebacken.

Sie fand das Frühstückszimmer verwaist vor, was sie mit einer gewissen Enttäuschung zur Kenntnis nahm. Wobei sie damit hatte rechnen müssen: Richard hatte ihr bereits gestern Abend angekündigt, am Morgen mit seinem Vater ausreiten zu wollen, und Ottilie nahm ihr Frühstück gewiss wie sonst auch in ihrem Zimmer ein.

Sie bediente sich gerade an dem gewohnt reichhaltigen Buffet, als es an der Tür klopfte und die Hausdame Frau Tiefensee den Frühstücksraum betrat.

»Gnädiges Fräulein«, sagte sie. »Ich habe vielleicht eine Lösung für Ihr Problem.«

»Oh, wirklich?«, rief Agathe erleichtert. »Das wäre ja ganz fantastisch.«

Am Abend hatte sie der Hausdame, als sie ihr zufällig auf dem Flur begegnet war, anvertraut, dass sie kein Ballkleid dabeihatte, es ihr aber peinlich sei, das Problem mit der Hausherrin zu besprechen. Die freundliche Frau Tiefensee hatte versprochen, darüber nachzudenken.

Jetzt nickte sie. »Die Kammerzofe der gnädigen Frau wartet im Bügelzimmer auf Sie. Aber nun frühstücken Sie erst mal in Ruhe zu Ende.«

Trotz Frau Tiefensees Versicherung, sie könne sich Zeit lassen, beeilte sich Agathe nun mit dem Frühstück. Sie konnte es gar nicht abwarten zu erfahren, was für eine Lösung des Problems es geben könnte. Sie hatte in der Nacht kaum schlafen können, weil sie hin und her überlegt hatte, wo sie so schnell ein Kleid herbekommen könnte.

»Grete«, sagte Agathe, nachdem sie frisch gestärkt vom Frühstück wieder zurück in ihrem Zimmer war, »würdest du mir bitte den Weg zum Bügelzimmer zeigen?«

»Wie bitte?«, fragte die junge Zofe verdattert. »Stimmt etwas mit Ihrem Kleid nicht? *Ich* kann es doch ins Bügelzimmer bringen.«

»Nein«, sagte Agathe, »ich möchte kein Kleid aufgebügelt bekommen.«

»Aber warum möchten Sie dann selbst ins Bügelzimmer

gehen, das ist doch im Dienstbotentrakt?«, fragte die junge Zofe verwundert.

Krampfhaft überlegte Agathe, welche Ausrede sie Grete auftischen könnte, und entschloss sich zu einer Halbwahrheit. »Es ist mir unangenehm, aber es gibt mit meinem Ballkleid ein Problem, und Anna, die Kammerzofe von Frau von Albedyll, hilft mir.«

Unauffällig beobachtete Agathe, wie Grete auf ihre Aussage reagierte oder ob sie gar gekränkt war, dass die Kammerzofe der gnädigen Frau und nicht sie selbst ihr zu Hilfe eilte, aber die junge Zofe sagte nur: »Nun, dann zeige ich Ihnen den Weg gerne, denn das Ausbessern eines Ballkleids traue ich mir, ganz im Vertrauen, nicht zu.«

»Gut«, sagte Agathe, »nachdem wir das nun geklärt haben, würde ich mich gerne auf den Weg machen.«

»Selbstverständlich, gnädiges Fräulein«, erwiderte Grete und stellte die Schuhe, die sie soeben aufpoliert hatte, in den Schrank.

Nachdem sich Agathe bei Grete bedankt hatte und diese den Weg in Richtung Küche angetreten hatte, nahm die Verlobte des Erben ihren ganzen Mut zusammen und klopfte an der Tür zum Bügelzimmer.

»Herein«, tönte es auch schon aus dem Zimmer.

»Vielen Dank, dass Sie mir helfen, Anna«, sagte Agathe, als sie das Bügelzimmer betrat. Doch zu ihrem Entsetzen war es nicht Anna, die dort auf sie wartete.

43

»Du siehst erschöpft aus, meine Liebe«, sagte Helene von Tucher, als Elise sich in deren Salon auf das Sofa sinken ließ.

»Ja, das ist mein erster freier Nachmittag seit Tagen«, erwiderte Elise und nahm dankbar die Tasse Tee entgegen, die Helene ihr reichte.

»Ich habe bei meinem gestrigen Besuch auf dem Christkindlesmarkt schon gesehen, dass dort sehr viel Betrieb herrscht«, sagte Helene. »Ich war auch an eurem Stand, aber du warst so beschäftigt.«

»Oje!«, rief Elise. »Habe ich dich übersehen? Das täte mir leid.«

»Das macht doch nichts«, versicherte die Freundin. »Aber nun erzähl schon, warum du mich hergebeten hast. Du hast es ja so spannend gemacht!«

»Ich habe vor Kurzem den jungen von Schönbrunn kennengelernt«, platzte Helene heraus.

»Welchen?«

»Cornelius, den größeren und stattlicheren der beiden Brüder«, strahlte Helene.

»Dem Glitzern in deinen Augen zufolge …«, setzte Elise an.

»Meine Eltern halten ihn für eine gute Wahl«, unterbrach sie Helene. »Und wenn ich ehrlich bin, ist er auch viel großartiger als dieser Eberhard Faber. Jetzt, da ich Cornelius kenne, weiß ich nicht, was ich einmal an diesem Bleistiftfabrikanten finden konnte.«

Elise musste sich ein Lächeln verkneifen, freute sich aber für die Freundin, dass sie ihren Liebeskummer offenbar überwunden hatte. Sie hoffte nur, dass ihr selbiger nun nicht mit einem anderen Mann bevorstand.

»Wir haben uns den ganzen Abend gut unterhalten, es fühlte sich schon sehr vertraut an«, erzählte Helene weiter.

»Ich freue mich aufrichtig für dich«, versicherte Elise.

»Und ich freue mich auf das nächste Treffen mit Cornelius«, sagte Helene, wirkte jedoch mit einem Mal bedrückt.

»Aber es stört dich etwas«, stellte Elise fest.

»Er hat mich zum Schlittschuhlaufen eingeladen«, platzte es aus Helene raus, »ausgerechnet.«

»Oh«, konnte Elise zunächst nur erwidern. »Weiß er denn nicht …«

Helene schüttelte den Kopf. »Offensichtlich nicht. Und ich will es ihm auch nicht erzählen. Es wirft ja nicht unbedingt ein gutes Licht auf mich.«

»Es ist nichts Unehrenhaftes daran, im Eis einzubrechen.«

»Als wäre ich ein Nilpferd«, rief Helene empört.

Elise musste lachen. »Er sieht doch, wie wohlgeformt du bist.«

»Trotzdem habe ich es ihm verschwiegen«, seufzte Helene. »Und nun kann ich keinen Rückzieher mehr machen. Das würde seltsam wirken.«

»Das würde es in der Tat«, bestätigte Elise. »Was willst du also tun? Dich den Geistern der Vergangenheit stellen?«

»Ich denke ja«, sagte Helene. »Aber was ist, wenn ich in seiner Gegenwart der Hysterie anheimfalle? Ich war seitdem nicht mehr dort.«

»Und wenn zunächst mal wir beide Schlittschuh laufen gehen würden?«, schlug Elise vor. »Schließlich bin ich deine

Lebensretterin. In meinem Beisein kann dir gar nichts geschehen.«

»Würdest du das wirklich für mich tun?«, schöpfte Helene Hoffnung.

»Ja, ich glaube, so, wie ich mich meiner Furcht vor der Pegnitz stellen musste, musst auch du dich deiner Angst stellen. Nichts anderes tat Goethe, als ihn der Höhenschwindel erfasste: Er bestieg so lange das Straßburger Münster, bis es ihn nicht mehr peinigte.«

»Du hast recht, ich muss diese Gespenster der Vergangenheit bannen.«

»Gibt es schon ein Datum für die Verabredung?«

»Ja«, erwiderte Helene, die gerade dabei war, Tee nachzuschenken, »aber erst nach den Feiertagen, dann reist Cornelius wieder an.«

»Dann haben wir noch ein bisschen Zeit, bevor wir uns wieder auf das Eis wagen müssen«, resümierte Elise zufrieden und nippte an dem heißen Tee.

***

»Komm rein, mein Kind«, sagte Ottilie von Albedyll und klopfte auf den Stuhl neben sich.

»Frau von Albedyll, ich … ich …«, stotterte die vollkommen überforderte Agathe und dachte, Richards hochherrschaftliche Mutter wirkte in diesem kleinen Bügelzimmer derart fehl am Platze, dass es schon beinah absurd war.

»Nun schließ erst einmal die Türe«, erwiderte die Ältere.

Agathe tat wie ihr geheißen. »Frau von Albedyll«, wiederholte sie dann, »es war, es *ist* mir so peinlich.« Sie musste sich sehr anstrengen, um nicht in Tränen auszubrechen.

»Dafür gibt es gar keinen Grund«, meinte Ottilie ruhig, »und wenn man es richtig betrachtet, ist es sogar meine Schuld.«

»Wie kann es denn Ihre Schuld sein?«, fragte Agathe verwundert.

»Ganz einfach«, erklärte Ottilie, »wir haben dich vollkommen überfordert mit allem. Und ich hätte es besser wissen müssen.«

»Nicht doch, ich war schließlich so töricht, nicht an ein Ballkleid gedacht zu haben. Und ich bin es doch, die sich anmaßt, von niederem Stand nach oben heiraten zu wollen.« Und als sie diese für sie so bittere Wahrheit ausgesprochen hatte, flossen bei Agathe die Tränen, die sie so mühsam versucht hatte zurückzuhalten.

»Mein liebes Kind«, sagte Ottilie, die sanft über Agathes Rücken strich, »ich selbst bin genau diesen Weg gegangen, ich war nur die Tochter eines einfachen Beamten. Und wer wüsste besser als ich, dass der Stand weder etwas über eine Person aussagt noch eine Garantie für eine glückliche Ehe ist.«

Langsam beruhigte sich Agathe wieder und blickte erstaunt zu Ottilie auf. Das hatte Richard ihr gar nicht erzählt!

»Du bist ganz wundervoll, Agathe«, fuhr seine Mutter fort, »und mein Sohn liebt dich von ganzem Herzen, du wirst ihn glücklich machen – und mehr müssen weder mein Mann noch ich wissen.«

»Dann verzeihen Sie mir, dass ich mich an Frau Tiefensee gewandt habe?«, fragte Agathe.

»Aber natürlich«, antwortete Ottilie. »Wenn ich auch hoffe, dass wir bald so zueinander stehen werden, dass du mit Kummer, welcher Art auch immer, sofort zu mir kommen wirst.«

Agathe nickte. »Das will ich gern versuchen. Es ist nur so … ich habe so großen Respekt vor Ihnen.«

»Den hatte ich auch vor meiner Schwiegermutter«, versicherte Ottilie. »Weißt du, so sehr ich meine Söhne liebe und so stolz ich auf die beiden bin – insgeheim habe ich mir immer noch ein kleines Mädchen gewünscht, das ich nach Herzenslust einkleiden und ausstaffieren kann.« Sie klatschte in die Hände. »Und deshalb, meine Liebe, macht es mich sogar glücklich, dass du kein Ballkleid bei dir hast.«

***

Das Krinolinenkleid, das die Schneiderin für sie anfertigte, war ein Traum in tiefem Bordeauxrot, über und über mit winzigen Perlen und Spitzen verziert. Die vorne spitz zulaufende Korsage betonte Agathes schmale Taille, und das weite, spitzenbesetzte Dekolleté ließ die Schultern frei.

Agathe konnte es kaum erwarten, es zu tragen. Nicht zuletzt dank Ottilies Freundlichkeit und deren Geständnis, dass auch sie mitnichten standesgemäß gewesen war, hatte sich ihre Unsicherheit nun beinah vollständig verflüchtigt.

Grete steckte gerade die letzten Haarsträhnen fest, um sie für den Nachmittagstee fertig zu machen, als es leise klopfte.

»Geh bitte nachsehen«, forderte Agathe ihre Zofe auf.

Grete nickte und eilte zur Tür.

»Gnädige Frau!«, hörte Agathe ihre Zofe sagen.

»Würden Sie mich bitte kurz mit meiner zukünftigen Schwiegertochter allein lassen?«, bat Ottilie von Albedyll.

»Selbstverständlich, gnädige Frau«, sagte Grete und war verschwunden.

»Meine Liebe«, sprach Ottilie Agathe an, »wie geht es dir?«

»Ganz wunderbar«, erwiderte Agathe, »und ich bin Ihnen so dankbar für das wundervolle Kleid und für die schöne Zeit, die ich hier verbringen darf.«

»Du musst dich nicht ständig bedanken, Agathe, deine aufrichtige Liebe für meinen Sohn und das Glück, das ihm mit dir bevorsteht, bedeutet mir so viel, dass ich das Gefühl habe, *ich* sollte mich pausenlos bei *dir* bedanken.«

Agathe, die nicht so recht wusste, was sie darauf erwidern sollte, lächelte nur.

»Nun gut, genug geplaudert, ich habe hier noch etwas«, sagte Ottilie und reichte Agathe eine kleine Schmuckdose.

»Aber …«, stammelte Agathe. »Das …«

»Nicht reden, öffnen«, beschied ihr Ottilie resolut.

Agathe tat wie ihr geheißen und blickte im nächsten Moment fassungslos auf zwei wunderschöne Ohrringe mit jeweils einem kleinen Diamanten und einem Rubin sowie einem dazu passenden Collier.

Sie ging davon aus, dass Ottilie ihr den Schmuck für den Abend leihen wollte, doch die erklärte: »Betrachte es als vorgezogenes Verlobungsgeschenk.«

»Aber das kann ich doch nicht annehmen.«

»Natürlich kannst du«, erwiderte Ottilie. »Zumal ich den Schmuck nie getragen habe und er eines Tages ohnehin dir gehören wird.«

»Ich weiß gar nicht, was ich sagen soll. Er ist so wunderschön.«

»Komm nur nicht auf die Idee, dich zu bedanken«, warnte Ottilie und drohte ihrer künftigen Schwiegertochter scherzhaft mit dem Finger.

***

Und dann war der Tag, an dem der Ball stattfinden sollte, endlich angebrochen. Die ganze Zeit über herrschte im Haus emsige Betriebsamkeit wie in einem Bienenstock, das

Gesinde eilte hektisch umher, und die Damen hatten sich bereits zur Mittagszeit in ihre Gemächer zurückgezogen, um genügend Zeit zu haben, sich hübsch zu machen.

Als sie schließlich ihr Zimmer verließ, war Agathe mit einem Mal derart nervös, dass sie sich kaum rühren konnte. Die Gäste hatten sich bereits in der Halle versammelt, und genau dahin musste sie nun hinuntergehen, über die breite Treppe, sodass sich alle Augen auf sie richten würden. Warum war sie nicht schon früher nach unten gegangen? Aber Grete hatte so lange mit ihrem Haar gebraucht und sie einfach nicht fortgelassen.

Als sie am obersten Absatz angekommen war, atmete sie einmal tief durch. *Du schaffst das, Agathe*, sagte sie sich. Dann raffte sie mit beiden Händen ihre Röcke und schritt, exakt in der Mitte der Treppe, nach unten.

Dort war Richard, in ein Gespräch vertieft. Als habe er ihren Blick gespürt, blickte er nun aber zu ihr auf – und war offenbar hingerissen von dem, was er sah. Sein Gesprächspartner, der bemerkt hatte, dass Richard von Albedyll abgelenkt war, folgte seinem Blick, und nach und nach taten die restlichen Festgäste es ihnen gleich. Ein bewunderndes Raunen ging durch die Halle. Sie alle sahen zu ihr empor, während sie Schritt für Schritt nach unten stieg. Und dann war sie endlich bei ihm angekommen und strahlte ihm voller Glück entgegen.

»Wie schön du bist«, flüsterte Richard seiner Verlobten zu.

In diesem Augenblick stieg Richards Vater auf die unterste Treppenstufe, um mit seiner Rede zu beginnen. Die Gespräche verstummten, sämtliche Augenpaare richteten sich erwartungsvoll auf ihn. »Es ist uns eine große Ehre, Sie hier begrüßen zu dürfen«, sagte er. »Aber wir möchten heute nicht nur mit Ihnen den dritten Advent feiern, sondern es obliegt mir auch, Ihnen mitteilen zu dürfen, dass sich unser Sohn Richard von Albedyll in Kürze vermählen wird. Wir sind sehr glücklich, Fräulein Agathe Welser bald in unserer Familie begrüßen zu dürfen.«

Applaus brandete auf, und einzelne Hurrarufe erklangen.

Als wieder etwas Ruhe eingekehrt war, forderte der Hausherr die Verlobten auf, den Ball mit einem Tanz zu eröffnen.

Agathe, die in den Tagen zuvor stundenlang mit Richard geübt hatte, ließ sich nun von ihm zur Mitte des Tanzbereichs führen. Als sie die Grundhaltung einnahmen und ihr Verlobter seine Hand auf ihre Taille legte, wurde ihr heiß und kalt zugleich. Die ersten Töne erklangen, und während Richard sie sicher hielt und führte, schwebte Agathe voller Glück über das Parkett. Für sie hätte dieser Tanz ewig andauern können, aber sie nahm auch freudig an Richards Seite die Glückwünsche der Gäste entgegen, nachdem die Musik verklungen war.

Agathe Welser, künftige von Albedyll, war im Glück.

Teil 4
1868

44

Elise pflückte ein Schneeglöckchen, beugte sich hinab und legte es auf die sanft glitzernde Oberfläche der Pegnitz. Mit den Augen folgte sie dem kleinen Blümchen, das langsam davontrieb.

»Für dich, Papa«, flüsterte sie. Sie hatte versucht, ihren Frieden mit dem Fluss zu machen, und hoffte, dass ihr das eines Tages gelingen würde. Immerhin konnte sie inzwischen wieder an seinen Ufern spazieren gehen, ohne in Panik auszubrechen. Ohnehin hatte sie das Gefühl, dass allmählich wieder etwas Ruhe und Frieden einkehrten. Dank Agathe und Richard hatten sie die angeblichen Lieferschwierigkeiten in der Weihnachtszeit überwinden können. Die Bude auf dem Nürnberger Christkindlesmarkt war bis zum letzten Tag prall gefüllt mit Lebkuchen gewesen. Agathe und Richard planten im Sommer zu heiraten, und Agathe hatte versprochen, sie oft zu besuchen.

Als im Januar bekannt gegeben worden war, dass sie und Simon Hertlein die Verlobung gelöst hatten, war das in Nürnberg mit weniger Bestürzung aufgenommen worden als von Elise befürchtet. Von ihrer Schulfreundin Clara Ehrlich hatte sie inzwischen erfahren, dass Simon Hertlein auch ihr seinerzeit übel nachgestellt hatte.

Dank des großen Erfolgs der neuen Lebkuchensorten hatte die Nachricht, dass die beiden Firmen zukünftig nicht mehr zusammenarbeiteten, in Nürnberg ohnehin schon die Runde gemacht – und bald wurde die Geschichte kolportiert, dass Simons Familie erbost über den Erfolg von Lebkuchen Lusin gewesen sei. Deshalb sei es zum Streit zwischen den Familien gekommen, weshalb man die Verlobung gelöst habe. Weitere Mutmaßungen hatte es nicht gegeben, und niemand sah Elise schief an, sodass sie hoffte, ihre Beziehung zu Corbinian auch bald legitimieren zu können, zumal das Trauerjahr nun vorbei war. Insgeheim wartete sie auch jeden Tag darauf, dass er ihr einen Heiratsantrag machen würde.

Jetzt wandte sie sich lächelnd zu ihm um.

»Begleitest du mich noch ein Stück?«, fragte er. Sie hatten, wie jeden Tag, die Mittagspause für einen Spaziergang genutzt, nun würde er in die Fabrik zurückkehren, und sie würde sich auf den Weg in die Bergstraße machen. Mehr und mehr entdeckte sie die Lebküchnerei für sich. Da sie sich als Tochter des verstorbenen Chefs aber keineswegs einfach so in die Backstube stellen konnte, schon gar nicht unter den Augen der anderen Angestellten, hatte sie die wieder hergerichtete Backstube in der Bergstraße in Beschlag genommen. Die beiden Verkäuferinnen, die dort arbeiteten, die junge Anni und die wesentlich betagtere Frau Gietz, hatte sie lang schon zu ihren Verbündeten gemacht. Sie würden sie niemals verraten, im Gegenteil: Sie fühlten sich offenbar ausgesprochen wichtig dabei, die »kleine Chefin«, wie Henriette Gietz, die ältere der beiden, sie liebevoll nannte, bei ihren Backexperimenten zu unterstützen.

»Gern«, beantwortete sie Corbinians Frage, und in schöner Eintracht schritten sie nebeneinander zum Hauptmarkt, wo sich ihre Wege trennten. Bevor Corbinian sich aber auf den Weg zur Fabrik machen und Elise die Bergstraße hinaufgehen konnte, hielt sie ihn für einen Moment zurück. »Hast du nicht noch etwas vergessen?«

»Ja«, murmelte er sehnsüchtig. »Dich zu küssen. Aber ich fürchte, dass das momentan in aller Öffentlichkeit noch etwas gewagt wäre.«

»Ein Kuss von dir wäre wunderschön«, flüsterte sie und sah ihn liebevoll an. »Aber ausnahmsweise meine ich das nicht.«

»Was denn dann?«

»Du wolltest mir noch etwas geben«, sagte sie und deutete auf das Bündel, das er schon die ganze Zeit über bei sich trug.

Endlich verstand er. »Das Marzipan! Ich hätte es fast wieder mit zurückgenommen.«

»Das habe ich gemerkt«, sagte sie.

»Was hast du damit eigentlich vor?«, wollte er neugierig wissen.

»Das ist eine Überraschung«, erklärte sie. »Wenn ich irgendwie kann, komme ich heute Abend noch vorbei.«

Vor einem Monat war Corbinian mit Margarethe Lusins Erlaubnis in einen Teil ihrer einstigen Wohnung in die Bergstraße gezogen. Bis dato hatte der junge Mann in einer Pension gelebt. Da er aber, wie auch Elise, gern in der Bergstraße bis mitten in der Nacht experimentierte und sich auch der Modelschnitzerei widmete, war es geschickter für ihn, in den ohnehin leer stehenden Räumen Quartier zu nehmen – und Elise und Corbinian hatten einen unverdächtigen Rückzugsort, an dem sie sich ihren Zärtlichkeiten hingeben konnten. Wenn sie auch bisher beide noch einige Zurückhaltung an den Tag legten.

»Ah, das Fräulein Elise«, rief Henriette Gietz, die etwas dralle rothaarige Verkäuferin, als Elise den Laden betrat.

»Verwöhnen Sie uns heute wieder mit neuen Erfindungen? Es ist herrlich, wenn Sie backen. Dann zieht der Duft durch das ganze Haus wie früher, als Ihr Vater – Gott hab ihn selig – hier noch seine Lebküchnerei hatte.«

»Oh, Frau Gietz«, erwiderte Elise und drückte der Älteren dankbar die Hand. »Haben Sie vielen Dank für Ihre Worte.«

Dann blickte sie die Verkäuferin verschwörerisch an. »Ich wollte Sie um etwas bitten.«

»Ich würde Ihnen jeden Wunsch erfüllen, Kind, das wissen Sie doch.«

»Gut«, sagte Elise mit gesenkter Stimme. »Dann habe ich gleich zwei. Der erste ist, dass Sie mich wieder Lieserl nennen und dass Sie du zu mir sagen, so wie früher.«

»Aber das geht doch nicht«, widersprach Henriette Gietz. »Sie sind doch jetzt eine junge Dame. Und ein gnädiges Fräulein.«

»So viel hat sich gar nicht geändert, Frau Gietz«, sagte Elise. »Ich bin immer noch dieselbe.«

»Aber was würde Ihre Mutter dazu sagen?«, wandte die Verkäuferin ein. »Sie würde das sicherlich nicht gutheißen.«

»Sie muss es ja nicht erfahren«, erwiderte Elise lächelnd.

Frau Gietz atmete tief ein und wieder aus und sagte dann: »Na gut.« Und zaghaft fügte sie hinzu: »Lieserl.«

»Ach, das klingt so schön aus Ihrem Munde«, freute sich Elise und umarmte die ältere Frau spontan, eine Geste, die sie etwas verlegen, aber herzlich erwiderte.

»Und die zweite Bitte?«

»Bisher gibt es nur drei oder vier, manchmal vielleicht auch fünf Menschen, die von meinen Lebkuchen probieren«, begann Elise. »Sie, Anni, Corbinian, Agathe und ihr Verlobter, wenn er hier in Nürnberg ist.«

»Und alle sind hellauf begeistert«, fügte Henriette Gietz hinzu.

»Das ja«, entgegnete Elise. »Aber wie ehrlich sind sie alle zu mir?«

»Na, hör mal, Lieserl, ich war immer ehrlich zu dir«, sagte Frau Gietz und stemmte die Hände in die Hüften.

»Schon«, erwiderte Elise. »Aber Sie werden mir doch recht geben, dass man einem Menschen gegenüber, für den man eine gewisse Sympathie hegt, nicht so ehrlich ist wie einem Fremden gegenüber, bei dem es einem egal ist, ob er verletzt sein könnte.«

»Du sprichst in Rätseln, Lieserl«, meinte Frau Gietz.

»Nun, damit meine ich, wenn Sie einen Lebkuchen kaufen, der Ihnen nicht schmeckt, kaufen Sie ihn nie wieder, und vielleicht beschweren Sie sich sogar beim Lebküchner. Wenn ich aber einen Lebkuchen backe, der Ihnen nicht schmeckt, würden Sie ihn vermutlich trotzdem essen.«

»Da magst du recht haben, Lieserl«, gestand Frau Gietz. »Ich könnte niemals etwas tun, das dich verletzt. Das heißt aber nicht, dass mir deine Lebkuchen bisher nicht geschmeckt haben. Sie waren wirklich lecker!«

»Ich glaube Ihnen«, entgegnete Elise lachend. »Machen Sie sich keine Sorgen. Aber Sie wissen, was ich meine, oder?«

»Ich glaube schon«, sagte Frau Gietz. »Und um was wolltest du mich nun bitten?«

»Nun, die Einzigen, die wirklich ganz ehrlich in ihrer Meinung sind, sind unsere Kunden«, fuhr Elise fort. »Die Menschen, die jeden Tag hierher zu uns kommen.« Bittend sah sie die Ältere an. »Wie wäre es, wenn Sie einige meiner Lebkuchen verkaufen würden?«

»Ich … das …«, stammelte Henriette Gietz. »Wenn Sie

denken, dass wir dann keine Schwierigkeiten mit Ihrer Frau Mama bekommen?«

»Du, schon vergessen?«, verbesserte Elise lächelnd. »Mama hätte ganz sicher nichts dagegen. Und sie würde es ja auch gar nicht mitbekommen. Oder haben Sie sie seit Vaters Tod einmal hier gesehen?«

Henriette schüttelte den Kopf. »Nein, nicht wirklich.«

»Na also. Dann sind wir uns einig?«

»Ja«, stimmte die Verkäuferin lächelnd zu. »Ja, Lieserl, das mache ich gern.«

Beschwingt eilte Elise nach hinten in die Backstube, band sich die Schürze um und machte sich ans Werk. Die Idee für den Lebkuchen, den sie heute backen wollte, spukte ihr schon eine ganze Weile im Kopf herum. Da sowohl die mit Schokolade bezogenen als auch die marzipanverzierten Lebkuchen so gut ankamen, hatte sie sich gefragt, wie wohl ein Lebkuchen schmecken würde, der beides in sich vereinte. Schon am Vortag hatte sie den klassischen Lebkuchenteig vorbereitet und ihn über Nacht durchziehen lassen. Jetzt holte sie das Marzipan heraus, das Corbinian ihr mitgebracht hatte. Zwar hätte sie es auch selbst herstellen können, zumal in der Backstube Vaters alte handbetriebene Mandelmahlmaschine stand, aber dafür fehlte ihr im Moment die Geduld. Sie wusste schließlich, wie man Marzipan machte. Wie die Kombination schmeckte, die sie im Kopf hatte, wusste sie hingegen nicht. Aber sie wollte es unbedingt herausfinden. Sie schloss die Augen und versuchte, sich den Geschmack von Lebkuchen, Schokolade und Marzipan vorzustellen. Schon die Kombination der Konsistenzen müsste ein Erlebnis sein, überlegte sie: die knackige Schokolade, das weiche, zerschmelzende Marzipan und der zwar zarte, aber doch feste Lebkuchen. Allerdings wäre es vermutlich etwas schwer und sehr süß. Etwas Leichtes, Fruchtiges, leicht Säuerliches würde der Kreation das gewisse Etwas verleihen.

Elise nickte zufrieden über ihren Einfall und ging in die Speisekammer, um ein Glas Aprikosenmarmelade aus dem Schrank zu holen. Damit würde sie das Marzipan glatt rühren und dem Ganzen somit noch eine fruchtige Note verleihen.

Sie schnitt die süße Mandelmasse in kleine Würfel, gab sie zusammen mit der Marmelade in eine Schüssel und rührte es mit etwas Wasser glatt. Dann steckte sie, wie damals in Kindertagen, den Finger hinein und probierte. Elise schmunzelte bei dem Gedanken daran, dass der Vater sie immer spielerisch gescholten hatte, wenn er sie beim Naschen erwischte. Ja, die Kombination war gelungen. Vielleicht noch etwas mehr Marmelade, dann wäre die Mischung perfekt. Elise notierte sich fein säuberlich das Verhältnis der untergebrachten Mengen, schließlich wollte sie ihre Kreation immer weiter verfeinern. Und das setzte akribische Aufschriebe voraus.

Es gefiel ihr, eine solche Kladde zu besitzen, und sie hütete sie wie einen Schatz. Auch ihr Vater hatte sein Rezeptbuch geliebt und stets mit Argusaugen darüber gewacht. Soweit sie wusste, ruhte es in der Firma im Safe. Ein, zwei Mal hatte er es Elise gezeigt, damals, als es noch hier in der Bergstraße gelegen hatte. Wilhelm Lusin hatte hier nicht nur seine Rezepte notiert, sondern auch all sein Wissen und seine Erfahrungen zur Lebküchnerei sowie zum perfekten Umgang mit Teigen festgehalten. Die Gewürzmischungen für die Lebkuchen hatte ihr Vater niemandem verraten und sie immer abends selbst angemischt, damit die Lebküchner sie am nächsten Tag weiterverarbeiten konnten. Zum ersten Mal fragte sich Elise, wer nun diese Aufgabe übernahm, wer das Geheimnis der Gewürzmischung kannte oder ob es inzwischen gar nicht mehr geheim gehalten wurde. Sie entschloss sich, heute Abend Corbinian danach zu fragen.

Als die Marzipan-Konfitüre-Mischung schließlich zu ihrer Zufriedenheit schmeckte, holte sie den Lebkuchenteig heraus, teilte ihn in zwei Teile und knetete ihn noch einmal kräftig durch, stäubte Mehl auf die Arbeitsplatte und rollte ihn schließlich sorgfältig darauf aus. Mit der anderen Hälfte des Teigs verfuhr sie auf die gleiche Art und Weise. Dann strich sie die Marzipan-Marmeladen-Masse auf die beiden Teighälften und rollte beide Teige zu einer Schnecke. Schließlich holte sie ein scharfes Messer und eine große Schüssel heißes Wasser sowie ein sauberes Tuch und schnitt die Rolle in drei Zentimeter dicke Scheiben. Zwischendurch säuberte sie immer wieder das Messer, damit die Marzipan-Marmeladen-Masse nicht verschmierte. Die einzelnen Teigstücke legte sie dann sorgsam nebeneinander auf ein gefettetes Blech und schob es in den Backofen, den sie zuvor bereits angeheizt hatte. Als wenig später der vertraute Lebkuchengeruch durch den Raum zog, holte sie die Teile aus dem Ofen. Ihr Vater hatte stets am Duft erkannt, wann ein Gebäck fertig war, und ihr selbst gelang das inzwischen auch immer besser.

Sie wollte gerade schon Schokolade schmelzen, um die Glasur zuzubereiten, doch dann legte sie das Stück nachdenklich wieder zurück in die Schüssel. Ihr Vater hatte sie gelehrt, dass Lebkuchen die Zeit haben mussten, Feuchtigkeit zu ziehen. Nur dann würden sie schön weich. Würde sie die Gebäckstücke jetzt gleich überziehen, wären sie mit der Schokolade sozusagen versiegelt. Keine gute Idee.

Auch wenn es ihr schwerfiel: Sie musste sich wohl noch ein bisschen in Geduld üben. Elise beschloss, die Lebkuchen-Marzipanrollen drei Tage liegen zu lassen und sie erst dann zu vollenden.

Da sie Corbinian aber unbedingt mit ihrer fertigen Kreation überraschen wollte, stapelte sie sie, nachdem sie ausgekühlt waren, fein säuberlich in einer Pappschachtel und stellte sie, ohne den Deckel daraufzusetzen, ganz hinten ins Regal. Hier wären ihre Schätze sicher vor neugierigen Augen.

45

»Liebes«, sagte Margarethe und legte ihre Serviette nach dem opulenten Abendessen beiseite, »wir würden gerne etwas mit dir besprechen.«

Unwillig und auch ausgesprochen beunruhigt sah Elise auf. Seit Beendigung des Trauerjahres vor rund sechs Wochen hatte sich die Stimmung im Haus verändert. Haargenau einen Tag nachdem ihr Vater ein Jahr unter der Erde war, war Hermann Kämmerer praktisch bei ihnen eingezogen. Zwar wohnte er nicht bei ihnen, kreuzte aber mit schönster Selbstverständlichkeit sowohl zum Mittag- als auch zum Abendessen auf. Er machte ihrer Mutter ganz eindeutig den Hof – was ihr offenbar ausnehmend gut gefiel!

Auch die Dienerschaft zeigte sich von dem stets freundlichen und gut gelaunten Prokuristen sehr angetan. Elise hatte ein Gespräch zwischen Maria und der Zofe ihrer Mutter belauscht, in dem Letztere der Jüngeren erklärte, sie freue sich so für die gnädige Frau, und eine bessere Wahl als den Herrn Kämmerer könne sie nicht treffen. Schließlich biete der ihr ein ebenso unbeschwertes Leben wie zuvor ihr Gemahl.

In der Tat hielt Hermann Kämmerer die Zügel in der Fabrik fest in der Hand, alles lief weiter wie bisher – wann immer Elise in die Fabrik kam, um nach dem Rechten zu sehen, begrüßte der Prokurist sie mit ausgesuchter Freundlichkeit, fragte, was er für sie tun könne und ob es ihr an irgendetwas fehle. Mit diesen Worten, dachte sie, verwies er sie aber immer wieder höflich auf ihren Platz. Die Episode mit dem Honig wurde nie wieder erwähnt, aber Elise war die Szene und Kämmerers seltsames Verhalten deutlich im Gedächtnis geblieben. Seither war sie sicher, dass dieser Mann ein falsches Spiel spielte.

»Wie Sie ja sicherlich bemerkt haben, verstehen Ihre Mutter und ich uns sehr gut«, sagte Kämmerer in ihre Gedanken hinein. »Ich bin ihr äußerst zugetan.«

Bitte nicht, dachte Elise. *Bitte sagt mir jetzt nicht, dass ihr heiraten werdet.*

Doch im nächsten Moment sah sie zu ihrem Entsetzen, dass Hermann Kämmerer nach der Hand ihrer Mutter griff und verkündete: »Ich habe Ihrer wundervollen Frau Mama einen Heiratsantrag gemacht, und zu meiner großen Freude hat sie eingewilligt.«

In Elises Kopf überschlugen sich die Gedanken. Sie sah, dass ihre Mutter unbeschreiblich glücklich aussah, und das freute sie ebenso, wie es sie erboste. Dieser Blick war doch ihrem Vater vorbehalten! Und nur ihm! *Sei nicht albern,* schalt sie sich im nächsten Moment. *Dein Vater ist seit über einem Jahr tot, und er würde niemals wollen, dass seine Margarethe ein Leben lang allein bleibt.*

Aber doch nicht mit Kämmerer. Und nicht so schnell, schimpfte die innere Stimme weiter. Außerdem wusste sie doch, dass er ein Lügner war und ein Betrüger, auch wenn sie es nicht beweisen konnte. Und außerdem: Hätte die Mama ihr nicht wenigstens unter vier Augen von ihrem Vorhaben berichten können? Es kränkte sie, dass ihre Mutter, der sie doch eigentlich so nahestand, das ihrem Künftigen überlassen hatte.

»Elise«, sagte Hermann Kämmerer und unterbrach erneut

ihre Gedanken. »Sie wissen, wie sehr Ihr Vater und ich einander geschätzt haben. Ich denke, es ist nicht vermessen zu sagen, dass wir nicht nur Kollegen waren, sondern auch Freunde.«

Sie nickte langsam. Dem konnte sie nicht widersprechen, allerdings hatte sich ihr Vater wohl in ihm getäuscht.

»Es ist mir wichtig, sein Vermächtnis weiterzuführen«, sagte er.

»Aber das tun Sie doch sowieso als Prokurist des Hauses«, stieß sie, ohne nachzudenken, hervor. »Deshalb brauchen Sie Mutter doch nicht zu heiraten.«

Und obendrein, fügte sie im Stillen hinzu, hatte ihr Vater *ihr* doch diese Rolle zugedacht und ganz ausdrücklich verfügt, dass ihre Mutter ihr einmal die Leitung der Firma übertragen würde. Ein anderer Mann, eine erneute Hochzeit, war in seinen Überlegungen nicht vorgekommen.

In Elises Magen krampfte sich etwas zusammen. Wenn ihre Mutter als Eigentümerin der Firma nun wieder heiratete – bedeutete das dann, dass das Unternehmen an Hermann Kämmerer überging und sie den Letzten Willen ihres Vaters nicht erfüllen konnte?

»Elise«, sagte Hermann Kämmerer und sah sie in ungebrochener Freundlichkeit an. »Zunächst einmal möchte ich Sie bitten, du zu mir zu sagen. Schließlich sind wir ja nun bald eine Familie.«

Wenigstens sagt er nicht, er sei nun bald mein Vater, dachte sie. Sie nickte. »Gut. Hermann. Danke.«

Er lächelte ihr zu, und trotz ihrer misstrauischen Grundhaltung konnte sie nichts Berechnendes und nichts Verschlagenes in seiner Miene erkennen.

»Schau, Elise, für euch wird sich doch nichts ändern«, säuselte er. »Es wird alles so bleiben wie bisher auch. Schließlich habe ich deiner Mutter nach dem Tod deines Vaters auch alles abgenommen. Und das wird selbstverständlich so bleiben. Euch wird es an nichts fehlen.«

»Ja«, murmelte Elise.

Tatsächlich hatte ihre Mutter die Firma seit dem Tod ihres Vaters nur wenige Male betreten. »Wie gut, dass Hermann sich um alles kümmert«, hatte sie ein ums andere Mal gesagt.

»Dann haben wir deinen Segen?«, fragte ihre Mutter zaghaft, und Elise nickte zögernd.

»Ja«, sagte sie matt. »Ja, natürlich habt ihr den.« Sie konnte der Mutter die Hochzeit ja schlecht verbieten. Sie nahm sich jedoch vor, später unter vier Augen mit ihr zu sprechen. Erst jedoch wollte sie sich mit Corbinian beraten.

***

»Liebling«, rief Corbinian erschrocken, als Elise spätabends zu ihm in die Backstube kam. »Was ist mit dir?«

»Er will sie heiraten«, stieß Elise hervor.

»Kämmerer?«

»Ja.«

»Nun komm erst mal richtig herein.«

Er zog sie in die Backstube, hob sie hoch und setzte sie ohne viel Federlesens auf die Tischplatte, auf der sie sonst ihre Lebkuchen herstellten. Mit einem Sprung platzierte er sich neben ihr und nahm ihre Hand. »Und was ist daran so schlimm?«

»Fragst du das wirklich im Ernst?«, rief sie fassungslos. »Du bist doch wie ich überzeugt davon, dass er die Bücher gefälscht und uns hinsichtlich der Lieferschwierigkeiten mit dem Honig ebenso etwas vorgemacht hat wie bezüglich des angeblich ausverkauften Lagers.«

»Ja«, gab er ihr recht. »Ja, das stimmt.«

»Nur weil es uns noch nicht gelungen ist, ihn zu überführen, heißt das doch nicht, dass er sich nichts hat zuschulden kommen lassen«, ereiferte sie sich weiter.

»Liebling, das sage ich ja auch nicht. Und wir haben ihn nach wie vor unter Beobachtung.«

»Aber Mutter ist im Begriff, einen Betrüger zu heiraten«, sagte sie. »Und das ist noch nicht alles.«

»Dann erzähl mir, was da noch ist.«

»Ich habe dir doch von Vaters Brief berichtet, den er für den Fall seines Ablebens an mich schrieb.«

»Du hast ihn mir sogar vorgelesen«, sagte er lächelnd.

»Richtig. Nun, in diesem Brief schreibt er im Grunde ganz klar, dass er mich als Nachfolgerin sieht. Und dass er Mutter als seine offizielle Nachfolgerin angewiesen hat, mir die Firma später zu vermachen.«

In Corbinians Gesicht spiegelte sich die Erkenntnis, worauf sie anspielte. »Und wenn nun deine Mutter und Kämmerer heiraten, wird die Fabrik ihm gehören. Und wenn die beiden sogar Kinder bekommen sollten, gehst du völlig leer aus.«

»Das klingt nun so habgierig«, wehrte sie ab. »Es geht mir nicht ums Besitzen. Es geht mir darum, den Letzten Willen meines Vaters zu erfüllen.«

»Na ja, nach allem, was du mir erzählt hast, war das aber nicht Bestandteil des offiziellen Testaments«, gab Corbinian zu bedenken. »Damit stehen die Chancen schlecht.«

Entsetzt sah sie ihn an. »Du meinst, Lebkuchen Lusin ist verloren?«

Er schüttelte den Kopf. »Nein, das glaube ich nicht. Ich denke, du solltest Hermann Kämmerer den Brief deines Vaters zeigen. Vielleicht hat er gar nichts dagegen, dass du dich einbringst. Immerhin geht es ja angeblich auch ihm darum, das Erbe deines Vaters hochzuhalten. Und das bedeutet auch, seinen Willen zu achten. Außerdem …« Nachdenklich sah er sie an.

»Was?«, fragte sie. »Was ist?«

»Na ja«, murmelte er. »Wenn Kämmerer deine Mutter heiratet und die Firma in seinen Besitz übergeht, dann hätte er ja nichts davon, Ware von Lebkuchen Lusin abzuzweigen oder der Firma ansonsten irgendwelchen Schaden zuzufügen.«

»Das stimmt«, räumte Elise ein. »Aber da wusste er ja damals noch nicht mit Sicherheit, dass er Mutter heiraten wird.«

Corbinian runzelte die Stirn. »Glaubst du das wirklich? Ich bin mir da nicht so sicher. Wenn du dich erinnern willst, wirkten die beiden damals auch schon sehr vertraut. Und wenn sie vielleicht auch noch keine Heiratsabsichten hatten, so stand das doch sicherlich zumindest im Raum. Da erscheint es sinnlos, dass er zeitgleich etwas tut, das der Firma schaden könnte. Vielleicht haben wir ihm unrecht getan.«

»Oder auch nicht«, widersprach sie stirnrunzelnd.

»Worauf spielst du an?«, fragte er.

»Nun, eine Frau in Not muss gerettet werden. Und je größer die Notlage bei Lebkuchen Lusin gewesen wäre, desto strahlender hätte er sich als Retter präsentieren können.«

»Wenn es sich so verhalten hätte, wäre es ja nur zu ärgerlich für ihn gewesen, dass Agathe und Richard es waren, die uns damals gerettet haben.«

Elise lachte, doch im nächsten Moment fuhr sie herum. »Was war das?«

Er sprang vom Tisch und eilte zur Tür. »Klingt, als sei jemand vorne im Laden.«

»Sei vorsichtig«, rief sie ihm nach.

»Natürlich«, antwortete er und rief im nächsten Moment: »Da ist niemand. Wir haben uns getäuscht.«

Elise runzelte die Stirn. Sie war sich ganz sicher, dass sich noch jemand im Gebäude befunden hatte.

***

Ottilie von Albedyll wollte ihre künftige Schwiegertochter gar nicht mehr loslassen.

»Willst du es dir nicht doch noch einmal überlegen, mein liebes Kind?«, flehte sie. »Du bist mir so sehr ans Herz gewachsen, es wird furchtbar einsam werden ohne dich. Zumal Richard uns nun auch noch verlässt.«

»Ich bin ja bald wieder da«, tröstete Agathe, gerührt von der so offen zur Schau getragenen Zuneigung ihrer künftigen Schwiegermutter. »Und Richard auch. Ich muss noch einmal zurück, meine Familie ist ohnehin betrübt, dass ich nun so weit fortziehe.«

»Oh ja, das kann ich verstehen«, stimmte Ottilie von Albedyll zu und seufzte. »Bitte grüße sie ganz herzlich und lass sie wissen, dass sie alle jederzeit mehr als willkommen sind.«

»Ich danke Ihnen«, erwiderte Agathe. »Allerdings fürchte ich, dass sich das als etwas schwierig gestalten wird. Vater kann die Bienen nicht so lange allein lassen und auch die Hilfe der anderen Zeidler nicht allzu oft in Anspruch nehmen. Sie helfen ihm ja schon aus, wenn sie im Juni alle zur Hochzeit kommen.«

Ottilie nickte erneut. »Versprich, dass du mir schreiben wirst!«

»Das werde ich.« Agathe beugte sich vor, um ihre künftige Schwiegermutter auf die Wangen zu küssen, dann verabschiedete sie sich von Richards Vater und der Dienerschaft, die wie schon bei ihrer Ankunft Spalier stand.

»Es war mir eine Freude, Sie alle kennenzulernen«, sagte Agathe herzlich und dachte, dass es sich nach all den Wochen in Richards Elternhaus gar nicht mehr so seltsam, sondern im Gegenteil ganz natürlich anfühlte, auf der anderen Seite zu stehen. Sie hatte sich tatsächlich daran gewöhnt.

»Und?«, fragte Richard, als sie Seite an Seite in der Kutsche saßen und in Richtung Bahnhof fuhren. »War es so, wie du es dir vorgestellt hast?«

Agathe schüttelte den Kopf, noch ganz erfüllt von all den Bildern und Ereignissen sowie der herzlichen und liebevollen Art von Richards Eltern. »Nein, Liebster«, sagte sie und nahm seine Hand. »Es war viel, viel schöner. Ich freue mich sehr auf mein künftiges Zuhause.«

46

»Was tust du denn die ganze Zeit über da drin?«, rief Corbinian draußen vor der Tür. »Ich vermisse dich.«

»Wirst du wohl nicht so ungeduldig sein?«, schalt Elise, schickte dann aber ein liebevolles »Ich vermisse dich ja auch« hinterher.

Es war Sonntagnachmittag, und wie üblich verbrachte sie ihn mit Corbinian in der Bergstraße. Sie liebte diese friedlichen Nachmittage, an denen sie das ganze Haus nur für sich hatten. Fast fühlte es sich dann so an, als seien sie ein echtes Ehepaar.

Vorsichtig holte sie die Pappschachtel mit den Lebkuchen-Marzipan-Rollen vom Regal. Die Schokolade hatte sie schon geschmolzen. Sie legte die erste der Marzipanrollen auf eine Gabel und tunkte sie in die Schokolade, die sich wie ein glänzender Mantel um das Marzipanstück legte. Dann hob sie es aus der Schokolade heraus und ließ die überschüssige Schokolade zurück in den Topf fließen. Schließlich legte sie das Gebäck auf den mit Papier ausgelegten Tisch zum Trocknen und verfuhr mit dem nächsten Stück genauso. Irgendwann lagen sie alle nebeneinander in Reih und Glied.

»Jetzt darfst du reinkommen«, rief sie nach draußen. Gleich darauf öffnete sich die Tür, und Corbinian erschien. »Na endlich«, sagte er. »Ich bin da draußen vor Sehnsucht beinah vergangen. Ich muss sagen, ich finde es außerordentlich hartherzig von dir, mich so darben zu lassen.«

Sie ging ihm entgegen und schlang die Arme um seinen Hals. »Na, dann will ich dich wohl mal angemessen entschädigen«, flüsterte sie und küsste ihn.

Aufstöhnend zog er sie an sich. »Du machst es einem Mann schwer, seine gute Erziehung nicht zu vergessen«, murmelte er an ihren Lippen. »Ganz allein in einem Haus mit der süßesten Frau der Welt, da kann man schon auf dumme Gedanken kommen.«

Er zog sie enger an sich, und sie fühlte die nun schon so vertraute Erregung in sich aufsteigen. Ihre Sehnsucht wuchs mit jedem Mal, das er mit ihr allein war, und es drängte sie danach, sich ihm endlich ganz hinzugeben. Was aber selbstverständlich erst nach der Hochzeit möglich war. Warum nur, fragte sie sich auch jetzt wieder, hatte er das Thema Heiraten noch nie angesprochen?

Seine Hände strichen seitlich an ihren Brüsten entlang – so hatte er sie noch nie berührt, und das Gefühl, das die Liebkosung in ihr auslöste, raubte ihr beinahe gänzlich den Verstand. *Ach, zum Teufel mit den Konventionen,* dachte sie. Doch im Gegensatz zu ihr schien er seine Sinne noch einigermaßen beisammenzuhaben, denn im nächsten Moment entließ er sie zu ihrem großen Bedauern aus seinen Armen. Sie schwankte leicht und stützte sich auf der Tischkante ab. Beinahe hätte sie in eine ihrer so liebevoll gefertigten Lebkuchen-Marzipan-Kreationen gefasst.

»Was ist denn das?«, fragte er mit rauer Stimme und deutete auf die nun fertigen Naschereien. Die Schokolade glänzte kaum noch, was darauf hinwies, dass sie inzwischen so gut wie getrocknet war.

»Das«, sagte sie, »ist der Grund, warum ich dich aus der Backstube ausgesperrt habe.«

Vorsichtig nahm sie das Stück, das sie als Erstes mit Schokolade überzogen hatte und das demzufolge bereits am stärksten getrocknet war.

»Probier«, sagte sie und beobachtete gespannt sein Gesicht, als er hineinbiss. »Die Schokolade müsste eigentlich richtig hart sein. Dann wäre der Effekt noch größer. Sie ist noch nicht ganz ausgetrocknet.«

»Aber dem Geschmack tut das keinen Abbruch«, schwärmte er genießerisch. »Es schmeckt einfach himmlisch, meine Liebste. Honiglebkuchen, Marzipan und etwas Fruchtiges. Konfitüre?«

Sie nickte. »Aprikosenkonfitüre, um genau zu sein.«

»Einfach himmlisch«, wiederholte er. »Du bist eine wahrhaft große Lebküchnerin, mein Schatz.«

»Danke«, sagte sie. »Ich hatte die Idee, dass wir sie vorne im Laden verkaufen. Dann erhalten wir sozusagen eine direkte Bewertung durch die Kunden.«

»Das halte ich für einen hervorragenden Einfall«, erwiderte er. »Wir müssen allerdings davon ausgehen, dass es wieder einen enormen Ansturm geben wird.« Liebevoll sah er sie an. »Hast du vor, noch weitere Rezepturen zu kreieren?«

»Da fragst du noch«, rief sie und strahlte. »Natürlich will ich das. Ich habe noch so viele Ideen.«

»Wie wunderbar«, sagte er. Und dann zog er sie wieder in seine Arme, um sie erneut zu küssen.

***

»Endlich bist du wieder da.« Elise lief ihrer Gesellschafterin und Freundin schon in der Tür entgegen. »Ich habe dich so furchtbar vermisst. Und dir so viel zu erzählen. Und so viele Fragen.« Elise sprudelte beinahe über, als Agathe endlich wieder von ihrer Reise zurückgekehrt war. »Aber du willst dich nach der langen Reise sicherlich noch etwas frisch machen?«

»Ich kann nicht verhehlen, dass ich ziemlich erledigt bin«, sagte Agathe lächelnd, nachdem sie ihre Freundin herzlich umarmt hatte. »Aber ich platze vor Neugierde, was hier alles passiert ist, und ich muss dir meinerseits natürlich auch eine Menge erzählen. Was hältst du davon, wenn du mich einfach auf mein Zimmer begleitest und mir schon einmal berichtest, während ich auspacke.«

Elise kicherte. »Eigentlich könnten wir es auch so machen, dass ich das Auspacken übernehme und dir ein Bad einlasse. Schließlich rangierst du vom Stand her jetzt über mir.«

»Noch nicht«, korrigierte Agathe. »Ich bin noch nicht verheiratet.«

Seite an Seite schritten die beiden Frauen die Treppe hinauf, Elise hatte Agathe untergehakt. »Es tut so gut, dass du wieder da bist. Ich weiß gar nicht, was ich machen soll, wenn du einmal fortziehst.«

»Das ist ja zum Glück noch in weiter Ferne. Und bis dahin bist du schon eine verheiratete Frau.«

»Danach sieht es nicht aus«, murmelte Elise.

Erschrocken sah Agathe sie an. »Habt ihr euch gestritten?«

»Nein, nein«, beruhigte Elise sie.

Inzwischen hatten sie Agathes Zimmer erreicht – mit ihrer Beförderung zur Gesellschafterin war sie bereits aus dem Dienstbotentrakt in ein kleines, aber schmuckes Zimmer in der Nähe von Elises Gemächern gezogen –, und Elise zog die Tür hinter ihnen zu. »Es ist nur so, dass ich die ganze Zeit über irgendwie … ach, ich weiß auch nicht. Warum macht er mir keinen Heiratsantrag? Bei dir und Richard hat das doch auch nicht so lange gedauert, und wir kennen uns sogar länger als ihr.«

Agathe sah sie überrascht an. »Er wollte natürlich das Trauerjahr abwarten, das ist doch gar keine Frage«, erklärte sie.

»Hat er dir das gesagt?«, fragte Elise, nun ihrerseits verblüfft.

»Nicht direkt«, sagte Agathe. »Aber Richard hat so etwas angedeutet. Es klang, als hätten die beiden Männer sich dazu bereits ausgetauscht. Aber wenn ich ehrlich bin, habe ich da auch nicht näher nachgefragt, weil das auch für mich völlig klar war: dass das Trauerjahr eingehalten werden muss.«

»Hm«, murmelte Elise etwas beruhigt. »Da magst du recht haben. Aber andererseits: Das Trauerjahr ist jetzt vorbei, und er macht immer noch keine Anstalten, um meine Hand anzuhalten.«

»Gib ihm noch etwas Zeit«, riet Agathe Elise. »Was auch immer es ist, das ihn davon abhält, dir einen Antrag zu machen. Es hat sicherlich nicht mit mangelnder Liebe seinerseits zu tun. Entweder hält er sich wegen des Trauerjahrs zurück, oder vielleicht geht es ihm wie mir und er hat insgeheim Scheu, weil du eine reiche Firmenerbin bist, er hingegen nur ein Arbeiter in eurem Unternehmen.«

»Immerhin ein sehr wichtiger Arbeiter. Und dass es mir auf solche Dinge nicht im Geringsten ankommt, sollte er ja eigentlich wissen.«

Es klopfte, und auf Agathes Ruf hin öffnete Diener Fritz die Tür.

»Ihr Gepäck«, sagte er, und Elise fiel auf, dass er offensichtlich nicht wusste, wie er die Gesellschafterin und nun

Verlobte eines Adeligen ansprechen sollte. Das gnädige Fräulein kam ihm jedenfalls nicht über die Lippen, und er schaffte es auch nicht, sie anzusehen. Agathe hingegen war vollkommen gelassen und sagte nur ruhig: »Danke schön, Fritz. Stellen Sie es bitte dort hin.«

Sie deutete auf die kleine Truhe neben dem Schrank, Fritz tat, wie ihm geheißen, und verabschiedete sich dann mit einer kleinen Verbeugung.

Als er die Tür hinter sich geschlossen hatte, sahen die beiden Frauen sich an und begannen zu kichern.

»Da ist aber jemand ganz schön verunsichert«, sagte Elise. »Aber du hast das wunderbar gemacht. Man merkt dir gar nicht mehr an, dass du auch ein Dienstmädchen warst.«

Agathe lächelte. »Das habe ich bei Richards Familie gelernt.«

»Davon musst du mir jetzt endlich erzählen. Wie ist es dir dort ergangen?«

»Gut«, berichtete Agathe. »Und der dortige Haushalt ist diesem hier recht ähnlich, auch wenn ich das Ganze natürlich nur aus einem anderen Blickwinkel kannte.«

Elise nickte. Dann sah sie die andere ernst an. »Es gibt aber noch etwas, das mich bedrückt. Und zwar viel mehr als Corbinians ausbleibender Antrag.«

»Und das wäre?«, fragte Agathe, die begonnen hatte, ihre Koffer auszupacken. Sie unterbrach ihre Tätigkeit und setzte sich mit besorgt gerunzelter Stirn neben ihre Freundin.

»Mutter und Herr Kämmerer, den ich nun Hermann nennen soll, werden heiraten«, stieß sie hervor.

»Ach du lieber Himmel!«, murmelte Agathe betroffen. »Der hat es aber eilig. Was willst du nun tun?«

»Was soll ich schon tun?«, fragte Elise. »Ich habe überlegt, mit ihr zu sprechen, aber das würde nichts bringen. Ich kann also nichts tun. Ich hoffe nur, dass er Mutter nicht unglücklich macht. Was mich daran auch so umtreibt, ist Vaters Wille, dass ich die Firma einmal übernehme. Wenn Kämmerer nun aber Mutter heiratet, erlischt die Erbfolge, sofern sie eigene Kinder bekommen. Und das ist sicher nicht das, was Vater wollte. Und hinzukommt: Auch wenn wir ihm nichts haben nachweisen können, so bin ich doch nach wie vor überzeugt, dass er kein sauberes Spiel spielt.«

»Was sagt Corbinian denn dazu?«

Sie zuckte die Achseln. »Dass er nichts davon hätte, Lebkuchen Lusin Umsätze wegzunehmen, wenn er doch nun selbst Eigentümer des Unternehmens wird.«

»Da hat er recht, und das hat er damals sicherlich schon geplant«, überlegte Agathe. »Ich bin aber dennoch sicher, dass er ein Schurke ist. Vater hat er ja nachweislich betrogen.«

»Ja«, seufzte Elise. »Da bin ich auch sicher. Leider.«

47

Es war ein kleines Hochzeitsfest, das Margarethe Lusin und Hermann Kämmerer schon sechs Wochen nach ihrer Ankündigung begingen. Margarethe hatte Richard gebeten, als ihr Schemelführer zu agieren. Richard sei ihr als Hausgast in den letzten Wochen und Monaten sehr ans Herz gewachsen und habe außerdem einen außerordentlichen Anteil daran, dass der drohende Schaden, den eine gesellschaftliche Ächtung mit sich gebracht hätte, von der Familie abgewendet werden konnte. Auch Corbinian nahm an der Hochzeit teil. Am Vorabend ihrer Hochzeit hatte Margarethe Lusin ihre Tochter augenzwinkernd gefragt, wann denn bei ihnen die Hochzeitsglocken läuten würden, und Elise hatte etwas ausweichend geantwortet, wollte sie der Mutter doch nicht eingestehen, dass sie noch keinen Antrag erhalten hatte.

»Nun, es wird schon bald so weit sein«, hatte Margarethe sich die Frage mehr oder weniger selbst beantwortet. »Und diese Wahl würde deinem Vater gefallen, schließlich könnte man sich keinen besseren Firmenchef vorstellen als Corbinian Waldmeister.«

Auf Elises Frage, ob denn nicht Hermann Kämmerer nun der neue Firmenchef sei, hatte Margarethe sie erstaunt angesehen und erwidert: »Doch, natürlich ist er das ab dem Moment unserer Hochzeit. Wenn du es so willst, nimmt er meinen Platz ein. Aber doch nicht deinen oder den deines künftigen Ehemannes.«

Sie hatte nach der Hand ihrer Tochter gegriffen und sie eindringlich angesehen.

»Ich hoffe, du denkst nicht, Hermann würde dich von dem Platz vertreiben, den dein Vater dir zugedacht hat?«

Sie zuckte etwas verlegen die Achseln. »Na ja, irgendwie schon.«

»Liebes!«, rief Margarethe erschrocken und griff nun auch nach der anderen Hand ihrer Tochter. »Das hätte Hermann niemals im Sinn. Und das würde ich auch nicht zulassen. Glaube mir, es wird sich nichts ändern. Er leitet die Firma ja ohnehin schon. Ich spiele nur am Rande eine Rolle, so wie das auch bei deinem Vater der Fall war. Und ehrlich gesagt, ich bin froh darum. Ich bin nicht so mutig wie du.«

Elise nickte halbwegs beruhigt. Doch ihre Mutter sah sie forschend an. »Etwas liegt dir doch noch auf dem Herzen, mein Kind? Ich kenne dich.«

»Wenn ihr nun eigene Kinder bekämt, wären sie die Erben von Lebkuchen Lusin. Bitte versteh mich nicht falsch«, fügte Elise rasch hinzu. »Es geht mir nicht um mich selbst, sondern um Vater. Ich glaube nur, dass er wollen würde, dass es in seiner Familie bleibt und ich als seine Tochter seine Nachfolge antrete.«

»Wir werden keine eigenen Kinder bekommen«, unterbrach Margarethe Lusin ihre Tochter lächelnd. »Ich bin Mitte vierzig, selbst wenn ich noch Kinder bekommen könnte – diese Zeiten sind für mich vorbei. Ich freue mich darauf, bald Großmutter zu sein.«

Elise errötete.

»Nein, du musst dir wirklich keine Gedanken machen«, versicherte Margarethe. »Und selbst wenn, dann wärst natürlich trotzdem du die Erbin von Lebkuchen Lusin. Das würde Hermann genauso sehen.«

»Hast du mit ihm darüber gesprochen?«, fragte Elise.

Margarethe schüttelte den Kopf. »Nein. Aber ich bin mir dessen sicher.«

Elise sah sie skeptisch an. Sie teilte die Überzeugung ihrer Mutter nicht.

All das ging ihr noch im Kopf herum, als sie schließlich an Corbinians Seite hinter ihrer Mutter und deren frisch angetrautem Gatten durch den Mittelgang von St. Sebald nach draußen schritt. Und ihre Gedanken kreisten weiter: Wie glücklich ihre Mutter immer von der Hochzeit mit ihrem Vater in ebendieser Kirche erzählt und die Sache mit dem Brautportal berichtet hatte. Eine Erinnerung stieg in Elise empor: Hier hatte sie Agathe das erste Mal gesehen, und auch ihr hatte Mutter die Sache mit dem Brautportal erzählt.

»Na?«, fragte Corbinian leise. »Glücklich?«

Das wäre eher eine Frage, die er mir stellen sollte, wenn er mich gerade geheiratet hätte, dachte sie im Stillen. *Aber dazu müsste er mir ja erst mal einen Antrag machen. Und außerdem muss ihm doch klar sein, dass sie mit der Hochzeit ihrer Mutter nicht glücklich war.* Sie zuckte also nur die Achseln und sagte: »Nein. Es fühlt sich merkwürdig an. Aus vielerlei Gründen.«

Er nickte nur und hakte nicht weiter nach.

Draußen vor der Kirche hatten sich einige Schaulustige versammelt. Sie drängten sich um ihre Mutter und um den Mann, der nun offiziell ihr Stiefvater war. Und in Elise verstärkte sich das Gefühl, dass all das furchtbar falsch war. Ihre Mutter neben diesem Mann war nicht richtig. Ihre Mutter gehörte an die Seite ihres Vaters! Und dass sie nun auf deren Hochzeit statt auf ihrer eigenen gewesen war, fühlte sich ebenfalls vollkommen falsch an.

Während Corbinian von Herrn Baum, dem Leiter der Bäckerei, in ein Gespräch verwickelt wurde, sah Elise sich auf der Suche nach Agathe und Richard um. Sie konnte nun ein bisschen Beistand gebrauchen und entdeckte die beiden etwas abseits an der Kirchenmauer. Agathe lächelte, als sie Elise auf sich zukommen sah.

»Na?«, fragte Agathe.

»Na?«, erwiderte Elise. »Was macht ihr denn hier so abseits?«

»Mein geschichtskundiger Verlobter hat etwas entdeckt, das ihn begeistert«, erklärte Agathe und deutete auf das Mauerwerk des Gotteshauses.

Verblüfft bemerkte Elise etwas, das ihr, obgleich sie schon so oft in der Sebalduskirche gewesen war, noch nie aufgefallen war. Dort befanden sich lauter Einkerbungen und Rillen, außerdem noch Aushöhlungen in kreisrunder Form.

»Was ist das?«, fragte sie.

»Ebendas frage ich mich auch«, sagte Richard fasziniert. »Ich habe Derartiges schon an verschiedenen öffentlichen Gebäuden entdeckt, vor allem an Kirchen. Sie sehen alle gleich aus und befinden sich allesamt in gleicher Höhe.«

»Und was könnte es damit auf sich haben?«, fragte Elise, der die Näpfchen und Rillen eine willkommene Abwechslung boten.

Richard zuckte die Achseln. »Das kann ich dir leider nicht sagen.«

»Vielleicht haben die Leute hier früher mit dem Eisenring Funken geschlagen, um dann für den Nachhauseweg eine

Kerze zu entzünden?«, überlegte Corbinian, der von hinten herangekommen war.

»Das habe ich auch schon überlegt«, sagte Richard. »In Köln, wo ich solche Einkerbungen aber ebenfalls gesehen habe, erzählt man sich jedoch auch, dass die Rillen entstanden sind, weil man Steinstaub als Heilmittel abschabte. Er sollte angeblich gut sein gegen Pest, Fallsucht, Kinderlosigkeit und vieles mehr. Es gibt allerdings auch die Ansicht, dass die Soldaten hier ihre Schwerter schärfen wollten, bevor sie in den Krieg zogen.«

»So ein Unsinn«, meinte Corbinian. »Die Schwerter würden dadurch eher stumpf werden. Ich habe ja sonst nicht so viel Ahnung von Geschichte wie du«, er sah Agathes Verlobten freundlich an, »aber diese Ritzen sind mir tatsächlich schon aufgefallen. Irgendwann mal, als ich neu in der Stadt war und sie mir angesehen hatte, kam der Pfarrer vorbei, den habe ich dann drauf angesprochen. Er erzählte mir eine ähnlich abenteuerliche Geschichte, und zwar, dass hier früher das Eheschwert geschliffen worden sei, mit dem eine untreue Ehefrau enthauptet werden konnte.«

Elise schauderte und warf einen Blick zu dem Brautpaar hinüber. Das wirkte zwar fröhlich und glücklich, aber Elises mulmiges Gefühl ließ sich einfach nicht bezähmen.

***

Agathe wollte sich gerade in den Frühstücksraum begeben, als aus der Halle ein lautes und anhaltendes Klopfen ertönte.

Das Klopfen ließ nicht nach, und da niemand zu öffnen schien, machte Agathe sich, ihren knurrenden Magen ignorierend, seufzend auf den Weg in die Halle.

Sie öffnete die Tür und sah sich zu ihrem Erstaunen Josef Welser gegenüber.

»Vater?«, rief sie erstaunt und beglückt zugleich, schließlich hatte sie ihn seit ihrer Abfahrt zu Richards Eltern nicht mehr gesehen. »Komm herein, was machst du denn hier in Nürnberg?«

Sie umarmte ihn herzlich, doch der Vater erwiderte die liebevolle Geste nur flüchtig. Erst jetzt bemerkte Agathe, dass er ungewöhnlich ernst wirkte. »Mein Kind, wie wunderbar, dich zu sehen, aber ich muss dringend mit Fräulein Lusin sprechen«, erklärte er.

»Nun komm erst einmal herein«, erwiderte Agathe, »ich vermute, sie ist im Salon.«

»Ist Kämmerer auch anwesend?«, fragte ihr Vater leise.

Agathe schüttelte den Kopf. »Nein, der ist längst im Kontor.«

»Das ist gut.«

»Aber warum?«, setzte Agathe an zu fragen, da wurde sie von der ungewohnt aufgeregten Stimme Heinrich Mannfelds unterbrochen. »Ich komme schon, ich komme schon.«

»Herr Mannfeld, ist alles in Ordnung?«, fragte Agathe erschrocken, als sie bemerkte, dass er humpelte.

»Fräulein Welser«, erwiderte der Hausdiener atemlos, »es hat geläutet.«

Agathe musste schmunzeln, als sie sagte: »Ich konnte es hören und war so frei und habe die Türe geöffnet.«

Sie deutete auf ihren Vater, der daraufhin aus dem Windfang in die Halle trat.

»Fräulein Welser, das geht doch nicht«, gab Heinrich Mannfeld ganz bekümmert von sich.

»Hätte ich denn meinen Vater vor der Türe stehen lassen sollen?«

Die Gesichtszüge des treuen Dieners wurden noch länger, als er sich beeilte zu sagen: »Nein, natürlich nicht, Fräulein Welser.«

»Lieber Herr Mannfeld«, entgegnete Agathe, »Sie haben sich gestoßen, wenn ich Ihr Humpeln richtig deute. Soll ich nach einem Diener läuten, damit er Sie in Ihre Kammer begleiten kann?«

»Das wäre zu freundlich von Ihnen«, ächzte der Hausdiener, der ganz offensichtlich große Schmerzen litt.

Ungefragt hatte Agathes Vater nach seinem Arm gegriffen und ihn untergehakt. Gestützt von Josef Welser, ließ sich Herr Mannfeld zu einem Stuhl in der Nähe führen.

»Frau Hauder, Sie schickt der Himmel«, sagte Agathe zu der Hausdame, die in diesem Moment von einem Diener begleitet zu dem Verletzten eilte.

»Fräulein Welser, wir kümmern uns«, erklärte Frau Hauder mit einem dankbaren Blick.

»So, Vater«, wandte Agathe sich schließlich an Josef Welser, »dann lass uns mal nach deinem turbulenten Empfang zu Elise gehen, ich hoffe, sie ist noch beim Frühstück.«

Im Frühstücksraum hatte Elise gerade ihre Mahlzeit beendet. »Herr Welser, welche Freude, Sie wiederzusehen.«

»Ganz meinerseits, Fräulein Lusin«, grüßte Josef Welser.

»So nehmen Sie doch Platz«, forderte Elise ihn auf und wies den bereitstehenden Diener an, noch ein weiteres Gedeck aufzulegen.

»Können wir unter uns sprechen?«, fragte Josef Welser leise. »Ohne Dienstboten?«

»Sicher«, erwiderte Elise verwundert und wandte sich dann an den Diener. »Das wäre dann alles, Fritz.«

»Sehr wohl, gnädiges Fräulein«, erwiderte der und zog sich mit einer Verbeugung zurück.

Nachdem alle versorgt waren, erklärte Josef Welser: »Fräulein Lusin, kurz bevor Ihr Vater starb, war er noch einmal bei mir.«

»Was wollte denn mein Vater von Ihnen?«, fragte Elise verwundert, die sich darauf keinen Reim machen konnte.

Auch Agathe blickte ihn gespannt an.

»Zum Glück haben wir uns am Ende trotz der Sache mit dem Honig wieder versöhnt«, sagte er. »Er wusste, dass er mir vertrauen kann, und wollte veranlassen, dass ich auch mein Geld für die fünf Eimer bekomme. Bevor es dazu kam, verstarb er aber.«

Elises Verwunderung wuchs. Was wollte Agathes Vater von ihr? Wollte er sie bitten, ihm die fünf Eimer zu bezahlen? Aber warum machte er daraus so ein Geheimnis?

»Dann wusste er am Ende doch, dass er dir trauen konnte und nicht Kämmerer?«

»Auf Kämmerer ließ er nichts kommen«, widersprach Josef. »Zumindest nicht nach außen. Er stellte das alles als großes Missverständnis dar. Aber der Honig war nicht der Grund, warum er zu mir kam.«

»Sondern?«

»Ihr Vater wollte immer, dass Sie gut versorgt sind, Fräulein Lusin«, griff Agathes Vater den Gesprächsfaden wieder auf. »Ich musste ihm ein Versprechen geben. Und als Agathe mir von der Vermählung Ihrer Mutter mit Herrn Kämmerer geschrieben hatte, wusste ich, dass es an der Zeit war, mein Versprechen einzulösen.«

Die beiden jungen Frauen wechselten einen erstaunten Blick. Die Sache wurde immer rätselhafter.

»Was hat denn die Eheschließung Mamas damit zu tun?«, fragte Elise, die immer noch schwer mit der Entscheidung haderte, die ihre Mutter getroffen hatte.

»Nun«, antwortete Josef Welser, »Ihr Vater bat mich, Ihnen dieses Schreiben auszuhändigen, für den Fall, dass Ihre Mutter wieder heiraten würde«, erklärte er und überreichte ihr einen dicken Umschlag.

Elise stiegen die Tränen in die Augen, als sie die geschwungenen Bögen in der Handschrift ihres Vaters erkannte, und der Schmerz, der nur langsam abgenommen hatte, griff mit Eiseskälte wieder nach ihr. Der Abgrund, der sie damals zu verschlucken drohte, tat sich nun wieder vor ihr auf.

»Ach, Vater«, seufzte sie, als sie die Linien nachfuhr, die auf dem Briefumschlag standen. *An Elise.* Und mit einem Mal klang Beethovens berühmte Melodie in ihr. Als sie noch ein kleines Mädchen gewesen war, hatte ihr Vater ihr immer erzählt, der Musiker habe das Stück nur für sie geschrieben. Sie hatte ihm geglaubt. Und da Wilhelm Lusin kein Instrument beherrschte, hatte er ihr die Melodie immer – etwas schief, denn er war nicht sonderlich musikalisch – vorgesummt.

Agathe hatte neben ihrer Freundin Platz genommen und nach ihrer Hand gegriffen. Während sie sanft darüber streichelte, fragte sie Elise: »Möchtest du den Brief öffnen?« Elise, noch zu sehr gefangen in ihrer Trauer, nickte. »Wenn du möchtest, gehen Papa und ich nach draußen, du brauchst es uns nur zu sagen.«

Vehement schüttelte Elise denn Kopf. »Bitte bleibt.« Sie zog sanft ihre Hand aus Agathes und griff nach dem Brieföffner, der, wie immer beim Frühstück, in Reichweite lag. Sie drehte den Umschlag um und schlitzte ihn auf.

Nürnberg, den 2.11.1866

Meine liebe Elise!

Zunächst möchte ich Dir sagen, wie sehr mich der Gedanke tröstet, dass Deine Mutter erneut ihr Glück gefunden hat, zumindest hoffe ich das sehr für sie. Ich weiß, dass sie mit Dir eine starke Stütze und wichtige Verbündete hat, ebenso wie Du für mich eine warst.

Mein liebes Kind, ich kann Dir nicht oft genug sagen, wie sehr ich Dich liebe und wie stolz ich auf Dich bin! Wie ich Dir bereits in München sagte, wünsche ich, dass Du die Geschicke von Lebkuchen Lusin leitest.

Mit einem Schluchzen ließ Elise den Brief sinken, und die Tränen rannen ihr über das Gesicht. Stumm reichte Agathe ihr ein Taschentuch. Nachdem Elise sich kräftig geschnäuzt und ihre Tränen ein wenig getrocknet hatte, las sie weiter.

Und deshalb habe ich meinen guten Freund Josef Welser gebeten, wenn meine geliebte Frau die Kraft gefunden hat, nach meinem Tod wieder nach vorne zu blicken, Dir diesen Umschlag zu übergeben.

Denn Du bist die Zukunft von Lebkuchen Lusin, und deshalb habe ich wenige Tage nach München mein Testament geändert: Sollte Deine Mutter wieder heiraten, wirst Du meine Alleinerbin.

Erneut ließ Elise das Schreiben sinken, sie war gleichermaßen schockiert und gerührt. Ihr Vater hatte ihr tatsächlich zugetraut, die Firma zu leiten, und sie zur Alleinerbin ernannt. Gleichzeitig jedoch steigerte es den Schmerz um den Verlust des Vaters ins Unermessliche. Wie sehr sie ihn vermisste, wie gern sie ihm sagen wollte, wie dankbar sie für sein Vertrauen war! Und dass sie alles tun würde, damit Lebkuchen Lusin weiterhin erfolgreich und hochgeachtet sein würde.

»Ist alles in Ordnung?«, fragte Agathe zaghaft.

Elise sah auf und ihrer Freundin voller Staunen ins Gesicht.

»Ich soll Lebkuchen Lusin führen«, stieß sie hervor, »ich fasse es nicht. Ich bin die Alleinerbin.«

»Dein Vater hat dich sehr geliebt, und er hielt sehr große Stücke auf dich«, sagte Agathe sanft.

Elise nickte. Dann senkte sie wieder den Kopf und las weiter.

In meinem Schreibtisch im Kontor gibt es ein geheimes Fach, Du weißt, welches ich meine, dort liegt ein Umschlag für Deine Mutter, bitte gib ihr diesen. Hier ist auch zur Sicherheit noch mal eine Kopie des neuen Testaments enthalten – falls es mir nicht mehr gelingen wird, vor meinem Ableben zum Notar zu gehen, könnte das sehr wichtig werden. Ich habe zwar auch meinem treuen Prokuristen Hermann Kämmerer eine Kopie des Testaments ausgehändigt, aber mir ist es dennoch lieber, wenn noch jemand ein Exemplar hat. Man weiß ja nie, wie das Leben so spielt.

In Liebe, Dein Dich liebender Vater

»Ich muss sofort ins Kontor und nach diesem Umschlag sehen«, rief Elise und sprang so schnell auf, dass der Stuhl nach hinten fiel.

»Was für ein Umschlag?«, fragte Agathe verwundert.

»Lies!«, erwiderte Elise und drückte ihr den Brief in die Hand. »Laut, damit dein Vater auch im Bilde ist.«

Agathe nahm das Schreiben an sich, ihre Augen flogen über die Zeilen.

»Ihr solltet vorsichtig sein, dass Kämmerer nichts mitbekommt«, warnte Josef Welser. »Denn nun ist es ja sozusagen bewiesen.«

»Was ist bewiesen?«, fragte Elise, ob der vielen neuen Tatsachen noch unter Schock stehend, begriffsstutzig.

»Na, das ist doch klar«, ergriff nun Agathe das Wort. »Hermann Kämmerer hatte eine Kopie des Testaments, aus dem klar hervorgeht, dass du erbst, wenn er deine Mutter heiratet. Er hat es dir nicht ausgehändigt, und das heißt, er hat es unterschlagen.«

Elise nickte nachdenklich. »Aber ohne die Heirat hätte die Fabrik ja weiterhin ihr gehört«, sagte sie. »Und sie machte ja ohnehin, was er wollte. Warum hat er es dann nicht dabei belassen?«

»Vielleicht aus echter Liebe?«, überlegte Agathe.

Ihr Vater schnaubte abfällig. »Echte Liebe? Der? Niemals! Glaube mir, mein Kind, ein Mann wie er weiß nicht, was echte Liebe ist. Nein, aus meiner Sicht reicht es einem Hermann Kämmerer niemals aus. Er wollte die Fabrik selbst haben.«

»Er hat das Testament unterschlagen und wähnt sich in Sicherheit«, kombinierte Elise. »Dieser Verbrecher!«

»Umso vorsichtiger musst du sein«, warnte Agathe. »Du

kannst nicht sofort nach dem Testament suchen. Jetzt ist er mit Sicherheit im Kontor.«

»Aber nicht mehr lange«, entgegnete Elise lächelnd. »Heute Mittag begibt er sich mit Mutter auf eine kleine Hochzeitsreise ins Allgäu. Sie werden drei Tage fort sein.«

»Wie wunderbar!«, rief Agathe. »Eine bessere Gelegenheit gibt es ja gar nicht.«

48

»Wie gut, dass du damals von deinem Vater einen Schlüssel für sein Büro bekommen hast«, sagte Corbinian, der Elise selbstverständlich ins Kontor begleitete. Auch Agathe war mit von der Partie.

Elise nickte und steckte den Schlüssel ins Schloss. Es versetzte ihr einen Stich, das so vertraute Büro ihres Vaters zu betreten, das sie nach dessen Tod unangetastet gelassen hatte. Es gab genügend Räume in der Fabrik, und weder sie noch ihre Mutter hatten es übers Herz gebracht, das Büro auszuräumen.

Vorsichtig ließ sie sich auf seinem ehemaligen Schreibtischstuhl nieder und wäre am liebsten sofort wieder aufgesprungen. Es fühlte sich so falsch an! Wie sehr sie sich wünschte, auf der anderen Seite zu stehen und in sein liebevolles Gesicht zu blicken. Seit Josef Welsers Besuch war ihr großer Verlust wieder so gegenwärtig wie in den ersten Tagen. Andererseits war es sein Wunsch gewesen, dass sie auf diesem Stuhl sitzen würde. Und damit war es doch wieder richtig.

Entschlossen zog sie die zweite Schublade heraus und legte sorgfältig deren Inhalt auf dem Schreibtisch ab.

»Gibt es in der Schublade ein Geheimfach?«, fragte Corbinian.

»Ja, da ist etwas«, murmelte Elise, die einen Mechanismus entdeckt hatte. »Ah, jetzt«, sagte sie zufrieden nach einigem Herumprobieren, als sich der Boden der Schublade löste.

Vorsichtig entnahm Elise den Inhalt des Geheimfachs und legte ihn auf den Schreibtisch.

»Hier ist das Testament«, rief sie und zog mehrere eng beschriebene Blätter Papier hervor. Suchend flogen ihre Augen über die Zeilen. Es war identisch mit dem Testament, das der Notar ihnen nach dem Tod ihres Vaters eröffnet hatte. Dann aber fand sie den entscheidenden Satz.

Mit dem Ableben meiner Frau Margarethe Lusin oder mit deren Wiederverheiratung bestimme ich meine Tochter Elise Lusin zur Alleinerbin meines Unternehmens und zur Direktorin desselben.

Ihr Herz schlug ihr bis zum Hals, als sie das Dokument aufgeregt über den Schreibtisch schob, damit Corbinian und Agathe es lesen konnten. »Hier«, sagte sie tonlos. »Hier steht es schwarz auf weiß. Wie bedeutsam es klingt.«

»Es ist auch bedeutsam«, sagte Corbinian, und seine Stimme klang ganz merkwürdig, als er sagte: »Frau Fabrikantin.«

Irritiert blickte sie auf. Im nächsten Moment wurde sie jedoch von Agathe abgelenkt, die sagte: »Herzlichen Glückwunsch, Elise. Ich freue mich wirklich sehr für dich.«

Elise strahlte. »Danke. Mit Corbinian an meiner Seite traue ich es mir auch zu.«

Wieder sah sie ihn an, doch er wich ihrem Blick aus. »Wollten wir nicht nach dem Brief für deine Mutter suchen?«

Elise war zwar nach wie vor erstaunt über sein Verhalten, jedoch gleichzeitig zu aufgeregt, um weiter darüber nachzudenken.

»Ja«, sagte sie und begann erneut, die Papiere durchzusehen. »Nichts«, sagte sie schließlich enttäuscht.

»Im Zweifelsfall reichen das Schreiben deines Vaters und das Testament, das wir nun gefunden haben, auch ohne den Brief aus«, sagte Agathe und blätterte dann selbst den Stapel Papiere durch. »Im Übrigen auch dafür zu beweisen, dass Kämmerer ein übler Hund ist.«

»Ich will ihn trotzdem finden«, murmelte Elise. »Vater hätte nicht extra darauf hingewiesen, wenn er nicht so wichtig gewesen wäre.«

»Meinst du, dein Vater hatte noch ein anderes Versteck gemeint?«, erwiderte Agathe.

»Ich weiß es nicht«, murmelte Elise ratlos. »Ich denke, wir sollten nun erst einmal wieder nach Hause gehen und dort weiterüberlegen.«

»Ah«, rief Agathe. »Da ist er.«

Da Elise sie verständnislos ansah, überreichte Agathe ihr einen kleinen Briefumschlag, auf dem geschrieben stand: *Für meine liebste Margarethe*.

»Danke«, murmelte Elise und nahm sichtlich erleichtert den Brief an sich.

»Nimm das Testament aber auch mit«, riet Agathe. »Und verwahre es an einem sicheren Ort.«

»Ja«, sagte Elise. »Ja, das werde ich.« Bittend wandte sie sich an Corbinian. »Begleitest du uns? Jetzt, da Mama und Herr Kämmerer nicht da sind, könnten wir das Abendessen ungestört gemeinsam einnehmen.«

Doch Corbinian schüttelte nur ablehnend den Kopf. »Nein«, sagte er ungewohnt kühl. »Ich habe noch in der Bergstraße zu tun. Wir sehen uns morgen früh.«

***

»Dass Freud und Leid so dicht beieinanderliegen«, murmelte Elise.

»Wie meinst du das?«, fragte Agathe und sah von ihrem Abendessen auf.

Da sie nur zu zweit waren, hatte Elise die Dienerschaft angewiesen, ein bescheidenes Mahl zu servieren und während des Essens nicht zu bedienen, sodass die beiden Frauen Gelegenheit hatten, in Ruhe über alles zu sprechen, ohne dass die Dienerschaft etwas mitbekam. Und Elise wusste, dass es ihrer einstigen Zofe ohnehin mehr als unangenehm war, von ihren ehemaligen Kollegen bedient zu werden.

»Ach«, sagte Elise nun, »genau das habe ich gedacht, als ich Corbinian bei der Beerdigung meines Vaters zum zweiten Mal sah. Ich war so unendlich traurig über Vaters Tod. Und gleichzeitig unfassbar glücklich, Corbinian wiedergesehen zu haben.«

»Und nun macht dich unfassbar glücklich, dass dein Vater dich als Erbin eingesetzt hat«, kombinierte Agathe. »Was aber macht dich traurig?«

»Corbinian. Hast du nicht bemerkt, wie komisch er war?«

»Nein«, erwiderte Agathe stirnrunzelnd. »Aber ich war hinsichtlich der aufregenden Suche offen gestanden auch etwas abgelenkt. Jetzt, da du es sagst, allerdings …«

Elise sah die Freundin verzweifelt an. »Was soll ich nur tun?«

»Ich würde einfach abwarten«, schlug Agathe vor. »Morgen ist er vielleicht wieder ganz der Alte.«

»Gut«, seufzte Elise. »Das werde ich tun.«

Doch die Worte der Freundin vermochten sie nicht gänzlich zu überzeugen. Sie hatte das untrügliche Gefühl, dass mehr hinter Corbinians merkwürdigem Verhalten steckte.

***

Elise und Agathe hatten ihre Mahlzeit gerade beendet, als es an der Tür klopfte. Gleich darauf betrat Heinrich Mannfeld den Raum, in seiner Hand hielt er das Silbertablett, auf dem er für gewöhnlich Briefe und Depeschen überreichte.

»Bitte entschuldigen Sie die Störung, gnädiges Fräulein«, sagte er. »Aber das kam gerade mit der Abendpost. Zwar ist der Brief an Ihre Mutter gerichtet, aber da sich gnädige Frau mit Herrn Kämmerer auf Hochzeitsreise befindet, denke ich, Sie sollten ihn erhalten. Zumal er den Vermerk *Wichtig* trägt.«

»Danke, Herr Mannfeld«, sagte Elise und nahm stirnrunzelnd den Umschlag entgegen. »Von unserem Gewürzhändler«, rief sie verblüfft aus.

Agathe furchte die Stirn. »Ich hoffe, es gibt keinen erneuten Ärger?«

»Ich fürchte doch«, mutmaßte Elise. »In all den Jahren, die er uns nun schon beliefert, hat er noch nie einen Brief zu uns nach Hause geschickt.«

»Vielleicht hast du es auch nur nicht mitbekommen«, versuchte Agathe sie zu trösten. »Du hättest von diesem Brief ja auch nichts gewusst, wenn deine Mutter und Herr Kämmerer nicht abwesend gewesen wären.«

»Nun, wir werden gleich Gewissheit haben«, murmelte Elise und schlitzte den Umschlag auf.

Während sie die Zeilen überflog, wurde sie blass.

»Was schreibt er denn?«

»Hier«, sagte Elise und reichte ihrer Freundin den Papierbogen.

»Ach du meine Güte!«, rief Agathe entsetzt aus. »Sie haben die Bestellung storniert und bitten auch zukünftig von Aufträgen abzusehen«, fasste sie den Inhalt des Schreibens zusammen.

»Und ohne Begründung«, ächzte Elise. »Dabei hat er uns beliefert, solange ich denken kann.«

»Ist er denn euer einziger Lieferant?«

»Nein, der Vorbesitzer dieser Villa versorgt uns mit Zimt, und wir haben noch zwei oder drei weitere Lieferanten. Aber der hier war auf jeden Fall der wichtigste.«

»Hm«, murmelte Agathe. »Ich wette, dass Kämmerer auch diesmal dahintersteckt.«

Plötzlich schlug Elise die Hände vor das Gesicht und schluchzte auf.

Sofort war Agathe bei ihr und zog sie in ihre Arme. »Es ist alles etwas viel im Moment, nicht wahr?«

Elise nickte. »Dass Vater mir die Firma hinterlässt, macht mich überglücklich. Aber es ist eine riesige Verantwortung, und wie es scheint, gibt es nur Probleme. Und dann verhält Corbinian sich auch noch so seltsam. Und ich habe jetzt die Gewissheit, dass Mutter einen Gauner geheiratet hat, und muss mich um sie sorgen. Und dann gehst du auch noch bald fort«, sprudelte es nur so aus der Lebkuchen-Erbin heraus.

»Zumindest die letzte Sorge kann ich dir nehmen«, tröstete Agathe. »So schnell gehe ich nicht fort. Ich bleibe, bis sich alles aufgeklärt hat. Ganz gewiss lasse ich dich jetzt nicht im Stich.«

»Ich danke dir«, flüsterte Elise schniefend.

»Und wir lösen nun ein Problem nach dem anderen«, entschied Agathe pragmatisch. »Ich würde vorschlagen, als

Erstes suchst du morgen früh den Gewürzhändler auf. Und dann sprichst du mit Corbinian. Danach sehen wir weiter.«

»Gut«, murmelte Elise, die sich inzwischen wieder etwas beruhigt hatte. »Was täte ich nur ohne dich?«

***

Elise hatte ihr Frühstück am kommenden Morgen sehr zeitig eingenommen und sich gleich anschließend von Jacob in das Kontor des Gewürzhändlers fahren lassen. Agathe begleitete die Freundin auf deren Bitte hin. Als die Kutsche vor dem lang gestreckten Gebäude hielt, war Elise ausgesprochen nervös, und Agathe drückte beruhigend ihre Hand.

Elises Unruhe verstärkte sich noch, als der Mitarbeiter am Empfang sich weigerte, sie zu Direktor Julius Merk durchzulassen. Erst als Elise drohte, so lange in der Empfangshalle auszuharren, bis der Direktor irgendwann nach Hause gehe, erklärte der Mitarbeiter missvergnügt, Herr Merk lasse nun bitten. Anschließend ging er den beiden Frauen durch den langen Flur voran in den ersten Stock, wo er eine schwere Eichentür öffnete.

Kaum hatten Elise und Agathe das Büro von Julius Merk betreten, donnerte der beleibte Mittfünfziger – ohne sich zu erheben – hinter seinem imposanten Schreibtisch los: »Fräulein Lusin, war mein Schreiben von gestern nicht deutlich genug?«

Erschrocken blickte Elise zu Agathe, die ebenso überrascht von dem direkten Angriff zu sein schien. Sie hatte keinen allzu herzlichen Empfang erwartet, doch damit, derart harsch angegangen, ja, beinah schon angebrüllt zu werden, hatte sie auch nicht gerechnet. Heftig schluckte sie die aufsteigenden Tränen herunter. Sie war in den letzten Tagen sehr dünnhäutig geworden, wollte ihrem unfreundlichen Gegenüber aber auf gar keinen Fall den Gefallen tun, vor ihm loszuschluchzen.

»Guten Tag, Herr Merk«, erwiderte sie daher entschieden und nahm demonstrativ auf einem der Sessel Platz. Agathe tat es ihr gleich. »Ich habe Ihr Schreiben gestern Abend erhalten, aber sagen wir es so, ich war sowohl über den Inhalt als auch den Tonfall sehr überrascht.«

»Soso, der Tonfall hat Ihnen nicht behagt, aber mir hat in der letzten Zeit auch so einiges nicht behagt«, zeigte sich Herr Merk wenig beeindruckt.

»Würden Sie mir freundlicherweise erklären, warum Sie uns als langjährigen guten Kunden nun so brüskieren?«, ließ Elise nicht locker.

»Das hatte ich zwar Herrn Kämmerer schon mehrfach mitgeteilt, aber dann teile ich es dem jungen Fräulein, das hier so ahnungslos tut, eben auch noch mal mit«, funkelte Julius Merk sie unversöhnlich an.

Elise gab ihr Bestes, um dem Blick des Gewürzhändlers standzuhalten, wobei ihr die wachsende Wut auf Hermann Kämmerer half.

»Wie wäre es, wenn Sie Ihre Rechnungen bezahlen würden?«, schleuderte ihr der Gewürzhändler entgegen.

Elise war wie vor den Kopf gestoßen. »Die Rechnungen bezahlen? Hat Herr Kämmerer das nicht getan?«

Merk sandte ihr nun einen wütenden Blick.

»Ich wusste davon nichts«, rief sie. »Aber wenn da wirklich noch offene Rechnungen sind, werde ich diese sofort begleichen.«

Im Kopf überschlug sie schon, wie viel Geld sie bei sich trug und wie viel sie direkt von der Bank holen könnte.

Doch als sie die Summe hörte, die ihr Julius Merk nannte, wurde ihr ganz anders.

»Aber das kann doch gar nicht sein«, ächzte sie.

Julius Merk blickte nun etwas freundlicher drein. »Sie wussten offenbar wirklich nichts«, stellte er fest.

»Nein.«

»Klären Sie das mit Kämmerer«, schlug Julius Merk vor.

Sie schüttelte langsam den Kopf. »Ich fürchte, dass das nicht viel helfen würde.« Sie sah dem Gewürzhändler gerade ins Gesicht. »Ich will ehrlich zu Ihnen sein: Ich habe das Gefühl, dass mein Stiefvater auch mit uns ein falsches Spiel spielt.«

Erneut veränderte sich die Miene des Gewürzhändlers, wurde weicher.

»Ich kenne Sie schon seit Jahren, mein Kind, und ich würde Ihnen nie übelwollen, das wissen Sie. Und so lange Ihr werter Herr Papa noch am Leben war, den ich über alle Maßen geschätzt habe, war ja noch alles gut. Ich kam allerdings nicht auf die Idee, dass auch Sie sich von Kämmerer haben täuschen lassen. Und als dieser feine Herr nun durch die Heirat mit Ihrer werten Frau Mama auch noch Direktor wurde, sah ich mich außerstande, die Geschäftsbeziehung aufrechtzuerhalten.«

Elise nickte. »Zumal wir Ihnen ja wirklich sehr viel Geld schulden. Herr Merk, was ich Ihnen nun sage, ist heikel. Ich hoffe, keinen Fehler zu begehen, wenn ich Ihnen nun etwas anvertraue.«

»Elise, bist du wirklich sicher, dass du das tun willst?«, fragte Agathe.

Zögernd sah Elise ihre einstige Zofe an. Nein, Agathe hatte recht. Sie konnte die Tatsache, dass *sie* nun die neue Direktorin von Lebkuchen Lusin wurde, noch nicht in die Welt hinausposaunen. Und es stand auch zu befürchten, dass der sehr konservative Gewürzhändler ihr, wenn er erfuhr, dass Lebkuchen Lusin künftig von einer Frau geleitet würde, erst recht nicht behilflich wäre. Doch einen Rückzieher konnte sie nicht machen, schließlich hatte sie dem Mann schon gesagt, dass sie ihm etwas anvertrauen wolle.

Daher sagte sie zum Schein, an Agathe gewandt: »Ja, ich bin mir sicher, dass wir Herrn Merk vertrauen können.« Wieder wechselte sie die Blickrichtung und fuhr dann fort: »Es ist so, wir haben Hinweise, dass Herr Kämmerer in vielerlei Hinsicht ein falsches Spiel spielt. Fräulein Welsers Vater ist Honiglieferant, auch ihm wurde seitens Herrn Kämmerer übel mitgespielt.«

Merk nickte und sah sie aufmerksam an.

»Hören Sie, Herr Merk«, bat Elise. »Auch und vor allem wegen des Andenkens an meinen Vater will ich nicht zulassen, dass dieser Mensch sein Lebenswerk zerstört.«

»Nein«, sagte der Gewürzhändler langsam. »Nein, das will ich ebenfalls nicht. Aber ich kann Ihnen auch nicht mehr so einfach etwas liefern, bevor Sie die ausstehenden Rechnungen nicht bezahlt haben. Es ist zu viel Geld, und ich komme selbst in Schieflage.«

Verzweifelt sah Elise ihn an. »Aber ohne Ihre Gewürze können wir nicht backen, Herr Merk. Und das wäre das Ende von Lebkuchen Lusin.«

»Mehr als das«, mischte sich nun Agathe ins Gespräch. »Wenn es Lebkuchen Lusin nicht mehr gibt, schwinden auch Ihre Chancen, Ihr Geld jemals wiederzusehen.«

Merk nickte bedächtig. »Da haben Sie wohl recht. Und ich will ja wirklich gern helfen. Ich mache Ihnen daher einen

Vorschlag. Wenn Sie ein Drittel der Schulden beglichen haben, liefere ich Ihnen die Gewürze sofort.«

In Elises Kopf überschlugen sich die Gedanken. Selbst ein Drittel ihrer Schulden war eine unfassbar hohe Summe, und ohne ihre Mutter beziehungsweise deren Ehemann, der nun auch ihr Vormund war, hätte sie keine Möglichkeit, an Geld heranzukommen. Doch in diesem Moment ergriff wieder Agathe das Wort.

»Das ist sehr freundlich von Ihnen«, meinte sie. »Wir werden das möglich machen.«

»Gut«, sagte Merk und erhob sich diesmal, um die Damen zu verabschieden. »Ich höre von Ihnen.«

Als sie schon in der Tür waren, rief er ihnen nach: »Fräulein Lusin?«

»Ja?« Elise drehte sich um.

»Ihr Vater wäre stolz auf Sie.«

49

»Wo sollen wir das Geld hernehmen?«, fragte Elise verzweifelt.

»Ich bin sicher, im Zweifel würde dir Richard etwas leihen«, sagte Agathe. »Aber bevor wir uns darum kümmern, solltest du zunächst einmal nach Corbinian sehen.«

Elise nickte. »Du hast recht. Er ist sicherlich schon in der Fabrik.«

Sie wiesen Jacob an, in die Tafelfeldstraße zu fahren.

»Wartest du ihm Wagen auf mich?«, bat Elise ihre Freundin. »Ich möchte gern allein mit ihm sprechen.«

»Aber sicher.«

Elise eilte die Treppe hinauf, doch kaum dass sie die Bäckerei betreten hatte, kam ihr Herr Baum, der Leiter derselben, schon aufgeregt entgegen. »Fräulein Lusin, gut, dass Sie kommen. Herr Waldmeister ist heute nicht zur Arbeit erschienen. Das ist für ihn ausgesprochen ungewöhnlich.«

»In der Tat«, murmelte Elise in tiefer Sorge. »Ich fahre gleich in die Bergstraße. Hoffentlich ist ihm nichts zugestoßen.«

»Das hoffe ich auch«, sagte der Bäckereileiter und fügte dann verlegen hinzu: »Fräulein Lusin, es tut mir leid, dass ich Sie nun noch mehr belasten muss, aber es scheint mir richtig, zumal der Herr Direktor und die gnädige Frau ja nicht da sind.«

»Was?«, fragte Elise bang.

»Na ja«, druckste der Mann. »Unsere Vorräte gehen zur Neige.«

»Ich weiß«, erwiderte sie. »Ich kümmere mich darum.«

»Da wäre noch etwas.«

»Noch etwas?« *Was kann denn jetzt noch kommen?*, dachte Elise entsetzt.

»Es ist so, dass viele Arbeiter seit dem Tod Ihres Vaters ihren Lohn nur sehr unregelmäßig erhalten.«

»Was?«, rief Elise. »Um wie viel geht es?«

»Ich fürchte, um sehr viel, gnädiges Fräulein.«

»Oh Gott.« Sie schwankte, und der Bäcker nahm fürsorglich ihren Arm, um sie zu einem Stuhl zu geleiten.

»Es tut mir leid, wenn ich Sie so aus der Fassung gebracht habe.«

»Das muss es nicht«, versicherte Elise. »Ich bin Ihnen unendlich dankbar, dass Sie es mir gesagt haben.«

»Werde ich nun Ärger mit dem Herrn Direktor bekommen?«

Nein, der Herr Direktor wird Ärger mit mir bekommen, dachte Elise grimmig. »Aber nein, machen Sie sich keine Sorgen. Ich werde dem Herrn Direktor nichts sagen. Doch ich werde dafür sorgen, dass Sie alle Ihren ausstehenden Lohn bekommen.«

»Danke, gnädiges Fräulein«, sagte Baum. »Und wenn ich etwas für Sie tun kann, lassen Sie es mich wissen.«

Als Elise sich einigermaßen erholt hatte, eilte sie wieder hinaus zu ihrer Kutsche und wies Jacob eilig an, in die Bergstraße zu fahren. Unterwegs erzählte sie ihrer Freundin hastig, was sie erfahren hatte. »Das ist ja unfassbar«, fasste Agathe schockiert zusammen. »Hoffentlich ist wenigstens Corbinian wohlauf.«

Elise sah ihre Freundin finster an. »Und was, wenn er mit Kämmerer unter einer Decke steckt?«

»Wie bitte?«, keuchte Agathe. »Das glaube ich nie im Leben. Nicht er.«

»Man kann sich in Menschen täuschen«, sagte Elise. »Meine Mutter, eigentlich eine äußerst kluge Frau, hat sich in ihrem Gatten schließlich auch getäuscht.«

»Nein«, erwiderte Agathe. »Nicht Corbinian. Das kann ich mir nicht vorstellen.«

»Wir werden es ja gleich sehen«, sagte Elise, als die Kutsche die Bergstraße hinauffuhr. Sie bemerkte erstaunt, dass die Lähmung und das Entsetzen von ihr abgefallen und wilder Entschlossenheit gewichen waren. Sie würde sich nicht unterkriegen lassen und für das Vermächtnis ihres Vaters kämpfen!

In der Bergstraße bat sie Agathe, diesmal mit ihr zu kommen, sprang aus der Kutsche, kaum dass diese zum Stehen gekommen war, und eilte durch den Seiteneingang die Treppen hinauf in die Wohnung.

»Corbinian?«, rief sie. »Wo bist du?«

Doch niemand antwortete. Als sie sein Schlafzimmer betrat, sah sie, dass das Bett unberührt war.

In Panik wandte sie sich zu Agathe um. »Er ist fort!«, stieß sie hervor.

Agathe hatte inzwischen den Schrank geöffnet. »All seine Kleider sind weg.«

Entsetzt sank Elise auf das Bett und starrte ihre Freundin fassungslos an. »Er ist wirklich gegangen. Jetzt hege ich keinen Zweifel mehr daran, dass er mit Kämmerer unter einer Decke steckt.«

Agathe nickte langsam. »Ich fürchte, du könntest recht

haben, auch wenn ich es noch immer nicht zu glauben vermag.«

»Er ist vermutlich gefahren, um ihn zu warnen«, sagte Elise und sprang gleich darauf entsetzt auf. »Das bedeutet, Mutter ist in Gefahr.«

***

Agathe und Elise hatten beschlossen, die Hausdame und den Hausdiener ins Vertrauen zu ziehen. Alleine würden sie die Krise nicht bewältigen können, das war ihnen vollkommen klar. Zu viert hatten sie fieberhaft nach Lösungen gesucht und schließlich einen Plan geschmiedet, der vorsah, dass Agathe mit Jacob ins Allgäu reisen sollte, um ihre Mutter zu warnen und gegebenenfalls Corbinian zur Rede zu stellen, während die Hausdame und Elise zu Hause bleiben und nach einer Lösung suchen wollten.

»Eigentlich würde ich lieber selbst zu Mama fahren«, wandte Elise noch einmal ein, als sie den Entschluss gefasst hatten.

Doch Agathe schüttelte den Kopf. »Das wird nicht gehen. Wenn du bei den Gewürzhändlern etwas erreichen willst, musst du selbst mit ihnen sprechen. Ich als deine einstige Zofe werde sicherlich nicht viel Eindruck machen.«

Elise nickte. Sie hatten beschlossen, dass sie die anderen Nürnberger Gewürzhändler anschreiben oder aufsuchen wollte, um über sie eine Lieferung zu bekommen. Die Summe, die Merk von ihr gefordert hatte, war ohne Zugriff auf die Firmenkasse unmöglich so schnell aufzubringen. Agathe war zwar sicher, dass Richard helfen würde, aber der Gedanke daran war Elise zum einen unangenehm, zum anderen würde man ihn ebenfalls nicht so schnell erreichen, da er sich im Manöver befand. Also wollte Elise die Unterlagen ihres Vaters nach alten Lieferantenlisten durchsuchen und versuchen, über diese Bezugsquellen an Gewürze zu kommen, um den unmittelbaren Bedarf zu decken. Später wollte sie dann selbstredend alle offenen Rechnungen begleichen und wieder in die Handelsbeziehungen mit Merk eintreten.

Als Agathe und der Kutscher in Richtung Allgäu aufgebrochen waren, stieg Elise Seite an Seite mit Frau Hauder die Stufen in den Keller hinunter. »Ich weiß genau, wo die Kisten mit den Unterlagen des gnädigen Herrn stehen«, sagte die Hausdame und führte Elise in die hinterste Ecke des Kellers.

»Das sind aber viele Kartons«, stellte Elise fest, als sie über die Regalreihe blickte.

»Ich bitte einen der Diener, sie nach oben in Ihr Zimmer zu bringen, wenn es Ihnen recht ist.«

»Das ist eine gute Idee«, befand Elise. Doch dann sah sie die Hausdame bittend an. »Hätten Sie etwas dagegen, die Unterlagen in *Ihr* Zimmer zu bringen?«

»Sicher nicht, wenn es dort auch etwas eng ist«, entgegnete Bärbel Hauder. »Ich nehme an, Sie befürchten, dass Ihr Stiefvater möglicherweise früher zurückkommt und Ihnen nachspioniert?«

»Ganz genau.«

»Dann sind die Kartons bei mir in der Tat besser aufgehoben. Im Übrigen werde ich den Diener, den ich mit dem Hinauftragen betraue, anweisen, kein Wort über die Angelegenheit zu verlieren.«

***

Am gleichen Abend begannen Bärbel Hauder und Elise mit der Durchsicht der Unterlagen, mussten aber gegen Mitternacht feststellen, dass sie noch nichts gefunden hatten. Und so verbrachten sie auch den nächsten Tag auf dem Zimmer der Hausdame und nahmen sich Papierstapel für Papierstapel und Karton für Karton vor.

Als sie gerade den nächsten Karton geöffnet hatten, klopfte es an der Tür, und Caroline Stift, die liebenswerte Köchin, brachte ein Tablett mit zwei Tassen und einer Kanne heißer Schokolade, die den Raum sofort mit einem herrlichen Duft durchflutete. Während Frau Hauder der Köchin das Tablett abnahm und diese sich wieder zurückzog, stieß Elise einen leisen Schrei aus.

»Dass ich nicht früher darauf gekommen bin!«, rief sie, den Karton mit den Verkaufsunterlagen der Villa vor sich.

»Worauf denn?«

»Die Villa hatte doch einem Gewürzhändler gehört, und mein Vater und er haben sich gut verstanden …«, setzte Elise zu einer Erklärung an.

»Sie sprechen von Ludwig Böhm«, unterbrach Bärbel Hauder sie.

Auf Elises erstaunten Blick hin erklärte sie schmunzelnd: »Sie vergessen offenbar, dass ich lange Jahre in Diensten dieser Familie stand.«

»Natürlich«, erwiderte Elise schwach. »Bitte entschuldigen Sie. Es ist etwas viel zurzeit.«

»Sie brauchen sich nicht zu entschuldigen«, versicherte die Hausdame. »Aber was haben Sie mit ihm im Sinn? Soweit ich weiß, könnte er höchstens mit Zimt aushelfen.«

Ungeduldig schüttelte Elise den Kopf. »Das tut er ja schon. Also uns Zimt liefern. Aber er hat bestimmt noch Kontakte nach Nürnberg, könnte uns Gewürzhändler nennen und ein gutes Wort für uns einlegen. Und Vater hat mir einmal berichtet, dass er den Anbau um weitere Gewürze erweitern will. Vielleicht hat er das ja schon getan.«

»Das könnte klappen«, stimmte die Hausdame zu. »Zumal Herr Böhm ein sehr zielstrebiger Mensch war. Zwischen Idee und Umsetzung vergeht bei ihm selten viel Zeit. Wenn er vorhatte, auch andere Gewürze anzubauen, dann ist es sehr wahrscheinlich, dass er das bereits tut.« Zuversichtlich lächelte sie Elise an. »Lassen Sie uns gleich eine Depesche schicken. Wie lange werden denn die Gewürze noch reichen?«

»Genau weiß ich es nicht«, murmelte Elise bedrückt. »Es ist ein Wettlauf mit der Zeit. Genau wie die Suche nach Corbinian und Hermann Kämmerer. Ich habe so schreckliche Angst um meine Mutter, dass alles andere plötzlich ganz unwichtig erscheint.«

Sie atmete tief ein und wieder aus. Nach dem Verlust ihres Vaters hatte sie gelernt, dass man Schmerz wirklich wegatmen konnte. Und der Schmerz um Corbinians Verlust und seinen möglichen Verrat war schier unerträglich, ebenso wie die Angst um die Mutter.

***

Als Jacob die verschneite Straße nach oben fuhr, konnte Agathe schon das elegante Hotel erkennen, das sich wie ein kleines Schlösschen an den Fuß des Berges schmiegte. In einigem Abstand zum Hotel lenkte Jacob die Kutsche an die Seite und brachte sie zum Stehen. Kurz darauf öffnete er die Tür.

»Was sollen wir nun tun?«, fragte er. »Wie soll es weitergehen? Wir können ja schlecht hineinspazieren und die gnädige Frau fragen, ob alles in Ordnung ist.«

Agathe nickte. »Da haben Sie recht, und wenn ich ehrlich sein soll, habe ich schon die ganze Fahrt über nachgedacht, wie wir es anstellen können. Die gnädige Frau ist nur dann in Gefahr, wenn sich unser Verdacht bestätigt und Corbinian Waldmeister mit Hermann Kämmerer unter einer Decke steckt. Wenn das nicht der Fall ist, dann warnen wir Kämmerer durch unser plötzliches Auftauchen. Stellt sich nur die Frage, wie wir herausfinden wollen, ob Herr Waldmeister Kontakt aufgenommen hat«, murmelte Agathe.

»Irgendwie war unsere überstürzte Abreise wohl doch unüberlegt. Was sollen wir nun tun?«, grübelte Jacob.

»Vielleicht könnte ich vorgeben, ihre Tochter sei schwer krank und wir müssten umgehend zurückfahren?«

»Das würde gehen«, bestätigte Jacob. »Allerdings würde eine verfrühte Rückkehr bedeuten, dass auch Kämmerer mit von der Partie wäre. Und da wir nicht wissen, was sie zu Hause im Moment alles veranstalten …«

»… bringen wir dann unsere Lieben daheim vielleicht in Gefahr«, ergänzte Agathe. »Es ist wirklich zum Verzweifeln.«

»Wenn ich einen Vorschlag machen dürfte?«, fragte Jacob.

»Aber sicher doch.«

»Es ist schon spät, heute würden wir ohnehin nichts mehr erreichen.« Er deutete auf den kleinen Gasthof, der dem mondänen Hotel gegenüberlag. »Ich schlage vor, wir nehmen uns dort ein Zimmer und essen eine Kleinigkeit. Dabei überlegen wir weiter.«

»Das ist eine hervorragende Idee«, sagte Agathe, deren Magen in diesem Moment laut und vernehmlich zu knurren begann. »So machen wir es.«

Sie hatten Glück: In der Gaststätte gab es noch zwei freie Einzelzimmer. Jacob und Agathe verabredeten, ihre Zimmer zu beziehen, sich etwas frisch zu machen und sich dann in einer halben Stunde unten in der Wirtsstube zu treffen. Als sie, hungrig und durstig, aber gewaschen und gekämmt, kurz darauf den Schankraum betrat, erstarrte sie. Dort hinten am Tisch saß Corbinian Waldmeister, der sie aber noch nicht entdeckt hatte. Doch als sie sich gerade erschrocken zurückziehen wollte, hob er den Kopf und sah ihr direkt ins Gesicht.

50

Elise hatte die ganze Nacht gesucht. Vollkommen übermüdet saß sie am nächsten Tag am Tisch und blickte Bärbel Hauder entgegen, als sie ihr das Frühstück servierte. »Ich bin tatsächlich fündig geworden.« Mit einem Strahlen im Gesicht deutete sie auf den Karton, der neben ihr auf dem Tisch stand. Elise wollte ihn nach dem ersten Kaffee gleich durchsehen. »Das hier sind die Kontakte von den Gewürzhändlern in Nürnberg. Samt Korrespondenz und Ansprechpartnern. Zur Sicherheit schicke ich aber auch eine Depesche nach Ceylon und hoffe, sehr schnell Rückmeldung zu erhalten.«

»Oh, gnädiges Fräulein, das ist ein wahres Wunder!«, rief Bärbel Hauder.

Elise nickte. »Nach dem Frühstück mache ich mich gleich auf den Weg.«

»Viel Glück.«

Doch als Elise Stunden später zurückkehrte und die Hausdame ihr gespannt entgegensah, hatte sie keine guten Nachrichten.

»Ich hatte keinen Erfolg«, erklärte sie bedrückt.

»Oh«, machte die Hausdame enttäuscht. »Können die Gewürzhändler nicht so schnell liefern?«

»Liefern können sie schon«, antwortete Elise verzweifelt, »aber sie wollen nicht.«

»Warum denn das?«

»Tja, wie es aussieht, hat Lebkuchen Lusin bei allen Schulden.«

»Das kann doch gar nicht sein«, erwiderte die Hausdame. »Wie aus den Unterlagen deutlich hervorgeht, hat Ihr Vater außer bei Lieferengpässen immer bei Merk bestellt.« Sie deutete auf die Kisten, die jeden Quadratmeter ihres Zimmers einnahmen.

Elise nickte grimmig. »Mein Vater schon. Aber Herr Kämmerer hat bei allen Lieferanten in Nürnberg geordert und die Rechnungen nicht oder nur teilweise bezahlt.«

»Großer Gott«, hauchte die Hausdame. »Was für ein Schlamassel.«

»So langsam weiß ich mir keinen Rat mehr«, sagte Elise. »Und ich fürchte, da kann uns auch der Herr Böhm aus Ceylon nicht mehr weiterhelfen. Ach, es ist alles so aussichtslos. Wenn nur Mutter nichts passiert ist.«

Verzweifelt ließ sie sich auf eine der Kisten sinken, die nach wie vor im Zimmer der Hausdame herumstanden.

»Nicht aufgeben«, sagte Frau Böhm und legte ihr tröstend eine Hand auf die Schulter. »Ihr Vater hätte das auch nicht getan.«

Elise sah auf und nickte entschlossen. »Sie haben recht. Kämmerer darf nicht gewinnen.«

»Wenn ich einen Vorschlag machen dürfte?«

»Aber sicher!«

»Ich kenne mich einigermaßen mit der Buchhaltung aus. Was halten Sie davon, wenn wir Herrn Kämmerers Abwesenheit nutzen und uns in dessen Kontor die Bücher ansehen?«

»Das machen wir«, erwiderte Elise, auch wenn sie nicht

wirklich daran glaubte, in den Unterlagen des Prokuristen etwas zu finden; aber so hatte sie immerhin etwas zu tun.

Den ganzen Nachmittag hatten Elise und die Hausdame gemeinsam im Kontor verbracht und die Unterlagen geprüft. Als sie gerade frustriert aufgeben wollten, stieß Elise auf etwas Ungewöhnliches. »Schauen Sie mal!«

Sie reichte Frau Hauder zwei Stapel mit Papieren weiter und deutete auf das Datum des Lieferscheins. »Da!«

»Ja, das ist der 5. Februar«, erwiderte Frau Hauder. »Aber ich verstehe immer noch nicht.«

Etwas ruhiger erwiderte Elise: »Sowohl der Lieferschein als auch die Liste mit dem Lagerbestand sind vom 5. Februar, aber die Posten stimmen nicht überein. Oder hier, eine Lieferung über fünfzig Pfund Mehl. Dann müsste der Lagerbestand ja entsprechend anwachsen, aber laut Kämmerer sind es nur 30 Pfund Mehl mehr.«

»Moment, da fällt mir was ein«, murmelte die Hausdame, blätterte in dem Stapel der vor ihr liegenden Papiere und zog dann triumphierend einen Bogen heraus.

»Hier.« Sie reichte Elise den Bogen. Gemeinsam beugten sich die Frauen darüber. »Es wurde nur die geringere Menge bezahlt, also die, die mit der Lagerliste übereinstimmt.«

»Dann hat er also das gleiche Spiel wie mit dem Honig von Agathes Vater auch noch mit anderen Lieferanten getrieben«, murmelte Elise. »Vermutlich hat er den Rest anderweitig verkauft, vielleicht sogar zusätzlich noch Vorräte aus unserem Bestand verschwinden lassen. Das würde auch erklären, warum wir vor Weihnachten gar keine Ware mehr hatten.«

»Aber gnädiges Fräulein, wissen Sie, was das bedeutet?

Wenn das stimmt und Kämmerer nur einen Teil der Waren bezahlt hat, dann hat Lebkuchen Lusin noch Schulden bei den Lieferanten.«

»Ganz genau«, bestätigte Elise finster.

***

»Agathe! So warte doch!«, rief Corbinian hinter ihr.

Sie hatte, nachdem sie einander in die Augen geblickt hatten, auf dem Absatz kehrtgemacht und war davongestürzt. Doch er war schneller als sie, holte sie auf der Treppe ein und fasste sie am Arm.

»Lass mich!«, fauchte sie und schüttelte ihn ab.

»Aber was hast du denn?«, fragte er ratlos. »Und was machst du überhaupt hier?«

»Was ich hier mache?«, rief sie empört. »Das Gleiche könnte ich dich fragen.«

In diesem Moment erschien Kutscher Jacob Düber auf dem obersten Treppenabsatz.

»Also doch«, rief er aus, als er Corbinian erblickte. »Ist alles in Ordnung, Fräulein Welser?«

»Wie man es nimmt«, erwiderte Agathe. »Er hat mir nichts getan, wenn Sie das meinen.«

»Wieso sollte ich dir etwas tun?«, fragte Corbinian ratlos. »Was geht hier überhaupt vor sich?«

»Wir sind wegen dir hier«, spie Agathe ihm entgegen. »Und um Elises Mutter zu schützen.«

»Ich verstehe gar nichts mehr.«

»Wenn ich einen Vorschlag machen dürfte«, sagte der Kutscher, sichtlich darum bemüht, die Situation zu beruhigen, »lassen Sie uns alle drei nach unten ins Restaurant gehen und versuchen, die Sache aufzuklären. Momentan beschleicht mich das Gefühl, dass hier ein riesengroßes Missverständnis vorliegt.«

»Also schön«, sagte Agathe, während sie Corbinian noch einen finsteren Blick zuwarf. »Gehen wir wieder nach unten.«

***

Ungeduldig sah Elise Hilda dabei zu, wie diese ihr das Haar für den Tag aufsteckte. Das junge Mädchen gab sich redliche Mühe, aber zum einen fehlte ihr jegliche Übung, zum anderen war sie so nervös wegen ihrer neuen Aufgabe, dass sie ständig etwas fallen ließ oder umschmiss. Am liebsten hätte Elise, deren Nerven ohnehin zum Zerreißen gespannt waren, sie fortgeschickt, doch das brachte sie nicht übers Herz. Außerdem, es half ja alles nichts: Sie konnte schlecht mit Nachtzopf und im Schlafgewand hinüber in die Fabrik gehen. Und sie wollte unbedingt noch weiter in Kämmerers Unterlagen suchen. Außerdem hoffte sie, heute endlich eine Nachricht von Agathe zu erhalten. Immerhin sah man ihr ihre Anspannung nicht an, wie sie bei einem Blick in den Spiegel zufrieden feststellte. Das lindgrüne Tageskleid stand ihr hervorragend, und inzwischen war es der jungen Zofe auch gelungen, ihr Haar im Nacken zu einer einigermaßen ansehnlichen Frisur zusammenzustecken.

»Hilda, das hast du sehr gut gemacht«, lobte sie das Mädchen.

»Vielen Dank, gnädiges Fräulein«, sagte Hilda errötend, während Elise sich schon erhob und zur Tür ging. »Es bereitet mir große Freude.«

Kaum hatte Elise den Frühstücksraum betreten, trat auch schon der Hausdiener ein, eine Depesche auf einem Silbertablett in der Hand.

»Guten Morgen, gnädiges Fräulein«, sagte er. »Ich hoffe, es sind gute Nachrichten?«

Abwartend sah er sie an, während Elise mit zitternden Fingern die Depesche entgegennahm. *Mutter!*, schoss es ihr durch den Kopf. *Bitte lass ihr nichts geschehen sein.*

Doch im nächsten Moment spürte sie unbändige Erleichterung in sich aufsteigen. Es handelte sich um die Antwort aus Ceylon, auf die sie so sehnsüchtig gewartet hatte.

HILFE IST UNTERWEGS – BLEIBEN SIE STARK – AUSFÜHRLICH PER BRIEF – L. BÖHM.

Erleichtert ließ sich Elise in den Sessel sinken. Dann sah sie strahlend zum Hausdiener auf, der sie gespannt, aber gewohnt zurückhaltend ansah. »Wenigstens eine Sorge weniger, Herr Mannfeld«, sagte sie. »Es ist von Ludwig Böhm. Er hilft uns mit den Gewürzen.«

In diesem Moment klopfte es laut an der Tür. »Bitte entschuldigen Sie mich, gnädiges Fräulein.«

»Natürlich«, sagte Elise stirnrunzelnd.

Wer konnte sie zu dieser frühen Morgenstunde aufsuchen? Ob es Jacob und Agathe waren? Aber die würden nicht klopfen. *Hoffentlich nicht erneut schlechte Nachrichten,* dachte sie, schenkte sich eine Tasse Tee ein und sah besorgt zur Tür.

Und dort erschien im nächsten Augenblick – Corbinian.

Vor Schreck ließ Elise ihre Tasse fallen. Mit einem lauten Knall zerbarst sie in unzählige kleine Scherben, während sich die heiße Flüssigkeit über ihre Füße ergoss.

»Hast du dir wehgetan?«, fragte er erschrocken, während ein Dienstmädchen mit einem »Ich mache das schon, gnädiges Fräulein« davoneilte, um Besen und Schaufel zu holen.

»Ja, es tut weh. Aber nicht das heiße Wasser«, sagte Elise und sah ihn wie gebannt an. »Was tust du hier? Und wo warst du?«

»Können wir hinüber in den Salon gehen?«, bat er und deutete auf das Dienstmädchen, das inzwischen wieder mit Putzwedel und Eimer zurückgekehrt war und sich anschickte, den Boden zu säubern.

»Sicher.«

Sie ging ihm voraus in den Salon und setzte sich ihm in der kleinen Sitzgruppe gegenüber.

Obwohl ihr das Herz bis zum Hals schlug, gab sie sich kühl – was ihr angesichts der bleiernen Müdigkeit, die sich ihrer bemächtigt hatte, und der Tatsache, dass sie immer noch wütend über sein plötzliches Verschwinden war, nicht schwerfiel.

»Und?«

»Ich fürchte, ich habe dir einiges zu erklären.«

»In der Tat. Das hast du wohl.«

»In dem Moment, in dem ich erfahren habe, dass du die Alleinerbin des Unternehmens bist, war ich vollkommen durcheinander«, begann er. »Ich habe mich gefühlt wie ein Erbschleicher.«

»Was?«, fragte Elise fassungslos. »Und das hat dich dazu bewogen, mich einfach so im Stich zu lassen? Einfach fortzugehen? In dieser Situation?«

»Ich …«

»Nein«, sagte sie. »Jetzt rede ich. Ich habe dich nie dringender gebraucht als in den letzten Tagen, Corbinian. Du kannst dir gar nicht vorstellen, was hier los war und ist. Doch, du kannst es schon, denn du wusstest ja zumindest teilweise, in welcher Lage ich war, als du dich einfach auf und davon gemacht hast. So geht man nicht mit einem Menschen um, den man liebt, Corbinian. Das ist der eigentliche Grund, warum du dich schämen solltest, und nicht weil ich eine Fabrikantin bin und du ein Lebküchner.«

»Ich bin nicht einfach fortgegangen«, verteidigte er sich. »Oder doch. Das bin ich schon. Ich hätte zuvor mit dir sprechen müssen. Aber in meinem Kopf gab es nur noch einen Gedanken: Es musste mir gelingen, die verfahrene Situation zu retten. Würde ich das schaffen, wäre ich deiner Liebe würdig.«

»Oh«, sagte sie, nun etwas sanfter gestimmt. »Und du bist nicht auf den Gedanken gekommen, dass uns das gemeinsam viel besser gelingen könnte?«

»Jetzt, mit etwas Abstand und nachdem mir Agathe den Kopf zurechtgerückt hat …«

»Agathe?«, unterbrach ihn Elise. »Was hat sie denn damit zu tun?«

Er zuckte die Achseln. »Na ja, ich bin ebenfalls ins Allgäu gefahren, um Kämmerer zur Rede zu stellen, und dort sind wir uns dann zufällig über den Weg gelaufen. Sie betrachtete das allerdings zunächst als Beweis für euren Verdacht, dass ich mit ihm unter einer Decke stecke. Und das wiederum hat mich tief getroffen.«

»Das kann ich mir vorstellen«, sagte sie. »Aber wie hätte ich ahnen sollen, dass es hier um deinen gockelhaften Männerstolz geht? Du hast mich aus deinen Plänen ausgeschlossen. Wie hätte das auf dich gewirkt? Was hättest du an meiner Stelle gedacht?«

Er senkte den Blick und nickte. »Ich bin so ein Hornochse.«

»Das bist du in der Tat.«

Flehend sah er sie an. »Kannst du mir verzeihen?«

Statt einer Antwort kam sie um den Tisch herum und zog ihn in ihre Arme.

»Ich liebe dich«, sagte sie und sah ihm eindringlich in die Augen. »Auch wenn du mal einen Fehler machst. Auch wenn du … nein, auch *weil* du Lebküchner bist!«

Seine Erleichterung war ihm deutlich anzusehen, und dann küsste sie ihn. Wie gut seine Umarmung, seine Nähe tat!

Jetzt hatte Elise wirklich das Gefühl, dass alles gut werden würde.

»Pass auf«, sagte er schließlich. »Ich bin, nachdem mir Agathe berichtet hatte, die ganze Nacht durchgefahren, um gleich am Morgen bei dir zu sein. Agathe und Jacob wollten sich nach dem Frühstück auf den Weg machen. Deine Mutter und ihr feiner Herr Gemahl ahnen nichts. Wann werden sie zurückerwartet?«

»Morgen«, sagte sie müde.

»Gut«, erwiderte er voller Groll. »Dann werden wir ihm das Handwerk legen. Er hat ja keine Ahnung, wie eng die Schlinge um seinen Hals inzwischen zugezogen ist.«

51

Elise stand mit versteinerter Miene auf dem Treppenabsatz am Fuße der Villa und blickte starr in Richtung der Kutsche, die gerade in die Auffahrt eingebogen war. Als sie nur noch wenige Meter entfernt war, endete das Getuschel der Dienstboten, die aufgereiht standen, um ihre Herrschaft zu begrüßen. Nun trat Hausdiener Mannfeld vor, um die Kutschentür zu öffnen und dem frisch getrauten Ehepaar Kämmerer beim Ausstieg behilflich zu sein.

Agathe ahnte, welche Überwindung es die Freundin kostete, sich gegenüber Herrn Kämmerer freundlich zu verhalten. Sie selbst stand neben Elise und wäre dem Stiefvater ihrer Freundin am liebsten ins Gesicht gesprungen. Insgeheim bewunderte sie Elise für ihre Haltung und ihre Selbstbeherrschung.

Elise hatte sich bei Margarethe untergehakt, führte sie in die Empfangshalle und zeigte ihr den Tisch, den die Dienerschaft liebevoll mit einem Rosenbouquet in der Mitte und verstreuten Blütenblättern drapiert hatte und der sich fast unter der Last der vielen Geschenke durchbog.

»Oh, wie schön«, sagte Margarethe gerührt, »so viele haben an uns gedacht und so viele Glückwunschkarten sind gekommen.«

»Ja, Mutter«, erwiderte Elise, »das finde ich auch. Aber bevor du mit deinen Dankschreiben beginnst, würde ich gerne erst einmal hören wollen, wie denn deine Reise war.«

»Margarethe«, rief Hermann Kämmerer indes ungehalten nach seiner Gattin, »schon wieder am Tratschen, du weißt doch, dass ich pünktlich essen möchte, und du bist noch nicht einmal umgezogen.«

»Es tut mir leid«, antwortete Margarethe nur, löste sich aus Elises Arm, blickte sich nach ihrer Zofe um und eilte ohne ein weiteres Wort in ihr Zimmer. Agathe und Elise wechselten einen betroffenen Blick.

»Ich gehe ihr nach«, flüsterte Elise und folgte ihrem Stiefvater, der inzwischen das obere Ende der Treppe erreicht hatte. Dort angekommen, stellte sie empört fest, dass sich Hermann Kämmerer wie selbstverständlich in das ehemalige Schlafzimmer ihres Vaters begab. Am liebsten hätte sie ihn eigenhändig von der Tür fortgezerrt.

Natürlich hätte sie damit rechnen müssen, dass Kämmerer nun auch noch ihr Zuhause in Beschlag nehmen würde, doch der Anblick nahm ihr den Atem.

Eilig ging sie zum Zimmer ihrer Mutter und klopfte. Doch statt hereingebeten zu werden, stand nun Margarethes Zofe Claire vor ihr und versuchte sanft, aber mit Bestimmtheit, Elise zum Gehen zu bewegen. Doch die ließ sich nicht abwimmeln. »Lassen Sie mich hinein!«, verlangte sie und schob die Dienstmagd beiseite.

Sie fand ihre Mutter in zusammengekauerter Haltung auf dem Bett vor.

»Mama«, sagte Elise bestürzt, »du weinst ja.«

Erschrocken sah Margarethe auf und wischte sich hastig die Tränen fort.

»Es ist nichts, Liebes«, versuchte sie ihre Tochter zu beruhigen, »geh bitte, ich muss jetzt dringend fertig werden. Claire, begleiten Sie meine Tochter bitte hinaus.«

»Aber …«

»Bitte!« Margarethe klang so verzweifelt, dass Elise nachgab. Voller Sorge ging sie wieder hinunter in die Empfangshalle, um sich auf die Suche nach Agathe zu begeben. Was hatte Kämmerer ihrer Mutter nur angetan?«

***

Das Abendessen verlief in bedrücktem Schweigen, und als Elise am Abend noch einmal nach ihrer Mutter sehen wollte, fand sie deren Schlafzimmertür verschlossen vor. Hermann Kämmerer tat indes alles, um sich bei allen unbeliebt zu machen. Von dem so einnehmenden und freundlichen Mann war nichts mehr übrig geblieben. Auch dem Personal gegenüber verhielt er sich plötzlich wie ein Despot. Selbst die stets gut gelaunte Köchin Caroline Stift hatte sich bei Elise über den neuen Hausherrn beschwert.

»Leider verhält er sich seit der Hochzeit so nicht nur bei euch zu Hause, sondern auch in der Fabrik«, erklärte Corbinian, als sie sich wieder einmal zu ihm in die Bergstraße geschlichen hatte. »Er hat sich seit der Hochzeit sehr verändert.«

Offiziell durfte Elise weder die Lebküchnerei noch das Haus in der Bergstraße betreten. Kämmerer hatte es ihr untersagt. Das sei nichts für eine Frau, und er müsse dafür sorgen, dass langsam Zucht und Ordnung einkehrten. Elises Hass auf ihren Stiefvater wuchs von Tag zu Tag. Sie wollte sich gerade zum Mittagstisch begeben, als ihr Heinrich Mannfeld auf der Treppe entgegeneilte.

»Herr Waldmeister schickt einen Boten«, sagte er etwas außer Atem. »Sie sollen sofort in die Fabrik kommen. Unauffällig.«

Beunruhigt raffte Elise ihre Röcke und eilte nach draußen,

wo Jacob bereits dabei war, auf den Kutschbock zu klettern. Mannfeld musste ihn unterrichtet haben. Wie gut, dachte Elise, dass sie sich wenigstens auf das Personal verlassen konnten.

Als sie kurz darauf die Fabrikhalle betrat, hörte sie die dröhnende Stimme ihres Stiefvaters, der offenbar gerade im Begriff war, eine Rede zu halten.

»Und deshalb müssen wir den Betrieb einstellen, und ich kann Ihnen nur empfehlen, sich nach einer neuen Stelle umzusehen.«

Wut, Enttäuschung und Fassungslosigkeit zeichneten sich auf den Gesichtern der Mitarbeiter ab. Elise erblickte Corbinian, der mit hochrotem Kopf neben Kämmerer stand.

In ihrem Kopf herrschte das reinste Chaos. Warum ruinierte Kämmerer die Fabrik, von der er annehmen musste, dass sie nun endgültig ihm gehörte? Er wusste doch nicht, dass sie Kenntnis von dem neueren Testament hatte und daher darüber im Bilde war, dass ihr Vater sie als Alleinerbin vorgesehen hatte! Warum hatte er ihre Mutter geheiratet, um nun alles zu zerschlagen? Das ergab keinen Sinn!

Ohne Elise zu bemerken, lief Erich, der einstige Lehrjunge ihres Vaters, an ihr vorbei und machte seinem Ärger gegenüber einem Kollegen Luft: »Ich hätte schon vor Wochen gehen sollen, aber mein Vater meinte, ich wäre es den Lusins schuldig, hätte ich bloß nicht auf ihn gehört, für meine Treue habe ich jetzt gerade einen Fußtritt bekommen.«

Während Corbinian immer noch starr auf der Treppe stand, war Hermann Kämmerer nach oben in Richtung seines Kontors gegangen.

Elise wartete, bis auch die letzten Arbeiter das Fabrikgebäude verlassen hatten, dann wollte sie sich auf den Weg zu Corbinian machen, der oben auf der Treppe stand. Just in diesem Augenblick bemerkte sie, dass Kämmerer wieder herunterkam. Er steuerte direkt auf den Lebküchner zu. Elise hörte ihn mit geheucheltem Bedauern sagen: »Herr Waldmeister, es tut mir sehr leid, aber ohne Gewürze können wir nicht produzieren, und ohne Produktion brauchen wir auch keine Arbeiter mehr.«

»Ich verstehe«, erwiderte Corbinian kühl.

»Eine Bitte noch«, sagte Hermann Kämmerer in verschwörerischem Tonfall, »ich möchte die Damen noch nicht mit dieser unangenehmen Situation belasten.«

»Aber sollten sie es nicht wissen, Herr Kämmerer?«, warf Corbinian ein. »Irgendwann werden sie es ohnehin herausbekommen.«

»Nein, nein, sie würden sich nur unnötig Sorgen machen«, entgegnete er. »Außerdem hoffe ich den Lieferengpass schnell überwinden zu können. Dann werde ich alle zurückholen.«

»In Ordnung«, erwiderte Corbinian, »aber ich werde trotzdem jeden Tag herkommen und gründlich aufräumen, denn wenn die Gewürze kommen, müssen wir mit Hochdruck arbeiten.«

Sie lächelte zufrieden. Corbinian machte seine Sache gut. Kämmerer würde niemals ahnen, dass dieser sein mieses Spiel durchschaut hatte.

***

»Da ist doch jemand«, flüsterte Agathe und blies die Kerze aus, die sie auf Hermann Kämmerers Schreibtisch aufgestellt hatten.

»Ja, ich habe auch ein Geräusch gehört«, bestätigte Corbinian. »Rasch, nach nebenan.«

Er stopfte die Papiere in die geöffnete Schublade und eilte hinter Agathe durch die Verbindungstür zu Wilhelm Lusins ehemaligem Kontor. Sie schlossen die Tür nicht ganz und sahen im nächsten Moment auch schon Elises Stiefvater das Büro betreten. In der Hand hielt er eine Öllampe. Und er hatte Besuch.

»Merkwürdig«, brummte Kämmerer. »Es riecht ein wenig nach Kerzenrauch.«

»Das kommt sicher von der Öllampe«, erwiderte der andere, und in dem Moment, als dessen Stimme erklang, wusste Agathe, um wen es sich handelte. Simon! Elises einstiger Verlobter!

»Wie auch immer«, sagte Kämmerer und stellte die Öllampe auf dem Schreibtisch ab. »Ich habe ganz hervorragende Neuigkeiten, mein Lieber.«

Vor Aufregung griff Agathe nach Corbinians Hand. Da sie davon ausgehen mussten, dass Hermann Kämmerer Elises nächtliche Anwesenheit zu Hause kontrollierte, hatten sie vereinbart, dass an ihrer Stelle Agathe mit Corbinian im Kontor weiter nach belastenden Beweisen suchen würde.

Drüben goss Kämmerer, den Geräuschen nach zu urteilen, gerade ein Getränk in zwei Gläser.

»So gute Nachrichten, dass es mich nach einem feinen Tropfen verlangt.«

»Jetzt spann mich doch nicht so auf die Folter«, drängte Simon.

»Nun, ich habe heute alle Mitarbeiter nach Hause geschickt«, berichtete Kämmerer.

»Das ist ja grandios!«, rief Simon begeistert aus. »Dann ist Lebkuchen Lusin endgültig Geschichte?«

»Sollte man meinen!«, rief Hermann und stieß ein keckerndes Lachen aus.

»Aber wie?«, fragte Simon. »Wie hast du das begründet?«

»Ich habe dafür gesorgt, dass die Lusins nicht weiter mit Gewürzen beliefert werden. Habe einfach die Rechnungen nicht bezahlt und das Geld stattdessen selbst eingesteckt.«

»Gut gemacht«, lobte Simon. »Aber das Geld, das du abgezweigt hast, wird natürlich mit deinem Anteil verrechnet.«

»Von mir aus«, brummte Hermann. »Das ist ja so viel, da kommt es auf das bisschen auch nicht an.«

Agathe spürte, dass ihr Herz immer schneller schlug. Ungeheuerlich, was sie da gerade erfuhren!

»Ohne Gewürze keine Lebkuchen – du bist wirklich genial, Hermann«, freute sich Simon.

»Und so schnell werden sie auch keine mehr erhalten. Ein Teil ist ja bei euch eingelagert. Es wird nur die Ware bei den Lusins verbucht, die sie auch tatsächlich bekommen haben.«

»Aber warum das?«, fragte Simon stirnrunzelnd.

»Na ja, ganz einfach«, erwiderte Hermann Kämmerer, »die Lusins haben so immer nur einen Teil der Rechnung bezahlt, und die Mahnungen des Gewürzhändlers habe ich abgefangen.«

»Das heißt, sie haben nicht nur keine Gewürze, sondern auch noch Schulden beim Gewürzhändler«, fasste Simon zusammen.

»Ganz genau.«

»Du bist ja ein gerissener Fuchs.«

»Ich weiß«, sagte Hermann Kämmerer, »und bevor sie das alles klären und die Produktion wieder starten können, sind die Mitarbeiter längst über alle Berge.«

»Du hast wahrlich an alles gedacht«, lobte Simon, »kein

Wunder, dass dich Vater zu seinem Geschäftspartner machen möchte.«

»Ja, ich freue mich auch auf die Zusammenarbeit mit echten Männern, ich bin es leid, mir von diesem verzogenen Lebkuchen-Prinzesschen und einem Weib erklären zu lassen, wie man eine Firma erfolgreich führt.«

»Nur eines verstehe ich nicht«, sagte Simon. »Du hast doch alles erreicht. Du bist doch jetzt Direktor. Warum hast du deine eigene Fabrik zerstört?«

»Das war ja die Bedingung, dass ich bei euch Partner werde.«

»Aber bei meinem Vater Partner oder alleine eine Lebkuchenfabrik – das ist doch mindestens gleichwertig.«

»Das ja«, sagte Hermann. »Aber Wilhelm, dieser Hund, hat verfügt, dass Elise im Falle einer Wiederverheiratung alles erben soll. Habe das Testament zwar verschwinden lassen, aber weiß ich, ob nicht noch irgendwo ein Exemplar versteckt ist, das sie eines Tages finden?«

»Verstehe«, sagte Simon.

»Außerdem hatte ich noch eine Rechnung mit der Familie offen«, erklärte Kämmerer. »Hat mir doch der Bruder von meiner Holden seinerzeit die Braut weggeschnappt.«

»Dann sitzen wir beide ja im gleichen Boot«, konstatierte Simon. »Ich wollte auch dafür sorgen, dass Elise ihres Lebens nicht mehr froh wird.«

»Vielleicht verstehen wir uns deshalb so gut«, sagte Kämmerer und ließ sein Glas gut gelaunt gegen Simons klirren. Nebenan in Wilhelm Lusins Büro unterdrückte Agathe einen Würgereiz, während Corbinian seine Hand ganz fest in Agathes krallte, um seine Wut über das Gehörte in den Griff zu bekommen.

52

Elise schreckte hoch, als es an der Tür klopfte. Sie hatte zwar noch nicht geschlafen, dafür ging ihr zu viel im Kopf herum, aber zurzeit fühlte sie sich einfach nicht mehr sicher in ihrem Zuhause.

»Einen Moment«, rief sie, stieg aus dem Bett, zog ihren Morgenmantel über und eilte zur Tür. »Wer ist da?«

»Ich bin es«, ertönte die vertraute Stimme ihrer einstigen Zofe.

»Komm herein«, flüsterte Elise. »Ich dachte schon, es wäre dieser schreckliche Kämmerer.«

»Kämmerer?«, fragte Agathe und stellte ihre Kerze auf Elises Frisiertischchen ab. »Was sollte der denn von dir wollen?«

»Bestimmt nichts Gutes.«

»Hat er sich an dir vergangen?«, fragte Agathe erschrocken.

Elise schüttelte den Kopf. »Nein. Aber ich traue ihm alles zu.«

»Ich auch. Und wenn man vom Teufel spricht …«

»Welcher Teufel?«

»Simon Hertlein«, stieß Agathe hervor.

»Oh, der ist in der Tat ein ebensolcher Teufel wie Kämmerer«, bestätigte Elise finster.

»Und wie wir jetzt wissen, stecken beide unter einer Decke.«

Nachdem Agathe in allen Einzelheiten von dem Gespräch der Männer berichtet hatte, war Elise so wütend wie noch nie in ihrem Leben. Am liebsten hätte sie die beiden direkt zur Rede gestellt und sich die gestohlenen Gewürze zurückgeholt, für die sie einen Teil ihres Erbes würde opfern müssen. Aber sie wusste, dass sie sich gedulden musste, denn in einem Punkt hatte Kämmerer völlig recht: Gewürze brauchten sie so schnell wie möglich, und die Arbeiter mussten ebenfalls zeitnah unterrichtet werden.

»Ich weiß nur nicht, was wir machen sollen«, sagte Elise, »die Gedanken drehen sich nur so in meinem Kopf.«

»Ich denke, zunächst sollten wir versuchen, Gewürze aufzutreiben«, versuchte Agathe einen Plan zu schmieden. »Und wenn Herr Böhm keinen Unsinn erzählt hat, dann werden wir die bald zur Verfügung haben. Er schrieb ja, Hilfe sei unterwegs.«

***

Als Agathe am nächsten Morgen tief in Gedanken versunken in Richtung Frühstückszimmer eilte, stellte sie zu ihrer Überraschung fest, dass im Wintergarten bereits ein Besucher sehnsüchtig auf sie wartete.

»Richard«, rief sie und fiel ihrem Verlobten um den Hals.

Ein Räuspern des Hausdieners, der neben dem Büffet stand, erinnerte sie daran, dass sie nicht allein mit ihrem Liebsten war.

»Ich habe dich so vermisst«, flüsterte sie ihm ins Ohr.

»Und ich dich erst«, wisperte er zurück.

»Hast du schon gefrühstückt?«, fragte sie, da sie zu ihrem großen Bedauern vor der Dienerschaft keine weiteren Zärtlichkeiten austauschen konnten.

»Nein«, erwiderte er lächelnd. »Ich habe auf dich gewartet.«

Als sie sich beide bedient hatten, sagte sie: »Es ist so gut, dass du da bist. Und das nicht nur, weil ich dich vermisst habe. Hier hat sich so einiges zugetragen. Bitte lassen Sie uns allein, Fritz«, wies Agathe den Diener auf seinen fragenden Blick hin an, der sich sodann mit einem »Sehr wohl, Fräulein Welser« verabschiedete.

Nachdem Agathe ihm alles haarklein berichtet hatte, war auch Richard fassungslos und schockiert.

»Wie geht es denn nun weiter?«, wollte er wissen.

»Ich weiß es nicht«, erwiderte Agathe, »*wir* wissen es nicht.«

»Apropos wir, wo sind denn eigentlich Elise und die gnädige Frau? Ich würde sie auch gerne begrüßen.«

Agathe seufzte bekümmert. »Ach, das ist auch so was. Margarethe frühstückt nun als verheiratete Frau im Bett.«

»Aber das ist doch nicht schlimm«, erwiderte Richard ratlos. »Meine Mama tut das doch auch, und du wirst das vermutlich nach unserer Hochzeit auch tun?«

Sie schüttelte den Kopf. »Nein, darum geht es nicht. Nur ist die gnädige Frau seit ihrer Rückkehr von der Hochzeitsreise nur noch ein Schatten ihrer selbst, und Herr Kämmerer behandelt sie ganz schrecklich. Auch ihr zuliebe müssen wir ihn bald überführen.«

Er nickte besorgt. »Und wo ist er?«

»Das weiß ich nicht«, erwiderte sie. »Vermutlich macht er krumme Geschäfte. Jedenfalls hat er früh am Morgen das Haus verlassen.«

»Und Elise und Corbinian?«

»Sind meiner Einschätzung nach in der Bergstraße«, vermutete Agathe.

»Dann lass uns nach dem Frühstück doch gleich dort hingehen.«

***

Elise war zu Corbinian in die Bergstraße geeilt, kaum dass Hermann Kämmerer das Haus verlassen hatte. Nachdem sie ihren Liebsten fast verloren und dann wiedergefunden hatte, war ihre Sehnsucht nach ihm größer als je zuvor. Außerdem brauchte sie ihn dringend als Stütze in dieser so verfahrenen Situation. Seine Nähe und seine Liebe taten ihr gut.

Sie fand das Ladengeschäft im Erdgeschoss verschlossen vor, und auch die Kerzenzieherei war verwaist. *Hermann Kämmerer hat wirklich ganze Arbeit geleistet,* dachte sie bitter. Sie sperrte die Tür auf und stieg nach oben in Corbinians Wohnung, die sie früher selbst mit ihren Eltern bewohnt hatte.

»Liebste«, sagte er, als er sie erblickte, und an seinen zerzausten Haaren erkannte sie, dass er offenbar gerade erst aufgestanden war. »Wie unschicklich von dir, deinen Verehrer ganz alleine aufzusuchen.«

Sie lachte. »Als wären wir noch nie allein miteinander gewesen.«

Er zog sie eng in seine Arme. »Bisher war zumindest immer jemand mit im Haus.«

Elises Herz begann wild zu klopfen. Sie wollte ihm nah sein, so nah, wie eine Frau einem Mann kommen konnte, wenn sie auch nur aus Andeutungen ahnte, was das bedeutete. Sie erwiderte seinen wilden Kuss, und als seine Hände zunächst zaghaft, dann immer mutiger über ihren Körper strichen und schließlich ihre Brüste erreichten, stöhnte sie vor Lust leise auf.

Dann jedoch schob sie ihn schweren Herzens von sich. Er

hatte ihr ja bisher nicht einmal einen Antrag gemacht, geschweige denn, dass sie Mann und Frau waren.

Sein Blick war dunkel vor Verlangen, und er atmete schnell, als er sie ansah. »Elise.«

»Wir werden damit noch warten müssen«, erwiderte sie.

»Ja«, sagte er. »Ja, ich weiß.«

In diesem Moment war lautes Klopfen zu hören.

»Wir hätten ohnehin nicht weitermachen können«, murmelte Corbinian frustriert und ging zum Fenster, um hinauszusehen.

»Ja?«, rief er nach unten.

Dann wandte er sich um. »Ein Bote mit einer Reihe von Paketen«, sagte er verwundert. »Ich gehe rasch hinunter.«

»Ich komme mit«, sagte sie.

»Ist das so klug?«

»Das hier ist schließlich auch mein Geschäftshaus, und wenn es eine Lieferung ist, betrifft das möglicherweise unsere Geschäfte.«

»Ich habe eine Lieferung für Sie, Fräulein Lusin«, schnauzte der Bote vorwurfsvoll. »Gut, dass ich Sie wenigstens hier antreffe.«

»Eine Lieferung?«, fragte Elise zunächst verständnislos. »Wer sollte mir denn hierher etwas liefern lassen?«

»Die Lieferung ist von einem Herrn Ludwig Böhm«, erwiderte der Laufbursche, »und war eigentlich an die Lebkuchenfabrik Lusin in der Tafelfeldstraße adressiert.«

»Aber da haben Sie niemanden mehr vorgefunden«, schlussfolgerte Elise, der bei den Worten des Boten ein Stein vom Herzen fiel. Nicht auszudenken, er hätte dort Hermann Kämmerer angetroffen.

»Ganz genau«, erwiderte der Bursche, »und eine Nachbarin nannte mir diese Anschrift.«

»Dann nehme ich die Lieferung sehr gerne an und möchte mich für Ihre Mühen herzlich bedanken«, erwiderte Elise.

Sie ging zu der alten Ladenkasse, entnahm dieser ein paar Münzen und steckte sie dem Laufburschen zu, auf dessen Gesicht sich ein dankbares Lächeln ausbreitete. Alle Muffigkeit war verflogen.

»Vielen Dank.« Er tippte sich an die Mütze.

Er half Corbinian noch, die Lieferung abzuladen, bedankte sich noch einmal und verschwand.

Fassungslos vor Glück sahen Corbinian und Elise einander an und machten sich dann daran, die sorgsam verschlossenen Pakete zu öffnen.

Im ersten lagen Vanilleschoten und verströmten einen unvergleichlichen Duft, im zweiten leuchteten ihnen die glänzenden Samen des Sternanis entgegen. Und mit jedem weiteren geöffneten Paket strömten die verschiedensten Aromen durch den Verkaufsraum. Ludwig Böhm hatte wirklich an alles gedacht – Nelken, Piment, Koriander …

»Himmlisch«, seufzte Elise und schloss für einen Moment genießerisch die Augen.

»Die Gewürze sind wirklich von allerbester Qualität – und es ist nicht nur Zimt«, freute sich Corbinian.

»Offenbar hat Ludwig Böhm so seine Bezugsquellen oder tatsächlich seinen eigenen Gewürzanbau erweitert«, strahlte Elise.

»Ja, ich vermute, dass er die Gewürze in Hamburg in einem Gewürzkontor bestellt hat«, sagte Corbinian und zeigte Elise die Stempel auf der Unterseite der Pakete.

»Die Gewürze haben wir nun. Jetzt ist die Frage, wie wir die Arbeiter so schnell wieder erreichen. Und wie wir all das bewerkstelligen können, ohne dass Hermann etwas bemerkt. Schließlich ist unser großes Ziel ja, ihn zu überführen.« Fragend sah sie Corbinian an. »Und wenn wir mit einer kleineren Belegschaft hier backen?«

»Ich weiß nicht«, erwiderte er, »allein, wenn ich an die Schokolade und das Marzipan denke, wird das, glaube ich, hier sehr schwierig.«

»Da hast du recht«, murmelte sie bedrückt. »Ach, es ist doch wie verhext. Da haben wir nun die Gewürze und können dennoch nicht loslegen.«

In diesem Moment klopfte es erneut an der Tür.

»Hier geht es ja zu wie im Taubenschlag«, schimpfte Corbinian und eilte nach draußen, um zu öffnen.

»Es ist Agathe«, rief er dann. »Mit Richard.«

»Richard ist hier? Oh, wie wunderbar!« Elise eilte ebenfalls aus der Backstube.

»Richard, wie schön, dich zu sehen.« Die Männer begrüßten sich mit einem kräftigen Handschlag, Elise erhielt einen Handkuss.

»Wie gut es hier immer noch duftet«, sagte Agathe genüsslich schnuppernd, »man glaubt sich gar auf einem orientalischen Gewürzbasar.«

»Das ist kein Wunder«, erwiderte Elise und lenkte Agathes Aufmerksamkeit auf die Kartons und Tüten, die zum Teil geöffnet auf der Ladentheke standen.

»Hat Ludwig Böhm liefern können, oder habt ihr die Druckerei Hertlein überfallen?«, fragte Agathe.

»Na, die zweite Variante hätte mir auch gefallen«, erwiderte Elise schmunzelnd, »aber nein, die erste stimmt.«

Lange hatten die vier noch in der Bergstraße miteinander gesprochen und schließlich einen Plan gefasst. Am nächsten Morgen würden Corbinian und Richard zur Lebkuchenfabrik fahren und heraussuchen, wo die wichtigsten Arbeiter wohnten. Im Anschluss würden sie versuchen, die Mitarbeiter dazu zu bewegen, zunächst unter dem Siegel der Geheimhaltung doch in der Bergstraße weiterzumachen. Elise und Agathe wollten sich direkt zur alten Lebküchnerei begeben, und während Elise die Backstube und die Lagerräume vorbereitete, wollte Agathe das alte Ladengeschäft wieder auf Vordermann bringen.

Als sie dorthin aufbrachen, gab ihnen Köchin Caroline Stift noch einen großen Picknickkorb mit, den die beiden Frauen nur zu gerne annahmen.

Erschöpft, nachdem sie den ganzen Vormittag gewischt, geschrubbt und geräumt hatten, ließen sich Agathe und Elise schließlich auf die Stühle in der Vorbereitungsküche fallen.

Als sie sich kurz erholt hatten, öffnete Agathe den Picknickkorb, breitete zunächst die rot-weiß gestreifte Tischdecke aus und deckte anschließend mit weißen Tellern mit Goldrand und hohen Wassergläsern ein, während Elise das Besteck verteilte.

»Schön sieht das aus«, befand sie schließlich und betrachtete zufrieden ihr Werk.

Agathe machte sich daran, das Brot zu schneiden, und sogleich wurde der Raum von einem herrlichen Duft durchzogen. Im nächsten Moment traten auch schon Richard und Corbinian ein.

Beinahe gierig griffen die beiden Paare nach den Köstlichkeiten, die Caroline Stift ihnen mitgegeben hatte, und verschlangen hungrig Bratwurstsülzen, Pastetchen und verschiedene Sorten Käse.

»Wir haben heute Morgen eine Menge geschafft«, berichtete Corbinian und griff erneut nach einer Scheibe Brot, »wir haben tatsächlich schon viele Mitarbeiter erreichen können, und die meisten wollen uns helfen. Sie können Kämmerer allesamt nicht leiden und hängen an Lebkuchen Lusin.«

»Das ist ja wunderbar«, freute sich Elise, »dann wird es hier wohl morgen voll werden. Wann kommen die Arbeiter denn?«

»Gegen neun.«

Nachdem sie das Mittagsmahl beendet hatten, packten Corbinian und Richard tatkräftig mit an, und am frühen Abend machten sich die vier erschöpft, aber euphorisch auf den Weg zur Villa. Corbinian wollte erst nach dem Abendessen wieder zurück in die Bergstraße gehen.

53

Da sie bei der Lebkuchenherstellung selbst nicht viel helfen konnten, hatte sich Agathe mit ihrem Verlobten auf den Weg zu ihrer Familie in Feucht gemacht, um Honignachschub zu holen.

»Was für eine schöne Überraschung«, rief ihre Mutter Ilse bei der Ankunft der Kutsche und umarmte ihre Tochter zur Begrüßung herzlich.

»Frau Welser«, sagte Richard und wollte Agathes Mutter die Hand entgegenstrecken, die diese aber mit einem »Ach was« beiseitewischte und auch ihren zukünftigen Schwiegersohn an sich drückte. Richard zeigte sich zunächst überrascht, aber nach einem kurzen Moment schien er durchaus Gefallen daran zu finden.

Nachdem auch Agathes Geschwister die Ankömmlinge begeistert begrüßt und die kleinen Mitbringsel entgegengenommen hatten, kam Ilse Welser endlich dazu, nach dem Grund des Besuchs zu fragen.

»Wir wollten Honignachschub abholen, und ich wollte euch natürlich auch sehen.«

»Und?«, fragte Ilse Welser, die ihre Tochter gut genug kannte, um klar zu erkennen, dass dieser noch etwas auf der Seele lag.

»Du hast mir doch einmal dieses wertvolle Kochbuch unserer Ahnin geschenkt, erinnerst du dich?«

»Meinst du das von Sabina Welserin?«

»Ja, genau.«

»Was ist denn damit?«

»Nun«, druckste Agathe verlegen, »ich habe mir überlegt, es Elise zu schenken. Sie liebt es zu backen, und ich hoffe, dass sie darin vielleicht einige Anregungen finden würde.«

»Natürlich, mein Kind«, sagte Ilse Welser, »es ist dein Buch.«

»Du bist mir nicht böse deshalb?«

»Wie kommst du denn darauf?«, fragte ihre Mutter ehrlich erstaunt.

»Mir ist klar, wie viel Mühe du dir gemacht hast, Bücher für mich zu besorgen, und ich bin dir nach wie vor sehr dankbar dafür.«

»Das weiß ich doch«, erwiderte Ilse, drückte ihre Tochter noch einmal an sich und versicherte erneut: »Ich bin wirklich nicht böse. Du kannst das Buch gern weiterverschenken.«

***

Als Elise den letzten Arbeiter verabschiedet hatte, schloss sie die Ladentür in der Bergstraße ab und ging dann zurück in die Backstube, wo Corbinian gerade dabei war, die letzten Reste des Lebkuchenteigs auf die bereitgelegten Oblaten aufzutragen. Bei diesem Anblick fühlte sie so viel Liebe für ihn, dass es ihr fast den Atem raubte. Er hatte sie noch nicht bemerkt, und sie schlich sich leise an ihn heran. Doch als er die nun leere Teigschüssel beiseiteschob, vollzog er eine schnelle Drehung und zog sie an sich. Elise stieß einen überraschten Schrei aus.

»Ich wurde wohl beobachtet«, sagte er rau.

»Ich offenbar auch«, erwiderte Elise und presste ihre Lippen so sehnsuchtsvoll auf die seinen, dass er aufstöhnte.

Doch als seine Küsse immer leidenschaftlicher wurden, entzog sich Elise ihm schweren Herzens.

»Ich glaube, die Lebkuchen müssen in den Ofen, ich bin mal gespannt, wann Agathe und Richard zurück sind und ob sie den Honig bekommen haben.«

»Haben sie«, sagte Agathe in diesem Moment von der Tür her.

»Oh«, kam es verlegen von Elise.

»Und ja, bevor du dir den Kopf zerbrichst, ich habe euch in einer kompromittierenden Situation erwischt«, erklärte die einstige Zofe grinsend.

»Ich glaube, ich muss dir den Schlüssel wieder abnehmen«, erwiderte Elise in liebevollem Spott.

»Sind die Eimer draußen?«, fragte Corbinian, der sich gerade anschickte, die Backstube zu verlassen.

»Ja, Richard lädt gerade aus«, erwiderte Agathe, »und ihr wart ja auch richtig fleißig.«

Beeindruckt sah sie sich in der Backstube um, überall standen Bleche mit den schönsten Lebkuchen.

»Ja, das waren wir«, bestätigte Elise zufrieden. »Morgen müssen wir noch den Laden auf Vordermann bringen und einräumen, dann kann es losgehen.«

»Dann sollten wir uns jetzt auf den Heimweg machen«, schlug Agathe vor.

»Noch nicht ganz«, widersprach Elise, »schließlich ist gerade noch ein Blech Lebkuchen im Ofen.«

»Na gut«, erwiderte Agathe, »dann schau ich mal nach den Herren.«

Als die Lebkuchen immer kräftiger ihren Duft verströmten, zog Elise das Blech heraus und sog den Geruch des heißen Gebäcks tief in sich ein.

Nachdem sie die Luftzüge am Herd geschlossen und das Feuer gelöscht hatte, blies sie die Honigkerzen in der Backstube aus und ging nach vorne in den Ladenbereich.

»So, jetzt können wir gehen.«

***

Am nächsten Tag arbeiteten alle hoch motiviert und voller Konzentration, und als am Abend die Theke dicht mit Lebkuchen bestückt war, von denen einer leckerer als der andere aussah, fühlte Elise sich richtig euphorisch. Immer wieder hatten Neugierige versucht, einen Blick in das Ladeninnere zu erhaschen, aber Elise und Agathe hatten die Fenster sowie die Ladentüre mit braunem Papier abgedeckt.

»Ich bin sehr gespannt, wie der Verkauf morgen anläuft«, sagte Agathe an Elise gewandt.

»Ich auch«, erwiderte Elise, die gerade dabei war, das letzte Verkaufsschild aufzustellen.

»Soll ich dir morgen im Verkauf helfen?«, fragte Agathe.

»Das wäre wunderbar«, sagte Elise dankbar und wischte sich eine vorwitzige Haarsträhne aus dem Gesicht. »Möglich, dass es einen ziemlichen Ansturm geben wird. Die beiden bisherigen Verkäuferinnen, die hier in der Bergstraße gearbeitet haben, konnten wir auch gewinnen. Ansonsten habe ich mir aber noch nicht genau überlegt, wie es weitergehen wird und was wir tun sollen. Ich habe immer nur bis morgen gedacht.«

»Ich glaube, das haben wir alle«, pflichtete ihr Agathe bei. »Es kam ja auch eins zum anderen, und kaum war ein Problem gelöst, gab es schon das nächste.«

»Ja, aber die meisten Sorgen macht mir mittlerweile meine Mutter, auch wenn ich in den letzten Tagen kaum dazu kam, darüber nachzudenken«, räumte Elise ein. »Ich möchte ihr doch nicht wehtun, aber die Heirat mit Kämmerer war ein riesengroßer Fehler.«

»Ja, das sehen, glaube ich, alle so, ich fürchte, auch deine Mutter selbst.«

»Hat sie so etwas zu dir gesagt?«, wollte Elise wissen und sah Agathe prüfend an.

»An dem Morgen, als ich mit Richard nach Feucht gefahren bin, fand ich sie weinend vor«, gestand Agathe.

»Und?«, fragte Elise ungewohnt ungeduldig.

»Sie bat mich, dir nichts zu sagen, aber Hermann Kämmerer muss sie wohl ziemlich angegangen sein, als sie nach den aktuellen Zahlen der Firma fragte.«

»Das kann ich mir vorstellen, da hatte er ja gerade alle Mitarbeiter vor die Türe gesetzt.«

»Sie vertraut ihm nicht mehr«, sagte Agathe zu Elise, »ich finde, du solltest ihr alles erzählen.«

»Das würde ich so gerne«, erwiderte Elise mit feuchten Augen.

»Soll ich einfach mit deiner Mutter morgen herkommen?«, schlug Agathe vor. »Das ist sicherlich besser und einfacher, als ihr von all dem in der Villa zu erzählen, wo jeden Moment dein furchtbarer Stiefvater um die Ecke biegen kann.«

»Das würdest du tun?«

»Ja, natürlich.«

***

Am nächsten Morgen hatte Agathe Margarethe Lusin unter einem Vorwand aus dem Haus gelockt – es hatte sie die allergrößten Überredungskünste gekostet.

»Ich hoffe, Hermann ist nicht verärgert, dass ich heute Vormittag nicht zu Hause bin«, sagte Margarethe und wirkte völlig verunsichert.

»Wieso sollte er denn?«, versuchte Agathe betont fröhlich Margarethe von ihren Sorgen abzulenken. »Bestimmt freut er sich für Sie, Frau Kämmerer. Wenn er Ihre Abwesenheit überhaupt bemerkt, er ist ja sicherlich in der Fabrik.«

Prüfend sah sie Elises Mutter von der Seite an, doch die schien tatsächlich nicht zu wissen, dass die Fabrik derzeit geschlossen war.

»Hermann?«, wiederholte Margarethe bekümmert. »Der freut sich ganz sicher nicht für mich. Er interessiert sich gerade mal nur für sich selbst.« Erschrocken, beinah panisch, sah sie Agathe an. »Bitte vergiss ganz schnell, was ich gesagt habe, und erzähl es auf keinen Fall meinem Mann!«

»Natürlich sage ich nichts«, versprach Agathe.

Margarethe seufzte. »Wahrscheinlich hat er recht, und ich bin nur ein bisschen überspannt und sehr empfindlich.«

»Den Eindruck habe ich nicht«, äußerte Agathe, »eher, dass Sie momentan sehr angestrengt wirken.«

»Ja, ich fühle mich in der Tat sehr erschöpft«, erwiderte Margarethe, »doch der Spaziergang an der frischen Luft tut mir gut.«

»Dann sollten wir bald einen gemeinsamen Spaziergang mit Elise einplanen«, schlug Agathe vor.

»Das wäre sehr schön.«

»Finde ich auch.«

»Sieh mal, Agathe, die lange Schlange vor unserem alten Geschäft, was ist denn da los?«, fragte Margarethe im nächsten Moment. »Ich war so in unser Gespräch vertieft, dass ich gar nicht bemerkt habe, wohin wir eigentlich gehen.«

»Ich würde vorschlagen, wir sehen nach«, empfahl Agathe, hakte Margarethe Kämmerer gespannt unter und ging in Richtung des Lebkuchengeschäfts.

»Elise«, sagte Margarethe, als sie das Ladengeschäft betrat und ihre Tochter hinter der Theke erblickte. »Was ist hier nur los? Was ist mit all den Leuten?«

»Das kann ich dir gerne später erklären«, erwiderte Elise, »aber jetzt muss ich leider weiterarbeiten.«

»Das sehe ich, mein Kind«, sagte Margarethe und drängte sich schon hinter die Ladentheke. Sie legte ihre Handschuhe ab, griff nach einer Schürze, und kaum dass sie sie umgebunden hatte, fragte sie auch schon in die Runde: »Wer ist denn der Nächste?«

»Ich«, antwortete ein älterer Herr und fügte sichtlich gerührt hinzu: »Wie schön, dass auch mal wieder die alte Chefin hier ist, da schmecken die Lebkuchen ja noch besser.«

Elise nickte Agathe kurz und dankbar zu, um dann schon den nächsten Wunsch der Kundschaft entgegenzunehmen.

54

»Das war ja ein unglaublicher Ansturm«, stellte Margarethe fest, als sie die Tür hinter dem letzten Kunden geschlossen hatten.

Elise betrachtete ihre Mutter glücklich. Zum ersten Mal schien sie wieder ganz die Alte zu sein, hatte gerötete Wangen und wirkte geradezu quirlig. Und lag da nicht ein kleines Lächeln um ihre Mundwinkel?

Sodann stemmte Margarethe die Hände in die Hüften und fragte streng: »Aber mehrere Kunden haben behauptet, unsere Fabrik habe geschlossen. Kann mir das mal jemand erklären?«

Elise schluckte. Sie wusste, dass sich das Gespräch mit ihrer Mutter nun nicht mehr aufschieben ließ, und ihr war klar, wie schwer sie ihr damit zusetzen würde. »Komm«, forderte sie Margarethe auf, die gerade die Schürze wieder zurück an den Haken hängte, »lass uns noch auf einen Kakao nach oben in unsere alte Wohnung gehen.«

»Hat Corbinian nichts dagegen?«, fragte Margarethe. »Es ist doch jetzt sein Reich.«

»Nein«, versicherte er von der Tür zur Backstube her. »Ich habe überhaupt nichts dagegen. Ich muss hier unten ohnehin noch aufräumen.«

Elise zwinkerte ihm zu und stieg vor ihrer Mutter die Treppe nach oben.

»Da kommen Erinnerungen hoch«, murmelte Margarethe

versonnen, als sie im Wohnzimmer angekommen waren. Sichtlich gerührt strich sie über den mit dunkelblauem Polsterstoff bezogenen Sessel, auf dem früher immer ihr Mann gesessen hatte.

»Ja«, rief Elise aus der Küche, wo sie gerade dabei war, den versprochenen Kakao zuzubereiten. Im Stillen dachte sie, dass diese Wohnung für sie inzwischen mit anderen, so schönen wie aufregenden Erinnerungen gefüllt war. Allein Corbinians Küsse …

Nachdem Elise beide Tassen mit der dampfenden heißen Schokolade gefüllt und auf das kleine Tischchen gestellt hatte, setzte sie sich ihrer Mutter gegenüber.

»Es fällt mir nicht leicht, Mama«, begann Elise sanft, »aber ich muss dir etwas sagen.«

Margarethe nickte ihr aufmunternd zu – und dann erzählte Elise alles, was sich in den letzten Tagen ereignet und herausgestellt hatte. Zunächst, wie es ihnen gelungen war, doch noch Gewürze zu bekommen, von dem Besuch von Josef Welser und dem zweiten Testament, das von Agathe und Corbinian belauschte Gespräch zwischen Hermann Kämmerer und Simon Hertlein. Margarethes Gesicht hatte sich immer mehr verdunkelt, und nun saß sie mit geballten Fäusten da, zunächst unfähig zu sprechen.

»Mama«, sagte Elise besorgt, »sag doch etwas, bitte.«

»Dieser Schuft«, stieß Margarethe schließlich wutentbrannt vor, »ich kann es nicht fassen.« Mit einem Ruck stand sie auf und sah Elise kämpferisch an: »Wir gehen jetzt nach Hause und schmeißen diesen, diesen … miesen Erbschleicher hinaus. Ich habe mich lange genug von ihm einschüchtern lassen.«

Elise sah ihrer Mutter verdutzt hinterher, wie sie in

Richtung Treppe stapfte. Dann stahl sich ein Lächeln auf ihr Gesicht. So gefiel Margarethe Lusin ihr viel besser!

***

Elise folgte Margarethe, die mit energischen Schritten die Stufen zur Villa in der Erlenstegenstraße überwand, als bereits ein Diener die große, schwere Holztüre öffnete und ihnen die Mäntel abnahm. Nachdem die Frauen die Hüte abgelegt hatten, steuerte auch schon der Hausdiener Heinrich Mannfeld auf sie zu.

»Gnädige Frau«, sagte er, »Ihr Herr Gemahl lässt ausrichten, dass er heute nicht zum Abendessen zugegen sein wird und Sie auch nicht auf ihn warten müssen.«

»Danke, Herr Mannfeld«, erwiderte Margarethe seufzend. »Dann servieren Sie bitte das Abendessen um acht Uhr.«

Nachdem der Hausdiener außer Hörweite war, raunte Margarethe Elise zu: »Wie schade, dann müssen wir wohl bis morgen warten, bis wir ihn hinauswerfen können.«

»Vielleicht ist es aber auch besser so«, gab Elise zu bedenken, »morgen können uns Corbinian, Agathe und Richard unterstützen.«

»Wo sind die eigentlich?«, fragte Margarethe.

»Ich weiß es nicht«, sagte Elise, »ich gehe nach oben und sehe nach, ob Agathe mir eine Notiz hinterlassen hat. In der Bergstraße waren sie zumindest nicht mehr.«

***

»Maria, was machen Sie in meinen Räumen?«, fragte Elise empört, als sie die Hausangestellte an ihrer Kommode sitzen sah. »Und wo ist Hilda?«

Betont langsam stand Maria auf, knickste flüchtig,

händigte Elise wortlos ein Schreiben aus und verschwand dann schnell nach draußen.

Elise kam das Verhalten äußerst merkwürdig vor. Hastig riss sie den Umschlag auf, entfaltete den Bogen und las verwundert die wenigen Worte:

Liebe Elise, komm heute Abend um sieben Uhr in die Lebkuchenfabrik Lusin. Deine Agathe.

Stirnrunzelnd steckte sie den Bogen wieder in den Umschlag. Das machte alles keinen Sinn. Warum sollte Agathe ausgerechnet Maria mit der Übergabe der Notiz betrauen? Andererseits, daran gab es keinen Zweifel, handelte es sich eindeutig um Agathes Handschrift.

Elise läutete nach Hilda, vielleicht wusste ihre Zofe etwas. Voller Ungeduld wartete sie auf das junge Mädchen, und kaum dass diese das Zimmer betreten hatte, überfiel sie Elise beinahe mit ihrer Frage: »Weißt du, wo Agathe ist?«

Erschrocken sog Hilda die Luft ein, noch nie hatte Fräulein Lusin sie mit so einem scharfen Ton angesprochen. »Nei-nein, gnädiges Fräulein, ich habe meinen freien Nachmittag nicht hier verbracht«, stieß Hilda zögernd hervor. »Aber …«

»Ja?«, erwiderte Elise ungeduldig.

»Ich weiß nicht, ob es wichtig ist«, sagte Hilda, »aber ich habe Ihren ehemaligen Verlobten in der Stadt mit Agathe gesehen.«

»Simon Hertlein?«, vergewisserte sich Elise verblüfft, und ihr Magen krampfte sich zusammen. Agathe würde doch nicht … das konnte doch nicht sein!

»Ja, gnädiges Fräulein.«

»Sieh nach, ob Rittmeister von Albedyll schon im Hause ist«, wies sie ihre Zofe an.

»Jawohl, gnädiges Fräulein.«

Während Hilda das Dienstzimmer des Hausdieners Mannfeld ansteuerte, ging Elise zu ihrer Mutter. Gerade als sie anklopfen wollte, kam Richard fröhlich pfeifend die Treppe hoch. »Elise«, sagte er beschwingt, »Hilda sagte, du suchst nach mir?«

»Ja«, erwiderte Elise. Sie war erleichtert, nun wenigstens auch Richard an ihrer Seite zu haben. »Komm mit!«

»Was ist denn hier los?«, fragte Margarethe, als sie die Zimmertür öffnete und ihre Tochter und den Hausgast im Flur antraf.

»Ich muss euch etwas zeigen«, sagte Elise nur und schob ihre Mutter in ihr Zimmer zurück.

»Richard, worauf wartest du?«, fragte sie den Offizier harsch, der nur mit den Schultern zuckte und nun allen Konventionen zum Trotz im Schlafzimmer der Hausherrin stand. »Was ist denn nur los?«, wollte er wissen.

»Hier, lies!«, forderte Elise ihn auf und reichte ihm das Schreiben von Agathe.

»Ich verstehe nicht«, stammelte Richard und blickte hilflos zu Elise, »das passt gar nicht zu ihr.«

»Vor allem, wenn man bedenkt, was Hilda beobachtet hat«, erwiderte Elise.

»Könntest du mich jetzt bitte auch einmal aufklären?«, forderte Margarethe.

»Gleich, Frau Kämmerer, erst möchte ich wissen, was Hilda gesehen hat«, fuhr Richard dazwischen.

»Sie hat Agathe mit Simon Hertlein heute Nachmittag in der Stadt gesehen.«

»Das kann nicht sein«, stöhnte Richard auf. »Wehe, er krümmt ihr auch nur ein Haar.« Dann wandte er sich an Elise. »Wenn wir rechtzeitig in der Fabrik sein wollen, müssen wir uns auf den Weg machen.«

»Wir?«

»Du glaubst doch nicht, dass ich dich allein fahren lasse.«

»Ich komme auch mit«, warf Margarethe ein.

»Gut«, sagte Elise. »Und wenn Jacob uns abgesetzt hat, soll er noch Corbinian aus der Bergstraße holen.«

***

Mit einem lang gezogenen »Hooooh« brachte Jacob die Kutsche vor der Fabrik in der Tafelfeldstraße zum Stehen. »Ich gehe zuerst in die Halle«, sagte Elise zu Richard und Margarethe.

»Wir warten gleich vor der Tür«, versicherte Richard.

»Gut.« Elise stieg die Stufen empor, während Margarethe den Kutscher anwies, sich auf den Weg in die Bergstraße zu machen und Corbinian zu holen.

Elise schloss die Tür auf und stand gleich darauf in der Halle. Suchend sah sie sich um – und schrie im nächsten Moment auf. Jemand hatte nach ihrem Arm gegriffen und sie grob um die Ecke gezerrt. Entsetzt erkannte sie Simon Hertlein. Und im nächsten Moment sah sie Agathe – gefesselt und geknebelt auf einem Stuhl sitzen.

»Agathe«, rief Elise verzweifelt.

»Halts Maul!«, fuhr Simon Elise an und rief dann: »Sie ist hier.«

Elise schnappte nach Luft, als sie sah, wer sich aus der Dunkelheit zu ihnen gesellte. Ihr Stiefvater. Und Maria, das Hausmädchen.

»Ihr wart in meinem Büro«, schnauzte Hermann Kämmerer Elise an, während Maria stumm neben ihm stand.

Auch wenn er glaubte, dass sie hier in der Falle saß – Elise hatte nicht vor, klein beizugeben. »Du meinst wohl in dem Büro meines Vaters«, erwiderte sie kalt und durchbohrte ihn mit ihren Blicken.

»Gib mir das Testament!«, forderte Hermann nun Elise auf. »Dann passiert auch Agathe nichts.«

»Meinst du die Version, die du uns vorenthalten hast?«, entgegnete Elise.

»Genau die«, spie ihr Hermann Kämmerer entgegen, »dein Vater war ein Narr, einem Weibsbild wie dir – überhaupt, einem Weibsbild! – seine Firma zu überlassen.«

»Was willst du denn noch mit der Firma? Du hast sie doch ohnehin ruiniert, um bei Hertlein einzusteigen.« Elise war so wütend, dass sie keine Angst verspürte.

Da sah sie, dass Agathe ihr einen warnenden Blick zuwarf.

»Ich habe das Testament natürlich nicht hier«, sagte sie etwas sanfter, »ich hole es, wenn Agathe mich begleiten darf.«

»Für wie dumm hältst du uns?«, schnaubte Simon.

»Du gehst nirgendwohin«, bestätigte Hermann Kämmerer. »Maria, komm her, du lässt dir von Fräulein Lusin sagen, wo das Testament liegt, und dann bringst du es her.«

»Aber …«, wollte Maria protestierten, doch als sie nun ebenfalls einen zornigen Blick auf sich spürte, nickte sie ergeben.

»Das Testament befindet sich in der alten Lebküchnerei im Gewürzschrank«, tat Elise, als gebe sie sich geschlagen.

Sie hoffte, dass Richard und ihre Mutter Maria abfangen und in die Mangel nehmen würden.

Simon Hertlein nickte grimmig und schubste sie brutal auf einen Stuhl neben Agathe. »Dann lasse ich dich mal mit den beiden Hübschen alleine«, grinste Kämmerer. »Ich habe in meinem Kontor noch etwas zu erledigen.« Mit diesen Worten entschwand er nach oben.

»Eigentlich müsste ich mich ja jetzt um euch beide kümmern«, sagte der Druckereisohn mit einem anzüglichen Grinsen, während er Elise die Hände hinter dem Stuhl zusammenband.

Elise sah, wie sehr Simon Agathe verängstigte, das blanke Entsetzen lag in ihrem Blick. Wie gerne hätte sie Agathe zu verstehen gegeben, dass Richard und ihre Mutter draußen standen und Jacob gerade im Begriff war, Corbinian zu holen. Sie würden nicht mehr lange warten, bis sie hereinkämen.

»Der Knoten hält«, sagte Simon mehr zu sich selbst als zu den beiden Frauen. »So, und jetzt stopfe ich dir noch dein vorlautes Maul«, raunte er Elise zu, als er einen Stofffetzen zu einem Knebel drehte.

»Herr Hertlein«, rief Maria von der Türe her. Simon brummte nur: »Das ging aber schnell, ich rufe gleich nach Hermann«, wandte sich aber nicht um, da er gerade dabei war, Elise den Knebel in den Mund zu stopfen.

Agathe hingegen sah, dass Maria nicht allein in der Tür stand, sondern dass Richard sie fest im Griff hatte. Mittlerweile hatte dieser seine Hand auf Marias Mund gelegt und zog sie mit sich in die Halle.

Agathe begann mit kleinen Bewegungen ihren Stuhl zum Schaukeln zu bringen, um Simon von Elise abzulenken. Diese nutzte den kleinen Moment von Simons Unachtsamkeit, um ihm kräftig in die linke Hand zu beißen.

Mit einem lauten Schmerzensschrei stöhnte Simon auf, erhob die rechte Hand und schlug Elise mit voller Wucht ins Gesicht.

Elise stieß einen spitzen Schrei aus, und Agathes Augen weiteten sich vor Schreck, als sie sah, dass aus Elises Lippen feine Blutstropfen herausquollen.

Als Simon erneut die Hand heben wollte, fiel ihn mit einem martialischen Schrei Margarethe von hinten an und riss ihn zu Boden. »Wag es nicht, dich an meiner Tochter zu vergehen, du Ungeheuer!«, spie sie ihm entgegen.

»Was schreit ihr denn so rum?«, polterte Hermann Kämmerer von oben. »Euch kann man nie allein lassen.«

Simon hatte sich inzwischen von Margarethe befreit und die sich heftig Wehrende zu Boden gedrückt.

»Lass sie sofort los!«, schnaubte Kämmerer. »Mit den beiden kannst du machen, was du willst«, er deutete mit dem Kinn auf Agathe und Elise, »aber von meiner Frau lässt du die Finger.«

Suchend blickte sich Agathe nach Richard um, den sie schließlich hatte hereinkommen sehen, aber weder Maria noch ihren Verlobten konnte sie entdecken.

Simon ließ Margarethe frei, die sich mühevoll und mit schmerzverzerrtem Gesicht wieder aufrappelte. In diesem Moment wurde es in der Fabrik zappenduster, die Rüböl-Lampen verloschen, gleichzeitig bemerkte Elise, dass sich jemand an ihren Fesseln zu schaffen machte.

»Was ist denn hier los?«, schrie Kämmerer. »Was ist mit dem Licht?«

»Herr Kämmerer«, säuselte es von der Hallentür, »hier ist das Testament.«

»Na endlich«, entfuhr es Hermann Kämmerer. In diesem

Moment entflammte ein Streichholz, und Kämmerer zündete eine Kerze an.

»Bring es her!«, forderte er Maria auf, die ihm entgegenstolperte.

Als Maria Hermann Kämmerer das Testament übergab, stieß er einen Freudenschrei aus. Ohne sich das Schriftstück näher anzusehen, hielt er es über die kleine Flamme, und als sich das Papier bräunlich verfärbte und kleine Rauchwölkchen aufstiegen, wandte er sich kalt an Elise: »Jetzt gehört Lebkuchen Lusin endlich mir.«

»Das glaube ich nicht«, erwiderte Elise und sprang zur Überraschung aller empört von ihrem Stuhl auf, der mit einem lauten Knall nach hinten kippte.

»Sicher«, schleuderte Hermann Kämmerer Elise entgegen und drohte ihr, »oder möchtest du auch noch deine Mutter verlieren?«

»Willst du mich denn umbringen?«, fragte Margarethe kalt. »Du machst mir keine Angst mehr.« Elise sah, dass die Eingangstür vorsichtig geöffnet wurde. Hoffentlich bemerkten Simon und Kämmerer nichts davon. Doch beide standen mit dem Rücken zum Eingang. Mit Mühe konnte Elise Richard dort draußen ausmachen, der inmitten von uniformierten Männern mit Pickelhauben stand.

Als sich Hermann Kämmerer wieder Elise zuwandte, ertönte ein lauter Pfiff. Plötzlich lösten sich aus der Dunkelheit mehrere Polizisten und nahmen sowohl Simon als auch Hermann Kämmerer sowie Maria in Gewahrsam und führten sie ab. Erleichtert eilte Richard zu Agathe, um ihre Fesseln zu lösen, während Elise ihre Mutter an sich zog.

In diesem Moment stürzte ein aufgeregter Corbinian herein. »Was ist geschehen?«, fragte er. »Ich habe gesehen, dass die Gendarmen Herrn Hertlein, Herrn Kämmerer und Maria abgeführt haben. Geht es euch gut?«

»Du hast alles verpasst«, sagte Elise und fiel ihm um den Hals. »Sei froh drum.«

55

Mit einem lauten Gähnen bat Elise einen der Diener, die Teekannen aufzufüllen. Dann setzte sie sich wieder zu ihrer Mutter, die es sich auf dem mit rotem Samt bezogenen Sofa gemütlich gemacht hatte. »Ich habe hier noch etwas für dich«, sagte Elise unsicher, da sie nicht wusste, wie ihre Mutter darauf reagieren würde, und reichte Margarethe einen kleinen Umschlag. »In dem Schreiben von Vater, das mir Josef Welser gebracht hatte, stand auch etwas von einem Brief für dich. Ich habe ihn gesucht und gefunden.« Margarethes Blick wurde trüb, und Elise sah, wie gerührt ihre Mutter war, als sie die Worte *Für meine liebste Margarethe* las. »Er bat mich, dir diesen Brief nach einer erneuten Heirat zu geben.«

»Mein Wilhelm«, seufzte Margarethe und drückte das Kuvert an ihr Herz.

Da in diesem Moment auch Corbinian, Agathe und Richard den Wintergarten betraten, flüsterte Margarethe: »Ich möchte ihn nachher ganz in Ruhe lesen und nur für mich, ist das in Ordnung für dich, Elise?«

»Natürlich.«

Die Nachzügler füllten sich noch die Tassen, ehe sie auf den Sesseln Platz nahmen. Bevor die Polizei kommen und berichten würde, wollten sie sich zunächst gegenseitig über die Geschehnisse des letzten Abends austauschen.

»Also so ganz habe ich immer noch nicht alles verstanden«, gab Margarethe zu.

»Ich auch nicht«, erwiderte Elise, »und das, obwohl ich dabei war.«

»Mir geht es nicht besser«, sagte Agathe, »wer hat denn eigentlich die Polizei gerufen?«

»Nun, immerhin das kann ich aufklären«, entgegnete Richard schmunzelnd. »Als Maria uns direkt vor der Fabrik in die Arme lief, hatte sie furchtbare Angst.«

»Deshalb haben Richard und ich mit ihr gesprochen«, fuhr Margarethe fort, »und Jacob zur Polizei geschickt.«

»Aber der sollte doch Corbinian holen.«

»Er hat mich aber nicht angetroffen«, erläuterte der. »Er kam ohne mich zurück.«

»Aber wo warst du? Und wieso bist du dann doch gekommen?«

»Ich war auf dem Weg hierher«, sagte Corbinian. »Ich wollte noch einmal die Fabrik nach möglicherweise versteckten Lagerbeständen durchsuchen.«

»Wie sich in dem Gespräch mit Maria herausstellte, hatte sie aber nicht vor uns Angst, sondern vor Simon und Hermann«, knüpfte Richard wieder an, »ich hatte den Eindruck, sie war beinahe erleichtert, als wir sie schnappten.«

»Aber wieso hat sie sich überhaupt auf die beiden eingelassen?«, fragte Elise.

»Nun, sie war eifersüchtig auf unsere Liebe«, beantwortete Richard und sah Agathe mit einem zärtlichen Blick an. »Und Simon hat das ausgenutzt, ihr schöne Augen gemacht und ihr wohl versprochen, sie zur Frau zu nehmen.«

»Wie durchtrieben von ihm«, empörte sich Elise.

»Und wer hat dann das Testament geholt? Wenn ihr Maria doch geschnappt hattet?«

Richard grinste: »Na, niemand. Maria hatte sich durch

den Nebeneingang der Fabrik geschlichen und einfach ein altes Schriftstück genommen.«

»Und wenn Kämmerer es näher angeschaut hätte?«, gab nun Agathe zu bedenken.

»Na ja, dann hätte ich Verwirrung gestiftet«, erklärte Richard. »Ich wusste ja, dass die Polizei unterwegs war.«

»Wir haben also nur auf Zeit gespielt«, fasste Margarethe zusammen.

»Aber Agathe, was ich mich frage, wie bist du überhaupt in die Fänge von Simon und Hermann geraten?«, wollte Corbinian wissen, der nicht von Elises Seite wich und die ganze Zeit ihre Hand hielt.

»Nachdem ich Margarethe zu dir in die Bergstraße gebracht hatte, wollte ich mich gerade auf den Nachhauseweg machen, da sah ich auf einmal Simon Hertlein und Hermann Kämmerer auf die Bergstraße zueilen. Ich habe mich in einem Hauseingang versteckt und gehört, wie die beiden sich stritten. Offenbar hatte Hertlein Herrn Kämmerer herbestellt, um ihm zu zeigen, dass Lebkuchen Lusin verkauft – und nicht, wie Kämmerer ihm gegenüber gesagt hatte, Geschichte war.«

Elise sah, dass Agathe mit ihren Emotionen kämpfte, und nahm ihre Hand. »Du musst nicht weitersprechen, wenn es dich zu sehr belastet.«

Doch Agathe schüttelte den Kopf. »Ihr müsst es ja erfahren. Und es ist wichtig, was ich weiter belauschen konnte: Elise, stell dir vor, Kämmerer hat uns belogen wegen dem Passus, dass Lebkuchen Lusin die Bildlebkuchen nicht mit einer anderen Druckerei herstellen dürfte.«

»Das gibt es doch nicht«, stieß Margarethe hervor.

»Die beiden haben von Anfang an versucht, Lebkuchen Lusin zu zerstören.«

»Also war auch mein Besuch damals in der Druckerei nur ein billiges Schauspiel«, sagte Margarethe und schüttelte fassungslos den Kopf. »Wie dumm ich war! Nur weil er sich damals so für dich eingesetzt hat, Elise, habe ich überhaupt in Betracht gezogen, ihn zu heiraten. Bitte verzeih mir.«

Elise drückte ihre Mutter fest an sich: »Da gibt es nichts zu verzeihen.« Doch dann blickte sie ihre Mutter mit gespielter Strenge an: »Außer du lässt zu, dass Kämmerer jemals wieder einen Fuß hier ins Haus oder in die Lebkuchenfabrik Lusin setzt.«

»Nur über meine Leiche!« Dann wandte sie sich wieder Agathe zu. »Aber wie bist du denn nun in die Fänge der beiden Herren geraten?«

»Ich habe mich ihnen sozusagen gestellt«, gestand Agathe. »Ich wollte unbedingt verhindern, dass sie in die Bergstraße kommen. Denn da waren ja Sie«, sie sah Margarethe an, »und wussten von alledem noch nichts. Auch wollte ich Sie nicht dem Zorn Ihres Gatten aussetzen.«

»Sie haben das alles getan, um mich zu retten?«, fragte Margarethe gerührt und nahm Agathes Hände in die ihren. »Sie sind so eine treue Seele.«

Agathe lächelte. »Ich bin also wie zufällig aus meinem Versteck gekommen, und als die beiden mich gesehen haben, überhäuften sie mich regelrecht mit Fragen. Ich tat ganz erstaunt und sagte, ich hätte von der vorübergehenden Schließung gehört, aber soweit ich wisse, seien alle Arbeiter zurückgekehrt und in der Tafelfeldstraße am Werk. Daraufhin ist Herr Kämmerer wutentbrannt in Richtung Fabrik verschwunden, und Simon hat mich gezwungen, ihm zu folgen.«

»Wie konnte er das denn? Du hättest dich doch weigern

können?«, fragte Elise. »Schließlich wart ihr mitten auf der Straße.«

»Er hatte ein Messer«, sagte sie. »Das hat er mir gezeigt und gesagt, wenn ich nicht komme, werde er von ihm Gebrauch machen.«

»In aller Öffentlichkeit?«, fragte Corbinian.

»Nun, ehrlich gesagt war ich in diesem Moment wie vor den Kopf gestoßen und krank vor Angst.«

»Natürlich. Entschuldige.«

»Oh, mein Liebling, ich bin so froh, dass dir nichts geschehen ist«, sagte Richard und zog sie in seine Arme.

Hausdiener Heinrich Mannfeld betrat den Wintergarten und unterrichtete Margarethe Kämmerer darüber, dass Polizeiinspekteur Heinrich und dessen Kollege Schmitz nun angekommen seien.

»Bitte führen Sie die Herren herein«, wies Margarethe ihn an.

»Sehr wohl, gnädige Frau«, sagte der Hausdiener.

»Ich bin schon gespannt, ob Inspekteur Heinrich weiß, wie es mit Simon Hertlein und Hermann Kämmerer weitergeht«, brach Elise als Erste das Schweigen, das sich über den Wintergarten gelegt hatte, seit der Hausdiener ihn wieder verlassen hatte.

»Ich habe keine Ahnung«, erwiderte Agathe, »nur zwischenzeitlich tut mir Maria fast ein bisschen leid.«

In diesem Moment kam der Hausdiener mit den beiden Polizisten zurück.

»Guten Tag«, sagte der Herr im dunklen Anzug, »wenn ich mich vorstellen darf, Inspekteur Heinrich, und das ist mein Kollege Schmitz.«

»Bitte nehmen Sie doch Platz«, forderte Margarethe die beiden Herren auf.

Kaum dass sie auf dem Sofa saßen, erschien auch schon ein Diener, goss zunächst die beiden Teetassen für die Neuankömmlinge voll und schenkte dann den übrigen Anwesenden nach.

»Gnädige Frau«, ergriff Inspekteur Heinrich erneut das Wort, »ich bedauere, Ihnen mitteilen zu müssen, dass wir Ihren Gatten nicht aus dem Zuchthaus entlassen können.«

»Das wäre ja auch noch schöner«, erwiderte Margarethe.

Erleichtert fuhr der Polizist fort: »Ihr Hausmädchen Maria hat uns entscheidend weitergeholfen mit ihrer Aussage.«

»Inwiefern?«, fragte Elise.

»Dank ihres Berichts waren unsere Kollegen gestern Abend noch in der Druckerei Hertlein und fanden dort Gewürze und Honig, die eigentlich auf den Listen von Lebkuchen Lusin standen. Die Ware wurde beschlagnahmt, und sobald wir Lebkuchen Lusin eindeutig als Besitzer ausmachen können, händigen wir Ihnen die Ware aus.«

»Gott sei Dank«, rief Elise. »Dann können wir den normalen Betrieb wieder aufnehmen.«

»Was geschieht denn nun mit Maria?«, fragte Agathe.

»Das Hausmädchen wird wohl mit einer Verwarnung davonkommen.«

»Das ist gut«, freute sich auch Elise, »und Simon Hertlein?«

»Der«, schnaufte der Polizist, »der bleibt ebenso wie sein Vater in Haft.«

»War Oskar Hertlein auch in das niederträchtige Komplott verwickelt?«, fragte Margarethe entsetzt.

»Ja«, erwiderte Inspekteur Heinrich, »aber wohl nicht von

Anfang an. Erst als die Verlobung gelöst wurde, hat er sich von seinem Sohn und Kämmerer in Rage reden lassen.« Er räusperte sich. »Gnädige Frau, ich muss Sie noch über etwas unterrichten, ich weiß nur nicht recht, wie ich es schonend sagen soll.«

Margarethe holte tief Luft und erwiderte: »Nur heraus damit.«

»Laut Ihres Hausmädchens hat Hermann Kämmerer Ihnen gegenüber behauptet, Witwer zu sein?«

»Ja.«

»Nun, das ist er nicht. Wie unsere Überprüfung ergeben hat, leben er und seine Frau nur getrennt voneinander, aber weder ist sie tot, noch ist er geschieden.«

»Dann ist er nicht nur ein Erbschleicher, sondern auch noch ein Bigamist!«, entfuhr es Margarethe.

Entsetzt blickte Elise auf ihre Mutter, um deren Mundwinkel es verdächtig zuckte, ehe sie in schallendes Gelächter ausbrach.

»Ja«, stimmte der sichtlich überforderte Polizist ihr zu.

Nachdem sich Margarethe beruhigt hatte, entschuldigte sie sich für ihren Ausbruch. »Was für ein Glück, dann bin ich ihn einfach so los?«

»Wenn Sie es so sehen«, erwiderte der Polizist, »dann ja. Dann bleibt mir jetzt nur eines zu fragen.«

»Gerne«, sagte Elise.

»Möchten Sie und Fräulein Welser Ihre Aussagen protokollieren lassen?«

»Auf alle Fälle«, sagte Agathe, und auch Elise nickte.

»Dann bitte ich Sie, morgen auf der Polizeiwache vorbeizukommen und die Aussagen zu unterschreiben.«

»Wir werden da sein«, versicherte Elise, »und ich möchte mich bei Ihnen und Ihren Kollegen für Ihren Einsatz bedanken.«

»Sehr gerne, Fräulein Lusin«, sagte der Inspekteur. »Und wenn Sie mir die folgende Impertinenz erlauben: Seien Sie froh, dass Sie die Herren los sind.«

»Das sind wir«, versicherte Margarethe. »Und auch ich möchte mich bei Ihnen bedanken.«

»Zu viel des Lobes«, erwiderte der Inspekteur, »empfehle mich.«

Nachdem die Polizisten den Wintergarten verlassen hatten, setzte sich Elise neben ihre Mutter und fragte: »Bist du wirklich sicher, dass es dir gut geht?«

»Ja«, erwiderte Margarethe, »denk mal daran, wie du dich gefühlt hast, als die Verlobung mit Simon Hertlein gelöst wurde.«

»Gut, einfach nur gut«, strahlte Elise Margarethe an.

Margarethe läutete nach Herrn Mannfeld und Frau Hauder, und kaum dass die beiden den Raum betreten hatten, erhob sie sich.

»Bitte teilen Sie dem Personal mit, dass die Besitztümer von Herrn Kämmerer gepackt werden, samt und sonders, und darüber hinaus nennen Sie mich bitte wieder Frau Lusin.«

Über das sonst stets unbewegte Gesicht Heinrich Mannfelds glitt ein Strahlen, und auch Frau Hauder lächelte.

»Sehr wohl, gnädige Frau.«

56

Die Schneepracht verlieh dem parkartigen Garten der Villa Lusin einen ganz eigenen Zauber. Wie gut es sich anfühlte, für einen Moment allein zu sein und damit die Gelegenheit zu haben, über die vorangegangenen Stunden nachzudenken. Wie ein Kind streckte Agathe die Arme aus und ließ die Schneeflocken auf ihre Handflächen fallen. Tief atmete sie die klare und kalte Luft ein und genoss dieses Gefühl der Reinheit.

»Agathe«, erklang in diesem Moment eine Stimme hinter ihr. Sie fuhr herum.

»Es tut mir leid, ich wollte dich nicht erschrecken oder stören«, sagte Corbinian.

»Alles in Ordnung«, versicherte sie, auch wenn sie bedauerte, dass das Alleinsein ein so schnelles Ende gefunden hatte.

»Ich brauche deine Hilfe.«

»Gerne.«

»Du musst Elise ablenken, sie sollte die nächsten Tage nach Möglichkeit nicht allzu oft in die Bergstraße kommen.«

»Das wird nicht einfach«, überlegte Agathe, »jetzt, da dort der Verkauf wieder angelaufen ist. Aber ich lasse mir etwas einfallen.«

»Es ist wirklich wichtig«, beschwor sie Corbinian, »ich möchte Elise einen Antrag machen.«

»Na endlich«, stieß Agathe hervor.

Verwundert sah er sie an. »Na endlich?«

»Du darfst ihr nicht sagen, dass ich es dir verraten habe, aber darauf wartet sie schon eine ganze Weile«, erwiderte Agathe.

»Ich wollte das Trauerjahr abwarten«, erklärte er. »Und dann … nun ja, haben sich die Ereignisse überschlagen.«

»Das dachte ich mir. Warum aber soll ich sie wegen eines Heiratsantrags mehrere Tage lang fernhalten? Was hast du vor?«

»Ich möchte ihr ein Model schnitzen«, erklärte Corbinian, »und dann damit einen Lebkuchen backen. Das wird sie natürlich nicht immer sofort bemerken, wenn sie hereinkommt, aber ich möchte das Risiko so gering wie möglich halten, dass sie mich dabei überrascht.«

»Verstehe«, sagte Agathe und fügte hinzu: »Einen schöneren Heiratsantrag könntest du ihr nicht machen.«

»Also hilfst du mir?«, fragte er freudestrahlend.

»Aber sicher«, versprach Agathe und zwinkerte Corbinian zu, »dann werde ich wohl mal besser jetzt gleich für morgen einen Termin mit der Schneiderin vereinbaren – und Elise bitten, mich zu begleiten.«

***

Überall lagen Stoffe und Bänder in dem Atelier verteilt um Agathe und Elise herum. Schon den ganzen Vormittag hatten die Schneiderin und Agathe Kleider besprochen, und auch ein aufwendiges Ballkleid war mittlerweile skizziert worden.

»Agathe«, stieß Elise nun ungeduldig hervor, »ich denke, du hast mittlerweile genug Kleider für zwei Reisen.«

»Nun, ich möchte natürlich bei Richards Familie glänzen«,

erwiderte Agathe, »seine Mutter hat mir extra ein großzügiges Kleidersalär zur Verfügung gestellt.«

Die Schneiderin kam gerade mit einem weiteren Ballen Stoff zurück aus dem Lager.

Elise stöhnte innerlich auf. Sie verstand ja, dass Agathe es genoss, all die schönen Kleider zu bestellen, aber sie wollte doch eigentlich noch in die alte Lebküchnerei und vielleicht mal wieder etwas backen. Als sie gestern Abend Agathe zugesagt hatte, sie zu der Schneiderin zu begleiten, hatte sie nie damit gerechnet, dass es so lange dauern würde.

»Dieser hier wäre auch schön für ein Reisekleid«, umgarnte die Schneiderin Agathe, die wohlwollend nickte. »Elise, was denkst du?«

»Wenn du meinst.«

»Also, dann nehme ich den für ein Reisekleid«, entschied Agathe.

»Wunderbar«, drängte Elise. »Können wir uns dann nun auf den Weg machen?«

»Ja, ich bin gleich fertig«, sagte Agathe, der nun beim besten Willen kein Grund mehr einfiel, noch länger bei der Schneiderin zu verweilen. Nachdem sie sich verabschiedet hatten, hakte sich Agathe bei Elise unter: »Aber ohne ein Mittagessen lass ich dich nicht in die Bergstraße.«

»Na gut.« Elise seufzte ergeben. »Dann fahre ich noch mit dir nach Hause.«

Das Mittagessen, das Köchin Caroline Stift vorbereitet hatte, war dermaßen opulent, dass Elise von ihrem Plan abrückte, noch in die Bergstraße zu gehen; sie fühlte sich viel zu träge und hatte sich mit Agathe in den Salon zurückgezogen.

»Begleitest du mich dafür morgen in die Bergstraße?«,

wollte Elise wissen, während sie sich genüsslich in die dicken Kissen sinken ließ.

»Ich weiß nicht«, erwiderte Agathe ausweichend.

Verzweifelt überlegte sie, was sie vorbringen konnte, um Elise noch einen zweiten Tag von der Bergstraße fernzuhalten.

»Entschuldige mich bitte«, sagte sie stattdessen, »ich muss noch eine Depesche an meine Eltern senden.«

Eine halbe Stunde später kehrte Agathe zurück in den Salon.

Mit einer gewissen Belustigung nahm sie wieder auf ihrem Sessel Platz und betrachtete Elise, die eingeschlummert war.

Auch Agathe hatte die Müdigkeit übermannt, und so schraken beide aus dem Schlaf hoch, als ein Diener den Salon betrat.

»Fräulein Lusin.«

»Ja«, erwiderte Elise schlaftrunken.

»Ein Bote hat gerade dieses Schreiben abgegeben.«

»Danke.« Elise nahm den Umschlag von dem silbernen Tablett. »Von Helene«, erkannte sie erfreut.

Der Diener hatte sich zwischenzeitlich wieder zurückgezogen.

»Was schreibt sie?«, fragte Agathe.

»Hmm«, machte Elise, »sie lädt uns morgen ins Tucherschloss ein.«

»Oh, wie schön«, freute sich Agathe, »dort war ich noch nie.«

»Stimmt«, sagte Elise, und als sie die Freude in Agathes Augen sah, brachte sie es nicht über sich, Helene abzusagen, auch wenn sie doch eigentlich vorgehabt hatte, in der Bergstraße auszuhelfen.

»Ich freue mich sehr«, plauderte Agathe, »wie gut, dass ich die Verlobte von Richard von Albedyll bin, auch wenn der gestern wieder zu seinem Regiment zurückmusste.«

»Also schön«, sagte Elise, »ich sage für uns beide zu.«

***

Sie hatten einen wundervollen Tag bei Helene von Tucher verlebt, und am Abend berichteten Agathe und Elise Margarethe in der Bibliothek begeistert von den schönen Stunden.

Elise hatte Corbinian gegenüber, den sie sträflich vernachlässigt hatte, allerdings ein schrecklich schlechtes Gewissen. Sie nahm sich vor, morgen auf alle Fälle im Laden vorbeizuschauen.

»Elise«, sagte ihre Mutter, »morgen startet die Produktion in der Tafelfeldstraße wieder, die restlichen Arbeiter kommen zurück. Deshalb bitte ich dich, mich dann zu begleiten. Zum einen werde ich ihnen danken, dass sie zurückgekehrt sind, zum anderen möchte ich ihnen auch mitteilen, dass du ihre neue Direktorin bist.«

»Mama!«, stieß Elise überwältigt hervor. »Wie wunderbar …«

Gerührt dachte sie an ihren Vater. *Nun wird alles gut, Papa.*

»Dann sollte ich aber den Tag auch in der Lebkuchenfabrik Lusin verbringen«, überlegte sie.

»Ja, ich glaube, das wäre ein gutes Zeichen an die Mitarbeiter«, meinte Margarethe.

»Agathe, da Corbinian so viel zu tun hat und sicherlich auch morgen noch in der Bergstraße beschäftigt sein wird, könntest du ihm dann helfen?«, fragte Elise.

»Selbstverständlich«, erwiderte Agathe wie aus der Pistole geschossen und lächelte sichtlich zufrieden.

Elise bedankte sich und fügte dann hinzu: »Ich hätte aber gern, dass Corbinian bei meinem großen Moment dabei ist. Ich werde ihm eine Nachricht schicken.«

***

Mit vor Aufregung ganz feuchten Händen stand Elise neben Margarethe auf dem Podest, das einst schon ihr Vater für seine Ansprachen genutzt hatte und um das sich bereits alle Arbeiter versammelt hatten. »Gleich geht es los«, flüsterte die Mutter ihr zu. »Und ich muss gestehen, dass ich ein wenig nervös bin. Wie steht es mit dir?«

»Ich sterbe vor Aufregung«, gestand Elise.

»Du wirst das wunderbar machen, mein Kind, ich weiß es. Jetzt ist alles endlich so, wie es sein soll und wie dein Vater es wollte.«

»Ja.« Sie nickte.

»Bist du bereit?«

Elise ließ ihren Blick über die Menge schweifen. Sie hatte Corbinian noch nicht entdecken können, und es war ihr doch so wichtig, dass er in diesem Moment an ihrer Seite wäre und ihn mit ihr teilen könnte.

»Corbinian ist noch nicht da«, sagte sie zu ihrer Mutter.

»Ich fürchte, wir können nicht mehr allzu lange warten. Die Arbeiter werden langsam unruhig«, meinte sie bedauernd.

In diesem Moment sah Elise ihren Liebsten zur Tür hereinkommen. Sein Gesicht leuchtete auf vor Stolz, als er sie auf dem Podest entdeckte.

»Alles gut, er ist da«, flüsterte sie ihrer Mutter zu.

Margarethe nickte und richtete ihren Blick dann auf die Menge. »Ich habe Sie heute hier zusammengerufen, um Ihnen von Herzen zu danken. Es ist für mich und meine

Tochter alles andere als selbstverständlich, dass Sie nach dem Hin und Her wieder zur Arbeit erschienen sind. Ihre Treue, die Sie nicht zum ersten Mal bewiesen haben, rührt uns sehr. Wir stehen tief in Ihrer Schuld.«

Elise fing Corbinians Blick ein, und er lächelte ihr liebevoll zu.

»Aber ich möchte Ihnen heute nicht nur danken, sondern auch an meinen Mann erinnern und seinen letzten Wunsch erfüllen«, sagte Margarethe sichtlich ergriffen.

Als sie Wilhelm Lusin erwähnte, ging ein Raunen durch die Menge, die Männer nahmen ihre Kopfbedeckungen ab.

»Mein Mann Wilhelm liebte sein Handwerk, er liebte das Schnitzen der Model, das Backen der Lebkuchen und den Umgang mit der Kundschaft und seinen Arbeitern. Und diese Liebe zum Lebkuchen hat er vererbt – an seine Tochter.«

Gerührt sah Elise zu Margarethe, die ihren Blick voller Liebe erwiderte, ehe sie sich wieder an die Belegschaft wandte: »Und damit diese Liebe Früchte tragen kann, hat er ihr auch seine Fabrik vermacht. Das passt sehr gut, er hat sie schon immer seine Lebkuchenprinzessin genannt. Und deshalb wird sie das Werk auch ab sofort leiten und ihm zukünftig als Direktorin vorstehen.«

Erneut war Gemurmel in der Belegschaft zu hören. Zaghaft blickte Elise in die Gesichter. Eine Frau als Direktorin – und noch dazu eine so junge, das war ungewöhnlich! Was, wenn die Arbeiter sie nicht akzeptieren und ihr Ärger bereiten würden? Doch da war keiner, der nicht wohlwollend zu ihr aufblickte, zu sehr hatten die Arbeiter die Fabrikantentochter ins Herz geschlossen – und zu sehr in letzter Zeit unter Hermann Kämmerer gelitten.

In diesem Moment begann einer der Männer zu klatschen. Elise sah, dass es Eugen Baum war, der Leiter der Lebküchnerei. Nun war der Bann endgültig gebrochen. Die anderen fielen in seinen Applaus ein, und Elise blickte ein wenig bang zu Corbinian. Schließlich war ihr Galan einst weggelaufen, als sich herausgestellt hatte, dass sie die Firma erben würde. Doch er nickte ihr nur beruhigend zu. *Es ist alles gut*, schien sein Blick zu sagen. *Diese Phase haben wir längst überwunden.*

»Rede, Rede«, skandierten viele Männer der Belegschaft, und einige der Frauen stimmten mit ein.

»Ich kann mich nur den Worten meiner Mutter anschließen«, sagte Elise mit einer Selbstsicherheit, die sie selbst überraschte, »ich möchte mich bei Ihnen für die Treue und Ihre Mitarbeit bedanken. Uns alle eint die Liebe zu Lebkuchen und der zugehörigen Tradition.«

»Bravo«, rief einer der Mitarbeiter, der aber schnell wieder schwieg, als viele ein »Schttt« zischten.

»Auf uns kommt in den nächsten Wochen viel Arbeit zu, aber mit Ihnen an meiner Seite habe ich die Gewissheit, dass wir alles schaffen können.«

Erneut brandete Applaus auf, und die ersten Hände streckten sich ihr entgegen, um zu gratulieren. Dankbar schüttelte Elise sie, hatte aber eigentlich nur Augen für Corbinian, der hinten in seiner Ecke stand. Sie wollte zu ihm, und als die Belegschaft ihren Blick wahrnahm, traten sie zur Seite, denn es hatte sich längst herumgesprochen, dass die junge Direktorin eine Schwäche für einen ganz bestimmten Lebküchner hatte.

Durch die Reihen der Mitarbeiter ging sie auf ihn zu. Still und lächelnd sah er ihr entgegen. Als sie bei ihm angelangt war, nahm er ihre Hände in die seinen.

»Meine liebe Elise«, setzte Corbinian an, doch seine Stimme zitterte leicht vor Nervosität, sodass er sich kurz räusperte, bevor er weitersprach: »Wir haben uns am Tag des großen Hochwassers kennengelernt, seitdem wusste ich, du bist die Frau, für die ich alles tun würde und der ich alle Sorgen abnehmen möchte.«

Elise sog scharf die Luft ein. War es endlich so weit? Würde er hier und jetzt um ihre Hand anhalten? Auf einmal hämmerte ihr Herz so wild, als wolle es ihr aus der Brust springen. Jetzt sah sie, dass er etwas in der Hand hielt. Aber es war kein Ring, sondern ein Lebkuchen.

Schüchtern hob er ihn an und streckte ihn ihr entgegen.

Aufmerksam betrachtete sie das Gebäck – und dann musste sie erneut nach Luft schnappen. Es handelte sich um einen Modellebkuchen nach alter Tradition. Und er zeigte unverkennbar sie beide, Hand in Hand, als Paar. Elise wusste, in welcher Tradition es stand, einer Frau einen solchen Lebkuchen zu überreichen, und in diesem Moment sank er auch schon vor ihr auf die Knie.

»Elise Lusin«, sagte er feierlich. »Mit diesem Lebkuchen bitte ich dich, meine Frau zu werden.«

In der Halle war es längst mucksmäuschenstill geworden. Gespannt richteten sich alle Blicke auf die neue Direktorin. Alle warteten sie darauf, dass sie Ja sagen würde. Auch Corbinian blickte sie, vor ihr kniend, hoffnungsvoll und auch ein wenig bang an.

Doch Elise sagte nicht ja. Zumindest nicht mit Worten. Obwohl es ihr schwerfiel, sein kunstvolles Werk zu zerstören, biss sie herzhaft in den Lebkuchen.

Auch Corbinian und die anderen Mitarbeiter von Lebkuchen Lusin wussten, dass das nach der alten Tradition ein

Ja bedeutete, und während alle in lauten Jubel ausbrachen und die Männer ihre zuvor abgenommenen Mützen in die Luft warfen, erhob sich Corbinian, zog Elise in seine Arme und küsste sie.

»Du schmeckst nach Lebkuchen«, flüsterte er an ihrem Mund.

»Und noch dazu nach ganz köstlichem«, erwiderte sie zärtlich. Dann stahl sich ein spitzbübisches Grinsen auf ihr Gesicht. »Und du bist dir ganz sicher, dass du mich nicht nur heiraten willst, weil ich nun Direktorin bin?«

Er ging auf ihren Scherz ein. »Doch, natürlich ist das der Grund, deshalb habe ich ja bis gerade eben gewartet. Ich wollte schon immer mal eine Direktorin heiraten. Ich dachte, ich pfeif auf meinen gockelhaften Stolz und such mir eine gute Partie. Eine Lebkuchenprinzessin.«

Epilog

Der glatte Teig fühlte sich unter Elises Händen ebenso vertraut an wie der Duft, der ihr in die Nase stieg. Das Kneten beruhigte sie etwas, denn Elise war ein wenig aufgeregt. Nicht nur, dass heute endlich wieder einmal Agathe und Richard mit ihrem Sohn Ludwig anreisen würden, nein, der Besuch hatte auch einen ganz besonderen Anlass: Ihre Tochter Anneliese würde morgen das erste Mal zur Schule gehen. Wie schnell die Zeit verflog! Es war doch erst gestern gewesen, dass das kleine Mädchen in der Villa Lusin das Licht der Welt erblickt und alle mit ihrem Lächeln bezaubert hatte.

Als Elise den Teig zu einer Kugel geformt hatte, legte sie ihn zum Ruhen beiseite und stieg hinauf in den ersten Stock. Dort öffnete sie den alten Eichenschrank, in dem schon ihr Vater die alten Model aufbewahrt hatte. Andächtig nahm sie das Model mit dem ABC-Taferl heraus, das einst Wilhelm für sie geschnitzt hatte. Wie lang war das her! Ein ganzes Leben! Sie lächelte, als sie daran dachte, wie er ihr an ihrem ersten Schultag den Lebkuchen überreicht hatte. Alle Kinder hatten sie darum beneidet. *Wie stolz wäre er wohl heute, wenn er für seine Enkelin wieder ein ABC-Taferl backen könnte,* dachte Elise.

»Hier bist du«, erklang in diesem Moment Corbinians Stimme hinter ihr.

Lächelnd wandte sie sich zu dem Mann um, mit dem sie

nun schon seit sieben Jahren verheiratet – und überglücklich – war.

»Schau mal«, sagte Corbinian, zeigte seiner Frau ein kleines Holzmodel und fragte: »Meinst du, es gefällt Ludwig?«

»Bestimmt«, erwiderte Elise und strich über die sauber ausgeführten Zahlen von eins bis zehn. »Es ist wunderschön, wie alle deine Model.«

»Ich werde es noch schnell wachsen, dann können wir nachher beide in den Ofen schieben.«

»Der Teig ruht bereits«, sagte Elise. »Sind noch genügend Wilhelms Weiße da?«

»Natürlich, wir haben gestern erst in der Lebkuchenfabrik nachgebacken, Frau Direktorin«, antwortete Corbinian und zog Elise an sich. »Schließlich dürfen die Lebkuchen zu Ehren deines Vaters an einem solch wichtigen Tag nicht fehlen.«

»Sehr gut«, erwiderte sie und entwand sich den fordernden Händen ihres Gatten, »aber ich will noch die Lebkuchen fertig backen und den Laden schön einräumen.«

»Hast du so wenig Vertrauen in deine Arbeiter?«

»Nein, aber ich möchte, dass morgen alles perfekt ist. Sowohl für Anneliese als auch für Agathe.«

***

Der nächste Tag verging wie im Flug, und da beim vorgezogenen Abendessen angesichts Annelieses erstem Schultag die Kinder mit dabei sein durften, herrschte viel Aufregung am Tisch. Nachdem der Hauptgang abgetragen war, bat Elise ihre Tochter zu sich und Corbinian.

»Schau, Anneliese, wir haben hier etwas für dich.«

Sie überreichte dem kleinen Mädchen mit den großen

blauen Augen und den schwarzen Haaren – ein jüngeres Abbild ihrer selbst und ihrer Mutter – das ABC-Taferl.

»Wie schön«, rief Anneliese und betrachtete begeistert den Lebkuchen.

»Ich hatte als Kind auch so ein ABC-Taferl«, sagte Elise. »Dein Opa Wilhelm hat es für mich gebacken.«

»Und du hast jetzt eines für mich gebacken?«, fragte Anneliese neugierig.

»Ja, meine Kleine«, erwiderte Elise, »mit der gleichen Form, die damals dein Opa für mich geschnitzt hat.«

»Oh, ist das wunderbar«, freute sich das Mädchen, »dann ist er ja heute auch dabei.«

In Elises Augen glitzerte es verdächtig, und als sie zu ihrer Mutter Margarethe blickte, sah sie, dass es ihr genauso ging.

»Und immer, wenn du einen neuen Buchstaben gelernt hast«, sagte nun Corbinian, »darfst du diesen vom ABC-Taferl abbrechen und naschen.«

»Prima«, erwiderte Anneliese und wollte sich auf den Weg zu ihrem Platz machen, doch Elise hielt sie zurück.

»Für Ludwig haben wir auch ein Geschenk«, sagte sie und reichte ihr das Zahlen-Taferl. »Bringst du es ihm?«

»Das mach ich«, erwiderte Anneliese, umrundete den Tisch und reichte dem fünfjährigen Sohn von Agathe und Richard den Lebkuchen.

»Wenn du nächstes Jahr in die Schule kommst, backen meine Eltern dir bestimmt auch ein ABC-Taferl«, sagte sie. »So lange kannst du schon mal die Zahlen üben.«

Elise konnte nicht umhin zu schmunzeln.

»Danke«, sagte Ludwig und biss die erste Zahl an.

»Aber kannst du die denn schon?«, rief Anneliese strafend.

»Klar«, mümmelte Ludwig. »Und die anderen auch. Zwei,

drei, vier, sechs, fünf, sieben, acht, zehn«, zählte er und machte sich daran, seinen Lebkuchen zu verspeisen.

Die Erwachsenen brachen in fröhliches Gelächter aus.

»Es tut so gut, euch wieder einmal bei uns zu haben«, seufzte Elise und sah ihre einstige Zofe liebevoll an.

»Es tut so gut, wieder hier zu sein«, gab Agathe ebenso liebevoll zurück. Und dann sprach sie aus, was Elise in diesen Tagen schon so oft gedacht hatte: »Unglaublich, wie schnell die Zeit vergeht.«

Nach dem Abendessen wurden die Kinder von den Kindermädchen zu Bett gebracht, und während die Herren sich ins Raucherzimmer zurückzogen, gingen Elise und Agathe in die Bibliothek, die Margarethe ihnen überlassen hatte.

»Sie wollte uns nur die Gelegenheit geben, ungestört und nach Herzenslust zu plaudern«, vermutete Agathe lächelnd.

»Da kennst du meine Mutter aber gut.«

»Kein Wunder, ich habe ja auch lange hier gewohnt, und es hat sich nichts verändert. Sogar die Dienstboten sind die gleichen geblieben.«

In diesem Moment trat Heinrich Mannfeld persönlich ein. »Haben die Damen einen Wunsch? Darf ich Ihnen einen Drink servieren?«

Fragend sah Elise Agathe an. »Was meinst du, trinken wir einen Absinth? In Erinnerung an alte Zeiten?«

»Eine hervorragende Idee«, befand Agathe. »Auch wenn er nie mein Lieblingsgetränk geworden ist.«

»Meines auch nicht. Aber was tut man nicht alles für die alten Zeiten.«

»Wie lieb von euch, auch für Ludwig ein Taferl zu backen«, sagte Agathe später, als jede ihr Glas Absinth vor sich stehen hatten.

»Sehr gerne«, erwiderte Elise, »es hat sowohl mir als auch Corbinian, der endlich mal wieder ein Model schnitzen konnte, viel Freude bereitet.«

»Bevor ich es vergesse, ich soll dir noch ein ausdrückliches Lob von Richards Mutter aussprechen, sie liebt Wilhelms Weiße.«

»Das freut mich«, strahlte Elise. Lange hatte sie auf die richtige Eingebung gewartet für den Lebkuchen, den sie ihm widmen wollte. Und letztes Jahr hatte sie die zündende Idee gehabt: Wilhelm liebte weiße Lebkuchen. Also hatte sie so lange an einem Rezept gearbeitet, bis sie eine Kombination gefunden hatte, die ebenso saftig war wie der Elisenlebkuchen und dennoch ganz hell. Als beim Teig sowohl die Konsistenz als auch die Farbe stimmte, hatte Corbinian ein Model hergestellt, in dem die dünne Marzipandecke des Lebkuchens geprägt wurde: WW. Wilhelms Weiße waren geboren.

»Auch die schöne Blechdose gefällt meiner Schwiegermutter besonders gut, deshalb verschenkt sie auch so viele davon.«

»Ja, die war Mutters Vorschlag«, erklärte Elise, »sie wollte unbedingt, dass der Soldat auf der Fleischbrücke darauf ist, und den Deckel sollte nur das WW zieren. Corbinian und ich wollten, dass auf der Rückseite die alte Lebküchnerei Lusin gezeigt wird.«

»Also ein Familienwerk«, schmunzelte Agathe.

»Ja, aber bald muss ich auf meine Mutter verzichten.«

»Wieso das denn?«, fragte Agathe ganz besorgt. »Sie ist doch nicht etwa krank?«

»Nein, aber sie ist verliebt und wird wieder heiraten, und diesmal mag ich ihren Zukünftigen sehr.«

»Das freut mich ausgesprochen für Margarethe«, erwiderte Agathe. »Kenne ich den Glücklichen?«

Elise schüttelte den Kopf. »Nein, aber ich denke, du wirst ihn bald kennenlernen. Und das ist übrigens nicht der einzige Wandel, der ins Haus steht.«

»Und ich habe noch vollmundig erklärt, es sei alles so wie immer.«

»Das ist es ja auch. Noch.«

»Aber?«

»Nun, wir werden bald einen neuen Hausdiener und eine neue Hausdame brauchen«, sagte Elise strahlend.

»Sie gehen? Beide? Und da freust du dich?«, fragte Agathe begriffsstutzig.

»Da freu ich mich«, bestätigte Elise. »Für die beiden. Weil sie nämlich heiraten und ein kleines Hotel hier in Nürnberg führen werden.«

»Na, so was!«, rief Agathe überrascht aus. »Dann sind ja am Ende alle glücklich vermählt. Und aus der Lebkuchenprinzessin ist die Lebkuchenkönigin geworden.« Sie beugte sich vor, um ihr Glas in die Hand zu nehmen. »Dann sollten wir nun endlich anstoßen. Auf die Lebkuchenkönigin!«

Elise nahm ihr Glas ebenfalls zur Hand und lächelte der einstigen Zofe zu. »Auf ihre beste Freundin und unsere Männer und Kinder – auf die Zukunft!«

ENDE

Nachwort

Die Geschichte von der Erfindung des Elisenlebkuchens ist einer alten Sage nachempfunden, der zufolge die kleine Tochter eines verwitweten Lebküchners schwer erkrankte. Keine Medizin vermochte es, das Mädchen wieder gesund zu machen. In seiner Verzweiflung ging der Lebküchner schließlich in seine Backstube und backte, um die Heilkraft der Lebkuchen wissend, einen Lebkuchen nur aus Mandeln, Honig und Gewürzen, ohne Mehl. Die köstliche Medizin wirkte, das Mädchen wurde wieder gesund. Der Lebküchner aber stellte die Lebkuchen fortan dauerhaft her und benannte sie nach seiner Tochter: Elisenlebkuchen.

Im Laufe des Romans begegnen Elise und Agathe immer wieder mehr oder minder bekannten Persönlichkeiten und Familiendynastien. Zunächst den von Tuchers, die es tatsächlich gab, ebenso das bis heute existierende Tucherschlösschen. Die Liaison mit Eberhard Faber ist jedoch fiktiv. Auch der Verlobte von Agathe, Richard von Albedyll, ist eine historische Figur und war Teil des Regimentes, das tatsächlich in Nürnberg 1866 eingezogen ist. Seine familiären Verhältnisse entsprechen ebenfalls der Realität, Agathe jedoch ist ein Geschöpf unserer Fantasie. Auch bei Matthias Ebenböck und Philippe Suchard handelt es sich um historische Persönlichkeiten.

Einige Ereignisse haben sich tatsächlich so zugetragen,

wurden aber zeitlich der Handlung angepasst; so suchte die Jahrhundertflut Nürnberg erst 1909 heim, und die Gründung der Fabrik von Louis Oetker erfolgte erst in den 1870er-Jahren. Auch Clara Ehrlich, die Mutter von Else Dormitzer, lebte vermutlich erst später in Nürnberg. Die Ausgrabungen der königlichen Bäckerei in der Stadt Mari fanden erst 1933 statt. Die Schaukelbadewanne in dem Münchner Hotel hingegen entspricht der Realität.

Danksagung

Wie bereits bei unseren bisherigen gemeinsamen Werken erhielten wir jede Menge Unterstützung bei unserer Arbeit. Zuallererst ist hier Melanie Kunze zu nennen, die mit akribischer Recherche, grandiosen Ideen und packenden Vorschlägen intensiv zum Werden dieses Werkes beigetragen hat. Wir können es gar nicht oft genug betonen, liebe Melanie: Was wären wir ohne Dich! Danke, dass es Dich gibt! Ein herzliches Dankeschön auch an Ina Klompmaker fürs Korrekturlesen.

Für Eva-Maria Bast waren eine große Stütze und Freude auch dieses Mal wieder insbesondere ihre fünf wunderbaren Kinder, Thomas Bast sowie ihre Eltern Lena und Alfred Bast.

Jørn Precht erhielt zu Hause erneut Rückhalt von Erika Precht, Elias Konradi, Familie Precht-Aichele sowie Andreas Bühler. Auch in den auswärtigen Schreibdomizilen gab es Unterstützer, die geholfen haben: Martina Sturm und Marlis Konradi. Danke euch allen!

Und schließlich danken wir einmal mehr von ganzem Herzen unserer wunderbaren Agentin Anna Mechler, die uns 2017 Diana Keller vorgestellt hat, unsere kreative und inspirierende Lektorin.

Erneut danken wir unserem klugen Redakteur René Stein.

Liebe Leserinnen und Leser, nun bleibt uns nur noch, Ihnen viel Vergnügen zu wünschen bei der Zeitreise ins Nürnberg des vorletzten Jahrhunderts. Wir haben uns bei unserer Recherche in die Lebkuchenstadt an der Pegnitz verliebt und hoffen, Sie haben beim Lesen etwas von dieser Begeisterung gespürt.

Herzlichst,
Eva-Maria Bast und Jørn Precht
alias Romy Herold

Literaturempfehlungen und Quellen:

BR: Br.de: Christkindlesmarkt

Tradition statt Kitsch – seit 1628. URL: https://www.br.de/franken/inhalt/kultur/christkindlesmarkt-nuernberg-tradition100.html. Abgerufen am 20.11.2021

Braun, Jakob: Die Nürnberger Lebkuchen. Praktische Anleitung zur Herstellung aller Sorten Lebkuchen nach Nürnberger Art. Nürnberg 1898

Döpper, Franz B.: München und seine alten Firmen. München 1988

Hipp, Klaus: Das Lebkuchenbuch. Berlin 2015

Jungbluth, Rüdiger: Die Oetkers. Geschäfte und Geheimnisse der bekanntesten Wirtschaftsdynastie Deutschlands. Frankfurt / Main 2004

Kußka, Anja: Chronik des Nürnberger Christkindlesmarktes. URL: https://web.archive.org/web/20070607062745/http://www.erlangerhistorikerseite.de/kusska/chronik.htm. Abgerufen am 20.11.2021

Mit Markenpolitik zum Erfolg. Suchard Geschichte. URL: https://www.suchard.at/geschichte. Abgerufen am 19.11.2021

Welserin, Sabina: Das Kochbuch der Sabina Welserin / hrsg. von Hugo Stopp. Mit einer Übers. von Ulrike Gießmann. Heidelberg 1980

Wolf, Helga Maria: Weihnachten. Kultur und Geschichte. Wien – Köln – Weimar 2005

Eine Familiensaga so samtig-süß wie Marzipan – wer kann da schon widerstehen?

512 Seiten. ISBN 978-3-7341-0971-3

Nicht nur des unwiderstehlichen Marzipans wegen kehrt Dora Hoyler 1921 nach Lübeck zurück. Seit ihr Vater die Familie verschuldet zurückgelassen hat, ist die Hansestadt auch Doras letzte Hoffnung auf Arbeit. Sie erhält eine Anstellung im Süßwarenladen ihrer Tante und lernt dort kunstvolle Kreationen aus Marzipan zu formen. Ihr Talent versetzt ganz Lübeck in Aufruhr und erregt bald auch die Aufmerksamkeit von Johann Herden, dem Erben einer bekannten Marzipan-Dynastie. Dora verliebt sich in ihn, doch sein Zuhause, das malerische Schlösschen oberhalb der Trave, entpuppt sich als Hort dunkler Geheimnisse …